DATE DU

ETAPA FINAL DEL ATAQUE
BRITÁNICO CONTRA EL CASTILLO
DEL MORRO DE LA HABANA (1762)

Cuadro original de Dominic Serres
(Cortesía The British Museum)

CUBA:
ECONOMIA Y
SOCIEDAD
6

Edición al cuidado de Francisco Gordo Guarinos

Cartografía: Vicente G. Matarredona

Depósito Legal: M. 4741-1976

I S B N: 84 - 359 - 0128 - 9

Printed in Spain

Impreso en España

Editorial PLAYOR, S. A.
Santa Polonia, 7. Madrid-14

Impreso en el complejo
de Artes Gráficas
MEDINACELI, S. A.
General Sanjurjo, 53
BARCELONA-25 — ESPAÑA

LEVI MARRERO

Ex-Profesor de Historia Económica de
Cuba en la Universidad de La Habana

CUBA:

Economía y Sociedad

DEL MONOPOLIO HACIA LA LIBERTAD COMERCIAL (1701-1763) (I)

*Es preciso estudiar nuestra historia como pue-
blo, mirándola desde el pasado hacia el presente... encadenando pacientemente todos los
eslabones dispersos y atendiendo a la formación de nuestra personalidad [nacional] cuya
existencia justifica la independencia.*

Felipe PICHARDO MOYA

*Se debe ir a la historia con una enorme y agu-
da curiosidad de ver el ayer en todas sus fa-
cetas, pero como el ayer fue, no como se qui-
siera que hubiese sido.*

Claudio SÁNCHEZ-ALBORNOZ

*La historia que de tiempo en tiempo no se re-
piensa va convirtiéndose de viva en muerta.*

José INGENIEROS

INICIAL

El período que cierra la edad media cubana *está delimitado por dos fechas históricamente significativas: lo abre 1701, cuando el establecimiento de la dinastía borbónica en España va a originar profundos cambios económicos nacidos de una nueva mentalidad afín al modelo francés, y lo cierra 1762, año en el cual una poderosa expedición británica logra apoderarse de la* llave del Nuevo Mundo, *cumpliendo el viejo sueño de Drake, frustrado dos siglos antes.*

Desde 1763 la apertura de Cuba al mundo, iniciada débilmente al comenzar la centuria, durante la Guerra de Sucesión Española, cuando se permitió el intercambio comercial con los franceses, sería un hecho irreversible. Pero los prerrequisitos del fomento, que en pocas décadas convertiría a Cuba en la más rica colonia de plantaciones del mundo, estaban ya dados. Los primeros 62 años del siglo XVIII, no estudiados en profundidad hasta hoy, fueron de sostenido crecimiento para Cuba, particularmente para La Habana, escenario de la actividad de una generación de emprendedores mercaderes, en su mayoría criollos, enriquecidos mediante la utilización de un instrumento económico de raíz local: la Real Compañía de Comercio de La Habana, tan calumniada como desconocida por la historia tradicional. Esta generación rica, audaz y poco escrupulosa en la mejor tradición del capitalismo de acumulación, sería la que encontraran los británicos y norteamericanos al frente de la sociedad y la economía cubanas en 1762. Con sus dirigentes más decididos se entendieron fácilmente. Entre ellos figuraban —se ha dicho—, los abuelos de los promotores de la economía liberal-esclavista que dominó la primera mitad del siglo XIX cubano.

Hemos querido definir este período que identificamos con el otoño de la edad media cubana (1701-1762) *por un rótulo aproximativo:* del monopolio hacia la libertad comercial. *Como hemos visto, la vida cubana, en los dos primeros siglos coloniales, estuvo determinada por la política exclusivista de los Austrias que relegaba a la acción bélica, o a la furtividad y al contrabando los contactos con el mundo exterior. El compromiso dinástico de Felipe V y las exigencias de la Guerra de*

Sucesión abrieron por primera vez los puertos de Cuba a las naves extranjeras. Francia vino a ser, en los años iniciales del Setecientos un aliado privilegiado, cuyas naves, hasta poco antes vistas con justificado temor, como enemigas, traerían ahora esclavos —la fuerza de trabajo esencial entonces—, y abastos esenciales, a la vez que cargarían, a buen precio de trueque, los frutos de la tierra.

La Paz de Utrecht, en 1713, cerraría el período francés mientras abría la inestable etapa británica. El interés insular, que no coincidía exactamente ya con el de la Corona, mantendría durante medio siglo contactos no siempre lícitos con los ingleses, particularmente a través de sus colonias de Jamaica y Norteamérica. La guerra abierta y el contrabando serían los modos diversos de manifestarse unas relaciones tan ventajosas como indispensables para Cuba. A la sombra de un nuevo espíritu que se iba abriendo paso en España, hasta amanecer en la Ilustración, Cuba fue desarrollando, junto con una capitalización más autónoma y líquida, una conciencia de las posibilidades insulares. Desde finales del siglo XVII la Corona había descubierto el carácter monopólico natural del tabaco habanero, que en las primeras cuatro décadas del Setecientos originaría especulaciones, riquezas para algunos, y revueltas sangrientas de profundo sentido popular. Fue entonces el tabaco, como producto de más entidad de la isla, el foco de interés que movería a la oligarquía comercial habanera a la creación de la Real Compañía de Comercio de La Habana, empresa destinada a sustituir como instrumento colectivo y predominantemente nativo, a los monopolizadores, individuales y peninsulares, del comercio de explotación del tabaco. Tales monopolizadores, mediante asientos con la Corona, lograron por breves períodos dominar, antes de 1741, los resortes claves de la economía cubana, dependiente de la producción y exportación del tabaco.

En los años finales del período, entre 1741 y 1762, la Real Compañía de Comercio de La Habana fue el motor dominante —aunque no exclusivo—, de la economía habanera. Como tendremos oportunidad de analizar, la Compañía no eliminó los viejos vicios del manejo de la producción tabacalera en perjuicio de los vegueros; sus dirigentes, y particularmente su primer presidente e impulsor original, no serían modelos de administradores, pero con todos sus fallos e irregularidades en la búsqueda de provechos personales, estos especuladores dieron paso a una realidad de la cual eran parte: la aparición de una clase comercial, plenamente capitalista. Estos comerciantes vendrían a representar intereses netamente diferenciados de los de sus asociados peninsulares. Así, cuando los vencedores británicos se apoderaron de los bienes de la Real Compañía en La Habana, los accionistas cubanos llegaron a negociar con el enemigo para recuperar —quizás si con exceso—, sus caudales, en perjuicio declarado de los accionistas no vecinos, *radicados en España. Estos* pérfidos habanos, *como les llamarían más tarde sus burlados asociados peninsulares, habían definido históricamente, por primera vez, sin proponérselo, la inevitable, aunque todavía lejana ruptura entre la isla y su metrópoli.*

Fue también en estas dos décadas finales de la edad media cubana cuando el núcleo comercial, integrado en gran parte por descendientes de la vieja oligarquía latifundista-ganadera, centrada en el Cabildo, logró acumular capitales en efectivo, relativamente cuantiosos, que retendrían en sus residencias habaneras. Cuando la inminencia de la caída de la capital en poder de los británicos se hizo evidente, estos habaneros principales movilizarían en carretas, hacia la seguridad de la tierra adentro, sus grandes cofres repletos de monedas de oro y plata. La denuncia de sus enemigos españoles, quienes les acusarían de haber dejado detrás, a merced de los vencedores, la plata del Rey, nos ha revelado en sus cifras impresionantes, la riqueza líquida poseída por el núcleo criollo dominante de La Habana, mentís definitivo a la versión tradicional de una Cuba miserable y económicamente estancada hasta la llegada de los ingleses, presentados como iniciadores mágicos de la movilización económica de Cuba que vendría aceleradamente tras la restauración del poder español en 1763.

Con la lentitud y las impredecibles situaciones creadas por los factores externos, que sólo dieron a Cuba 32 años de paz entre 1701 y 1762, podemos resumir, transcurrió uno de los períodos decisivos de la historia cubana. En estas seis décadas no sólo se afirmaron el tabaco y el azúcar como los grandes productos de la economía insular, sino surgieron también signos, quizás confusos todavía para sus protagonistas, de una identificación de los intereses cubanos, ajenos ya a los metropolitanos. En estos años también insurgirían los primeros rebeldes de la colonia: los vegueros —en tres ocasiones alzados—, por su derecho a la libre disposición del producto de su trabajo, y los esclavos de las minas de Santiago del Prado (El Cobre), que exigían mejor trato e insistían en su derecho a ser libres. De entre estos esclavos, retirados masivamente a los montes de la Sierra Maestra en 1731, armados y resueltos, saldrían poco después hacia Cartagena y Nueva España, arrancados de su tierra por el vendabal de la violencia y la injusticia sus dirigentes, los primeros 32 exiliados cuyos nombres recogerá la historia de Cuba.

Sevilla, España - Guaynabo, Puerto Rico, 1977.

Leví Marrero

SIGLAS
UTILIZADAS EN ESTA OBRA

A.A.   — Documento cuya copia obra en el archivo personal del autor.
AEA   — *Anuario de Estudios Americanos.*
AGI   — Archivo General de Indias, Sevilla.
AHC   — Academia de la Historia de Cuba.
AHES   — *Anuario de Historia Económica y Social,* Universidad de Madrid.
AHM-AC   — Archivo Histórico Municipal de La Habana, Actas capitulares.
AHN   — Archivo Histórico Nacional, Madrid.
ANC   — Archivo Nacional de Cuba.
BAE   — Biblioteca de Autores Españoles.
BM   — British Museum, Londres.
BANC   — *Boletín del Archivo Nacional de Cuba.*
BN (Mss.)   — Biblioteca Nacional (Madrid). Sección de Manuscritos.
CM-RAH   — Colección Muñoz, Real Academia de la Historia, Madrid.
CSIC   — Consejo Superior de Investigaciones Científicas, Madrid.
EEHA   — Escuela de Estudios Hispanoamercianos, Sevilla.
EUDEBA   — Editorial Universitaria de Buenos Aires.
FCE   — Fondo de Cultura Económica, México, D.F.
HAHR   — *Hispanic American Historical Review.*
IPGH   — Instituto Panamericano de Geografía e Historia.
JNH   — *Journal of Negro History.*
RBC   — *Revista Bimestre Cubana,* La Habana.
R.C.   — Real Cédula.
RC   — *Revista Cubana,* La Habana.
R.D.   — Real Decreto.
REP   — *Revista de Estudios Políticos,* Madrid.
RHA   — *Revista de Historia de América.*
RLI   — Recopilación de las Leyes de Indias.
R. O.   — Real Orden.
R. P.   — Real Provisión.

CONTENIDO

3.

4

LA POBLACION

1

El siglo XVIII *señala el tránsito de una población «demográficamente primitiva» a una población moderna.*

J. VICENS VIVES

En conclusión, la isla de Cuba no puede pasar, y menos fomentarse, sin negros abundantes y baratos.

Bernardo J. URRUTIA
(1749)

La población de Cuba, que aumentó en el transcurso del siglo XVII de 20.000 a 50.000 personas, creció a un ritmo aun más rápido durante la centuria siguiente. En 1763, año que cierra el período que nos interesa, la población cubana se aproximaba a 165.000 personas, lo cual representaría una tasa anual de crecimiento de más del 3.6 %, o sea, más del doble de la del período anterior (1601-1700).

En Europa fue general en el siglo XVIII un marcado ascenso demográfico, del cual participó España.[1] La peste bubónica casi desapareció, y con ella las tremendas mortandades que segaban los posibles aumentos de población. Aunque no desaparecieron las epidemias, y sería la viruela el azote mayor del siglo XVIII, hubo un marcado ascenso poblacional. La llamada *demografía antigua*, signada por la trágica estabilidad numérica provocada por las mortalidades catastróficas, daría paso a la *demografía moderna*, identificada por un marcado aumento, nacido de la disminución de la tasa de mortalidad.

El notable aumento de la población de Cuba tuvo varias causas, pero podemos considerar como la más significativa la adaptación de las sucesivas generaciones criollas al ambiente insular y la inmunización de los adultos a dos de los más terribles azotes: la fiebre amarilla y el sarampión. Aun así, hay indicios válidos de una altísima tasa de mortalidad infantil. Aunque los pequeños expósitos de la primera casa de maternidad, constituían un sector atípico, al ser encargados de su crianza mujeres a quienes se pagaba 50 pesos al año por cada uno, resulta aterradora la cifra de 307 muertes de un total de 410 niños depositados entre 1711 y 1729, o sea, un 75 % de infantes. Entre 1727 y 1733, de 73 expósitos murieron 45, o sea, el 62 %.[2]

Otros factores que incidieron en el crecimiento de la población cubana del período fueron:

● La introducción en la isla de un mayor número de esclavos, tendencia que iría en aumento con los años.

● El aporte inmigratorio europeo, no muy numeroso, pero constante. Hubo un aumento en el número de las guarniciones y al mismo tiempo modestos esfuerzos de colonización sistemática, alimentados éstos en su casi totalidad con pobladores canarios, llamados antonomásicamente *isleños*, en Cuba, desde el siglo XVII.

La tasa de natalidad debió ser alta, de acuerdo con los datos que poseemos. La de mortalidad, que sería igualmente elevada, alcanzaría sus niveles mayores entre los párvulos y las dotaciones de esclavos de los ingenios azucareros.

Disponemos de una muestra: la tasa de natalidad en Santiago de Cuba, en los años de 1752 a 1755 fue de 50 × 1000, pero resulta interesante señalar que de los 2183 nacimientos registrados[3] en esos 4 años, el 75 % era de morenos y sólo el 25 % de blancos.[4] Como el padrón de familias integrantes de la población santiaguera, recogido por el Obispo Morell en 1758, da un total de familias blancas equivalentes al 38.7 % del total, advertimos que la tasa de natalidad era mucho más baja entre la población blanca que entre las familias de pardos y morenos, libres o esclavos.[5]

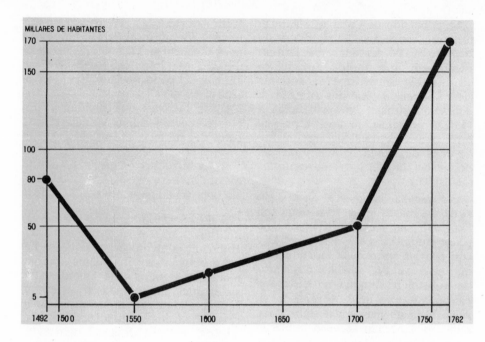

MILLARES DE HABITANTES

170 — 150 — 100 — 80 — 50 — 5

1492 1500 1550 1600 1650 1700 1750 1762

Gráfica del progreso demo-gráfico de Cuba (1492-1762)

a proporción, en las vegas de tabaco, en las estancias, en los tejares y en las demás posesiones del campo. Y si no vienen armazones, es consiguiente que se disminuyan los frutos.[6]

El primer padrón general y confiable de la población de Cuba lo hemos reconstruido sobre los datos incluidos en el informe enviado al Rey por el obispo Don Pedro Morell de Santa Cruz, quien realizara entre 1754 y 1757 la más completa visita pastoral cumplida hasta entonces por ningún prelado cubano, ya que abarcó desde Guane en el extremo occidental, hasta Baracoa, en el extremo oriente insular.

Las cifras de Morell arrojan una población total de 149.046 personas, de las cuales 50.000, o sea, el 33.5 %, vivía en el sector intramuros de La Habana e incluía la población flotante. Es posible que esta población resultara algo menor, pero considerando el crecimiento vegetativo de 6 años (1758-63) y los 4.000 esclavos que introdujeron los ingleses durante los meses que gobernaron La Habana, es conservador estimar en 155.000 personas la población de Cuba al cerrar el período en 1763.[7]

Si aceptamos que la composición

Identificamos dos elementos confirmativos del gran esfuerzo físico que se demandaba de los esclavos afectando su salud y acortando su vida. Uno es la frecuencia en que en los documentos se mencionan las quebraduras o hernias —potras, en la parla de la época—, entre los esclavos que se empadronan o venden; y otro, referido concretamente a las consecuencias fatales del excesivo trabajo físico requerido por las zafras, corresponde a un informe del gobernador Francisco Caxigal de la Vega, en 1752, referente a la demanda anual de esclavos:

La Isla necesita anualmente de 700 a 800 negros, porque no siendo estilo que en las haciendas se empleen en ambos sexos, como hacen los extranjeros en la América, para reemplazar con la procreación lo que pierden, se expe-

rimenta aquí atraso anual, y lo que enseña la experiencia es que un ingenio compuesto de 80 negros, se mueren 8 ó 10 a lo menos, y es necesario que su dueño compre para reemplazarse, como sucede,

Cifras

POBLACION ESTIMADA POR REGIONES MUNDIALES (1650-1750)

Año	Anglo-América	Africa	Mundo	Europa	Ibero-América	Oceanía	Cuba
1650			(millones de habitantes)				
1750	1	100	545	103	12	2	0.035
% de	1	95	728	144	11	2	0.140
cambio	0	—5	34	40	—8	0	300

FUENTES: Carr-Saunders, A. M., *World Population: Past Growth and Present Trends*, Oxford, 1935. Para Cuba estimados por el autor basados en documentos del AGI.

PAPELES Y POLILLAS

El Archivo eclesiástico desde el año 1729 en que falleció el Rev. Obispo Gerónimo Valdés se cerró con los papeles que contenía. Permaneció de esta suerte hasta mi arribo [1755]. Puede contemplarse como estará después de tan dilatado espacio y en tierra tan nutritiva de polilla, que en sólo un mes se vician los libros y papeles que no se manejan.

Dispuse se hiciera un inventario de los útiles, con separación de los que no lo estaban. Aquellos fueron pocos, y éstos tantos, que en carros se llevaban a quemar al campo.

Obispo Pedro A. MORELL DE SANTA CRUZ
(1757)
FUENTE: AGI. Santo Domingo, 534. (A.A.).

---

racial de la población no debió cambiar sustantivamente en sólo una década, podemos estimar la población cubana en 1763, constituida, como la de 1774, por las proporciones siguientes:

	%
Blancos	56
De color libres	18
Esclavos	26
	100.

1. LAS EPIDEMIAS

Los dos azotes mayores de la población cubana en el siglo XVIII serían la viruela y la fiebre amarilla, conocida ya como el vómito negro. Un proceso de inmunización que propiciaría el mismo mosquito transmisor, *Aedes egipti*, daba a los criollos una ventaja para sobrevivir a los períodos de extrema virulencia

de la fiebre, de la cual murieron en Cuba millares de europeos, recién llegados o con algún tiempo de residencia en el país: soldados y marinos, mercaderes, religiosos y, cuando se cerraba el período, centenares de soldados británicos, entre los cuales no faltarían soldados coloniales norteamericanos.[8]

La fiebre amarilla, que demoraría décadas en llegar a España, azotó a Cuba duramente, en varias ocasiones, durante los dos primeros tercios del siglo XVIII:

Año	Area afectada
1709	Remedios
1731	La Habana
1733	La Habana
1738	La Habana durante la estancia de la Armada de Pizarro.
1742	La Habana durante la estancia de la Armada de Rodrigo Torres.
1761	La Habana (Entre V y X murieron 3.000 soldados españoles).
1762	La Habana. Las tropas invasoras británicas y coloniales del Norte sufrieron grandes pérdidas durante el sitio y ocupación de la ciudad.[9]

La viruela estuvo presente en Cuba desde los primeros años coloniales. De la isla fue llevada entonces a México por un esclavo de Narváez, el que inició una destructora cadena de contagio que arrasó con un tercio de la población indígena mexicana.[10] La viruela vendría a ser en Europa el mayor azote en el siglo XVIII. En Cuba sus efectos fueron muy graves en las primeras seis décadas del siglo, y según los documentos del período, el principal agente de su introducción serían los esclavos traídos en número creciente. Para los estudiosos europeos era la viruela el máximo enemigo:

Se ha hecho... más universal que la peste, sin ser inferior a ella por los estragos que produce...

LA OMISION DE LOS PADRONES

...Uno de los trabajos que se padecen en este Nuevo Mundo es la omisión tan grande que hay en el cumplimiento de la Iglesia. Pocos párrocos se desvelan en empadronar y desempadronar exacta y personalmente a sus feligreses. Y muchos de éstos faltan a su obligación, estándose sin confesar y comulgar hasta pasado algunos meses del tiempo establecido, y otros no cuidan de hacerlo en todo el año, especialmente en los campos, donde hay un solo párroco y los partidos se extienden hasta 20 y 30 leguas de longitud, con caminos ásperos, ríos caudalosos y pasos agrios...

Que en cada año, antes de la Cuaresma, se empadrone la feligresía por el mismo cura o algún presbítero de satisfacción, anotando las personas casadas que viven separadas de su matrimonio, con expresión de las causas y de sus vecindades, y que al tiempo de la confesión y comunión se de a cada uno un sello en que se ponga el año y estas palabras: confesó y comulgó.[a]

a. Regla 10 de las incluidas en el despacho del Obispo Morell regulando las funciones eclesiásticas (AGI. Santo Domingo, 534. San Juan de los Remedios, 8-III-1755).

Obispo Pedro A. MORELL DE SANTA CRUZ
(La Habana, 9-II-1758).

Para los españoles sería

el Herodes de los niños... la guadaña venenosa que siega sin distinción de clima, rango, ni edad, la cuarta parte del género humano.[11]

La viruela,

regalo siniestro de Europa a los trópicos,[12]

sería enfrentada en Europa primero, y en América después, con un criterio más activo y previsor. Frente a la peste no hubo otro recurso que escapar, alejarse del área infectada. La viruela fue combatida desde el siglo XVIII con métodos precautorios. La inoculación preventiva había sido llevada de Turquía a Inglaterra desde 1721. En Cuba, aunque con resistencias nacidas de bajos intereses, aparecerían finalmente medidas previsoras, una vez reconocido el peligro que constituía la entrada de esclavos no sujetos a una cuarentena previa. Pero llegar a tal conclusión no fue fácil.

Entre los años en que la viruela produciría mayor número de víctimas figuraron:

Año	Area afectada
1718	La Habana. Muchos muertos entre los esclavos de la Factoría inglesa.
1730-32	Mas de 400 muertos computados en menos de 3 meses, en La Habana, parecen validar la información de algunos contemporáneos de que los muertos fueron más de 4.000.

A pesar de la indefensión ante las epidemias, y el terror que provocaba su aparición, los mercaderes entrenados en el contrabando, desafiaban el peligro ante la posibilidad de las ganancias. En 24-II-1722 el gobernador Guazo Calderón escribía al Rey sobre las medidas estrictas adoptadas ante la devastadora peste que asolaba a Francia, con cuyos súbditos, por tal motivo, se había prohibido todo contacto por R.C. de 5-XII-1720. Ante la actitud resistente de muchos vecinos, Guazo solicitó del clero dictara censuras y adoptó cuanta providencia pudiese conducir a

contener la codicia de los que en los pueblos de tierra adentro se

MUERTES EN LA HABANA (1-XI-1731 a 21-I-1732)

Registradas en:	Blancos		De color quebrado *		
	Adultos	Párvulos	Adultos	Párvulos	Total
Parroquial mayor	45	67	108	33	253**
Espíritu Santo	19	23	52	22	116**
Hospital de San Juan de Dios	1	—	34***	—	35
Totales	65	90	194	55	404

* Bajo el rótulo de *color quebrado* se incluían a los negros, mulatos, indios y mestizos.
** Víctimas de la viruela y otras enfermedades.
*** Incluía esta cifra 30 negros, 3 indios y un mulato. Todos los muertos en el Hospital fueron diagnosticados como casos de viruela.
FUENTE: AGI. Santo Domingo, 381 (A.A.).

emplean en comercios ilícitos y la de los mercaderes de esta ciudad, que procuran introducir en ella las ropas extranjeras que les compran, a pesar de los destacamentos de caballería e infantería que continuamente traigo empleados para embarazarlo; y aunque no se consigue en el todo, por la suma variedad de sendas intrincadas que hay en la confusa maleza de los montes por donde se encaminan, como más prácticos que los soldados.

Guazo hizo quemar un cargamento de ropa francesa, decomisado a 18 leguas de Santiago de Cuba,

por la sospecha de que pudiera traer alguna enfermedad, no obstante habérseme asegurado que hacía dos años estaba almacenada en el puerto de Leogan [Saint Domingue].[13]

La gravísima epidemia de viruelas comenzada en 1730, originaría una grave confrontación entre el gobernador Dionisio Martínez de la Vega y su teniente letrado. Este, al presidir el Cabildo en 18-I-1732, señaló a los capitulares que

el accidente de viruelas

que padecía la república, según habían sugerido diferentes personas,

provenía de los negros que introduce el Real Asiento,[14] y que de ello se había originado la muerte de más de 4.000 personas, por lo cual tenía por conveniente el que dichos negros hiciesen cuarentena con separación de la vecindad.

El Cabildo aceptó la propuesta y la elevó al Gobernador, quien opinaría de otro modo. Según sus noticias solamente habían muerto 404, según certificaciones que solicitara, y como el día 22-I-1732 llegara una fragata del Asiento inglés, ordenó al segundo protomédico reconociese a los esclavos. Ninguno pareció enfermo, por lo que Martínez de la Vega informó al Cabildo que no había

motivo de atribuir a la armazón de negros la epidemia de viruelas que Dios ha sido servido mandar.[15]

No había únicamente resignación cristiana en la actitud del Gobernador, sino un interés concreto:

evitar las perniciosas consecuencias que se ocasionarían a un puerto como este, si sonara semejante eco.[16]

Aunque el Cabildo fue forzado a aceptar la opinión del Gobernador, su teniente

sólo no ha querido persuadirse a lo que las diligencias desengañan; pretendiendo el que este accidente, que es general y ordinario..., proviniese de afuera...

Ante la

terquedad y porfía

de su segundo, Martínez de la Vega elevaría al Rey copia del auto que dictara en 23-I-1732, en el que recogía sus opiniones sobre la epidemia, fundadas sin duda en el informe del segundo protomédico:

...El accidente de viruelas... no se debe reputar ni tener por peste, por ser ordinario y natural el que se dé a todos los individuos... El haberse experimentado alguna gravedad en estos tiempos proviene de la desigualdad del temperamento de estos países, de la mala estación del año y de los muchos que no se padecía en esta república, que es el motivo principal de que haya habido tantos pacientes cuando ...se había de nuevo producido.
...Se hace patente que mucho más que para quejas es motivo de dar gracias a Dios, pues aun con tan nocivas cualidades y siendo el número de enfermos mucho, sólo se ha experimentado que sea la mortandad de 404 personas de todas edades, accidentes y estados... con notable diferencia de las... islas de Barlovento y costas de Tierra Firme de ambos Reinos [Perú y Nueva España] en que ha sido el

estrago con grandes ventajas mayor...

El número de muertes en La Habana, que Martínez de la Vega consideraba bajo, provenía

no sólo de las viruelas, que es accidente que comprende a solo niños y algunos mayores que casualmente han quedado sin ellas en sus primeros años, sino también de vómito negro [fiebre amarilla] y otras enfermedades de conocido contagio y más perniciosas a la república...

Señalaba el Gobernador como más generales el sarampión, que azotó a La Habana en 1727, y otras enfermedades

que comúnmente se padecen todas las primaveras por influencia de las constelaciones...

La viruela, insistiría,

ni en todo ni en parte depende de la introducción de negros, pues siendo esta contínua de muchos años hasta el presente, han pasado más de 7 sin que se experimenten viruelas...

El Gobernador haría responsable de los temores generalizados y aceptados por su teniente, aparentemente, al primer protomédico Dr. Francisco Thenesa, personaje polémico y obstinado, pero defensor indudable de la salud pública. Estimaba que la petición de cuarentena

no puede tener otro motivo que la facilidad con que el vulgo ciegamente hace arbitrio de sus antojos, arrimándose a cuentos, oídos y sugestiones de Don Francisco de Thenesa, sin la precisa sindéresis y reglas de prudencia para sentar el juicio en materias de tanta gravedad...

Preocupaba particularmente a Martínez de la Vega el que

cualquier novedad pueda fomentar perniciosas consecuencias, como se experimentarían si el mal concepto de los que han ingerido semejante idea, tuviese fomento con alguna cautela pública que fomentaba Su Señoría, siguiendo el tema de que pueda provenir la epidemia de viruelas de alguna comunicación ultramarina, pues horrorizados abandonarían la solicitud de los negros, huyeran de su asistencia y compañía y aun los arrojaran, con inmoderada reducción. Y lo que más es aún, con mero impropio pretexto se dejara la comunicación de los demás puertos de esta América... y quedaría totalmente cerrado el puerto con tanto quebranto como puede considerarse [siendo tan] ... necesario este comercio, trato y comunicación...

Como argumento final esgrimiría el que en ningún puerto americano se había aplicado cuarentena a los esclavos recién llegados, para evitar la viruela.[17]

Las cifras aportadas por Martínez de la Vega confirman la violencia de la epidemia de viruelas, responsable de la casi totalidad de los 404 decesos registrados en 81 días. El total podemos desglosarlo así:

	%
Blancos	38.4
De color	61.6
	100.0
Adultos	64.1
Párvulos	35.9
	100.0

Lo que revela que la población de color, cuyo total resultaba inferior al de la población blanca, era más vulnerable. La tasa de mortalidad entre los párvulos resultaría igualmente elevada.

La absurda pretensión de Martínez de la Vega de ocultar la realidad, cerraba una etapa. Su sucesor, Güemes Horcasitas, hombre de gran sentido de gobierno, conocía bien el peligro del contagio variólico externo, y cuando en 6-IV-1739 llegó de Jamaica el bergantín *Sta. Clara*, del capitán John Willius, con 98 esclavos, y tuvo noticias de que había viruelas a bordo, ordenó un reconocimiento médico urgente. Jorge Kelly, cirujano del Asiento y el Dr. Ambrosio Medrano, segundo protomédico, advirtieron *viruelas maliciosas* en dos esclavos, mientras otros mostraban huellas de haberlas padecido. El capitán informó que todos se encontraban sanos al embarcar, pero que a la altura del Cabo San Antonio enfermaron. Las medidas acordadas en principio fueron:

● Llevar a todos los esclavos a una legua de la ciudad.

● Bañar a los que las hubieran sufrido ya.

● Los que aún no habían padecido viruelas pasarían de 15 a 20 días, separados del resto.

● Los que condujesen medicinas y víveres al campamento que los alojara las entregarían antes de llegar al paraje.

Tales prevenciones fueron sugeridas por los médicos Francisco Thenesa, primer protomédico, Joseph de Barrios, Juan José Alvarez Franco, Phelipe de Acosta y Joseph de Aparicio. Los funcionarios de la Factoría inglesa las aceptaron, de acuerdo con lo establecido en el Asiento, pero el previsor Güemes los citó nuevamente para indicarles sería mejor se los llevasen a todos, pues existía el peligro de que

las reliquias que retienen los que las han padecido lleguen a contagiar a toda la ciudad,

así como a la numerosa población de los campos e ingenios próximos, pues sería ésto posible si

por los aires se extienda la infección.

La orden de Güemes fue cumplida y la fragata regresó a Jamaica con su triste carga.[18]

Además de las epidemias de fiebre amarilla y de viruelas, los documentos locales mencionan brotes de rabia (Remedios, 1719; La Habana, 1725); sarampión (La Habana, 1737); fiebres malignas (La Habana, 1737)[19] y en 1754 aparecieron en La Habana unas

tercianas [paludismo o malaria] rigurosas; universal accidente en esta ciudad, pues todas las casas son hospitales.[20]

Además del paludismo, cobraban muchas vidas la tuberculosis y la lepra, enfermedad ésta que requirió desde el siglo anterior la separación permanente de sus víctimas. Cuando terminaba el período sufrió La Habana una de las más graves epidemias de fiebre amarilla, que iniciada en 1761, se prolongaría dos años, afectando tanto a los defensores españoles como a los británicos que tomaron la ciudad en 1762.[21]

2. LA POBLACION DE ORIGEN EUROPEO

La población blanca de Cuba, debió sumar hacia 1763 unas 84.000 personas, de acuerdo con la composición racial que arrojara el padrón de la década siguiente.[22] Este aumento se debería en su mayor volumen al crecimiento vegetativo de una población criolla, adaptada a su medio geográfico insular a lo largo de más de diez generaciones e inmune ya al más grave azote epidémico: la fiebre amarilla.

Hubo durante el período, como podría esperarse, aportes externos de distinto origen, tanto español como de otras naciones europeas, pero su número no sería cuantioso. El mayor número de inmigrantes identificados procederían de Canarias, atraídos por el auge del cultivo del tabaco, y cuya presencia continuaba una tendencia evidente ya en el siglo XVII. También se sumarían soldados llegados para la guarnición y en las sucesivas emergencias bélicas del período, muchos de los cuales se casarían y radicarían definitivamente en Cuba.

En los suelos arcillosos rojos inmediatos a La Habana se asentaron centenares de canarios cultivadores de tabaco, al punto de que *veguero* e *isleño* vendrían a ser con los años términos intercambiables. Mientras en España la recuperación demográfica era evidente, en parte por una menor emigración forzosa hacia los campos de batalla —reducida en Europa el ámbito de la presencia imperial española—, Canarias no dejó de ser considerada oficialmente superpoblada desde el Seiscientos, cuando se estableció la norma de demandarle a las islas el aporte de emigrantes a América a cambio de facilidades para su comercio trasatlántico. En la Cuba del Setecientos el interés marcadísimo de la Corona en la explotación del tabaco vinculó mucho más a los *isleños* con su cultivo. Entre las ventajas que alegaba la Real Compañía de La Habana se derivarían de serle confiada la venta de esclavos, en exclusiva, para la Isla, figuraba la que así serían ocupadas

tierras a propósito para la siembra de tabacos, con lo que serviría al Estado... y aun aumentar a los viajeros de Canarias, con darles esclavos instruidos en la labor a que se les desea inclinar.[23]

Uno de los núcleos canarios que forjaron un asentamiento rural próspero llegó a Cuba de paso, pues estaba destinado a poblar en el lago de San Bernardo y la bahía de Espíritu Santo, en Texas. El virrey de Nueva España, a quien estaban encomendadas las 15 familias, ordenó que no continuasen viaje, cuando ya estaban en La Habana, y con la ayuda del vecino y hacendado Esteban Severino de Berroa fueron establecidos como labradores en el corral de Sacalohondo, más tarde Wajay. En 1756, cuando los pobladores originales se habían multiplicado hasta sumar 286 personas, elevaron un suplicatorio para legitimar su condición de vecinos y poblar, bien bajo los auspicios del hijo de Berroa o por sí mismos.[24]

Documentos

LA COLONIZACION CANARIA

En respuesta a la solicitud del gobernador de Santiago de Cuba, Juan Varón de Chaves (26-XI-1702) el Consejo de Indias propuso al Rey, entre otras medidas destinadas a una mejor defensa de la ciudad:

Que de las familias de la obligación de las Islas de Canarias se remitan a Cuba [Santiago] 15 ó 20 para que pueblen la campaña del Castillo del Morro, concediéndoles V.M. para su alivio y conservación el que se les fabriquen casas para su vivienda fuera del Castillo... dando orden al Gobernador ...para que... les señale y de repartimientos de tierras para que las trabajen y cultiven con aquellos géneros y frutos que más convenientes les fueren, dando ...50 pesos a cada familia para que se puedan proveer de instrumentos y de lo necesario... costeándolo todo [la] Real Hacienda de la ciudad de La Habana.

Que les liberte V.M. de tributos... y derechos que debieren pagar de su labranza, crianza y manifactura por... 20 años... previniendo al Gobernador que luego... lleguen... los reciba por jornaleros para cualquier obra que hubiere que hacer, pagándoles lo mismo que a los demás que trabajaren en ella; y no habiéndola, les siente plazas de soldado en el Castillo, con la calidad de que los días que no estén de guardia puedan estar fuera y asistir a sus labores y labranzas. Y ...considerando el beneficio que reciben todos los vecinos, solicite algún servicio entre ellos para manutención de las... familias, que es la forma que se observó... en otra semejante ocasión en el paraje de Matanzas, en la propia isla.

Consejo de Indias (29-XI-1703).

a. Como retribución al derecho para comerciar con las Indias, se obligaba a los vecinos de las Canarias a contribuir con una cuota proporcional de pobladores para las Indias.

FUENTE: AGI. Santo Domingo, 324.

La adición de extranjeros a la población cubana continuó ininterrumpidamente. No se trataría solamente de soldados, como en el siglo XVI, o de los portugueses, predominantes en los dos primeros siglos. Su procedencia sería ahora más variada y el nivel de actividad y ascenso social de los extranjeros sería más elevado. A los Arango y Rey del Seiscientos, se sumarían entre otros, en el Setecientos, los fundadores de las familias patricias Luz, de origen portugués, O'Farrill y Duany, de Irlanda y Sigler, de Suiza.

La presencia de extranjeros fue siempre resentida por las autoridades metropolitanas, cuyas órdenes prohibitivas eran vulneradas. El Consejo de Indias recriminaría reiteradamente a los gobernadores por la facilidad con que se asentaban en Cuba los extranjeros, pero cuando ya llevaban años de residencia, la solución debió ser casi siempre la misma: el indulto mediante un pago en efectivo a la Real Hacienda. Muchos casos de extranjeros naturalizados en Cuba aparecen en los legajos del AGI. El capitán Agustín Bonificacio, oriundo de Grecia, pidió la *naturaleza* española en 1717, después de servir 46 años en La Habana, 14 de ellos como artillero en La Fuerza vieja. Llevaba 20 años casado y había comandado embarcaciones de corso. A cambio de la merced cedió al Rey el costo de una balandra corsaria que había equipado a su costa.[25]

Por R. C. de 20-X-1718 se apremiaba a todos los virreyes y goberna-

DON ANTONIO DE LA LUZ SE AVECINDA, COMO MERCADER, EN LA HABANA.

Entre los extranjeros radicados en La Habana en el primer tercio del siglo XVIII merece especial destaque don Antonio de la Luz, portugués fundador de una familia destinada a ser rica e ilustrada, y cuya cima humana resultaría el educador cubano por antonomasia: don José de la Luz y Caballero (1800-62).

De la Luz vino a las Indias en 1700, como segundo cajero de la factoría establecida en Veracruz por la Compañía Real de Guinea, con sede en Lisboa, previo asiento con la Corona de España que le encomendó el envío de esclavos africanos a partir de 1695. Al ser transferido el asiento a los franceses, continuó de la Luz en Nueva España hasta 1712, año en que pasó a La Habana, dedicándose al comercio. Su estancia en las Indias españolas estaba legalmente autorizada por las estipulaciones del asiento. Poco después de su arribo contrajo matrimonio con una habanera *principal*, doña María de Miralles, hija del capitán don Manuel de Miralles, francés avecindado en La Habana, y de doña Sebastiana Bravo de Acuña.

De acuerdo con las normas sociales de la época, doña María aportó al nuevo hogar una dote de 6.000 pesos, entregada por sus padres, previas las escrituras de rigor. La dote incluía los siguientes elementos:

	Pesos
Casas bajas de rafas, tapias y tejas, en la calle de la Plaza Nueva que sale a la Cruz Verde	2.176 1/2
Joyas de oro, perlas y esmeraldas	693
Una esclava *inglesa* con su hija de 4 años	500
12 cuadros	147
Muebles	377 1/2
Ropa	415
Un violín	15
Un harpa	16
En reales de contado	1.160
Total	6.000

Diez años más tarde el matrimonio, que ya tenía 3 hijos continuaba prosperando y su hacienda era reputada como de

mucho adelantamiento en fincas muy seguras.

Sobrevino entonces un grave inconveniente. Al dictar bando el gobernador Guazo Calderón contra la presencia de extranjeros dedicados al comercio, en cumplimiento de Rs. Cs. de 1718 y 1720, se concedió a Luz, como a otros extranjeros, un plazo de 4 meses para dejar La Habana. Ante el apremio pidió prórroga hasta el arribo de los próximos Galeones

para poder aviarme y disponer no sólo las providencias necesarias

para mi transporte de un viaje tan dilatado, sino para dejar asegurada la manutención de mi mujer, hijos y demás familia.

Mientras el Gobernador concedía la prórroga, de la Luz apeló la orden de deportación, presentando una extensa información con testimonios de vecinos que le acreditaban. El capitán don Diego de Daza, uno de los marinos mercantes más activos en la ruta La Habana-Sevilla, recibió su poder para apelar en Madrid. Finalmente en 27-IV-1723 le fue concedida por decisión real

naturaleza de estos Reinos para tratar y contratar en los de las Indias.

A cambio de ello debió *servir* con 200 pesos escudos de plata, más 5 pesos de media annata.

a. Los vecinos que testificaron en favor de Antonio de la Luz fueron Joseph de Villarreal, Miguel Gómez Algarín, Tte. Francisco de Morales, Sargento mayor Juan de Ayala Escobar, Pbtro. Juan Cordero, Capitán Joseph de Santa Cruz, Francisco Umpierre y Capitán Vicente de Oria.

FUENTE: AGI. Santo Domingo, 421.

---

dores a expulsar a los extranjeros no autorizados a residir en las Indias por el Rey, quien decía saber que en el Reino de Chile, solamente, había establecidos más de 1000, lo que hacía temer

...las perniciosas consecuencias que pueden resultar de que el número de ellos sea tan crecido en provincias donde su seguridad más fecunda es la lealtad y amor de mis vasallos que... las fortalezas que las guarnecen...

El Rey concedía excepciones, y ante la necesidad de conservar unos vecinos productivos y arraigados,

a los extranjeros que ejercieren oficios mecánicos... como... a los marineros que estuvieren empleados en mis navíos, y no tuvieren comercio, les permitáis vivir en ella, procurando con cautela... que no estén muchos juntos en un paraje... y que a todos los demás extranjeros, sin excepción de ninguno que no sean mercaderes, facto-

res o hagan comercio en cualquiera manera que sea..., aunque se hallen de asiento o de paso, casados o solteros, les obliguéis a que salgan indefectiblemente... dentro de los más breves y proporcionados términos.[26]

Dos años más tarde una R.C. de 5-XII-1720 reiteraba la orden e insistía en la presencia de extranjeros no autorizados. El gobernador, Brigadier Gregorio Guazo Calderón y

Testimonios

LA HERENCIA DE O'FARRILL, FACTOR DE LA COMPAÑIA DEL MAR DEL SUR

La Compañía del Mar del Sur nunca rindió los beneficios que esperaban sus promotores metropolitanos, quienes se quejarían de que en las Indias sus empleados aprovechaban en su ventaja las mejores oportunidades: Por disponer de relaciones, y sabedores de las necesidades locales, los factores tenían a su alcance posibilidades frecuentes de incrementar la hacienda propia. Don Ricardo O'Farrill, factor habanero de la Compañía, logró redondear una considerable fortuna, sumando a su salario proveniente de la Trata de esclavos, las ganancias que obtenía de sus ingenios y del comercio que promovía entre Jamaica y Cuba.

Como irlandés y católico, logró O'Farrill, fuera ya del servicio de la Compañía inglesa, autorización para avecindarse en La Habana en 1720, y por R.C. de 31-III-1730 se le naturalizó español. Poseía ya grandes riquezas en Cuba, cuando por real permiso se le concedió acabara

de traer de Jamaica el caudal propio que en parte ya había transportado, en negros, harinas, calderos de cobre y todo género de instrumentos de metal y fierro, pertenecientes al manejo y habilitación de sus haciendas.

El traslado no pudo realizarse entonces, pues O'Farrill murió poco después. Los bienes quedaron en Jamaica al cuidado de Juan Smit (sic), pariente cercano suyo. En 1751 los hijos del factor, Juan Joseph y Catalina O'Farrill, casada ésta con Pedro Joseph Calvo de la Puerta, pidieron una nueva autorización para traer a Cuba su herencia jamaicana, que estimaban en más de 60.000 pesos. Tras largo expediente, el Consejo de Indias aprobó en 1752 se llevase a La Habana el caudal, empleado en esclavos, harinas y aperos de labor para haciendas,

con las precauciones más seguras a evitar el más leve fraude y dolo y con el cobro de los derechos de la Real Hacienda.

Entre tales derechos se incluyó, por insistencia del Consejo, la cuarta parte adicional que correspondía al Rey por los esclavos, según el Convenio de Londres de X-1748, en virtud del cual la Corona de España pagó 100.000 libras esterlinas a Inglaterra, como compensación por los últimos 4 años que faltaban por cumplirse del Asiento de la Compañía del Mar del Sur.

FUENTE: AGI. Santo Domingo, 1131. (A.A.).

Fernández de la Vega ordenó se investigara a los extranjeros residentes en La Habana y sus contornos. Así se apremió en 21-III-1722 para salir hacia Europa en un plazo de 4 meses a los siguientes:

Portugueses:

Don Joseph Fernández Pacheco, caballero de Santiago;
Don Antonio de la Luz;
Don Phelis de Acosta Hurtado;
Joseph de los Reyes;
Juan Riveros;
Manuel de Acosta;
Juan de los Santos.

Franceses:

Francisco Bloquín;
Don Diego Portteli;
Don Gabriel Truín;
Juan Bautista Oretto;
Martín de Balaber.

Griegos:

Constantino Conturi y su mujer Magdalena Marsela;
Ambrosio Buru;
Valentín Volán;
Joseph Asensio.

Sin especificar:

Gabriel Palmero;
Francisco Bettilla;
Miguel Fermil;
Francisco Rafo;
Constantino de Anoriega;
Francisco Sesar y su mujer;
Francisco Viñas;
Marcos Servino.

En el auto de expulsión, Guazo hizo constar había en La Habana

otros extranjeros... por Real disposición, y los demás ejercen oficios mecánicos.[27]

Los Rs. Ds. de 20-X-1718 y 5-XII-1720 establecían la pérdida de bienes para quienes no cumplieran con la orden de expulsión.

En 1738 se produjo en La Habana otra indagación sobre los extranjeros. Esta fue consecuencia de una R.C. de 25-IV-1736 que demandaba se cumpliesen las regulaciones sobre extranjeros contenidas en la *Recopilación* y en la R.C. de 1720. Uno de los encausados fue Manuel de la Cruz, avecinado en La Habana y natural de Nerbi, en Génova. Alegaría se había casado con María de la Concepción Estebes, difunta, quien la dejó un hijo, y llevaba 15 años en *el ejercicio de la mar*. El antiguo marino se había asentado en los montes de Baracoa, a 6 leguas a sotavento de La Habana, en 17 caba-

● 9

llerías de tierra en las que fabricaba un ingenio de azúcar. Disponía de 12 esclavos y 8.000 pesos de caudal. Como vecino estaba alistado en un batallón de milicias. Pedía desde 1736 se le dispensase de los 20 años de residencia exigidos y señalaba como antecedentes los casos de otros extranjeros indultados en La Habana, por diferentes sumas, entre 1719 y 1723:

	Pago (pesos)
Manuel de Miralles (Francia)	500
Magdalena de Marcela (Venecia)	200
Constantino Cordura (Venecia)	200
Don Antonio de la Luz (Portugal)	200
Félix de Acosta Hurtado (Portugal) [28]	200

Otros extranjeros que habían tramitado su *naturaleza* en esos años fueron: .

1723. Gabriel de Streham, francés, residente en La Habana.
1725. Juan Francisco Arnauld de Courville, de Nancy, en los Estados de Lorena.
1728. Santiago Garvey, irlandés radicado en Santiago de Cuba.
1737. Juan Ingleby, inglés, quien abandonó a Jamaica por no renunciar a su fe católica.
1737. Don Manuel de Barrios, oriundo de la isla de Sta. María en las Terceras (Azores).
1737 Juan Bautista, Juan y Pedro Andrés Zolezi, hermanos, naturales de Final (sic), y vecinos de La Habana. [29]

El genovés Pablo de Spiritu, residente 7 años en La Habana, adonde llegó como marinero y artillero, se había casado con María de la Cruz y trocado sus trajines bélicos por el oficio de barbero y peluquero. Disponía en 1738 de un caudal de 6.000 pesos y servía en la milicia; prometía pagar 300 por su indulto, a la vez que alegaba estar protegido por las Leyes de Indias, por ser el suyo

oficio mecánico útil a la república. [30]

Documentos

LA FORTUNA DE LOS FORASTEROS

Siempre se escuchan quejas a la fortuna, de que los forasteros que llegan desnudos a la Isla, buscan caudal brevemente y los patricios se quedan pobres. Por ésto, los que están poseídos de la torpeza llaman madrastra a la patria, pero ella muestra su virtud en los traspuesos, y que la ridiculeza de los criollos nace de su inaplicación, pues si trabajaran como los forasteros, fueran con preferencia acomodados.

Dr. Bernardo Joseph Urrutia y Matos.
FUENTE: AGI. Santo Domingo, 1157 (Cuba: fomento de la Isla, fol. 23 vto.) (A.A.).

Fueron frecuentes las quejas contra estos forasteros que se enriquecían en Cuba y luego gestionaban su vecindad. Juan Baptista de Maestre, oriundo de Bardin, en Génova, pasó a Madrid en 1721 y vino a las Indias en la flota de la Nueva España en 1725. En 1752 llevaba más de 17 años en La Habana. A los cuatro de su arribo casó con Josepha de Miranda, habanera, y ya poseía una casa valorada en 6.000 pesos, en la calle de Mercaderes, *alias el Señor San Juan.* Cuando contaba con dos hijos y dos hijas, fue a Cádiz a gestionar su naturaleza. Poseía entonces un capital de 36.000 pesos, y le fue concedida mediante el pago de 100 pesos fuertes y 1.700 mvs. de media annata. [31]
En Santiago de Cuba la R.C. de 1736, publicada por el gobernador Pedro Ignacio Ximénez, fue inmediatamente suplicada por varios vecinos, de los cuales el más descollante era D. Ambrosio Duany, casado, con

8 hijos, y dueño de ingenio. Duany era natural de Sligo, en el Reino de Irlanda, y alegó la situación de especial consideración que en el régimen legal español disfrutaban los irlandeses, católicos y aliados, por R.C. de 28-VI-1701. Llevaba más de 20 años en Santiago y poseía valiosos bienes raices. Presentó copia de la información que había realizado en Madrid, probatoria de que era hijo legítimo de Juan Duany y María Falon, irlandeses ambos, y que hasta sus abuelos eran cristianos viejos, limpios e hijodalgos. En 1715 había casado con María Teresa de Albear, vda. del factor Don Pablo de la Rue e hija de Diego Albear y Dorotea de Rebolledo.
Protegido por Duany vivía en su ingenio de Yarayabo, Antonio de Herrera, irlandés de la ciudad de Galliway, quien se declaró fugitivo de las persecuciones religiosas inglesas. Era soltero y llevaba en el ingenio menos de 10 años. Otros irlandeses en Santiago, eran Juan Francisco Creagh y Juan Rodríguez Cavanagh, oriundo de Naterfourd. Como era frecuente, se les permitió permanecer a todos, si bien se le pidió a Duany probase no era comerciante.
En Bayamo, simultáneamente, fue investigado Esteban de Fuentes, vecino por más de 16 años, francés, casado con María Guevara

de una de las primeras familias

y con 5 hijos. Era médico. [32]
Los extranjeros, aun aquellos considerados más confiables por razones religiosas, como los irlandeses, no escapaban a las sospechas. En 1741 fue acusado de servir de práctico a las tropas de Vernon, en Guantánamo, el irlandés, residente en la

islα por muchos años, Juan Rodríguez Cavanagh, á quien le confiscaron 867 reales. Pudo probar finalmente su fidelidad a España.[33]

Pero la Corona no siempre cobraba a los extranjeros por indultarlos como inmigrantes clandestinos, sujetos a expulsión, según los méritos del caso. Hubo ocasiones en que se ayudó a extranjeros a radicarse en la isla, corriendo la Real Hacienda con parte de sus gastos iniciales. Así, en 14-X-1745, como parte del ramo de *extraordinarios* de la *data*, aparecen en las cuentas de la Real Caja habanera que se pagaron por mitad 800 reales a

José Chistian Bleber y Jorge Siglert, de nación suizos, reducidos a Nuestra Santa Fe Católica y que han jurado vasallaje, para fabricar casas en las tierras que se les señalaron en la villa de Guanabacoa, en calidad de pobladores.

En 23-XII-1745 se pagaron 400 reales a los también suizos Juan Valentín Moser y a su mujer María Luisa Bleber,

por vía de ayuda de costa para avecindarse en la villa de Guanabacoa, como unos de sus pobladores, por haber recibido el agua del bautismo y admitidos a la protección de S.M.[34]

En 1760 Joseph González, a quien se le agrega el alias de Ezequiel David, sin duda un hebreo a quien se declara converso a la fe católica y autorizado a radicarse en Cuba, solicitó del Rey autorización para llevar consigo un criado español y un hijo de tierna edad así como

cuatro baúles con ropas y trastos y libros y armas para su uso.[35]

Cifras

PADRON DE NATURALES DE EL CANEY EN 1731*

Alcaldes: Silvestre de Aranda y Manuel Argüello.
Regidores: Diego de Almenares y Manuel de Almenares.
Capitán: Pedro Argüello.
Alféreces: Juan Vicente de Aranda, Santiago de Mendoza y Juan Gerardo Montoya.
Pedro de Almenares, Pablo de Aranda, Juan de Argüello, Lázaro Alvarado.
Lázaro Carvajal.
Juan Miguel Durán.
Juan Antonio de Fromesta.
Manuel García, Francisco Gómez.
Francisco Macedo, Asensio de Mendoza, Luis Ignacio de Mendoza, Antonio Montoya, Juan Luis de Morales.
Alfonso Ortiz.
Pedro Patricio.
Antonio de Quesada.
Juan Ramos Díaz, Baltasar Rodríguez, Nicolás Rodríguez, Simón Rodríguez, Manuel Román.
Cosme Senteno.

* *Indios naturales* que poseían tierras de labor, según el Pbtro. Juan Rivera Arauz.

FUENTE: AGI. Santo Domingo, 520. (A.A.).

---

3. LOS INDOCUBANOS RESIDUALES

En el primer tercio del siglo XVIII había perdido Guanabacoa, definitivamente, su condición de *pueblo de indios*, en tanto que en Oriente sólo eran identificados con cierta reticencia como *indios naturales* algunos vecinos de San Luis de los Caneyes, sujetos a indudable mestizaje, y los indocubanos concentrados en el pueblo de San Pablo de Jiguaní, establecido con un expreso propósito segregacionista por los bayameses.

En San Luis de los Caneyes el vecindario se autoconsideraba indio.

El Pbtro. Juan Rivero Arauz, su pastor desde 1690, escribía al Rey en 1728 que había gastado en su Iglesia todo cuanto poseía, pues nada podían aportar los naturales:

He vivido con ellos en toda paz y quietud, sufriendo sus imprudencias e ignorancias, con paternal amor, pacificándolos en sus diferencias,

pero últimamente el nuevo *protector*, Francisco Portuondo, de Santiago de Cuba,

ha perturbado, sedicionando [al]... pueblo, influyéndolos con sus cavilaciones de calidad... los ha hecho olvidar el amor y respeto que me tenían.[36]

En 1731 insistiría Rivero en que era

la comunidad de los indios sólo en el nombre... por ser... toda su población de mulatos, grifos y demás mixtos.[37]

En cuanto a las condiciones personales de sus parroquianos, gobernados en lo secular por su propio cabildo, no le merecían mejor opinión; al referirse a las tierras que poseían 31 de ellos, insistiría en que el gobernador de Santiago les obligase a labrar

las muchas que tienen vacías... por ser ellos naturalmente más inclinados que a trabajar, a andarse vagueando por toda la isla, con varios pretextos, ya de correos, llevando y trayendo cartas, ya de rancheadores cogiendo cimarrones, ya de arrieros, con los que los alquilaban, ya alquilándose para cortar leña en los ingenios o ya de monteros.[38]

Rivero murió a los 75 años, tras 48 años de regir su iglesia y le suce-

LA POBLACION INDOCUBANA ORIGINAL
DE LA REGION DE BAYAMO

Caminadas 20 leguas de... Holguín hacia el S, llegué en 22-VI-1757 a la villa del Bayamo. Suponen algunos que este nombre era... el del cacique que dominaba toda la provincia... [y] que los pueblos de su dependencia se reducían a tres... Macaca, distante 3 leguas del Mar del Sur, era la capital donde el cacique residía, a excepción del tiempo que gastaba en la visita anual de su territorio. El segundo, Guisa, situado a 25 leguas al Oriente de Macaca; aseguran que el albergue de sus moradores eran unas cuevas subterráneas que se extienden hasta un cuarto de legua y terminan en el río Mogote. Hállanse en ellas varias curiosidades de utensilios y alhajas domésticas, primorosamente labradas, que causan admiración. El tercero no se nomina, sólo se dice que tenía su asiento en el mismo que ahora ocupa la villa y quedaba 3 leguas al W de Guisa y 22 de Macaca. Para engrosar la población de ésta, añaden que los españoles arrasaron a los otros dos y con sus vecindarios fijaron el pie en Macaca, y que aun con este refuerzo no excedían de 1.000 las personas que lo habitaban, a causa de ser reducido el número de los naturales de toda la provincia.

El proyecto, dicen, no subsistió por dos accidentes,... a saber, las hormigas [1517] y las viruelas [1518]. Aquellas se cebaban con tal acrimonia en los cuerpecitos de los recién nacidos, que les quitaban irremediablemente la vida. [Las viruelas] —hacían igual estrago en grandes y pequeños. Ambas plagas, en fin, pusieron en estado tan deplorable a la colonia, que fue precisa... su traslación. Ejecutose, según refieren, a media legua de distancia; muy corta parece para huir de dos enemigos tan terribles... Otros, más conformes a la credulidad, la retiran hasta 19 leguas, en el sitio Guabatuaba. Concluyen, por último, que no cesando el exterminio de los naturales y europeos, se repitió la mutación al lugar mismo en que el tercer pueblo indiano se hallaba y allí ha permanecido hasta el presente con el título de villa de San Salvador del Bayamo.

Obispo Pedro A. MORELL DE SANTA CRUZ
FUENTE: AGI. Santo Domingo, 534 (1757)
(A.A.).

dió su sobrino el Pbtro. Gregorio Mexía Arauz, como

cura doctrinero beneficiado del pueblo de indios naturales de San Luis de los Caneyes,

quien en 1752 se quejaba de no poder pagar ni los 2.500 mvs. del sacristán mayor, por ser el suyo el

curato más pobre que tiene toda la Cristiandad.[39]

Cuando en 1755 visitó El Caney el Obispo Morell, de paso para Santiago de Cuba, el número de familias era de 83 y el total de habitantes, 500.

Los vegueros que cultivaban tabaco en las tierras aluviales del hato de Vicana, en la jurisdicción de Bayamo, lograron una R.C. que les amparaba como *indios naturales*. Don Bartolomé de Aguilera, quien aseguraba ser su propietario, denunciaba en 1733 que con

malicia... han pretendido persuadir... que son indios naturales..., sin que ya pueda encontrarse en [la república de Bayamo] indio natural, por su total exterminio, y porque los que únicamente se hallan están retirados en el pueblo de San Pablo de Jiguaní, que dista 7 leguas desta... villa, donde tienen asignados por Rs. Ps. y Cs. de S.M., 14 leguas de latitud y más de 30 de longitud de territorio, para que en su distrito puedan libremente encontrarse cultivarlas y labrarlas y se mantengan de su usufructo, sin que otra persona alguna tenga intervención ni interés en dichas tierras.

En apoyo de Aguilera declaró el bayamés capitán y regidor don Diego de Berdecia, que

con la evidencia de haberlo experimentado en 4 años que ha sido alcalde, 3 ordinario y 1 de la Santa Hermandad... certifico ser cierto el que en esta villa no hay ningún natural que pueda intitularse indio, porque los que hay en esta jurisdicción están recogidos y avecindados en la nueva población de... Jiguaní.

El alcalde Joseph Ramírez ratificó lo anterior y agregó:

Los que hay de gente pobre son mestizos, mulatos y negros y muchos de ellos nacidos en otras partes... los descendientes de dichos indios en virtud de R.P. se hallan retirados en... Jiguaní... y aun cuando hubiera en esta villa algunos naturales se debieran retirar a dicho pueblo, como les está mandado.[40]

El protector de los indios de Bayamo, bachiller Juan Antonio Arragoces y Yenes, insistió en que los indios vecinos de Bayamo, Phelipe de Santa Ana e Ignacio Rodríguez, poseían información sobre tierras que les correspondían.[41]

La presunta presencia de indocubanos *por descubrir*, quienes vivirían en la *terranova de Santa Rosalía*, entre las ensenadas de Cochinos y Mayabeque, llevó al religioso Dr. Joaquín Rodríguez Gallo y a don Juan González de la Torre, a solicitar primero del Cabildo habanero y luego del Rey, la merced de las tierras mencionadas. Prometían convertir a los indios que encontrasen y a poblar de ganado el territorio. El Cabildo, que desde 1729 no podía mercedar tierras, se excusó, y la Corona pidió informes al gobernador Güemes Horcasitas, quien aseguraría en 25-V-1737 haber investigado

por todos los medios la certidumbre, y absolutamente ninguna [persona] me la da que haya tal población de indios naturales no conquistados ni convertidos, pues el ruido de tamboriles que se dice oía con frecuencia, si acaso fue así, es más cierto lo hiciesen algunos negros cimarrones de los muchos que, fugitivos, se internan por los montes inaccesibles e intratables, por ser paraje retirado, vestido de maleza y ásperas y montuosas quiebras, para ocultarse, donde se aseguran de ser sorprendidos de los ministros de la Hermandad.

Güemes recomendaba la no concesión de la merced real

porque está abastecida la isla superabundantemente de ganado vacuno y de cerda,

y porque, con razonable suspicacia,

siendo aquel paraje contiguo a la mar y tan retirado del tráfico común de las gentes, sería abrirle

a los ilícitos tratantes, una puerta más...

Estimaba el Gobernador que ningún particular debía poseer

sitios en la costa, y más estando tan retirados.[42]

En 28-VIII-1740 el propio Güemes informaba que la villa de Guanabacoa, fundada como pueblo de indios a mediados del siglo XVI, contaba con unos 800 vecinos, a los que consideraba

indios en tercera o cuarta generación, calificados de españoles.[43]

Cuando el Obispo Morell visitó a Jiguaní en 18-VIII-1756 escribió que

este pueblo era uno de los que había en tiempo de los indios, y por tal se ha tenido después, aunque raro es el que ha quedado del color de esa nación, porque a reserva de una familia que lo conserva, todas las demás son mestizas y 2 ó 3 blancas.

El pueblo, que contaba con ayuntamiento y un protector de indios, que vivía en Santiago, era habitado por 588 personas distribuidas en 188 bohíos. El estado de los vecinos *naturales* era miserable:

Las haciendas de consideración que hay... pertenecen a vecinos del Bayamo y de Cuba [Santiago]. Las restantes, de los naturales, son pocas y de corto valor por la desidia de que adolecen y que les hace vivir en tan gran miseria, que muchos no tienen ni aun para cubrir su desnudez.[44]

Los documentos confirman la preocupación constante de Madrid sobre los indios, particularmente en

cuanto a los derechos especiales que se les reconocían. Tal preocupación corría pareja con el desconocimiento profundo de la realidad indiana. Una R.C. de 9-XII-1737 pedía al gobernador informase

con justificación, si la población de la villa de Santa Clara es de españoles o indios y la calidad de gente que al presente tiene.

Tal información se pedía con motivo de una denuncia sobre la fundación, no autorizada, de un hospital y convento de San Francisco en Villaclara o Pueblo Nuevo.[45]

4. EL APORTE AFRICANO

El aporte de la población negra al auge demográfico y económico de Cuba, en las seis primeras décadas del siglo XVIII, fue considerable. Aunque carecemos de cifras totales, disponemos de indicios y datos suficientes para advertir que la cuantía de la población de raíz africana era en la Cuba del mediados del Setecientos muy superior a la admitida hasta hoy.

Además del crecimiento vegetativo, que nuevos datos permiten considerar relativamente alto, particularmente fuera del sector azucarero, el incremento de la Trata, por canales lícitos e ilícitos, aportó con relativa regularidad muchos africanos, que promediarían más de 800 anuales entre 1701 y 1763. Durante este período debemos diferenciar en el tráfico esclavista hacia Cuba cinco etapas de duración y caracteres distintos:

1) Etapa final del asiento de la Real Compañía de Guinea del Reino de Portugal (1696-1701).

2) Asiento de la Real Compañía Francesa de Guinea (1702-1712).

3) Asiento de la Compañía del Mar del Sur (1713-1750) que puso la Trata de las Indias españolas en manos inglesas, exceptuando los períodos de guerra.

4) Concesión de sucesivos permisos a la Real Compañía de Comercio de La Habana para conducir esclavos a Cuba y permisos a particulares (1741-1760).

5) Venta de esclavos por los ingleses durante su ocupación de La Habana (1762-1763).

Además de los esclavos introducidos por las Compañías o particulares autorizados, acrecentó el número de esclavos en la isla la actividad del *comercio privado*, o sea, el de los contrabandistas radicados en su mayoría en Jamaica. La situación de estos esclavos de *mala entrada* quedaría legalizada a través de los indultos que fueron autorizados en distintas oportunidades.

El último asiento portugués

El último asiento para traer esclavos a las Indias, firmado por la Corona española con traficantes portugueses, cubrió el tránsito del siglo XVII al XVIII. Correspondió a la Real Compañía de Guinea del Reino de Portugal, la que se comprometió a entregar en los distintos puertos autorizados 10.000 toneladas de africanos, o sea, 30.000 piezas de Indias entre 7-VI-1696 y 7-III-1703. Por cada tonelada recibiría el Rey de España 112 1/3 pesos escudos, según se había acordado con el anterior asentista, Porcio.

Hubo frecuentes quejas sobre el mal cumplimiento de la Compañía de Guinea, y en México hubo denuncias de que entre los factores portugueses figuraban judíos y protestantes.

En 1700 introdujo en Cuba la compañía portuguesa 100 toneladas de esclavos, equivalentes a 300 piezas o unas 400 cabezas. El 34 % fue entregado en Santiago de Cuba y el resto en La Habana. Los derechos, 90.273 reales, fueron pagados en Cuba.[46]

El nuevo siglo se inició con la llegada a La Habana, procedente de Guinea, de *La Galera de Gambia*, del traficante irlandés Patricio Bourne, quien alegó haber entrado de arribada forzosa. Trajo 40 piezas y se comprometió a pagar 300 reales de derechos por cada una, pero con el estallido de la Guerra de Sucesión fue dictada una R.C. de 24-VII-1702 que ordenaba el comiso de todas las propiedades de ingleses, alemanes y holandeses. Bourne perdió nave y esclavos. La Real Hacienda se benefició en casi 30.000 reales.[47]

La Real Compañía Francesa de Guinea

La vinculación iniciada con el siglo entre las coronas de España y Francia tuvo, entre sus consecuencias inmediatas la sustitución de los portugueses por franceses en las operaciones de la Trata. El nuevo asiento fue firmado entre el nuevo rey Felipe V y la Real Compañía Francesa de Guinea, constituída en 1685 y reorganizada por Luis XIV en 1701, año en que se firmó el asiento. Los dos mayores interesados serían ambos reyes —nieto y abuelo—, cada uno con el 25 % de las acciones de la Compañía. El máximo representante de la empresa en el Caribe sería el gobernador de Saint Domingue, Monsieur Du Casse.

Según lo pactado serían traídas a las Indias 4.800 piezas anuales durante 10 años (V-1702 a V-1712). Podemos estimar serían no menos de 64.000 cabezas, de cumplirse enteramente. Por cada pieza se pagaría a la Corona española 33 1/3 pesos. La mayoría de los esclavos traidos por los franceses procedían de Angola.

Felipe V, envuelto en una violenta lucha externa e interna, carecía del efectivo para la inversión en la Compañía, que le adelantó 600.000 libras a cambio de no pagar derechos por 800 de las 4.800 piezas anuales. El asiento establecía la exclusividad de la Compañía en la Trata, de tal modo que todo esclavo decomisado por las autoridades, por entrada ilegal, sería entregado a sus factores para ser vendido a beneficio de la Compañía, previa deducción de derechos y costas. Estos factores, radicados en los puertos destinados a la entrada de los esclavos, podían ser españoles o franceses, que en este caso serían tratados como súbditos españoles.

Entre las ventajas adicionales contenidas en el asiento figuraba la entrada de bastimentos para los esclavos, libres de derechos; los barcos del tráfico podrían salir de España o Francia para Africa y América y retornar a cualquiera de los dos países, pero en España solamente podrían desembarcar mercancías adquiridas con el producto de la venta de los esclavos, única mercancía con la cual podría comerciar en Indias la Compañía.

Debido al estado de guerra que existió durante la década de vigencia del asiento francés, se cree que, fuera de los primeros años, la Compañía no pudo entregar el total de los esclavos autorizados.[48] En la Habana la desorganización del abasto permitió al factor realizar operaciones ilícitas, trayendo esclavos de Jamaica e introduciendo grandes cantidades de mercancías de contrabando. El factor habanero, Monsieur Jean Jonchée, era simultáneamente agente del Rey de Francia, con el título de superintendente,[49] y sus funciones equivalían a las de un cónsul, pues representó activamente los intereses comerciales franceses. Jonchée fue una de las figuras claves habaneras en los primeros años del siglo y favoreció al desarrollo de la naciente economía tabacalera al facilitar el pago de esclavos con tabaco.

Entre 1702 y 1710, estando la factoría francesa a cargo de Jonchée, entraron en La Habana 81 navíos y otras embarcaciones francesas, sin contar las de guerra, corsarias y de arribada, pero más que esclavos traían mercancías de contrabando. Muchas de estas mercancías eran enviadas a la tierra adentro a cambio de los esclavos que introducían de contrabando desde Jamaica. Jonchée tenía agentes en Puerto Príncipe, Trinidad, Sancti Spíritus y otras localidades, donde

Un esclavo bozal, procedénte de Guinea. (Museo Antropológico de Madrid).

ingleses, holandeses y franceses... entran libremente a traficar... mercaderías de ilícito comercio y negros esclavos que dichos sustitutos le han remitido en cantidades gruesas... a... esta ciudad... por tierra... y... por mar en lanchas, canoas y otras embarcaciones... Está justificado que dichas remisiones vinieron de cuenta del... Factor... y del... gobernador... maestre de campo Don Laureano Torres y Ayala, con quien... tiene mucha alianza y unitiva, por ser su juez conservador [del Asiento]...

Se le acusó también de haber comerciado directamente con holandeses e ingleses, al enviar una balandra francesa con cueros y tabacos a Jamaica para obtener allí esclavos. Las dificultades para conseguir africanos llevó a Jonchée a revivir la esclavitud indígena, prohibida desde el siglo XVI. Según la pesquisa realizada en La Habana,

el capitán Pedro Gubert, natural de Nantes... del pacabot... *La Perla*, perteneciente a Monsieur Daniel Gach, vecino de Martinica..., entró en este puerto el 5-VIII-1710 cargado... de indios del Apalache que venía a vender a esta ciudad.

El juez pesquisidor, encargado de investigar la conducta del gobernador Torres, se incautó de la nave y de los géneros que traía, y a los

indios los repartió entre los españoles vecinos... para que los eduquen en los misterios de Nuestra Santa Fe y los bauticen, dándoles buenos tratamientos y tratándoles como a personas libres.[50]

Una de las razones que nos impiden conocer el número, siquiera aproximado, de los esclavos introducidos en la Isla, es que los derechos eran pagados por la Compañía en

Madrid, por sumas globales, en tanto que en Cuba se pagaban, por estos años, únicamente los derechos sobre los esclavos de *mala entrada*, sorprendidos y decomisados, y los acogidos a indulto por sus dueños, los cuales serían solamente una parte del total introducido clandestinamente.

El número de esclavos llevados a La Habana durante la primera década del siglo XVIII, bajo el asiento francés, fue estimado en unos 1.000 anuales por un diplomático inglés, enviado a Francia a negociar el traspaso del asiento a Inglaterra, quien advertía no incluía tal cifra

todos los que se han vendido fraudulentamente,[51]

pero advertía que si los franceses no vendían más era por carecer de suficientes esclavos.

El Asiento y la Compañía del Mar del Sur

Los ingleses habían reconocido el rendimiento económico del infame tráfico de esclavos desde los tiempos de John Hawkins,[52] y mientras libraban contra España y Francia la Guerra de Sucesión, no dejaron de sondear las posibilidades de obtener el asiento que disfrutaba Francia, como una de sus compensaciones a cambio de la paz. Cuando el sesgo de la guerra favorecía a Inglaterra, que emergería de ella como la primera potencia naval y comercial, tanto Felipe V como su abuelo Luis XIV utilizaron el asiento como una carta decisiva para la negociación de la paz. Ya en 1707 los ingleses ha-

ASSIENTO,
AJVSTADO
ENTRE
LAS DOS MAGESTADES
CATHOLICA,
Y
BRETANICA,
SOBRE
ENCARGARSE LA COMPANIA de Inglaterra de la Introducion de Esclavos Negros en la America Española, por tiempo de treinta años, que empezaràn à correr en primero de Mayo del presente de mil setecientos y treze, y cumpliràn otro tal dia del de mil setecientos y quarenta y tres.

Portada de un ejemplar impreso del Tratado de Asiento (1713), entre los soberanos de España y la Gran Bretaña (AGI).

bían redactado un proyecto de *Tratado de Asiento*. El *Asiento*, como vendría a ser llamado antonomásicamente, estuvo presente en todos los trámites diplomáticos entre los gobiernos de Londres y Madrid desde 1710 hasta 1750. La importancia histórica del *Asiento* ha sido definida así:

...En la primera mitad del siglo XVIII... el comercio de esclavos en las Indias españolas... hacía tiempo había dejado de ser materia

de política interna de España, y se había convertido en tema de la diplomacia europea.[53]

Durante las negociaciones de paz en Utrecht uno de los instrumentos firmados fue el *Asiento*, en cuyo texto, fechado en 26-III-1713, hace constar Felipe V de España que

habiendo terminado el asiento ajustado con la Compañía Real de Guinea, establecida en Francia para la introducción de esclavos negros en las Indias, y deseando entrar en esta dependencia la Reina [Ana] de la Gran Bretaña,

aceptaba las 42 condiciones propuestas para el nuevo asiento,

condescendiendo y complaciendo en él, todo lo posible, a la Reina británica.

El nuevo *Asiento* seguía los lineamientos del anterior, con un cambio notable: regiría por 30 años. Como cada año se presumía la entrega de 4.800 piezas de Indias, el total programado sería de 144.000 piezas, que convertidas a cabezas de esclavos podrían alcanzar a más de 192.000 cautivos, como mínimo.

Una vez firmado el tratado, la Corona británica concedió la ejecución del Asiento a la recién creada, para este propósito, Compañía del Mar del Sur, que obtuvo así el monopolio de abastecer de esclavos a todas las Indias españolas, desde La Florida y el SW de la América del Norte hasta el cono sur de la América meridional.[54]

Felipe V de España resultaba beneficiado personalmente por el *Asiento*, ya que de los 4.000.000 de libras que constituían el capital de

Cifras
CÁLCULO DEL FINANCIAMIENTO, COSTOS Y RENDIMIENTO ANUAL DEL ASIENTO OBTENIDO POR LA COMPAÑIA DEL MAR DEL SUR

Esclavos	Destino de los esclavos y mercaderías de retorno	Capital requerido Pesos	Reales	GASTOS	Pesos	Reales
1.500	Portobelo y Panamá, en 6 viajes. Retornos a Jamaica en oro, moneda acuñada y también cacao para Veracruz, La Habana e isla de Trinidad	100.000	—	4.500 esclavos en Jamaica a 100 pesos c/u	450.000	—
				Manutención de los 4.500 esclavos en Jamaica durante 30 días	16.875	—
800	Cartagena, en 5 viajes. Retornos en oro, reales de a 8, bálsamo y zarzaparrilla	50.000	—	Derechos en Jamaica (4 pesos c/u)	18.000	—
				Comisión sobre la compra (4 pesos c/u)	18.000	—
				Fletes a los distintos puertos (6 pesos c/u)	27.000	—
					79.875	—
600	La Habana en 4 viajes. Retornos a Holanda, Hamburgo y Jamaica, en reales de a 8, polvo de tabaco y azúcar	50.000	—	Comisión o remisión desde los distintos puertos sobre 800.468 pesos al 1 %	8.004	5 1/4
				Flete al 1 %	8.004	5 1/4
200	Santiago de Cuba en 3 viajes. Retortornos a Holanda, Hamburgo y Jamaica en reales de a 8, polvo de tabaco y azúcar	17.777	4		16.009	2 1/2
300	Isla de Trinidad en 4 viajes. Retornos a Portobelo y Panamá, pagando los derechos al Rey al desembarcar y de allí a Jamaica en reales de a 8.	17.777	4	Costo de 800 esclavos para Buenos Aires a 60 pesos cada uno	48.000	
					593.884	2 1/2
500	Caracas y la costa [Tierra Firme] en 3 viajes. Retornos en cacao a Veracruz y de allí reales de a 8, cochinilla y añil a Jamaica.	40.000	—	Interés del capital de 355.555 pesos al 5 %	17.777	6
					611.662	
200	Veracruz en 3 viajes. Retornos en oro, reales de a 8, cochinilla y añil	15.000	—	Balance	534.542	1 3/4
100	Santo Domingo en 2 viajes. Retornos en reales de a 8, cueros y sebo	10.000	—		1.146.204	2 1/4
300	Come agua [Comayagua] de Guatemala en 4 viajes. Retornos en oro, reales de a 8, cochinilla, añil y palo de tinte.	15.000	—	**DISTRIBUCION DEL BALANCE**		
				1/10 por el seguro por represalias, optativo por la Compañía	53.454	1 3/4
800	Buenos Aires en 3 viajes. Retornos en reales de a 8 y cueros	40.000	—	4/10 para la Compañía, de los que se pagarán las siguientes sumas:		
				Derechos [al Rey de España] sobre 5.300 esclavos equivalentes a 4.800 piezas de Indias, de las que 800 son libres de derechos por el artículo 5 del contrato de Asiento. Sólo deben pagarse 4.000 piezas de Indias a 33 1/3 pesos	133.333	2 1/2
				Utilidad neta de la Compañía	80.483	4 1/2
					213.816	7
				5/10 para los contratistas	267.271	4
5.300		355.555	—		534.542	1 1/2

FUENTE: *Shelburne Papers*, Williams L. Clemens Library, The University of Michigan, Ann Arbor, Vol. 43, págs. 275-78. (A.A.).

la Compañía del Mar del Sur, él y la Reina Ana se reservaron suscribir un millón per capita.[55]

Otros puntos importantes del *Asiento* eran:

● De las 4.800 piezas que se llevarían anualmente a las Indias, el Rey cobraría derechos solamente por 4.000, a razón de 33 1/3 pesos. De cumplirse íntegramente lo convenido, hubiese cobrado la Corona española, en Madrid, 133.333 pesos anuales por derechos hasta un total posible de 4.000.000 de pesos aproximadamente en 30 años, sin incluir las utilidades personales del Rey derivadas del 25 % de las acciones de la Compañía, y pagaderas cada 5 años.

● La Compañía podía conducir los esclavos a cualquier puerto de las Indias en barcos ingleses y españoles, y venderlos por dinero o frutos. En este caso podrían conducir

INSTRUCCIONES DE LA COMPAÑIA DEL MAR DEL SUR A SUS FACTORES EN LA HABANA (1718)*

...Tomareis especial cuidado de los negros que lleguen a vuestras manos por cuenta de la Compañía, en cuanto a su salud, y los atendereis en todo lo posible en caso de enfermedad.

Debereis vender al contado todos los posibles, pero cuando haya absoluta necesidad de darlos a crédito inquirireis la habilidad y la honestidad de las partes, asegurando a vuestro juicio que sean puntualmente cumplidos los acuerdos, y muy cauto y circunspecto, de modo que la Compañía no sufra pérdidas.

A la llegada de cualquiera de nuestras embarcaciones con negros, por ser muy elevados los derechos, obtendreis las medidas mas largas que podais, pero en modo alguno a ningún costo extraordinario, por sernos inútil a menos que importemos más de 4.800 piezas de Indias anuales, lo que no nos proponemos por ahora.

Enviareis un certificado de los que mueran dentro de 15 días del desembarco y si han sido regulados, nos enviareis un certificado para poder deducirlos de las piezas... reguladas. No estamos obligados a pagar derechos por los que mueran dentro de los 15 días siguientes al desembarco.

Cuando los negros sean desembarcados enfermos, evitareis en todo lo posible sean regulados hasta después de 15 días, para evitar las dificultades y costo de esa cuenta.

Llevareis cuenta regular y exacta de qué negros vinieron en cada embarcación, cuantos hombres, mujeres, muchachos y muchachas y sus edades, y cómo se dispuso de ellos, a quienes y a qué precios, cuales a plazos y por qué tiempo y cuales por dinero contante; y se hará balance de los negros de cada embarcación.

Una cuenta semanal o mensual de dichos negros se verá por el Consejo de tiempo en tiempo a fin de asentarla en los libros generales de la Factoría.

* Instrucciones a Richard Farril [Ricardo O'Farrill] y Wargen Nicholson, factores, y a John Garrard, escribiente, en La Habana (South Sea House, Londres, 12-VI-1718). El escribiente era un empleado agregado a las factorías de la Compañía, y según estas instrucciones tenía como funciones "supervisar los negros, duplicar los libros, copiar las cartas y hacer todo lo que se le ordenase por los factores".
FUENTE: British Museum. Add. Mss. 25.563 (En Donnan, E., 1931, II, págs. 239-40).

los frutos recibidos a Cádiz o a Inglaterra.

● No se fijaba precios topes a los esclavos, con excepción de los destinados a puertos de la Tierra Firme, considerados más pobres, donde valdrían de 150 a 300 pesos pieza.

● La máxima ventaja inglesa fue la obtención del llamado *navío de permiso*, que abría a los mercaderes ingleses, aunque con limitaciones, el mercado indiano a través de las ferias de Portobelo.[56]

El *Asiento*, que rompió definitivamente el monopolio comercial de España en las Indias, sufrió interrupciones por las guerras —1718-20, 1727-29 y 1739-48—, pero tras cada período de hostilidades los ingleses lograron recuperar las pérdidas de la Compañía y restablecer sus operaciones. Por la Paz de Aquisgrán (1748), cinco años después de la fecha en que debió terminar el *Asiento* original, fue renovado por 4 años más, para cubrir parte del período de inactividad. En 5-X-1750, sin embargo, cesó su vigencia por mutuo acuerdo de los gobiernos español y británico, a cambio de una indemnización de 100.000 libras pagadas a Londres.[57]

La Trata en Cuba bajo el Asiento (1714-1750)

La Compañía del Mar del Sur adquiría la casi totalidad de sus esclavos de la Royal African Company, que operaba en Africa. Jamaica se convirtió en el principal centro de refresco, donde los esclavos eran desembarcados, descansados, curados y clasificados antes de ser distribuidos entre los puertos indianos, de acuerdo con la demanda existente en cada uno. Cuba, y especialmente la mitad oriental de la isla, quedó así situada estratégicamente frente a un enorme almacén de mano de obra que podía ser obtenida por la vía legal de los *factores*, o a través del trueque por mulas, cueros, azúcar o tabaco, productos bien recibidos por los *mercaderes privados*, como eran conocidos eufemísticamente en Jamaica los contrabandistas.

Según el plan maestro de la Compañía del Mar del Sur, Cuba podría absorber 800 esclavos anuales: 600 en La Habana y 200 en Santiago de Cuba. Inicialmente fue establecida una factoría en La Habana y fue encargado de ella el capitán Richard Farril,[58] quien años más tarde, convertido en Don Ricardo O'Farrill, caballero católico y nacionalizado español, sería el fundador de una de las familias de mayor distinción en la isla.[59] En 1717 ya funcionaba la factoría de Santiago de Cuba y a su

Cifras

CALCULO SOBRE LOS ESCLAVOS VENDIDOS EN UN AÑO EN CUBA POR LA COMPAÑIA DEL MAR DEL SUR *

Ciudad	Factores	Esclavos vendidos	Precio unitario (pesos)	Cargos en Indias	Valor total (pesos)	Recibido en mercancías
LA HABANA	2	600				
			280	42.000	168.000	126.000 pesos en polvo de tabaco.
SANTIAGO DE CUBA	—	200	280	14.000	56.000	42.000 pesos en azúcar y polvo de tabaco.

* Estimación hecha por los funcionarios de la Compañía s/f.
FUENTE: *Shelburne Papers*, Williams L. Clemens Library. The University of Michigan, Ann Arbor. Vol. 43, pág. 277 (A.A.).

cargo estaban los señores Cumberlerge y Walsh.[60]

Una de las primeras medidas tomadas por O'Farrill fue denunciar al factor francés Jonchée, logrando su arresto y el comiso de las propiedades de la factoría de la Real Compañía de Guinea, bajo la acusación de haber continuado llevando esclavos a Cuba después de 1-V-1713. Según cifras de la Real Contaduría habanera había vendido Jonchée después de esa fecha, 586 esclavos, y alegaban los ingleses que, a precios tan bajos, que perjudicaban su mercado. El gobernador de Cuba, actuando como juez conservador del Asiento, decomisó los esclavos en favor de la Compañía del Mar del Sur.

Los franceses alegarían que tenían derecho a introducir esclavos libremente hasta 3 años después de cumplidos los 10 años de su asiento, pero tal concesión estaba cancelada por el artículo 18 del *Asiento inglés*.[61]

La factoría habanera, que debió estar muy activa, tenía en 1718 dos factores: O'Farrill y Wergent Nicholson a quienes auxiliaba el escribiente John Garrard. Fueron muchos los esclavos criollos de Jamaica traídos

Cifras

COSTO Y UTILIDAD MEDIOS POR ESCLAVO VENDIDO POR LA CIA. DEL MAR DEL SUR EN LA HABANA

	Pesos de 8 reales	%
Costo de un negro en Jamaica	120	48.0
Flete hasta La Habana	5	2.0
Cargos portuarios en La Habana	1	0.4
Renta del barracón	1	0.4
Vigilancia	1/2	0.2
Gastos menores permitidos por el contrato	1 1/2	0.6
Médico y medicinas	2	0.8
Provisiones hasta ser vendido, a 2/3 real diario	1/2	0.2
Comisión del Factor al 4 %	10	4.0
Derechos del Rey de España	33 1/2	13.4
Salario a los abogados, procuradores y alguaciles, costo de autos y otros gastos de pleitos, entierros de negros, computados moderadamente por cabeza de negro en	5	2.0
Utilidad media por venta de cada negro en La Habana	70	28.0
Precio neto medio por cada esclavo vendido en La Habana por frutos o dinero	250	100.0

FUENTE: *Shelburne Papers*, Williams L. Clemens Library, University of Michigan, Ann Arbor (Vol. 43, págs. 150-51) A.A.

a Cuba. El gobierno español hacia 1722 exigió se trajesen únicamente bozales, pues los criollos, o residentes por mucho tiempo en Jamaica, podrían contaminar de herejía sus dominios.[62]

La primera interrupción del *Asiento* sobrevino entre 1717 y 1720, por guerra entre España y Gran Bretaña. Los ingleses insistirían en que el *Asiento* era neutral y que sus operaciones debían continuar, lo cual lograron por medio de pretextos y del contrabando. Al restablecerse las operaciones en La Habana quedaron a cargo de los factores Nicholson, James Calden y John Gerrald.[63]

Además de los esclavos llevados mayoritariamente a Cuba desde Jamaica, otros lo fueron desde Barbados, mediante un sistema de autorizaciones por la Compañía a individuos que llevarían en un único viaje, contratando, una cantidad fija de esclavos. Por tal autorización pagarían un indulto, en base del número de *piezas* que condujeren. Por cada *pieza* llevada a Cuba percibiría la Compañía 100 pesos de indulto. Se estimaba en este caso como *pieza* todo esclavo de 16 años o más y las esclavas de más de 12 ó 13 años. La proporción para los de menor edad sería:[64]

	Por pieza
Niños de menos de 6 años	2 o 3 x 1
Muchachos de 6 a 16 años	3 x 2
Muchachas de 6 a 12 o 13 años	3 x 2

En la complejidad de sus rutas dentro del Mediterráneo americano, aparecieron barcos de las Colonias inglesas del Norte, que llevaban ocasionalmente esclavos a Cuba. Los directores de la Compañía aceptaron la sugerencia de los factores de Panamá para enviar desde allí a Cuba partidas menores de esclavos, en *barcos del Norte*, que iban de regreso hacia sus puertos de origen y cobraban solamente de 4 a 6 pesos por cabeza transportada. Con ello quedaban libres, para sus operaciones de retorno, las naves de la Compañía. En 1724 sabemos fueron enviados de Panamá a La Habana 60 esclavos en el bergantín *Sea Nymph*.[65]

Las operaciones de la Compañía del Mar del Sur sufrirían una segunda crisis con la guerra anglo-española de 1727-28 que terminó con el Tratado de Sevilla. Desde 1726 era notoria la presencia de fuerzas navales inglesas en el Mediterráneo americano, y al temerse un ataque a Cuba fue enviado preso el factor O'Farrill al Castillo del Morro, e intervenidas las factorías de La Habana y Santiago. La nueva paz no resolvió los problemas del Asiento. Mientras los españoles denunciaban el contrabando auspiciado por la Compañía, los ingleses respondían que cualquier reclamación estaba cubierta por las propiedades y esclavos

Cifras

ESCLAVOS RE-EXPORTADOS DESDE JAMAICA (1701-60)

1701-10	8.800
1711-20	24.900
1721-30	33.200
1731-40	27.000
1741-50	14.500
1751-60	11.100
Total	119.500

FUENTE: Curtin, Philip D. (1969) pág. 26.

decomisados a los ingleses y vendidos durante las hostilidades.

Los datos ingleses indican que entre 1727 y 1730 solamente habían vendido 5.000 *piezas*, o sea, el 26 % del total posible. En 1730 fue cerrada la factoría de Panamá y en 1733 la Compañía del Mar del Sur intentó renunciar al *Asiento*. Ambas coronas se opusieron. Si era posible que la Compañía ganase poco, o aun perdiese por la escasa venta de esclavos en algunos años y puertos, el contrabando al que el *Asiento* abría las puertas era algo a lo que Inglaterra no quería renunciar.

Una de las mayores dificultades que los factores encontraban en Cuba era la escasez de dinero circulante, por la cual los vecinos preferían adquirirlos en trueque de tabaco y azúcar. Otra era la posibilidad de adquirir los esclavos a precios más bajos, en dinero o frutos, de los activistas del *comercio privado*, que se aproximaban subrepticiamente a la isla desde Jamaica. La Compañía sufría igualmente la deslealtad de algunos de sus factores y muchos de sus empleados que negociaban por su cuenta esclavos y mercancías introducidas en las naves que traían a los esclavos. Uno de los factores

sorprendido introduciendo esclavos fraudulentamente en Santiago de Cuba, debió apelar urgentemente a su colega de La Habana para que le enviase 1.500 pesos para completar el pago que le reclamaban las autoridades españolas.

Don Ricardo O'Farrill, aprovechando la experiencia adquirida como factor de la Compañía, utilizaría sus relaciones para llevar esclavos a Cuba, por su cuenta. En 1731-32 introdujo no menos de 204 *piezas*, y al morir adeudaba los derechos del Rey. Su albacea, Bartolomé de Ambulodi, saldó el adeudo en 1736.[66]

Dos opiniones se debatían en el seno de la Compañía del Mar del Sur sobre la forma de realizar el comercio de esclavos en Cuba. Hacia 1737 se indicaba en un informe interno, que en dinero solamente podrían venderse en la Isla, 400 esclavos anuales, pero que la alternativa de venderlos a cambio de productos —polvo de tabaco y azúcar—, era peligrosa y podría resultar en pérdidas considerables. Se acompañaban datos probatorios de que el azúcar habanero saldría puesto en Cádiz a un promedio de 24 1/4 reales arroba —mitad blanco y mitad pardo—, y rendiría al ser vendido allí, un tercio menos, una vez pagados los gastos, fletes y derechos.[67]

La actividad de los guardacostas españoles, con base en Cuba en su mayoría, en persecución de los contrabandistas ingleses, sería el pretexto de la guerra entre España y Gran Bretaña (1739-1748), la primera guerra identificada como de neto origen comercial, la cual los ingleses conocen como la *Guerra de la oreja de Jenkins*.[68] Este largo conflicto determinó, al cabo, el final del

Asiento. El enérgico gobernador de Cuba, Juan Güemes Horcasitas, embargó en 2-X-1739 todas las propiedades y caudales del *Asiento* en La Habana. España denunció el Tratado en 1740 y en plena guerra comenzó a otorgar permisos a particulares para conducir esclavos a sus Indias. Curiosamente, durante las hostilidades, muchos de los esclavos traídos a Cuba procedían de colonias británicas. Así, un funcionario de la Compañía del Mar del Sur informaba desde Jamaica, en 1748, que desde la vecina isla se había despachado a Cuba, en 18 meses, un total de 3.700 esclavos.[69]

Tras la Paz de Aquisgrán (1748), se acordó prorrogar el Asiento por 4 años más, pero Gran Bretaña se avino a renunciar en 1750 al resto del período a cambio de que la Compañía del Mar del Sur fuera indemnizada en 100.000 libras en lugar de las concesiones comerciales a las que aspiraba.

En los 30 años (1713-1743) que hubiese regido el Asiento inglés, de no haber mediado las interrupciones provocadas por las guerras, hubieran entrado en Cuba, legalmente, 24.000 piezas de Indias (18.000 por La Habana y 6.000 por Santiago de Cuba), según el programa original de la Compañía del Mar del Sur. Si concedemos un tercio de aumento al número de esclavos sobre el de *piezas*, el total hubiese ascendido a 32.000 esclavos. Todavía resulta imposible una reconstrucción medianamente confiable de las cifras reales. Los obstáculos para una cuantificación aceptable son varios:

● La Compañía del Mar del Sur pagaba sus derechos, globalmente, a la Corona, en Madrid.

ESCLAVOS A TRUEQUE DE AZUCAR

Tomamos nota de la venta de negros en... [Santiago de Cuba] en 150 o 200 anuales y de que se podrían vender muchos más a trueque de azúcar y tabaco, y hemos considerado vuestra propuesta de que ordenemos a nuestros agentes en Jamaica... para que os envíen un barco de 150 toneladas para ser cargado de azúcar por cuenta nuestra a Cádiz... Damos ahora, por vuestro estímulo para tal aventura, indicaciones a nuestros agentes en Jamaica para que os arrienden tal barco, en los mejores términos posibles y os lo envíen con la cantidad de negros que pidais, y una vez desembarcados éstos, lo cargaréis con azúcar... que consignaréis a los señores Braddyl y Horn, en Cádiz, con órdenes de venderla por cuenta nuestra. Despacharéis el barco evitando toda posible demora y daréis al maestre certificado que autentifique que los efectos embarcados son el producto de los negros, y también el registro autentificado de los efectos, tal como requieren los artículos 17 y 27 del Asiento.[a]

Cuidaréis particularmente que nada sea puesto a bordo sino el producto de nuestros negros, ni ningún pasajero español, por ser contrario al artículo 26.

No dejaréis de vender por falta de nuestros negros, pero debéis avisar siempre oportunamente a nuestros agentes en Jamaica, quienes tienen ordenado supliros cuantas veces lo pidais.

De Jamaica avisan nuestros agentes el retorno de la balandra *Neptune*, desde vuestra plaza, tras entregaros 96 negros en buen orden.

Los directores de la Compañía del Mar del Sur, a John Cumberlege y Peter Walsh, factores en Santiago de Cuba (Londres, 21-X-1717).

a. El artículo 17 permitía a los asentistas cargar los frutos obtenidos a trueque de los esclavos y si lo deseaban, enviarlos convoyados en las flotas. El artículo 26 precisaba que si tales frutos eran enviados a España, el capitán del barco debía entregar al ministro español un registro autentificado de su carga; si iba a puertos de la Gran Bretaña, la cuenta debía ser enviada a España.

FUENTE: Donnan, E. (1931), II, pág. 223.

● La Compañía, en cuyo Consejo directivo de Londres se sentaba un representante del Rey de España, ocultaba sus cifras, las cuales solamente conocía su subgobernador, quien la dirigía en la práctica.[70]

● El contrabando generalizado a través de la cayería del Sur de Cuba debió sumar un número considerable de esclavos, que escapaba a todo control.

● Aun cuando los oficiales reales de Cuba llevaban una contabilidad, en gran parte conservada, sobre las separaciones de los *derechos de esclavos* y de los *indultos de esclavos*, correspondientes éstos a los *esclavos de mala entrada*, su número debemos considerarlo muy superior al registrado. Aun así resulta elevado desde los primeros años del siglo.

Sobre el número de esclavos introducidos en Cuba, durante el período, poseemos algunas cifras orientadoras:

● Recién iniciado el Asiento fueron enviados 75 a Santiago de Cuba (1716) y 132 a La Habana.[71]

ESTADISTICA PARCIAL DE ESCLAVOS ENTRADOS EN CUBA FUERA DEL REGIMEN DE LOS ASIENTOS (1700-1757)

Años y períodos	Autorizados	De comisos	Indultados	Total
1700	250	20	—	270
1701-1705	53	12	856	921
1716-1720	—	10	—	10
1721-1725	—	—	90	90
1726-1730	—	7	770	777
1731-1735	269	1	120	390
1736-1740	—	80	—	80
1741-1745	401	54	—	455
1746-1750	452	16	726	1.194
1751-1755	—	11	11	11
1756-1757	2.181	4	1	2.186
	3.606	215	2.563	6.384

FUENTES: AGI. Santo Domingo, 500 y 504. Contaduría, 1154, 1162, 1163, 1164, 1165a, 1165b, 1181, 1182, 1183, 1184a y 1184b.

● Entre VII-1715 y II-1725 el número de *piezas* enviado a La Habana fue de 1.580 2/3, o sea, unos 2.000 esclavos.[72]

● Entre 25-VII-1730 y 24-VIII-1731 llegaron a La Habana 26 barcos del *Asiento*, con un total de 1.549 esclavos y partieron con carga de *frutos* destinada a Jamaica, Carolina, Filadelfia y Curazao.[73] Los esclavos fueron vendidos a 250 pesos cada uno, o sea, un total de 297.250 pesos; a cambio recibieron para su retorno 79.275 arrobas de polvo de tabaco, a 2 pesos arroba, o sea unos 160.000 pesos, además de algún azúcar y palo de tinte. Quedaba pendiente el pago de más de 200.000 pesos, a los que se sumaban las deudas que databan de hasta 13 años atrás.[74]

El aumento de la población esclava de Cuba durante el Asiento inglés parecía indudable a los habaneros. Al surgir la crisis bélica, escribía al Rey en 1740 el alférez Juan de Dios Urbano Fernández de Saa, vecino de La Habana, quien solicitaba se crease y se le concediese el oficio de *juez comisario del campo de la jurisdicción de La Habana*, que había un problema grave, pues se habían

declarado los ingleses por enemigos y tener esta isla tan empachada de negros, y en especial esta ciudad. Por haber conservado en ella tanto tiempo la factoría... han sido innumerables los que han introducido, y muchos de ellos de

su nación, por ser naturales de Jamaica...

Agregaba Fernández que casi todos los esclavos vivían en el campo, de donde debían traerse, en caso necesario, a defender la ciudad. Tal aumento de la población esclava lo vinculaba al fomento azucarero, pues había en

los ingenios muchos, y son cuantiosos, que los menos tienen 30, 40 ó 50.[75]

La denuncia de las factorías inglesas como un frente para ocultar el contrabando generalizado, la formularía en 1749 el Dr. Bernardo de Urrutia Matos:

Los factores, atentos a otras utilidades, traían los negros sólo para el título de sus navegaciones, y disimulaban la entrada de la costa, por donde mantenían correspondencias antes que les estrechase... Güemes Horcasitas, y aun se sospechó que marcaban clandestinamente los negros mal introducidos, a lo que no era capaz de resistir ningún factor británico por ser el primer objeto de su política la libertad del comercio, en que se daban la mano factores e introductores.

Aun sin eso se acortaba la venta de [esclavos por] los ingleses, por haber de pagárseles en plata... La poca plata hacía tener pocos negros; los pocos negros, pocos frutos y los pocos frutos, ningún caudal.[76]

La Real Compañía de Comercio de La Habana importa esclavos

La *Guerra de la oreja de Jenkins* 1739-48), que tendría el Oriente cubano como uno de sus escenarios, interrumpió el abasto de esclavos a través del *Asiento*. La Corona debió apelar al viejo sistema de los permisos, pero el vecindario de la Isla, en cuya mentalidad esclavitud y producción eran sinónimos, demandaba el arribo de esclavos en cantidades que las circunstancias no permitían. En La Habana, la presencia durante dos años de la Armada del General Rodrigo de Torres, con una dotación total de 5.000 hombres, requería abastos cuantiosos. Ante la crisis, Don Antonio Palacián Gatica escribiría al Rey, (16-VIII-1742), proponiendo una solución heterodoxa: ¿Por qué no autorizar la importación de esclavos de Jamaica, indispensables a los vecinos, y obtener 50 pesos de indulto para el Rey por cada uno? Palacián estimaba que la Real Hacienda podría percibir así 200.000 pesos,

para las precisas urgencias.

Podemos estimar así en 4.000 el número de esclavos requeridos en un instante en que, insistía, ante la situación apremiante debía

ceder la ley y la prohibición a la necesidad,

lo que pedía Palacián

con la ingenuidad y pureza correspondiente al celo que me mueve de que sólo podrá facilitar este arbitrio los negros que se necesitan, si al mismo tiempo de practicarse se haya de tolerar su intro-

ducción, con el disimulo que pide la necesidad y dictare la prudencia.

Y aunque esto trae consigo el inconveniente de haberlos de comprar de una nación enemiga, como la inglesa..., y ...comprados a 100 pesos cada negro, que es el precio regular a que se venden en la costa, podría llegar a 400.000 pesos lo que extraerían de esta isla para reforzar sus armas y hacernos mayor guerra, no obstante, balanceando este inconveniente con el de la necesidad de los frutos y falta de operarios, que no puede en el presente sistema remediarse de otro modo, parece que le contrapesa éste como más grave y de más fatales resultas, para que dirigiendo nuestra mayor atención a precaver... los daños mayores, que nos puede ocasionar la inminente extrema necesidad de frutos y falta de operarios, y abracemos este arbitrio como único remedio para la conservación de estos naturales y de una isla tan importante.[77]

El audaz proyecto habanero moriría en el Consejo de Indias, donde informó el Fiscal:

Nunca asintiría... a este arbitrio, antes bien se hace desestimable y aun reprensible semejante propuesta, porque además de que su práctica sería en desdoro de nuestra nación en las presentes circunstancias, se seguirían de esta tolerancia perniciosas consecuencias, dando lugar a que con este pretexto hubiese un abierto comercio con los ingleses.[78]

En Madrid no se había descuidado el tema de la Trata. En 1741 se había otorgado permiso para llevar 1.100 cabezas a Cuba, en dos años, a Martín Ulivarri Gamboa, a quien se fijó el precio de venta en 200 pesos por esclavo. La Real Compañía de Comercio de La Habana, que acaba de constituirse, logró que la contra-

ta de Ulivarri quedase bajo su control. El presidente de la Compañía Martín de Aróstegui, logró se le cediese el permiso mediante el reintegro de los 50.000 pesos anticipados por Ulivarri al Rey.

La situación creada por la guerra dificultaba y encarecía el tráfico. La Compañía logró otro permiso por 1.300 piezas de Indias, mediante un donativo a la Corona de 55.000 pesos. Al mismo tiempo se autorizó la venta a precios mayores:

	Pesos
Piezas de Indias	259
Mulecones	239
Muleques	199

Los esclavos procedentes de la Costa de Oro, que eran preferidos en el mercado habanero, podrían venderse a:

	Pesos
Piezas de Indias	280
Mulecones	250
Muleques	210

En el caso de haber sobrantes los precios autorizados eran:

	Pesos
Piezas de Indias	300
Mulecones	260
Muleques	220

El mutuo interés de españoles e ingleses en los beneficios de la Trata, hacía posible el comercio entre mercaderes de ambas nacionalidades, aun en medio de la guerra. Andrés de Rojas Sotolongo fue encargado por la Real Compañía para traer esclavos por el puerto de Batabanó, en 1743. Fue advertido de que debía traerlos de colonias francesas, no holandesas, y lógicamente, tampoco de las Antillas inglesas, por el estado de guerra existente. Rojas fue a buscar su carga a Port San Luis, en el Saint Domingue francés, pero eran realmente esclavos de Jamaica, donde el francés Miguel Du-

Cifras

ALGUNAS PARTIDAS DE ESCLAVOS LLEVADAS A LA HABANA ENTRE 1753 y 1759

Año	Recibida por:	Piezas	Cabezas	Derechos * (Millares de reales)
1753	La Real Compañía de Comercio de La Habana	482	—	154.2
1756	Carlos Basave, apoderado de Martín de Aróstegui. Conducida en la goleta francesa *El Diligente*, cap. Louis Jouvet, por cuenta del Real permiso a Aróstegui	8	11 2/3	2.8
1756	Thomasa Basave, esposa y apoderada de Martín de Aróstegui. Conducida por la balandra *El Neptuno*, desde Jamaica, cap. Lester Faulken	97	148	31.0
1756	Thomasa Basave en nombre de Aróstegui. Conducida desde Jamaica en la balandra N. S. del Rosario (Real Permiso)	83 1/6	124	26.6
1757	Diego Antonio Marrero y Joseph de la Guardia en nombre de la Real Compañía de Comercio. Conducida en la goleta *Guillermo*, cap. Diego Gadder	102	—	32.8
1757	Marrero y La Guardia por la Real Compañía, conducida por Carlos Roberson, apoderado de los ingleses y traída en las balandras *El Poplay* y *El Henrique*	258 1/6	—	82.6
1757	Marrero y La Guardia por la Real Compañía	135 5/6	—	43.5
1757	Thomasa Basave apoderada de su esposo Martín Aróstegui (Real permiso). Conducida desde Jamaica por la goleta *Olive Branch*, cap. Jorge Good.	64	83	20.5
1757	Thomasa Basave en nombre de su esposo M. Aróstegui, de Jamaica.	70	—	22.7
1757	Marrero y La Guardia en nombre de la Real Compañía. Traída de Jamaica en el paquebot holandés *Roteldan* (sic), cap. Daniel Faiser	159 1/6	214	50.9
1759	Marrero y La Guardia por la Real Compañía de Comercio. Conducida desde Jamaica en el paquebot *Kinston* (sic), cap. Diego Mieler (Real Permiso)	166 6/9	220	53.4
1759	Marrero y La Guardia en nombre de la Real Compañía. Conducida desde Jamaica por la fragata *El Kinsthon* (sic), cap. George Goodman (Real permiso)	111 3/9	151	35.6

* Los derechos eran 40 pesos por pieza de Indias de 7 cuartas.
FUENTE: AGI. Contaduría, 1165a y 1165b.

puy, los adquirió previo acuerdo con Rojas. Aunque llegaron a Batabanó bajo bandera francesa, el gobernador Güemes informaba al Rey que, a su juicio, se había violado la ley.[79]

El gobernador Caxigal de la Vega escribía en 31-X-1747 al Ministro Joseph Carvajal:

Llevó la [Real] Compañía el número de negros de las dos permisiones que gozaba, y por accidente llegaron hasta 864 piezas...[80] que no pudieron detener los avisos despachados por la Dirección, en virtud de auto de este Gobierno. Yo hice secuestrar todos los negros del... exceso, pero a representación de la Compañía y con previsión de los perjuicios públicos y particulares que se siguieron de mudar de método, se los entregué bajo fianzas de estar a la determinación de S.M. y se beneficiaron en presencia mía, por suerte, sin dispensar requisitos de cuantos pudiera pedir la justicia y la equidad.

Al margen de la carta aparece una nota:

Buen temperamento, ya que la mayor importancia es la abundancia de negros.[81]

La Real Compañía de Comercio de La Habana aprovechó las hostilidades para obtener esclavos mediante operaciones de corso. En VII-1748, una balandra suya logró un golpe afortunado, al mando de Manuel Garcerán: en un banco de arena de los Cayos de las Doce Leguas sorprendió una fragata inglesa con una carga de 247 esclavos y 92 colmillos de elefante. De los esclavos murieron 10, y el resto fue llevado a Batabanó. Según el capitán inglés, Juan Pardo, procedía de Bristol y había traído de Guinea 370 esclavos y 1.000 libras de marfil. Mediante pregón se vendieron los esclavos a los precios siguientes:

	Pesos
Piezas (varones)	270
Piezas (hembras)	260
Mulecones y muleconas	250
Muleques y mulecas	210.

El marfil fue vendido a 18 pesos quintal y la fragata en 1.450 pesos. El total obtenido, 42.200 pesos se distribuyó de acuerdo con la fórmula establecida por R.C. de 30-V-1721.[82]

Durante el período en el cual la Real Compañía tuvo un papel preponderante en la vida comercial habanera, los esclavos que importaba fueron vendidos casi siempre a cré-

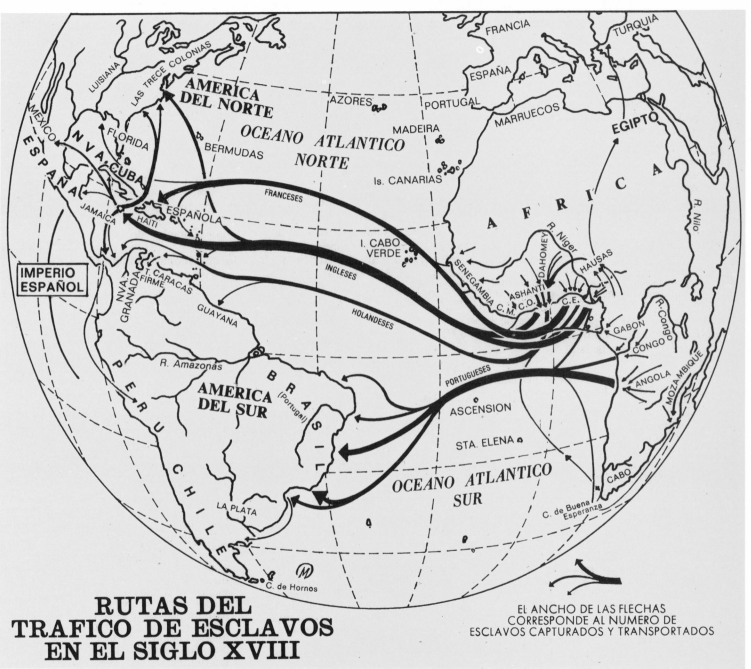

RUTAS DEL TRAFICO DE ESCLAVOS EN EL SIGLO XVIII

EL ANCHO DE LAS FLECHAS CORRESPONDE AL NUMERO DE ESCLAVOS CAPTURADOS Y TRANSPORTADOS

Según D. L. Wiedner.

dito, entre los interesados y los vecinos, de tal modo que al procederse a una glosa de la situación de la Compañía en 1752, los vecinos aparecían debiendo, por este capítulo, 75.601 pesos.[83]

Mucho más tarde, cuando la Compañía de Comercio había perdido su preponderancia, el Cabildo habanero criticaría retrospectivamente los altos precios que debieron pagar los vecinos. Mientras en la primera contrata el precio de 200 pesos incluía los derechos de marca, los precios para los de la Costa de Oro llegaron hasta 300 pesos pieza, lo que

no miró esta ciudad con indolencia, y toleró y sufrió en pie más floreciente, sin atreverse a respirar contra un cuerpo poderoso.[84]

En 1749 se alegaba en favor de la Compañía de Comercio que había introducido en la isla

muchos negros y repartió los más por boletines de suerte, tan contados, medidos y tasados como nunca se ha visto, y sin arrimarse a las costas quien no tuviese saneados los requisitos, y aun con ellos, muchos espías, corsos y guardias.[85]

E insistiendo en el carácter paternalista de la Compañía agregaría su vocero:

Muchas veces se ha visto que un labrador desconsolado de no rendirle su tarea para mantener su familia y pagar renta, ha tratado de dejarlo todo; y con proveerle esclavos, ha restaurado la labor y su casa, pagado y adquirido crédito.[86]

Al restablecerse la paz y ser devueltos a la Compañía del Mar del Sur sus derechos al *Asiento*, la Real Compañía de La Habana alegaba mejores posibilidades para cubrir la demanda de esclavos de la isla. Así el año antes de quedar finalmente cancelado el *Asiento* en 1750, en La Habana se elaboraba un vasto proyecto para abastecimiento de esclavos requeridos en las Antillas españolas. En el informe general elevado por el Dr. Urrutia y Matos al Marqués de la Ensenada, en nombre de la Compañía habanera, se ofrecía el plan, cuya mayor falla radicaría en que si se les arrebataba a los ingleses la función de distribuidores, la realidad hacía depender al abasto de esclavos de los ingleses que los transportaban desde Africa a las Indias. Escribía Urrutia que hacia 1749 el precio de un esclavo bozal era en Cuba

300 pesos, cuando, como y cuales nos los traen...

Por tan alto precio

las [islas] extranjeras menos fértiles y mucho más pequeñas florecen porque los tienen prontos comodamente...

Alegaba la Real Compañía que la introducción, a cargo de ella,

era convenientísima, porque los pusiera en los pueblos, porque escogiera las castas, fomentara las labores habilitando y dirigiendo las vegas de tabaco a las tierras apropiadas, porque recibiera fruto en pago de ellos y porque se evitará la residencia de naciones que son ruina del gobierno y del comercio y lo serían más de la Compañía, por no caber en este pequeño mundo dos negocios de tal tamaño.

Daban por sentado los habaneros que no había dificultad en obtener el arrendamiento del manejo del Asiento de una de las compañías inglesas, ya que la Compañía del Mar del Sur resultó

desengañada de que la administración de sus factores y dependientes, en cuyo particular y desperdiciado útil cedía el desorden y nunca la produjo, lo que puede el arrendamiento.

Eran las mercancías introducidas de contrabando, bajo la sombrilla del Asiento, por

los contagios de la comunicación,

lo que había compensado a los británicos.

Dos posibilidades se ofrecían para reorganizar la Trata en el Mediterráneo Americano:

1) Establecer un almacén general de esclavos en Puerto Rico, controlado por los españoles, pero teniendo en esta isla sus representantes los ingleses,

como prácticos en los achaques epidémicos que causa a los negros la mutación,

dispondrían de

prevenciones para curarlos; hallarían un temperamento benigno, con tanta abundancia de carne y vituallas que recompensase cualquiera costa que se añadiera.
Y aun lejos de gravar, aliviaría viniendo, como se supone, derechamente de Guinea a Puerto Rico los navíos con las tripulaciones que han usado hasta hoy; para evitar celos, y poniendo no más dependientes de arraigo que dos factores, dos oficiales de pluma, dos guardalmacenes y sus cirujanos. Del mismo Puerto Rico regresaran

con el dinero, hallándose desde luego en el Golfo; y sus viajes a Tierra Firme, Nueva España e isla Española fueran cómodos, por estar aquella a barlovento de todo. Si esto se hiciera en común, quedaba vencida la dificultad particular de recibir la Real Compañía sus negros...

No preveía Urrutia que los ingleses aceptasen el

almacén general del comercio de Africa

que proponía para Puerto Rico, y como fórmula alterna sugería un asiento controlado por la Real Compañía, en la forma y por las razones que siguen, expuestas por Urrutia. Y como

la isla de Cuba no puede pasar y menos fomentarse sin negros abundantes y baratos. Y por no haber otros medios para comerciarlos que los conocidos, se conformaron nuestros Reyes en lo pasado,

sugería la aceptación de una fórmula de Trata directa entre los ingleses y la Compañía de La Habana y la venta de los esclavos por ésta, bajo el siguiente plan:

2) Bajo el control de los Gobernadores y de la Compañía de La Habana quedarían vigiladas

las llanezas y confianzas de sagacísimos extranjeros, para cuyas entretenidas al recibir y despachar sus embarcaciones no bastan los ojos de Argos.

Lo importante era eliminar la presencia permanente de los factores y dependientes extranjeros, para lo cual bastaría que

en trayendo los ingleses por primera vez 500 negros en un navío para satisfacer a lo más urgente de la necesidad, debieran proseguir a 200 cada dos meses para completar 1.200 en el año que ha menester la isla: 800 La Habana y 400 en Cuba [Santiago].

De este modo entrarían en nuestros puertos sólo 6 embarcaciones anuales en uno y 2 en otros, pues aunque en el viaje y hasta la entrada murieran negros, se completarán en las siguientes ocasiones aumentando la armazón en un mismo bajel.

Entregados los negros y recibida la paga, salieran los ingleses al primer soplo favorable, con cerciorarse el Gobernador del ajuste principal y costas, y tasar la ganancia, como lo hizo Don Juan Francisco de Güemes Horcasitas, virrey de México, que fue insigne gobernador y siempre en todo benefactor de esta Isla. Se conseguía todo lo deseado, pues dándose la mano el servicio del Rey con los interesados de la Isla y de la Compañía y aun los lícitos de los mismos ingleses. No tendrá el Estado riesgo, ni la Real Hacienda fraude, la isla será cultivada, los vecinos servidos y la Compañía floreciente.[87]

Finalmente, la Real Compañía se encargaría de traer esclavos a Cuba mediante permisos reales, sin que fueran aceptados los amplios y complejos esquemas anteriores, si bien los esclavos vendrían de Jamaica en forma similar a la sugerida en la alternativa segunda.

Tal como propondría Urrutia y Matos, la Compañía de La Habana vendería a crédito muchos esclavos, a cambio de frutos, basándose en el razonamiento de que si

con los frutos se compraran los negros, con los negros se harían más frutos y con muchos frutos y muchos negros... conspirará todo a aumentar el Erario y a poner la Isla en estado de inexpugnable en sí, y de ser baluarte fortísimo contra los enemigos en América.[88]

La Real Compañía de Comercio de La Habana encontró émulos en España. En 1752 se anunció la disposición de la Corona de conceder un nuevo asiento general a Juan Nicolás de Guilisasti, vecino de San Sebastián, quien prometía conducir directamente desde Africa a las Indias, durante 6 años, esclavos

a los parajes y cantidad que se señalare.

Como una deferencia a la Compañía habanera el Rey ofrecía darle preferencia si aceptaba las condiciones propuestas por Guilisasti. El Gobernador Caxigal de la Vega formuló con tal motivo un interesante análisis de las condiciones del comercio esclavista, para demostrar que la Compañía no podía competir aceptando las condiciones de Guilisasti. Reconocía que

si fuera posible abrazar el contrato, bajo las condiciones propuestas, lograría esta Isla muchos adelantamientos en sus frutos, siendo así que por la provisión de negros se facilita la labor y en otros términos no es practicable,

pero al mismo tiempo señalaba las dificultades que encontraba entonces cualquier intento español para buscar esclavos en Africa, los cuales enumeraba así:

● Mayores costos en las expediciones a Africa, pues los salarios españoles eran más elevados y las tripulaciones más numerosas.

● Ausencia de establecimientos españoles en Africa.

● Necesidad de armamentos

para resistir insultos de los que ya se consideran con derecho privativo sobre el comercio de los negros en aquellas costas.

● Alto costo

para principiar la obra y superar las dificultades.

● Finalmente,

aunque todo se venza, y hubiese fondos competentes, había de atrasarse la introducción de negros por mucho tiempo, con perjuicio de los fines a que se aplican, pues se habían de despachar de aquí embarcaciones a Europa a recoger los géneros que se estiman en Guinea y después correr los demás pasos hasta radicarse en aquellos parajes desde donde, para conducirlos aquí, traen muchos riesgos, de modo que aun los mismos extranjeros, que hacen esta navegación a menos costas, experimentan pérdidas.

Después de indicar que la demanda anual de Cuba era de 700 a 800 esclavos, planteaba el Gobernador, en defensa de los intereses de la Real Compañía de Comercio de La Habana, el problema del financiamiento de la compra de esclavos y el constante obstáculo que constituía la escasez de moneda circulante. El documento, muy ilustrativo de la economía del período, continúa:

El asentista particular [Guillsasti] no puede hacer las esperas que la Compañía, ni admitir por paga el fruto, especialmente el tabaco, que es reservado a la Compañía. Esta no sólo espera a los tiempos que puede el labrador y vecino, sino que le recibe el fruto, ya sea azúcar, cueros o tabaco; así se ha practicado en Cuba [Santiago], en donde se han dado plazos para el tiempo de la cosecha, éste ha sido medio de que se hayan hecho de algunos negros y hayan abierto vegas, y de que las porciones de tabaco de aquella jurisdicción se hayan adelantado tan considerablemente.
El particular asentista recogerá el poco dinero que haya, y faltando éste no queda tan satisfecho el público, y se echa de menos para los otros fijos del mismo común y de la Compañía, y estando a cargo de ésta el asiento de tabacos se presenta con la concesión de negros más facilidad de cumplirlo, al contrario que establecido un particular para esta provisión es preciso que sea enemigo de la otra [la Compañía] para conseguir extracciones, que será indispensable se celen por este gobierno con extraordinaria explicación que tal vez no afianzará la consecución de su empeño.

Caxigal, que insinúa que la concesión a Guilisasti podría perjudicar los intereses reales en el tabaco, insiste en las ventajas de seguir trayendo los esclavos del principal mercado abastecedor del Mediterráneo Americano: Jamaica. Y como al negociante español se le prometía la reducción de los derechos a 20 pesos, aprovecharía la ocasión para agregar:

...Si sobre cada pieza se establecieran los mismos 20 pesos... costarán menos a la Compañía y podrá con mayor beneficio darlos a los labradores, de lo que resultará adelantarse el número de trabajadores y por consiguiente el ta-

baco, que siendo para beneficio de la Real Hacienda puede, con su incremento, indemnizar aquella rebaja que se haga en los derechos que se asignen para la introducción de negros.[89]

Martín de Aróstegui, fundador de la Real Compañía, obtuvo en 1752 un permiso para traer de las colonias extranjeras 200 esclavos,

para la labor y cultivo de sus haciendas,

pagándolos en

dinero y frutos, menos tabaco.

Se le permitía utilizar para importar estos esclavos embarcaciones extranjeras, lo que no se autorizaba a otros. El problema de la bandera de las naves era grave. Cuando en 1754 se autorizó al Gobernador de la isla a permitir la importación de esclavos desde colonias extranjeras, pero utilizando embarcaciones españolas, en Jamaica se negaron; alegaban que ellos tampoco podían comerciar en naves extranjeras, por prohibirlo las Leyes de Navegación inglesas. Las embarcaciones españolas volvieron vacías a Santiago de Cuba y Batabanó. Caxigal logró que una Real Orden de 1755 autorizara se trajeran 500 esclavos en barcos españoles, pero con la advertencia real de que

si hay imposibilidad se disimule.

Así llegaron de Jamaica los esclavos en barcos ingleses. Sus precios de venta fueron:

Hombres	Pesos	Mujeres	Pesos
Piezas	280	Piezas	280
Mulecones	250	Muleconas	240
Muleques	210	Mulecas	200

Entre 1754 y 1760 el gobernador Caxigal fue autorizado a conceder 6 permisos a la Compañía de Comercio, la que traería en cada oportunidad

500 piezas de Indias, que en surtimiento de muleques y mulecones componían más de 600 cada concesión.[90]

Por cada esclavo traído podía importarse un barril de harinas, y los derechos a pagar fueron:

	Ps.	Rs.
Piezas de Indias	40	—
Mulecón	26	5 1/3
Muleque	20	—

La Compañía no se veía limitada en cuanto a tasa en los precios de venta de los esclavos.

En Santiago de Cuba había frecuentes protestas por la falta de esclavos, ya que alegaban que en su región

el fomento depende de negros que labren sus pingües tierras,

estribillo que se repetiría, bajo distintas formas, en todos estos años. Caxigal comunicó al gobernador de Santiago de Cuba la autorización para que se trajesen *bajo disimulo* esclavos de Jamaica en barcos ingleses, pero el gobernador oriental se negó, con la razón de que a los extranjeros

no se les facilitara el conocimiento del débil estado de la defensa.

Creía Caxigal que el gobernador de Santiago deseaba aprovechar la oportunidad para obtener más soldados que reforzasen su guarnición, por lo cual, después de informar al Rey que en el Oriente cubano eran muy necesarios los esclavos, pues entre 1739 y 1755 habían muerto 2.700, concluía anteponiendo el interés económico al militar:

No podía haber otro perjuicio mayor... que el de no sembrarse posturas de tabaco por falta de operarios.[91]

En 1760, ante la demanda constante por mano de obra esclava, Joseph Villanueva Picó solicitó permiso de la Corona para llevar a Cuba 1.000 piezas de Indias anuales durante un período de 10 años. La vendería a 300 pesos pieza, y se comprometía a cumplir las condiciones establecidas para la Real Compañía de Comercio. Tal contrata, que perjudicaría a los habaneros ricos, envueltos en el tráfico, fue combatida. Se alegaba que entrarían demasiados esclavos en un período muy corto, lo cual entrañaba un grave peligro, y que la compra de tantos esclavos se llevaría de Cuba una gran cantidad de dinero circulante, hasta un total de 3.000.000 de pesos.

En 21-VI-1761 se dictó una R.C. que concedió a Villanueva autorización para introducir 1.000 piezas de Indias o más, en forma semejante a la autorizada a la Compañía, pero debía venderlas a 2 pesos menos por cabeza. El Rey seguiría cobrando sus derechos a razón de 40 pesos pieza, por el *derecho de marca*.[92]

La Trata durante la ocupación británica

El número de esclavos introducidos en Cuba durante los meses en que los británicos ocuparon La Habana fue indudablemente muy alto, por encima del nivel logrado hasta entonces, pero algunos historiadores han señalado cifras sin duda excesivas. A nuestro juicio, según documentos indubitables, de origen español, el número de esclavos aportados por los británicos y vendidos en La Habana debió oscilar alrededor de 4.000. Basamos tal cálculo en el informe-denuncia elevado desde La Habana en 21-V-1763, aun bajo la dominación extranjera, por el fiscal de la Real Hacienda Francisco López de Gamarra, quien denunciaba al bailío Don Julián de Arriaga la actitud *depravada* de los comerciantes ingleses:

Después de la rendición de esta plaza han introducido los ingleses como 1.700 negros bozales y se han comprado por diferentes vecinos, unos para sus haciendas y otros para negociar con ellos. Esta introducción ha sido pública y a cargo de una comisión inglesa. Otros, aunque en poco número, se han traído sin su disposición, en embarcaciones marchantes y también se han vendido a los españoles.

El Comandante inglés hizo publicar un bando previniendo que no se pudieren comprar otros que los que introdujese dicha comisión y que los comprados a particulares se manifestasen en su secretaría, so pena de confiscación, para que pagasen derechos los compradores. Y así se ha practicado, llevando 40 pesos por cada pieza de las presentadas.[93]

ESCLAVOS INDULTADOS POR SUS PROPIETARIOS (1704-05)*

	Hombres	Mujeres	Muleques	Mulecas	Mulequitos	Total
PUERTO PRINCIPE	533	54	4	5	5	601
BAYAMO	196	48	1	2	2	249
SANTIAGO DE CUBA	2	1	—	—	—	3
BARACOA	1	1	1	—	—	3
Totales	732	104	6	7	7	856

* El total pagado por las 856 cabezas fue de 226.685 reales, o sea, una media de 265 reales; por los hombres se pagó según sus edades y condiciones físicas desde 190 a 400 reales; por las mujeres 200 reales (media pieza) y por los muleques, mulecas y mulequitos 133 1/2 rs. por cabeza. Entre los apellidos de los vecinos de Puerto Príncipe que poseían esclavos de mala entrada figuraban los de Agramonte, Aguero, Aguiar, Borrero, Bringuier, Castañeda, Guillén, Hidalgo, Miranda, Moya, Sánchez Socarrás y Varona. Entre los bayameses habían: Aguero, Aguilera, Escalante, Fonseca, Labrada, Matamoros, Milanés, Ramírez, Recio, Santiesteban, Tamayo y Tejeda.

FUENTE: AGI. Contaduría, 1179.

Podemos calcular, pues, que durante la ocupación británica de La Habana se vendieron unos 4.000 esclavos.[93 bis]. Esta cifra la compondrían esencialmente unos 1.200 esclavos que adquirió Lord Albemarle como auxiliares, en las Antillas, a 50 pesos per capita, más 1.700 esclavos que se permitió llevar a Cuba hasta IV-1763 por las autoridades británicas. Estos esclavos fueron vendidos por John Kennon, a quien Albemarle concedió el monopolio para introducir 2.000 esclavos anuales, un 25 % de los cuales debían ser mujeres.[94]

Contrabando, indulto de esclavos y comisos

La aparente regulación de la Trata en Cuba, con la presencia de factores de la Compañía Francesa de Guinea primero y de la Compañía del Mar del Sur después, no detuvo el contrabando de esclavos. En el período del *Asiento*, con su mayor centro de distribución en Jamaica, los esclavos de *mala entrada*, que ya eran traidos durante la etapa francesa, arribarían en mayor número de acuerdo con los factores ingleses o a sus espaldas. Documentos ingleses del período indican que los traficantes que abastecían a la Compañía clasificaban a sus esclavos en 3 grupos: uno para el *Asiento*, otro para los colonos de Jamaica y un tercero para el *comercio privado*, o sea, para el contrabando, orientado en gran medida hacia Cuba.

Los cayos del Sur de Puerto Príncipe fueron desde los inicios de la penetración extrahispánica en el Caribe, zona favorita de rescatadores. Cuando Jamaica pasó a manos inglesas, los principeños tuvieron en los cayos una tierra de nadie en la que florecería su contrabando, particularmente desde los años finales del siglo XVII. La Compañía del Mar del Sur fue advertida por sus factores en Panamá del activo comercio clandestino que tenía como acogedor abrigo la cayería litoral del Sur. En respuesta a tales noticias escribirían los dirigentes de la Compañía desde Londres a sus factores panameños:

Nos preocupa oír del trato ilícito del que nos informáis y que es realizado para La Habana desde los cayos del Sur de Cuba. Tenemos también grandes razones de queja de las remisiones de nuestras factorías en La Habana y Santiago de Cuba en relación con ésto. No obstante éstos tienen poco que hacer: muy bien pudiera ser ésta la causa de que estén vendiendo tan pocos negros.[95]

En 1736 uno de los agentes de la Compañía en Jamaica revelaba a Londres algunas características del tráfico ilícito con Cuba, que consideraba causado en gran medida por el envío de esclavos que no reunían las condiciones y origen exigidos para el tráfico legal. Refiriéndose a 350 esclavos llegados en el bergantín *Post Bay*, denunciaba:

Son estas armazones inadecudas para la Honorable Compañía o esta isla, las que causan el comercio ilícito y algunas de estas serán enviadas a los Cayos del Sur [de Cuba] y a la Española. Los consignatarios preferirían vender sus negros aquí, pero como no pueden, se ven forzados a venderlos fuera, y algunas veces a participar personalmente ayudando a continuar el viaje. Así, el ilícito comercio desde aquí a Cuba, se funda en las dificultades y en la necesidad. Y los viajes en su mayor parte ocurren así porque algunas veces, cuando los factores en esta plaza se ven obligados a tomar un número mayor que el necesario, sueltan otros tantos para el viaje como los que obtienen por la consignación.

El precio usual por los muleques y mulecas en los Cayos del Sur es de 56 a 70 pesos; los mulecones de 70 a 85 y los hombres y mujeres de 100 a 110. Además hay un 1 1/2 % pagado en las ventas al por mayor, por comisión y flete.

Las balandras en estos viajes, por estar expuestas a ser tomadas como presas, son armadas en defensa, de manera costosa. Lo que es llamado en esta isla *comercio privado* es el comercio clandestino realizado con franceses y españoles.[96]

La Corona española ante la realidad de un contrabando nacido de la insuficiencia de la oferta y del precio más bajo que tentaba a los vecinos, debió admitir una fórmula muy extendida en otros campos, y que pretendía legalizar a posteriori una situación ilícita evidente: el indulto. En algunas ocasiones los Gobernadores de Cuba dispusieron la concesión de indultos por un período, pero la Corona reclamó el derecho a autorizar tales perdones, considerados una *regalía*. Tales indultos se adoptaron en situaciones excepcionales, como cuando una R.O. de 27-III-1748 concedió

indulto de negros de ambos sexos en consecuencia del plausible motivo de la exaltación del Rey [Fernado VI] al trono,[97]

o cuando la insistencia de los gobernadores se hacía acompañar de noticias sobre el número crecido de cautivos de mala entrada, cuyo indulto podía ser productivo a la Real Hacienda.

En los primeros años del siglo, en vigencia el asiento francés, se autorizó un indulto que en la mitad oriental de la Isla produjo más de

Documentos

UN SECUESTRO DE ESCLAVOS*

John Turner y Nicholas Billet, previo el juramento debido, declararon y dijeron que eran marineros de la galera *Westbury*, de Bristol, maestre Jabis Beglow. Que el 21-III pasado, en viaje de Guinea a Jamaica, llevando 177 negros a bordo, fue tomado su barco frente a Cabo Maravilla, en la costa de La Española, por la balandra *Santa Cruz del Padre*, comandada por Fulano Rodrigo, y llevados a Baracoa, en la isla de Cuba.

Que Nicolás Browne y Christopher Winter, dos ingleses, estaban a bordo de la balandra y... falsificaron órdenes con los nombres de los propietarios en Inglaterra, dirigidas a Mr. Lloyd, en Jamaica, para enviar los negros y mercancías por valor de 1200 libras a los Cayos del Sur [de Cuba.]

Que amenazaron a los deponentes con ahorcarlos si no declaraban que las órdenes eran auténticas.

Agregan los deponentes que el barco estaba destinado a... [Jamaica] y no a otro lugar. [13-VII-1721].

* Es esta una de las muchas declaraciones tomadas en Jamaica para probar el carácter y la amplitud de las depredaciones de los españoles contra el comercio inglés, frecuentemente realizadas con la complicidad de mercaderes ingleses de Jamaica. Aparece en *State of the Island of Jamaica ...addressed to a Member of Parliament*, by a Person who resided several years at Jamaica (London, 1726).

FUENTE: Donnan, E. (1931), II, pág. 283.

28.000 pesos y legalizó la situación de 856 esclavos.[98]

Al revisar las cuentas con la Real Hacienda sobre el indulto de esclavos es evidente el crecido número de miembros prominentes del estrato superior que participaba en el contrabando de esclavos. Los apellidos más ilustres de Puerto Príncipe y de Bayamo figuran en las listas de los que saldaban a posteriori los derechos por los esclavos adquiridos ilegalmente. No faltaban entre ellos los sacerdotes. En Bayamo, en 1704, fueron pagados 200 reales por el indulto de un negrito que poseía el convento de San Francisco. Los sacerdotes participaban también en los indultos como intermediarios de los dueños. Entre ellos aparecen pagando por encargo el presbítero Francisco de Arragoces, el beneficiado Blas de Tamayo, los presbíteros Baltasar Torres y Baltasar Básquez y los beneficiados Diego Duque de Estrada y Cristóbal de Guevara Angulo, todos de Bayamo; y el vicario Félix de Miranda, el presbítero Antonio Borrero

por sí y otras personas,

presbítero Cristóbal de Zayas y fray Juan Salvador de Moreda, comendador del Convento de la Merced.[99]

Los períodos de gracia fueron utilizados por algunos siervos para ganar su propia libertad. En 8-X-1704 pagó Francisco Arará el indulto de sí mismo, 240 reales, después de presentarse a las autoridades.[100] Días después se autoindultaba en Puerto Príncipe María Arará. La aceptación universal de la esclavitud originaba casos tales como el de Domingo Mina, vecino negro de Bayamo, quien

por mano de la justicia,

pagó, en 18-VIII-1704, 400 reales por el indulto de una esclava que poseía ilegalmente.[101]

Testimonios

EL CARIMBO DE LA REAL CONTADURIA

En 1744, un africano bozal, dejado en los montes de Puerto Príncipe por contrabandistas, para pasarlo en mejor oportunidad, fue delatado en el hato de Maraguán, cerca de la Villa, por Bernardo Lazo, y aprehendido por agentes del alcalde de la Santa Hermandad Juan Guerra Ortiz Montejo. Llevado ante el tasador Emeterio de Arieta, fue avaluado en 240 pesos, como pieza de Indias. Con los trámites requeridos fue sacado a remate, y el mayor postor pagó por él 205 pesos. Después de serle aplicado en el lado derecho del pecho el carimbo * de la Real Contaduría, al rojo vivo, se procedió a la distribución de la suma. Tocaron:

Diseño del Carimbo de la Real Contaduría de Puerto Príncipe en 1744. (AGI. Santo Domingo, 503).

	Pesos	Reales
Al Alcalde de la Hermandad	20	6
A los jueces	30	6
Al denunciador	11	7
A los aprehensores	26	6 1/2
Costos	34	4 1/2
Al Rey	80	4
	205	0

* *Carimbo.* Hierro que se usó para marcar a los negros esclavos. (Martín Alonso). En Cuba también se le llamó *calimbo.*

FUENTE: AGI. Santo Domingo, 503.

La Compañía del Mar del Sur, que según el *Asiento* participaba en el proceso de los indultos y comisos, comunicó a sus factores en 19-XI-1717, que el indulto debía fijarse en 100 pesos de a 8 reales, y que tras pagar al denunciador, funcionarios y los 33 1/3 pesos del Rey, la compañía debía retener 40 pesos por *pieza.*

El gobernador Gregorio Guazo Calderón concedió un período de indultos entre VI-1719 y II-1722, por los cuales ingresó en las Cajas Reales 211.802 reales, lo que permite estimar en unos 800 los esclavos indultados.[102] En este mismo período se cobraron en Bayamo 16.408 reales por unos 62 esclavos indultados.[103]

El indulto autorizado por Guazo Calderón originó un grave disturbio en Trinidad, donde el regidor y alguacil mayor Cristóbal Herrera resistió al Lcdo. Antonio Ceballos Novoa, comisionado del Gobernador. Algunos vecinos en posesión de esclavos de reprobado comercio y mala entrada se negaron a pagar, mientras otros lo hicieron. Herrera fue condenado a suspensión de oficio por 8 años y desterrado a 20 leguas en contorno, más 1.000 pesos de multa.[104]

Guazo recibió una reprimenda por haber ordenado el indulto sin autorización de la Corona. En su defensa alegaría que fue su propósito acudir al desorden de la introducción de negros en los pueblos de la tierra adentro, como también castigar a los intoductores como merecía su insolencia, en que se desengranaron más, luego que por el rompimiento de la guerra, cesó el curso del Asiento.

Me pareció el experimento más proporcionado, para no exponer la Real jurisdicción al desprecio con que hubieran tratado cualesquiera órdenes mías, dirigidas a contenerlos en la debida observancia de las leyes reales, para que la Real Hacienda sacase algún útil de este inevitable exceso... en el arbitrio de usar de la R.C. en que V.M. concedió al *Asiento* la facultad de indultar negros mal introducidos.

Explicaba Guazo que por su acción habían entrado en las Reales Arcas más de 26.000 pesos, que se utilizaron en urgencias del real servicio. Y como para probar su tesis de la resistencia de los cubanos de tierra adentro a la autoridad real, insistiría en que hubiese recaudado más si ante la acción de su comisario, capitán Don Lope Antonio Sollozo la villa de Sancti Spíritus no hubiera negado el cumplimiento, vistiendo de celo su denegación y sindicaciones cavilosas para calumniar el desinterés y buena intención de mis procedimientos y dar calor a la osadía de desobedecer las órdenes de este gobierno, que se dirigen a moderar sus excesos, como lo hacen en todas ocasiones, con pretextos frívolos, cuya tolerada insolencia tiene a éste y a los demás pueblos distantes de esta ciudad en el infeliz estado de vivir a su antojo, sin más Dios ni ley que la libertad y la codicia de sus principales vecinos que los manejan, cuya voz sigue el común, porque le tienen sujeto a sus dictámenes.[105]

En 1724 fue autorizado por R.C. un nuevo indulto, quedando encargado del pago a la Real Hacienda el factor del *Asiento* en Santiago de Cuba, Joseph Gibson Dalzell. En Puerto Príncipe los vecinos adeudaron 59.000 reales, pero pidieron un plazo para saldar el resto, tras pagar 16.000 reales. Se le concedieron 6 meses.[106] El total de cabezas podemos estimarlo, en este caso, en unas 245.

El indulto concedido por R.O. de 1748 y ejecutado bajo la dirección del gobernador Caxigal de la Vega cubrió las entradas ilícitas de esclavos durante el largo período de la *Guerra de la oreja de Jenkins*, librada en parte en territorio cubano.[107] Aun en medio de las hostilidades seguían llegando esclavos clandestinamente desde Jamaica. Según revelaría la residencia de Caxigal de la Vega, en el año 1750 se hizo balance de lo recaudado en toda la isla y arrojó un total de 1.121.274 reales, o sea, 140.159 pesos. A base del indulto por pieza de Indias a 40 pesos, podemos esti-

Cifras

ESCLAVOS DE MALA ENTRADA INDULTADOS EN ORIENTE (1749)*

Pago total	18.350 reales
Total de cabezas	63

o

Tarifa de indulto:	Reales
Piezas de Indias	320
Mulecones	213 1/2
Muleques	160
Más de 40 años	213 1/2
Más de 50 años	160
Media	291

o

Distribución:	
Edades	Número
Menos de 10 años	1
De 10 a 20	14
De 21 a 30	21
De 30 a 40	20
De 41 a 50	4
Más de 50 años	3
Total	63

Por sexos y edades	
Hombres	34
Mujeres	21
Mulecones	2
Muleques	2
Mulecas	4
Total	63

Por localidades	
Holguín	29
Santiago de Cuba	24
Bayamo	9
Baracoa	1
Total	63

Por naciones:	
Congos	33
Carabalíes	18
Mandingas	4
Minas	3
Congo luangos	2
Chambas	1
Bamabaras	1
Singuí	1
Total	63

* Entre los propietarios que pagaron indultos por estos esclavos de contrabando figuraban 6 mujeres; de ellas, 4 viudas de Santiago de Cuba, así como 3 presbíteros, de Santiago de Cuba, Bayamo y Holguín.

FUENTE: AGI. Contaduría, 1167.

mar que fueron indultados más de 3.850 esclavos.[108]

Curiosamente, la cuantiosa suma recaudada entre los propietarios cubanos fue destinada por R.O. al socorro de Venezuela.[109]

Una vez introducidos fraudulentamente los esclavos sus dueños disponían de ellos como si fueran de *buena entrada*. La fórmula para disimular la personalidad del esclavo consistía en omitir casi todos los datos sobre su identidad. Advertido de ello, el gobernador de Santiago de Cuba, Lorenzo de Madariaga, dictó un bando en 4-III-1756, insistiendo en que

por diversas escrituras de ventas de esclavos que se han presentado... impetrando sus dueños licencia para remitirlos a lugares de esta jurisdicción o fuera de ella, se denota quedar conocido margen para distintos fraudes, cuyo exterminio en su raíz se hace indispensable.

Y para evitar efectos tan nocivos, Su Señoría... mandó se notifique a todos los escribanos de... esta ciudad que... en todas las escrituras de compraventa o cualquier otra traslación de dominio de esclavos de ambos sexos... expresen clara y distintamente las individuales señas de las estaturas, colores, fisionomías, edades y todo otro distintivo que pueda hacer bien conocido al esclavo...

La pena al escribano que no cumpliese tales cuidados sería de 25 ducados.[110]

El contrabando continuó con los años, a pesar de los permisos concedidos con carácter local. En 11-IX-1760 el propio Caxigal dictó un bando referido al

exceso que se ha experimentado en esta ciudad con la ilícita intro-

Cifras

ESTADO PARCIAL DE PAGOS
POR DERECHOS DEL REY E
INDULTOS DE ESCLAVOS

Período	Derechos * (millares de reales)	Indultos **
1701-05	100.2	226.7
1708-09	8.9	—
1719-25	3.1	313.0
1726-34	56.8	202.4
1735-38	64.3	—
1750-60	535.4	192.4
Totales	768.7	934.5

* En unos períodos los derechos del Rey fueron 33 1/3 pesos y más adelante por derecho de marca se subirían a 40 pesos por pieza.

** Estas cifras no incluyen la totalidad de lo acreditado en otros documentos por cobros realizados durante parte de los indultos de Caxigal de la Vega.

FUENTES: AGI. Contaduría, 1152, 1153, 1154, 1161b, 1163, 1165b, 1181, 1183, 1184b.

---

ducción de negros y falsedad con que se herraban.

El bando disponía las medidas destinadas a legalizar la situación de dueños mediante la presentación de los esclavos a la justicia.[111]

Poseemos también noticia del ingreso a Cuba de numerosos esclavos, a través de las informaciones sobre *comisos*. Fueron muchos los esclavos *sin marca* sorprendidos en haciendas y aun en asentamientos urbanos, los cuales pasaban a ser propiedad de la Real Hacienda. Del producto de su venta se beneficiaban el denunciante, si lo había, los funcionarios y la Real Hacienda, cuyos oficiales separaban los 40 pesos por pieza correspondientes al Rey También se cobraban en Cuba tales

derechos sobre los esclavos capturados en barcos de contrabandistas y en presas tomadas por los corsarios.

En los años finales del período, al autorizarse la entrada en Cuba de esclavos traidos desde Jamaica y otras islas por la Real Compañía de Comercio o individuos particulares, estos pagaban a la Caja Real de Cuba los 40 pesos del Rey. Durante el gobierno de Caxigal de la Vega fue autorizada la entrada de varias partidas, de las que se recaudaron 533.163 reales, equivalentes a más de 1.666 *piezas* de Indias, con lo cual, se decía en elogio del Gobernador,

ha beneficiado al público, como es patente, y a la Real Hacienda lo ...producido por este precioso arbitrio.[112]

En 1760 el total de los esclavos tomados en la presa hecha al corsa-

---

Cifras

PRECIOS DE LOS ESCLAVOS
DE LA COMPAÑIA DEL
MAR DEL SUR EN EL CARIBE

	Pesos de 8 reales
Cartagena	220
Veracruz	229
Panamá	250
Santo Domingo	250
La Habana	280
Santiago de Cuba	280
Trinidad (Isla)	280
Caracas	300
Guatemala	300

FUENTE: *Shelburne Papers*, Williams L. Clemens Library, The University of Michigan, Ann Arbor, Vol. 43, pág. 277.

Cifras

PRECIOS DE ESCLAVOS, POR
EDADES, EN BAYAMO (1731)

Edad (Años)	Sexo	Precio (pesos)
1	F	100
2	F	100
2	M (mulatico)	100
5	F (mulatilla)	150
7	F	200
7	F (mulatilla)	150
11	F	250
14	M	200
15	M	200
25	M	350
27	M	300
29	M	250
30	M	350
35	F (mulata)	300
36	F	200
38	M	300
41	M	250
45	M	250
60	M	50

FUENTE: AGI. Santo Domingo, 532 (Inventario de las haciendas del Legado Parada) (A.A.).

---

rio francés Ignacio Rozines produjo un indulto de 9.880 reales, o sea, 37 piezas o unas 50 cabezas.[113]

El esclavo-mercancía; su valoración

El esclavo-mercancía era valorado de acuerdo con sus características físicas y culturales. Físicamente sería pieza de Indias si medía 7 cuartas o más, si estuviese dentro de la escala de la juventud y madurez de la época, y su salud fuese óptima. Los pocos o los muchos años, la escasa corpulencia, las enfermedades y los defectos físicos incidían negativamente sobre el precio. Los precios más altos no correspondían a los bozales piezas de Indias, sino

CRIOLLOS CUBANOS LIBRES VENDIDOS COMO ESCLAVOS POR LOS INGLESES EN JAMAICA

La concepción inglesa de la esclavitud como cuestión de color costaría su libertad a no pocos libertos negros y mulatos de las colonias españolas, muchos de ellos criollos cubanos. Todo tripulante de un navío corsario español, si era negro, mulato o indio, estaba destinado a la venta como esclavo de caer en poder de los ingleses. Como contrapartida, España concedería más tarde la libertad a todo esclavo extranjero que llegase a Cuba u otra colonia suya en busca de asilo, si se hacía católico.

En 22-VIII-1746 el Consejo de Indias consideró cartas enviadas por el gobernador de Cuba y el Presidente de la Audiencia de Santo Domingo en las que informaban

el tiránico proceder de la nación inglesa, con notable violación de todos los derechos... vendiendo públicamente por esclavos en sus colonias diferentes vasallos de V.M. que han apresado en los corsos, con el pretexto de ser negros, mulatos, indios y otras especies distintas de las de los blancos, siendo en la realidad libres y de ninguna manera sujetos a esta servidumbre; sin que hayan bastado para contenerlos en estos abusos las protestas reclamaciones que han hecho los... apresados, ni las de estos gobernadores a los comisarios ingleses, en las ocasiones que han ocurrido a nuestros puertos, al canje de sus prisioneros...

...Declaró así don Juan Casado Valdés, corsario que ha sido en el puerto de Cuba [Santiago] que se condujo al de San Sebastián como prisionero de guerra, en el último transporte que hizo la galera *Videford* (sic)... haber sido apresado en los mares de Cuba por un paquebot llamado *El Draque* (sic) y una balandra *El Benquior* (sic) ...guardacostas de... Jamaica, adonde fue llevado con todos los de su tripulación, y entre ellos 22 mulatos criollos de [Cuba] y Tierra Firme, todos libres, y que no obstante fueron vendidos como esclavos a pregón público. Expresando... que si no se pone algún remedio... será causa para acabarse el corso en aquellas costas, con el miedo que han cogido los negros y mulatos libres de recaer en esta esclavitud...

Consideraba el Fiscal

insufrible y escandalosa... notoria transgresión... de la buena fe y derecho de las gentes...

tal conducta de los colonos ingleses, a la que no podían concurrir sus soberanos, sabedores de que en territorio español

a los prisioneros de su nación no se les trata de esta suerte, ni de otra más que la que permite el derecho de las gentes, que es tenerlos y reputarlos como prisioneros de guerra, sin gravamen ni extorsión que se opongan a la natural libertad de cada uno, conservándolos en nuestra Provincia hasta que hay oportunidad de canje.

El Fiscal señalaría también como los ingleses ocupaban

en sus navíos a otros... prisioneros, vasallos de S.M., de color blanco, remitiendo a otros en partida de registro a estos Reinos, lo que de ningún modo se ejecuta con los suyos, pues si se hace con alguno, es en caso muy diverso, como es aprehendiéndole en el prohibido comercio de nuestros dominios, por cuyo delito aun estando sujetos a mayores penas, hasta la capital y ordinaria de muerte, se suele suspender y conmutar... aplicando a sus delincuentes a algunas obras y fortificaciones de S.M., pero sin visos de esclavitud, ni otra servidumbre que desdiga de lo ingenuo y libre de cada uno.

Rechazaría el Fiscal la posibilidad de represaliar a los ingleses igualando su conducta y

reduciéndolos a dura esclavitud, pero no cabiendo por ser muy ajena a impropia esta operación de la piedad de nuestra católica religión e inviolable observancia de todos los derechos,

y proponía, en cambio, hacer llegar al Rey de Inglaterra, por medio del embajador o ministro de alguna nación amiga o neutral, una protesta por la conducta de sus gobernadores y el reclamo de indemnización. El Consejo aceptó la sugerencia y propuso se utilizaran los servicios del ministro de Portugal ante la Corte de Londres.[a]

Por R.C. de 24-IX-1750 se ordenó

que en lo adelante, para siempre queden libres todos los negros esclavos de ambos sexos que de las colonias inglesas y holandesas de América se refugiasen, ya sea en tiempo de paz o en el de guerra,

en territorio bajo la soberanía española,

para abrazar nuestra santa fe católica.

Al llegar a la costa meridional de Oriente varios esclavos fugitivos de Jamaica, en 1751, el Provisor del Obispado de Santiago de Cuba ordenó su inmediata libertad. El gobernador Alonso de Arcos Moreno estimó que el eclesiástico había desconocido su autoridad al aplicar personalmente la generosa R.C.

a. AGI. Santo Domingo, 387 (A.A.).
b. AGI. Santo Domingo, 1323 (Santiago de Cuba, 16-VI-1751, A.A.).

al esclavo que tras convivir algunos años en la sociedad a la que había sido trasladado violentamente, poseía un oficio apreciado económicamente o condiciones personales poco comunes. En los Cayos del Sur podrían comprarse bozales de contrabando entre 70 y 100 pesos, procedentes de Jamaica, pero el precio de 500 pesos aparece mencionado como pagado por algunos esclavos diestros.

Los rasgos asignados a las *naciones* o *castas*, que hoy consideraríamos estereotipos sin valor, eran generalmente aceptados en el siglo XVIII en Cuba y en el resto de las Indias. Las razones eminentemente culturales que distinguían al africano de un área de los procedentes de otras —lengua, disposición, aficiones, habilidades—, se traducían en prejuicios generalizados. Mientras en el siglo XVII los colonos ingleses se quejaban de que las mejores *piezas* eran vendidas con destino a las colonias españolas y quedaban para ellos los rezagos, el vocero de la Real Compañía de Comercio de La Habana, Dr. Bernardo de Urrutia Matos, lamentaba la dependencia de Cuba del abastecimiento a cargo de los ingleses y reproducía las calificaciones de las *naciones* que serían generalizadas entre los escritores del siglo siguiente:

La sagacidad extranjera nos ciñe de tal forma que no sólo domina el comercio exterior, sino impide nuestras labranzas con la mala y cara provisión de negros. Los ingleses cometen la injusticia de sacar la flor de las naciones para tripular sus ingenios, trayéndonos en fuerza de un *asiento*, congos en todos los vicios corrompidos y carabalíes que se ahorcan y huyen una mitad y la otra menos prove-

Cifras

NACIONES DE LOS ESCLAVOS DEL PONTON HABANERO (1759)

Congos	32
Carabalíes	26
Minas	13
Mondongos	13
Lucumíes	11
Bambaras	9
Ararás	8
Gangás	5
Mandingas	3
Chambas	2
Congo muzandi	1
Congo quiebrahacha	1
Carabalí chambacú	1
Carabalí apapa	1
Luango congo	1
Luango	1
Además:	
Ingleses	6
Curazaos	7
Criollos de Jamaica	2
Criollos	2
Mulato	1
Sin identificar	36
Total	182

FUENTE: AGI. Santo Domingo, 508. (Certificación de los contadores de cuentas José A. Gelabert y Manuel Manzano.)

chosa que los mandingas y bambaras. Y además de eso, precios a que no corresponden los jornales, para que les abandonemos completamente el comercio activo y pasivo.[114]

Sin duda exagerado, este criterio final revela claramente la mentalidad esclavista de la época, preocupada por la carestía del esclavo en las colonias españolas en relación con los precios a que eran vendidos los bozales en las restantes colonias antillanas. A las muchas razones esgrimidas para explicar la incapacidad competitiva española se sumaba la carestía del esclavo, cuya corta vida útil le hacía un insumo altamente costoso e inevitable, pues

nada se emprende en la Isla para que no se necesiten negros, y el hacerlos adquiribles será auxiliar todo lo usable.[115]

La comunidad esclava de las minas de El Cobre

La incapacidad de los herederos del asentista Joan de Eguiluz para mantener en producción las minas de Santiago del Prado,[116] y los fracasados intentos posteriores por restaurar la explotación minera, crearon una situación peculiar entre la comunidad esclava, integrada por centenares de criollos descendientes de los primeros cautivos, traídos de Africa para servir en las minas, antes de 1620. Eran jurídicamente *esclavos del Rey*, pero las necesidades mínimas de su existencia que su real propietario debía proveerles, se veían obligados a satisfacerlas por su cuenta. Laboriosos, a pesar de negarlo quienes pretendían explotarlos, habían organizado su vivir individual y colectivo como si fuesen realmente libertos. Su resistencia a los gobernadores de Santiago de Cuba, que llegaría a convertirse en 1731 en rebelión abierta, se explica por su reclamo del tiempo requerido para atender las tareas de las que vivían y un salario razonable para sustentar a sus familias cuando debieran servir al Rey en obras de carácter militar, fuera de su pueblo. Cuando la represión les convenció de que sólo alcanzarían justicia siendo libres, se aplicaron a obtener mediante su esfuerzo las sumas requeridas para comprar su libertad y la de los suyos. A los escasos *esclavos del Rey* que alcanzaron su ahorramiento en el siglo XVII, se sumaría un número elevado en el segundo tercio del siglo XVIII.

En 1709 los esclavos de Santiago del Prado ascendían, entre morenos y pardos, a 515.[117] Su número y buena disposición les convertían en un elemento fundamental para la defensa de Santiago de Cuba, pero no todos los gobernadores se mostraron comprensivos ante la situación sui generis de aquellos esclavos, cuyos abuelos ya habían vivido como libres. El gobernador de Santiago de Cuba, coronel Joseph Canales, extremó el rigor de las prohibiciones económicas, y al encontrar resistencia ordenó desarmarlos e incendiar parte del pueblo. Se quejaron los esclavos en carta al Rey de que se enviaran

soldados de a caballo a desarmar la Compañía que... arreglada con su capitán [118] y demás oficiales, compuesta de todos los que pueden tomar las armas, se ejecutó con ignominia de estar formados y en presencia del cura del pueblo, habiendo pasado a saquear todas las casas, pegando fuego a la mayor parte de ellas.

Pedían los esclavos que se tomasen informes sobre su situación, del ex-gobernador Don Juan Varón de Chaves, entonces en San Sebastián, y del alférez Luis Hurtado de Mendoza, vecino de Santiago de Cuba, quien visitaba la Corte.[119]

En firme y cristiano respaldo a los agobiados esclavos, su pastor, el Pbtro. Juan Antonio Pérez, redactaría una franca denuncia contra la conducta del gobernador Canales y la haría llegar al Rey:

Desde el año año 1701 que fui presentado por el Real Patronato al beneficio curado de este pueblo

Documentos

LA LIBERTAD A TRAVES DEL BAUTIZO

El Rey. Reverendo en Cristo Padre, Obispo de la Iglesia Catedral de la ciudad de Santiago de Cuba.

Don Juan Barón de Chaves, gobernador de ella, en carta de 23-III-1703 dio cuenta de que en los lugares de esa jurisdicción y en los de La Habana están casados diferentes esclavos de los que no sirven en las minas de cobre de Santiago del Prado; y que los hijos que contraen se bautizan y asientan en los libros bautismales por libres, en grave perjuicio de mi Real Hacienda.

...Pide se tome providencia a fin de que no se permita que se casen esclavo ni esclava que fuere de las referidas minas, y que para bautizar negro, zambo o mulato se especule primero quién es su padre y de donde es natural, pues de esta inadvertencia se origina la libertad de los esclavos, como lo ha experimentado con algunos que va recogiendo.

Y habiendo visto en mi Consejo de Indias... ha parecido rogaros y encargaros... deis las órdenes necesarias con todo aprieto a los curas de las Iglesias parroquiales y a los vicarios de toda vuestra Diócesis... para que en los libros de bautizados, casados y velados de las Iglesias de ese distrito no se pongan de ninguna manera partidas injustas, en ningún tiempo, que perjudiquen a la Real Hacienda en la pertenencia de los esclavos de las minas de cobre de Santiago del Prado, procediendo en esto con el temperamento e igualdad que conviene, de suerte que no se perjudique a la libertad e ingenuidad, ni a la condición servil; declarando, como ahora declaro que si la madre fuere esclava lo deberá ser también su hijo; siendo mi deliberada voluntad que no se embaracen los matrimonios a los que quisieren contraerlos legítimamente y con las prevenciones y resguardos que deben preceder para efectuar este sacramento...

R. C. de 10-V-1704

FUENTE: AGI. Santo Domingo, 879. Libro 32, folio 126 vto.

de las minas de El Cobre de Santiago del Prado, he vivido Señor, de día a día, con estos pobres, administrándoles el pasto espiritual como es mi obligación. Y como tan cercano a ellos, y careciendo éstos de la habilidad de saber escribir, hoy día de la fecha [14-IV-1709] todos a una voz me han pedido haga este informe a V.M., a que me ha movido el amor que como padre espiritual les tengo, y que les deseo todo descanso.

Ha, Señor, cerca de 60 años que cesó en este pueblo la administración y labor de las minas del cobre que, por orden de los antecesores de V.M. se trabajaban, y cuyos operarios eran estos pardos y morenos, que su número hoy día de la fecha, es de 515 entre hombres, mujeres y niños... En el discurso de este tiempo se han mantenido, Señor, en virtud, en su pueblo, frecuentando el templo y los sacramentos. Y puedo asegurar en estos 8 años que soy cura, que muchas veces me edifican viendo su fervor y devoción con las cosas de Dios nuestro Señor.

Y no sólo esto, como el haberse mantenido y criado sus hijos honestamente, sin tener de parte del Real haber de V.M. ni un cuarto para su sustento, que parece es correlativo sustentar el amo al esclavo que le sirve, ingeniándose algunos de ellos desde entonces a rebuscar entre las escorias botadas del tiempo de las minas, algunos granitos de cobre, como también lo sacaban industriosamente de las piedras botadas cuando se entendía en descubrir las vetas de cobre; estas piedras, como cercanas de las vetas, no dejarían de tener algún jugo de metal, pero como entonces se interesaba lo principal, que era seguir la veta... estas piedras... no las precisaban los administradores... De este modo, con bastante sudor y trabajo reducían algunas arrobas de cobre para comer y vestir...

Otros, con sus labranzas de agricultura han pasado más. Como comúnmente tienen un mes en el servicio de V.M. en el Castillo del Morro de la ciudad de Cuba [Santiago] y otro en su casa, por ser dos escuadras las que trabajan y en ellas todos los peones que hay... no pueden ser por esta razón muy largas estas labranzas.

Otros, Señor, se inclinaban a buscar el sustento por monterías, matando algún puerco cimarrón, y estos tres modos de vivir les faltan hoy, porque el cobre y monterías se les está mandado por el señor coronel don Joseph Canales, gobernador del partido, con pena de la vida, no lo usen, y el ejercicio de la agricultura falta también, porque dicho señor coronel los va desapropiando de una legua de tierra que en circunferencia de este pueblo, la Real Audiencia de Santo Domingo les había dado para que trabajaran y vivieran. Y sin necesidad, dicho señor gobernador las va donando a vecinos de la ciudad de Cuba, para labrar, quedando estos pobres esclavos de V.M. sujetos a hurtar para poder vivir, que quizás a no estar bien educados en la ley de Dios y su temor santo, lo ejecutaran. Mas como... son tan obedientes, viendo que un ministro de V.M. lo manda, callan.

Desde el año 1691 que el gobernador don Juan de Villalobos comenzó la fábrica del Castillo del Morro, de día a día han estado trabajando por escuadras de 30 hombres, que son los del servicio de V.M., sólo interesan la comida mal dispuesta, quedando las mujeres e hijos de los que están de mes en El Morro, sujetos a mantenerse con frutos silvestres, porque la ración que en El Morro les dan no alcanza para poder estos hombres socorrer sus casas.

Desde el tiempo que faltó la administración de las minas... han estado no sólo obedientes a la fábrica de El Morro, como también en la hora que los señores gobernadores del Partido han enviado órdenes para que el capitán de este pueblo y su compañía parecieran a fortalecer, guarneciendo algún puerto de estas costas por

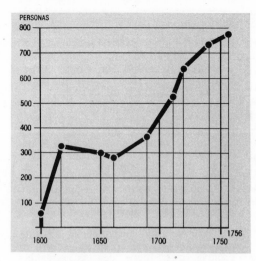

Crecimiento de la población esclava de Santiago del Prado (1600-1756), según los padrones del AGI.

amenaza, para cuyo efecto se les estaba mandando estuvieran todos alistados y bien prevenidos de armas... para defender la plaza de Cuba [Santiago], y más tardaba en llegar el orden del Gobernador que ellos en ejecutarla, muy puntuales, aunque fuera a la media noche, marchando diversas veces por caminos muy ásperos, a tales horas, por defender la Real corona de V.M. Y así todo lo referido es digno de poner en la noticia de V.M. por deberse estimar tan pronta obedicencia en gente de humilde nacimiento no tiene menos quilates.

...Habiendo venido a fines de febrero próximo pasado, por orden del Cnel... Canales el capitán de infantería de la ciudad de Cuba, don Juan Antonio de Velasco y el secretario Juan Antonio de Araujo, *cum fustibus et armis*. Luego que se desmontaron mandaron llamar al capitán de este pueblo y de que vino a su presencia, le mandaron tocar alarma, y habiéndose así ejecutado acudieron los que

más cercanos se hallaron, y otros no, por no haberse hallado en el pueblo; a [los] hombres de El Cobre... El bando era mandando con pena de la vida que ni el grano de cobre que en el río se cogía, que no se cogiera más...

Y habiendo llegado con este bando a mí, todos estos esclavos de V.M. obedecieron puntuales, dando sus armas... Después de esto salieron... [el]... capitán Velasco y secretario, de casa en casa, quitándoles hasta los cuchillos de las cocinas, no habiendo habido, Señor, ocasión para esta demostración, entrándose en las casas libertadamente, hasta los aposentos, que sólo faltó entrar a saquearme la Iglesia; llevándose del herrero toda la herramienta; del calderero los aliños de fundir; de un pobre que tenía fundido, un fondo que su valor pasa de 200 pesos,[120] con mira a venderlo y libertarse, cargaron con todo ésto y pegaron fuego a algunas casas; caso, Señor para que la paciencia más bien acostumbrada se hubiera precipitado, pues lo que hicieron estos pobres esclavos fue callar y sufrir, aunque fueron perjudicados en este saqueo, en fondo, armas y herramientas, en el valor de más de 500 pesos.

Todo lo referido, y otras muchas cosas que han pasado y les están sucediendo a estos desdichados, que por no cansar más los ojos de un Señor tan benigno como V.M. no las refiero, es la desnuda verdad que prometí decir a V.M., deseoso del alivio y descanso de este pobre pueblo de El Cobre, porque siempre los he visto tan obedientes que, en diciéndoles: «Esta es la voluntad del Rey, nuestro señor», el mayor rigor es muy suave para ellos ejecutarlo; tanto amor como este, debe V.M. a estos pobres.[121]

Como otros intentos por reactivar la explotación de las minas fracasasen, entre ellos un asiento con Francisco Delgado, vecino de Santiago, la condición efectiva de los esclavos continuó confusa e inestable. En 1723 el gobernador de Santiago de Cuba, coronel Carlos de Sucre, pretendió lograr una intensificación de las actividades mineras de los esclavos, mediante la compra de todo el metal que pudieran obtener, al precio de 10 reales la arroba; para ello les entregaría todas las herramientas y aperos que se dieran al frustrado asentista. Pero los obedientes siervos que describiera el Padre Pérez años antes, se habían endurecido por los maltratos reiterados. Según escribiría Sucre al contador Juan Francisco Sequeira, el asentista Delgado fracasó por

la resistencia que halló en los esclavos,

y que para él conseguir aceptasen su plan de comprarles el cobre libremente obtenido,

había sido menester mucha entereza y sagacidad sobre explicarles la diferencia de vasallos a esclavos; y que, como tales era preciso mostrasen su servidumbre...

Creía Sucre que

movidos del interés se alentarían,

pero que, al no disponer de dinero efectivo para iniciar las compras, interesaba se le autorizase a tomar parte de los 59.066 reales cobrados por indultos de esclavos de *mala entrada*, para adquirir el cobre.[122]

El sucesor del gobernador Sucre, coronel Pedro Ignacio Ximénez, retornó a la vieja política de hostigamiento a la gente de Santiago del Prado. Según alegarían más tarde,

ESTRUCTURA DE LA POBLACION DE SANTIAGO DEL PRADO (1739)

Por situación social

Esclavos del Rey	745	72.4
(Ausentes)	(108)	(11.0)
Desterrados	36	3.5
Esclavos de particulares	55	5.4
Libres de color	180	17.5
(Ausentes)	(34)	(3.5)
Blancos	12	1.2
	1.028	100.0

Por razas

Negros	388	39.6
Mulatos	580	59.2
Blancos	12	1.2
	980	100.0

FUENTE: AGI. Santo Domingo, 385 (Padrón) (A.A.).

les prohibió adquirir ganado del que, traído de Bayamo, pasaba por el pueblo con destino a la carnicería de Santiago; les privó de las monterías de ganado cimarrón; impedía que aprovecharan las escorias de las minas abandonadas y los tenía continuamente empleados en las obras de fortificación de Santiago,

sin excepción de los libres... de día y de noche, sin reservar los de fiesta, con el corto salario de medio real[123] para su alimento, teniéndoles 30 días en lugar de la semana que les tocaba, sin permitirles volver a sus casas...

Los que caían enfermos, debían pagar jornal a los que les sustituían. Creían que, con estos y

otros excesos... procuraba el Gobernador pereciesen de hambre.[124]

Según padrón de 1731, la población total de Santiago del Prado, descendiente de los primeros esclavos sumaba 786 personas, y su composición social era la siguiente:

	Esclavos	%	Libres	%
Varones	306	79	83	21
Hembras	329	83	68	17
	635		151	

Una parte de los libertos había comprado su libertad al Rey, otros eran hijos de mujeres libres, ya que la libertad, en el momento del nacimiento, dependía de la condición de la madre, no de la del padre. En cuanto a edades, la composición de esta población reflejaba una proporción dominante de niños y jóvenes:

Menores de 19 años:

	Esclavos	%	Libres	%
Varones	174	57	37	45
Hembras	163	50	68	57

Mayores de 60 años:

	Esclavos	%	Libres	%
Varones	19	6	2	2
Hembras	12	4	0	0

Esta población joven y numerosa,[125] endurecida por la represión de que venía siendo víctima, reaccionaría en forma muy distinta a la de la generación anterior, presta a servir a quienes invocaban el nombre del Rey, según el decir del Padre Pérez. El día de Santiago de 1731, cuando se esperaba en Santiago de Cuba el arribo de las compañías de milicias de El Cobre, para el alarde tradicional, llegó la noticia inesperada: los esclavos se habían sublevado, yéndose al monte con sus armas. Según informaría al Rey el sorprendido gobernador Ximénez, interrumpiendo

la inmemorial costumbre de ... [la] ciudad de celebrarse el día de Santiago, patrón della, con alarde de sus milicias y concurrencia de las compañías formadas de esclavos de las minas..., habiéndose mandado acudiesen a esta función, no sólo dejaron de hacerlo, sino que se retiraron al monte, con caxa y bandera que llevaron, y formaron su Real...

El peligro para Santiago de Cuba era indudable, como se probara en el siglo anterior, cuando el Lcdo. Roa movilizó para su facción no pocos esclavos de Santiago del Prado.[126] Ximénez no se consideró lo bastante fuerte para resolver militarmente el conflicto, el cual fue aplacado temporalmente por la intervención del entonces Dean de la Catedral de Santiago de Cuba, el ilustrado y justiciero don Pedro A. Morell de Santa Cruz —más tarde Obispo—, quien relataría lo ocurrido al Rey en carta de 26-VIII-1731,[127] en la que con la misma preocupación cristiana que el Pbtro. Pérez, 22 años antes, denunciaría los maltratos a que estaba sometida la población esclava:

En cumplimiento de mi obligación paso a noticia de V.M. como los vecinos de Santiago del Prado, negros y mulatos esclavos de V.M., se sublevaron el 24-VII, retirándose al monte con sus armas. Divulgose esta novedad; y cuando esperaba yo que el gobernador ganase tiempo para el reparo de la materia, se le dio tan poco cuidado que la dejó correr sin hacerse cargo de su gravedad, hasta que reconociéndola, puso algunos remedios para suavizarla. Pero viendo que no surtía efecto, consultó al ayuntamiento, y se acordó llevar los autos a los abogados que hay en esta ciudad para que expusiesen sus dictámenes. Redújose el mío a que se atendiera con brevedad a extinguir la sublevación, poniendo a aquellos vecinos en el corriente que en los demás gobiernos habían tenido, y cesando en

las providencias que en este se habían dado.

Agradó a todos su contexto y comenzose a practicar su disposición, nombrando por mediadores de la paz a los regidores don José de Losada y don José de Hechavarría. Partiéronse a dicho pueblo; y después de varias conferencias que tuvieron con algunos de sus vecinos, que estando en los montes, vinieron a su mandado, no pudieron conseguir su reducción ni más esperanza que la que pudo darles la insinuación que ellos mismos hicieran de que pasara yo a explicarles algunas dudas que padecían.

Sin embargo de que contemplaba que en condescender a esta súplica hacía un servicio especial a ambas Majestades, no quise moverme sin enterar primero al gobernador del fin de mi marcha. Dióme las gracias y estimuleme a la ejecución con sus expresiones. Pasé a dicho pueblo y volví sin haber surtido efecto mis buenos deseos, porque encontré en dichos esclavos un delirio en que con la dilación y la ociosidad habían dado, que se reducía a decir que eran libres; que la R.C. en que constaba serlo, la habían ocultado los regidores de Cuba. Esto decían unos; pero otros, aunque no se apartaban de esta proposición, fundaban su libertad en la mala inteligencia de una R.C. que se expidió en tiempo del arrendamiento de que dichas minas hizo don Francisco Delgado. Aunque se la explique repetidas veces, no logré sacarlos de su error, porque a lo corto de su entendimiento, se añadía el ansia de su libertad. Y así, todo lo que no era hablar a favor de ella, les causaba risa. Retireme a mi casa con bastante desconsuelo, haciéndome cargo de los perjuicios que amenazaban a esta república, y a toda la isla si permanecían en su obstinación; di cuenta al gobernador del ningún fruto de mis trabajos; y aunque se inclinaba a valerse de las armas, quiso Dios que consultara de nuevo al Ayuntamiento. Respon-

diole este que continuara en los medios suaves, volviendo los comisionados en mi compañía a instar y persuadir con el arbitrio y jurisdicción que se necesitara. Abrazó el gobernador este dictamen y se logró la pacificación de aquel pueblo el 18 del corriente.[128] No dudo que el gobernador procurará indemnizarse reduciendo a completa sujeción a esos esclavos; pero debo representar a V.M. que el origen de esta novedad proviene del rigor con que los ha tratado; pues siendo costumbre que entrasen al trabajo por escuadras de 16 personas cada 15 días, varió esta orden trayendo en un continuo trabajo a cuantos quería, aunque fuesen libres, con tal tesón que ni exceptuaba días de fiesta; y así tenían abandonadas sus familias sin poderlas atender con el corto estipendio de un real; por cuyo motivo se había practicado que asistiesen por escuadras para que tuvieran tiempo de asistir a sus mujeres e hijos; siendo lo más sensible que a los imposibilitados que no podían asistir, les sacaran 3 pesos.

Gravoles también en que contribuyesen a V.M. el quinto del cobre que lavan de las escorias que arroja el río y en cuya labor se entretenían las mujeres para alivio de sus necesidades; y por este motivo se puso un alférez del presidio con 13 fusileros, rigidísimo de cuantas órdenes se habían dado contra aquellos miserables. A unos les ponía grilletes, y a otros en el cepo; privados de unas monterías realengas de donde se mantenían vendiéndolas en pública almoneda; y, lo que parece increíble a la caridad cristiana, privoles también con graves penas comprar de las cargas de carne que pasaban por el pueblo, que es por donde transitan los que vienen de la tierra adentro; y a los que salían a buscarla, como no fuera a esta ciudad, los traían amarrados, que fue lo mismo que ponerlos en el término de la desesperación.

Aunque por la vulgaridad con que en este país corrían estas operaciones, me contristaban lo bastante, fue mayor mi sentimiento cuando las oí de boca de los mismos pacientes, cuando pasé a solicitar su reducción. Y como lo ejecutado por este gobernador era muy opuesto al modo con que sus antecesores han tratado a dichos esclavos, hubieron de cometer el desacierto de sublevarse hasta que se les puso en el corriente que tenían antes. Y así, en manteniéndoles en él, no hay que sospechar lo más mínimo; pues son tan miserables y cuitados, que sólo a influjo de una insufrible opresión hubieran tenido valor para negarse al trabajo retirándose a los montes...

El servicio que he hecho a V.M. en la reducción de dicho pueblo, ha sido tan apreciable que, sin discurrir melancólicamente, podía perderse toda la isla manteniéndose en su obstinación dichos esclavos; pues siendo crecido el número que hay en cada lugar y tan común la aversión que tienen a sus amos, a muy poca diligencia se sublevaran todos y se harían señores de las poblaciones. Para confirmación de esto, después que los de El Cobre se redujeron a la obedicencia, oí decir que 50 negros fugitivos habían pasado a su real y ofrecérseles con sus lanzas, prometiéndoles que dentro de dos horas pondrían a su disposición hasta 300, y que procurarían atraer a todos los de esta ciudad para hostilizar a sus vecinos. A esto se allega que los atropellamientos y malos modos del gobernador con estos moradores, sin excepción de personas, los tiene a todos tan displicentes que, a no ser tanta su lealtad a su señor, habría mucho que temer, si ofrecida esta coyuntura procuraran vengarse del que reputan por enemigo común.

El Consejo de Indias, informado ampliamente de la situación planteada [129] reconoció que la sublevación se debió a que los vecinos de El Cobre habían sido

gravados con excesivos derechos y cargas... destituyéndoles de todo alivio y remedio en sus trabajos y miserias, hasta ponerlos en términos de desesperación...

Aprobaba el Consejo las concesiones obtenidas por intervención de Morell, ya que

no sólo fue justo concederles los partidos que pidieron para su reducción, y en que antecedentemente se hallaban tolerados, atendiendo a la conveniencia... de su conservación... sino también porque de mantenerse aquel pueblo con los esclavos y vecinos libres... se consigue el importante fin de la seguridad de [Santiago de] Cuba, por ser su plaza frontera con colonia enemiga y que en tiempo de rebato guarnecen ellos el puerto... de... Guayjabón, que dista 5 leguas de la... plaza, donde pueden hacer desembarco los enemigos.

Al confirmar lo capitulado, exceptuaba el Consejo

la libertad que presumían tener de V.M.,

y tras dar las gracias a los comisarios, previno a Ximénez para

que en lo sucesivo trate a los referidos esclavos con la mayor benignidad... posible y necesita su miseria.[130]

La dureza de Ximénez hizo inoperantes los acuerdos. Tras recibir la R.C. de 13-IX-1733, en la que se reprendía su conducta, reiteraría que los esclavos se mantenían rebeldes. Mientras, acusaba al Dean Morell y al cura Silva de proteger a los alzados. Escribiría al Rey en 18-VIII-1734 que llamó a los esclavos mediante bando,

con benignidad, prometiendo en Vuestro Real nombre la remisión de la culpa, disimulando el castigo de los que fomentaban la sedición... y quebrando a la justicia en obsequio de la pacificación levanté... la paga de los quintos,[131] les prometí monterías y tierra, sin [otra] justificación que su instancia...

A cambio de ello, mantuvo en firme la obligación de concurrir al trabajo de El Morro y presentarse en los días de revista. Pero los esclavos se negaban con

...insolente modo y licenciosa vida...

Para notificarles el retorno al trabajo en El Morro, Ximénez envió al teniente de oficial real Miguel Serrano Padilla y a un escribano; los esclavos pidieron mayor plazo para enviar escuadras de a 14 hombres. De la primera sólo llegaron 6, pues

los demás se incorporaron en un trozo de la gente [del]... pueblo [que] hasta el número de 68 hombres caminaban para La Habana, dejando dicho... iban a echarse a los pies de aquel gobernador... que más querían trabajar en aquellas fortalezas que en las de la provincia de Cuba [Santiago]...

Según Ximénez, los esclavos restantes

congregados para conferir entre ellos si habían o no de concurrir al ...Castillo, respondieron unos lo hacían manteniéndoles sus hijos y mujeres; y otros, que se les había de dar el hato de Barajagua... bosque que poseían antes y hoy se arrienda de cuenta de S.M.; las tierras de El Ramón y 4 leguas en contorno, para poder ha-

cer en estos sitios sus labores y
cacerías...

La carta de Ximénez (10-XII-1734) encontró eco favorable en el Fiscal del Consejo de Indias, quien advertía en la resistencia de los esclavos prueba de

su depravada inclinación, queriendo vivir en una plena libertad, procurando afectar sus desarreglados procedimientos con maliciosos pretextos, dirigido todo a eximirse del trabajo y servicio a que están adscriptos por su estado y condición.[132]

Frente a las

fantásticas ideas de estos esclavos... que... en lugar de manifestar, agradecidos, con mayor resignación su obediencia, han convertido esta gracia para su mayor soberbia y altivez,

opinó el fiscal que debían ser castigados. Ximénez, desde 1732 había propuesto que los

esclavos se repartiesen en los presidios de la América donde podían trabajar con sujeción y que al... pueblo de Santiago del Prado... se llevasen familias isleñas.[133]

Parece indudable que la prolongada resistencia de los esclavos, aun después de abandonar las armas, su negativa al trabajo excesivo, y su peregrinación a La Habana, no eran acciones espontáneas ni improvisadas, como no lo fue su rebelión armada. Un grupo dirigente había surgido, y sobre él se centrarían las denuncias de Ximénez. El alcalde de El Cobre, Juan Manuel Quiala, al declarar bajo presión, identificó al cabo de escuadra Cristóbal Vicente como uno de los que se sumaron

a la peregrinación a La Habana, y agregaría:

Uno de los principales que se dice van... es Mathías Moreno... principal causante de las sediciones e inobediencias...

Según Quiala, Moreno *lo sindicaba*, y era

muy displicente porque no le han nombrado por regidor... ni tampoco por alcalde...

Los alcaldes de El Cobre [134] se mostraban al menos oficialmente, fieles al gobernador y denunciaban

la diversidad de quimeras nacidas de perversos ánimos,

que les impedían cumplir con la orden de enviar las escuadras para la labor de El Morro.[135]
Cuando los ánimos se fueron calmando, se decidió el castigo de los esclavos considerados responsables de la resistencia. En 1739, al levantarse un padrón de los esclavos de Santiago del Prado [136] aparecen mencionados por sus nombres, como *desterrados*, 36 criollos de El Cobre, enviados por mitad a México y Cartagena, castigados a dejar atrás a sus familias y a su tierra, por haber luchado, en la expresión de sus denostadores, por *la quimera de su libertad*. Estos primeros desterrados cubanos fueron:

A México:

Juan Maximiano Alcántara
Juan Hipólito Cuirta
Gaspar González
Andrés González
Juan Diego González
Chrisanto de Lugo
José Casimiro Moreno
Francisco Xavier Quiala
Juan Rabelo Quiala

Juan de los Reyes
Jacinto Rodríguez
Carlos Vizente
Christóbal Vizente (a) *Cristobalón*
Joseph Vizente (a) *Joseito*
Lorenzo Vizente González
Regalado Vizente

A Cartagena:

Joseph Alexandro
Miguel Bentura de la O
Eusebio Cándido
Francisco Narciso de Cuello
Bernabé González
Gabriel Joseph González
Thomás de Jesús
Alexandro Moreno
Francisco Moreno
Domingo Joseph Norato
Marcos Norato
Gaspar Ortiz Pelado
Francisco Miguel de los Reyes
Bartolomé Rodríguez
Pascual Rodríguez
Sipriano Rodríguez
Juan Ignacio Solís
Eusebio Vizente Cándido.[137]

Que tales criollos sufrieran persecución y exilio por haber pretendido ser libres, resulta doblemente admirable si consideramos el estado de abandono y semibarbarie en que vivían, dejados a su riesgo y ventura por los responsables de organizarlos, guiarlos, alimentarlos y vestirlos. Sus únicos protectores serían los clérigos de El Cobre y de la Ermita de El Cobre, y su fe admirable y firme en la Virgen de la Caridad, devoción nacida y fortalecida por ellos y entre ellos.
Entre 1728 y 1734 compraron su libertad 12 esclavos de El Cobre. Durante los 5 años siguientes, en los que debió intensificarse la represión, no parece que ninguno lograra ahorrarse. Pero a partir de 1739 aumentó notablemente la tasa de ahorramiento. En un período de 18 años, 89 cautivos compraron su libertad o la de los suyos. En este esfuerzo admirable debió ayudarles

Cifras

ESCLAVOS DE LAS MINAS DE SANTIAGO DEL PRADO QUE COMPRARON AL REY SU CORTE Y LIBERTAD
(1728-1755)

	Pagado (Reales)
1728	
Juana Crisóstoma (Los pagó Doña Manuela Guerra de S. de Cuba)	1.200
1730	
Athanasio de Avila (pardo)	1.200
Miguel de Jesús (moreno)	700
Diego Ruiz (pardo)	1.400
Inocencio Cosme	1.200
2 hijos de María Chaviano Galindo. "Por su poca edad":	800
1732	
Baltazar Ruiz por sí, su mujer Teresa Ortiz y sus hijos	4.000
1734	
María Dorotea de Ojeda	1.120
1737	
Joseph Cosme, su mujer Graciana de Ojeda e hijos Juan, Isidoro e Hilario	3.200
1738	
Salvador Velázquez por Francisca Romero, su mujer legítima	800
Diego Manuel González	1.280
1739	
María Trinidad (por la mitad de su valor "admitida a corte y libertad")	200
1740	
María Soledad	480
Juana Gaspara de la Trinidad	800
1741	
Salvador Thomas del Pozo	600
Juana Bartolomé de Villavicencio, esclava del Rey, paga la libertad de su hijo Nicolás de Santa María	280
1742	
Juana Bartolomé de Villavicencio, mulata	640
Juana Lorenzo Peláez ("en cinta")	160
Bernardo del Pozo, de Santiago de Cuba, casado con María Baseva, esclava del Rey, paga por sus hijos legítimos Juan y Antonio del Pozo	1.490
1743	
Juan de la Concepción, mulato	1.200
Miguel Rodríguez, mulato	800
Gerónimo Hernández, pardo libre, paga por su hijo esclavo Patricio Hernández	960
1744	
Acacio de los Reyes (moreno)	800
Francisco Javier de Cárdenas (pardo)	800

	Pagado (Reales)
1745	
Ambrosio de Ortiz	1.200
Miguel de Ojeda, pardo, su mujer María Regina y sus hijos Juan Crisóstomo y María Gabriela	3.600
Rosa de Alcántara (parda)	800
Miguel del Rosal (mulato)	900
María Merced González, mulata, "por la criatura que tiene en el vientre"	128
Juana Lorenza Peláez (mulata) (200 corresponden a su hija de un mes)	1.000
1746	
Juan Ferrán (mulato)	600
Gregorio Izazi por su mujer esclava del Rey, Thomasa de Villavicencio	800
Adriana María de la Caridad (parda)	800
Fructuosa Casis (parda)	1.200
1747	
Feliciano del Pozo (pardo)	800
María Francisca Norate (parda)	800
Bartolomé de la Caridad, moreno libre de El Cobre, por sus hijos legítimos Jesús y Eusebio José, tenidos con su difunta esposa María de las Nieves	1.520
Andrea de Quiala (parda)	800
Juan Luis de Rosas (pardo)	1.000
1748	
Francisco Quiala	640
Francisco Ganzález (mulato)	640
Manuel Antonio Esquivel (mulato)	640
Andrés González (negro)	1.000
Juan Andrés (mulato)	800
Juan Vicente de los Reyes (negro)	640
Lorenzo Joseph de las Rosas (mulato)	800
1749	
Felipe Rodríguez, pardo libre, por su mujer legítima Apolonia de Cazares, esclava del Rey	680
Bernardo del Pozo, pardo libre, por Nazario y Eusebio del Pozo, hijos legítimos suyos y de María Basilia de Lugo, esclava que fue	1.600
1750	
Francisco Xavier Ortiz (pardo)	800
Teodora de los Reyes (parda)	800
Adrián Ortiz	1.000
1751	
Martín de los Reyes (pardo)	720
Juana Baptista de Quiala por el corte de la criatura que tiene en el vientre	128

	Pagado (Reales)
María Candelaria Cosme	400
Ana de Salas	400
Juan Baptista González	800
Andrés González, mulato libre, por su hijo Pedro	800
Juan de Parada	800
José Alexandro	640
Andrés de Quiala	800
Cap. Félix de los Reyes, de El Cobre, por su hija legítima Gabriela de los Reyes	600
Blas Galindo	800
Juan Baptista Rodríguez	640
Antonia de Quiala	800
Francisco de Quiala	800
Bernardo del Pozo, mulato libre, por su hijo legítimo Juan Bautista del Pozo	800
Bernardo del Pozo por Petronila de los Angeles	600
Bernardo del Pozo por su sobrino Phelipe Pascual (pardo)	560
Faustino Ortiz	640
José Cusato	800
José de los Reyes (moreno)	1.000
Francisco Ortiz (pardo)	800
Antonio Siliana (pardo)	800
Luis Beltrán (pardo)	800
1753	
Juan Rodríguez (pardo)	800
Pablo Joseph Villavicencio	800
Presbítero Leonardo Antonio Angulo, por un negrito	800
Joseph Quintero, moreno libre, por su hijo Hilario	800
1754	
Cap. Joseph Cosme por Valentín de la Rosa (mulato)	640
Simón de los Reyes (pardo)	960
Phelipe de Alcántara (pardo)	800
Fernando Alcántara	800
Gerónimo Hernández (pardo)	800
Miguel Rodríguez (pardo)	1.000
1755	
Francisco Javier Cerquera	2.000
Martín Norato	1.000

* La tasación la realizaban *conocedores* designados por los tenientes de oficiales reales de Santiago de Cuba. Entre los tasadores identificados en estos documentos aparecen Eugenio de Castro, Miguel de Moncada Sandoval y Francisco Antonio Alveretaza.

FUENTE: AGI. Contaduría, 1181, 1182, 1183 y 1184a.

Cifras

PADRON GENERAL DE LA POBLACION DE CUBA (1754-57)

Términos eclesiásticos	Familias	Personas	%
1. LA HABANA (Intramuros)	10.000	50.000	33,5
Cercanías de La Habana			
2. Guadalupe (barrio)	700	3.761	
3. Jesús del Monte	262	1.318	
4. Calvario	331	1.859	
5. Regla	20	100	
6. Guanabacoa	737	6.309	
7. San Miguel	199	965	
8. Santiago de las Vegas	328	1.954	
9. Sta. María del Rosario	—	1.598	
10. Managuana	135	3.154	
11. San Felipe y Santiago (Bejucal)	100	1.658	
12. Potosí	66	1.658	
13. Güines (San Julián)	97	526	
14. Batabanó	43	315	
15. Isla de Pinos	—	40	
		24.199	16,2
A sotavento de La Habana			
16. Quemados	183	1.562	
17. Cano	310	2.732	
18. Guanajay	32	268	
19. Santa Cruz	65	400	
20. Consolación	142	753	
21. Pinar del Río	76	640	
22. Guane	98	700	
23. Cacarajicara	33	238	
A barlovento de La Habana			
24. Río Blanco	120	600	
25. Matanzas	121	661	
(Jurisdicción) [a]	—	3.370	
26. Macuriges	—	400	
27. Guamacaro	7	97	
28. Alvarez	75	173	

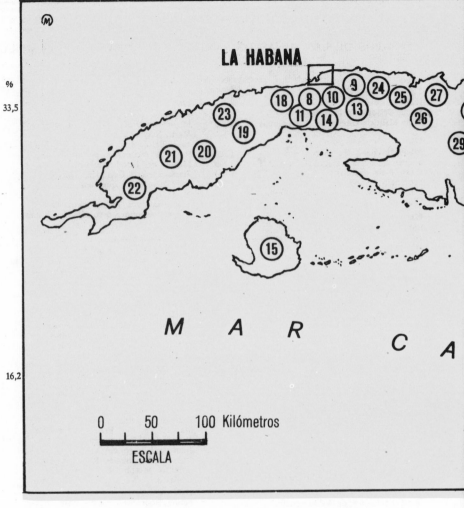

	Familias	Personas	%
29. Hanábana	95	1.000	
30. Guamutas	43	186	
31. Cumanayagua [b]	—	500	
32. Santa Clara	669	4.293	
33. Remedios	398	2.529	
34. Sancti Spiritus	909	5.492	
35. Trinidad	762	5.840	
36. Palmarejo	180	422	
37. Ciego de Avila	48	355	
		25.918	17,4

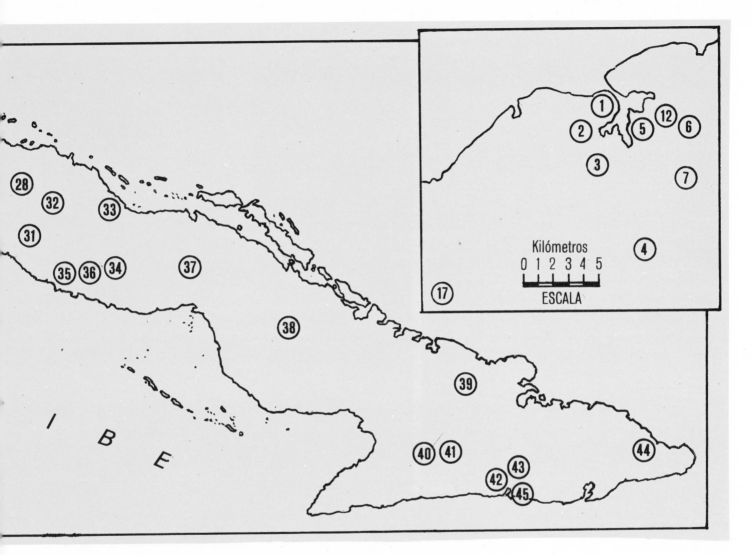

	Familias	Personas	%
38. PUERTO PRINCIPE	1.506	12.000	8
GOBIERNO DE SANTIAGO DE CUBA			
39. Holguín	345	1.751	
40. Bayamo	1.530	12.653	
41. Jiguaní	102	588	
42. Pueblo del Cobre (Santiago del Prado)		1.183c	
43. Caney	83	500	

	Familias	Personas	%
44. Baracoa	217	1.169	
45. SANTIAGO DE CUBA	1.419	11.792	
		29.636	20,0
POBLACION TOTAL DE CUBA		149.046	

a. Población rural de las haciendas próximas.

b. El partido era llamado también Barajagua y Camarones.

c. Población esclava y libre.

FUENTE: AGI. Santo Domingo, 534. (Visita del Obispo Morell de Santa Cruz) (A.A.).

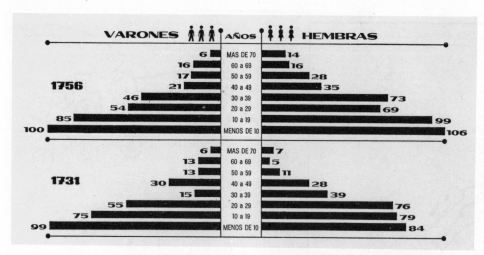

| VARONES | AÑOS | HEMBRAS |

1756

VARONES		AÑOS		HEMBRAS
	6	MAS DE 70	14	
	16	60 a 69	16	
	17	50 a 59	28	
	21	40 a 49	35	
46		30 a 39	73	
54		20 a 29	69	
85		10 a 19	99	
100		MENOS DE 10	106	

1731

VARONES		AÑOS		HEMBRAS
	6	MAS DE 70	7	
	13	60 a 69	5	
	13	50 a 59	11	
30		40 a 49	28	
	15	30 a 39	39	
55		20 a 29	76	
75		10 a 19	79	
99		MENOS DE 10	84	

Pirámides de la población esclava de Santiago del Prado, basada en los padrones de los legajos de Contaduría del AGI.

la mayor actividad económica de la isla, donde los ingenios requerían vasijas de cobre, y se amplió la posibilidad de enviar el metal a Cartagena, mediante intermediarios, tras pagar el *quinto del Rey*.

En su propósito por alcanzar las sumas que les permitiesen adquirir de los oficiales reales la libertad personal, los esclavos dominaron y transmitieron a lo largo de las generaciones una técnica rudimentaria que les permitía obtener cobre metálico del mineral o *piedra*, como era llamado. El metal, fundido elementalmente, lo vendían entre 18 y 20 reales quintal, precio muy inferior al que regía en la Tierra Firme y en España. El cobre comprado a los esclavos era llevado en balandras a Cartagena por los mercaderes que lo vendían con un 100 % de utilidad. La situación era explicada así al Rey, al proyectarse fabricar moneda de vellón con el cobre de Cuba:

...La razón de ser tan barato en

Cuba, es por hallarse las minas a distancia de 4 leguas, en el lugar de Santiago del Prado, en el sitio que llaman de Nuestra Señora de la Charidad de Remedios, donde habitan los negros esclavos de V.M., quienes sólo tienen el trabajo de cortar la piedra de este metal, y haciendo un gran montón... le pegan fuego con la leña que tienen en el propio paraje. Y separándose la piedra, recogen el grano, que es el que venden para todas partes, a fin de refinarlo como convenga.

...Siempre que V.M. lo quisiere en los términos referidos, no se puede dudar que lo sacarán en abundancia, siendo pronta y efectiva la paga, a causa de que aquellos negros no tienen otra cosa con que vivir y mantenerse que su trabajo, porque V.M. no les asiste con cosa alguna.[138]

La población de El Cobre se mantenía agitada y propensa a la rebelión. Los gobernadores de Santiago de Cuba pretendían que trabajasen en tareas del real servicio, y ellos se negaban a admitir su condición servil. En 14-XI-1756 el gobernador Caxigal, desde La Habana, lanzó una alerta, anunciando que 300 esclavos de Santiago del Prado se habían fugado y estaban esparcidos por toda la Isla.[139]

Un padrón de ese mismo año reflejaba un aumento en la población esclava de El Prado, que ascendía entonces a 785 personas:[140]

		%
Varones	345	44
Hembras	440	56
Total	785	100
Ausentes	116	15

Cuando ese año visitó el Obispo Morell de Santa Cruz el pueblo de El Cobre, como ya era comúnmente llamado Santiago del Prado, encontró que era

el Santuario del Cobre... el más rico, frecuentado y devoto de la Isla, y la Señora de la Caridad la más milagrosa efigie de cuantas en ella se veneran.

Después de confirmar 453 personas, el Obispo continuó viaje a Santiago de Cuba, donde ya había realizado como Dean una labor admirable, y fue recibido triunfalmente.[141]

5. DISTRIBUCION DE LA POBLACION; LAS NUEVAS CIUDADES Y VILLAS

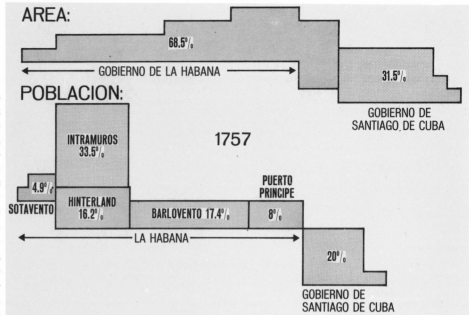

AREA:

68.5%

← GOBIERNO DE LA HABANA →

31.5%

GOBIERNO DE SANTIAGO DE CUBA

POBLACION:

INTRAMUROS 33.5%

1757

4.9% SOTAVENTO

HINTERLAND 16.2%

BARLOVENTO 17.4%

PUERTO PRINCIPE 8%

← LA HABANA →

20%

GOBIERNO DE SANTIAGO DE CUBA

Comparación entre las áreas y las poblaciones de las gobernaciones de La Habana y de Santiago de Cuba en 1757. (Fuente: Morell de Santa Cruz, AGI).

La población cubana continuó siendo predominantemente urbana en las primeras seis décadas del siglo XVIII. Tal como ocurriera antes, la población rural era escasa y dispersa, y la constituían pequeños núcleos establecidos en los centros de hatos y corrales, a los que se sumarían ahora, en forma muy visible los *vegueros*, cuya presencia iría en aumento como pobladores del agro.

La tendencia de la población a aglomerarse en aldeas fue estimulada por los *curatos del campo*, establecidos en los años finales del Seiscientos, por el Obispo Compostela. En torno a muchas de las primitivas ermitas encontraría el Obispo Morell, hacia 1755, poblaciones relativamente numerosas. A esta tendencia espontánea hacia la concentración demográfica se debió la constitución de algunos núcleos urbanos durante el período, como Santiago de las Vegas y San Isidoro de Holguín.

La población de Cuba que, según los padrones de Morell debió sumar hacia 1757 unas 149.000 personas, era predominantemente urbana si consideramos como tal la que vivía en núcleos de 20 casas o más, en cada una de las cuales podemos estimar vivía una media de 5 personas.

En La Habana y sus barrios inmediatos se concentraba un total de 53.880 personas que representaban el 36 % de la población total de la Isla.

El crecimiento de la población habanera y la expansión del área urbana aparecen reiterados tanto en los documentos del juzgado de tierras de don Joseph Antonio Gelabert como en numerosas medidas de *policía*. En 1752, el gobernador Caxigal debió nombrar además del comisionado que, desde el gobierno de Güemes regía el barrio de Guadalupe, otro para el barrio del Horcón, ambos extramuros,

por haberse extendido su población y quedar de noche tantas gentes sin jefe que los conservase, con cuyo respeto y el de evitar toda insolencia de los negros, erigió otros dos, en Managuana y Consolación y demás partidos inmediatos.[142]

Movía a Morell el mismo espíritu pastoral que a Compostela y comprendió que el único modo de mejorar las condiciones de vida de la población rural era fomentando la reunión de las familias dispersas en vegas y estancias aisladas, en nuevos pueblos presididos por un templo, por humilde que fuese. Después de visitar las iglesias a Sotavento de La Habana, alcanzando hasta Guane en su viaje, hizo constar oficialmente la necesidad de

procurar el remedio de las necesidades espirituales de aquellos infelices que viven en las tinieblas de la ignorancia y expuestos a perderse para siempre.

Y como remedio, al concluir su visita de la muy poblada y rica región tabacalera de San Julián de Guines, escribiría al Rey que allí esperaba

con intervención del Gobernador valerme de su autoridad para que los moradores del partido fabriquen sus casas con inmediación a la Iglesia... Las mismas providencias extenderé a los otros curas del monte, con el designio de que obtenida la Real licencia de V.M., se forme en cada uno su pueblo, de que resultarán tantas utilidades públicas y privadas.[143]

Merece especial mención la fundación planificada de ciudades señoriales, primeros pasos de una *nobleza titular* que alcanzaría significación muy marcada en la sociedad cubana del siglo XIX. La iniciativa de los labradores de Bejucal para reunirse en pueblo, llevaría con el apoyo inicial del Obispo Valdés a la creación de la ciudad de San Felipe y Santiago, cuyo fundador, el próspero hacendado y mercader de tabaco Don Juan Núñez de Castilla, alcanzaría la dignidad de marqués y el señorío de la ciudad. El señorío de la nueva ciudad de Santa María del Rosario lo ejercería su fundador, el Conde de Casa Bayona, antiguo capitán don José de Bayona y Chacón.

En el paisaje agrario del Setecientos, a pesar del avance del cultivo de la caña y del tabaco, los vastos espacios de la tierra adentro aparecían desertizados, y dentro de ellos las áreas desmontadas por la actividad roturadora era lo excep-

POBLACION URBANA DE CUBA EN LOS AÑOS 1754-1757

	Casas *	Personas **	%
1. LA HABANA			
(Intramuros)	3.497	50.000	
1a. Guadalupe (L.H.)	669	3.445	
1b. Jesús del Monte	69	345	
1c. Regla	20	100	
Subtotal	4.255	53.880	61.6
2. BAYAMO	1.810	9.050	
3. PUERTO DEL PRINCIPE	1.506	7.530	
4. SANTIAGO DE CUBA	1.418	7.090	
5. TRINIDAD	698	3.490	
6. SANTA CLARA	457	2.285	
7. SANCTI SPIRITUS	455	2.275	
8. GUANABACOA	434	2.170	
9. REMEDIOS	392	1.960	
10. HOLGUIN	238	1.190	
11. BARACOA	158	790	
12. SANTIAGO DEL PRADO	140	700	
13. MATANZAS	123	615	
14. JIGUANI	102	510	
15. STA. MARIA DEL ROSARIO	53	265	
16. SAN FELIPE Y SANTIAGO	50	250	
17. SANTIAGO DE LAS VEGAS	40	200	
18. BATABANO	40	200	
19. GUINES (San Julián)	40	200	
Subtotal	8.154	33.565	38.4
TOTAL		87.445	100.0

* El número de casas corresponde a los padrones del Obispo Morell. Hemos considerado *urbanos* los núcleos con 20 o más casas.

** El cálculo de 50.000 personas es de Morell e incluye transeúntes y soldados. Hemos considerado 5 el número de habitantes por casa.

FUENTE: AGI. Santo Domingo, 534. (Visita del Obispo Morell).

cional. Como en los siglos anteriores los extensos e intrincados montes daban abrigo no sólo a los palenques de cimarrones, sino a los desertores que se alejaban de La Habana, como marineros y soldados prófugos. Tal situación la confirmaría una R.O. de 18-V-1749 que ofrecía indulto a los soldados de-

sertores ocultos en Cuba, con la condición de ir a poblar voluntariamente La Florida o Santo Domingo.[144]

Los centros urbanos fundados y organizados oficialmente como ciudades o villas durante el período 1701-62, serían: ciudad de San Felipe y Santiago (Bejucal), en 1730; ciudad de Santa María del Rosario, en 1733; villa de Santiago de las Vegas, en 1749 y ciudad de San Isidoro de Holguín en 1752. Además, en 1743, se reconoció a Guanabacoa la condición de villa. A la vez que estos núcleos reconocidos por la Corona, se irían fortaleciendo otros, cuya presencia registraría con inteligente visión el Obispo Morell durante su visita de 1754 a 1757.

La ciudad señorial de San Felipe y Santiago

El tabaco, como cultivo poblador había contribuido a asentar desde los años finales del siglo XVII a un número creciente de familias en el perímetro habanero, a algunas leguas de distancia del recinto amurallado. Cuando en cumplimiento de su misión pastoral visitó esa región el obispo Gerónimo Valdés, en 1710, muchas de estas familias de labradores

hiciéronle vivas instancias

para que lograse reunirlas en un pueblo, ya que se hallaban

en los campos... distraídas y faltas de instrucción política y cristiana.

Interesó el Obispo al rico labrador capitán Juan Núñez de Castilla

Plano de la ciudad de San Felipe y Santiago (Bejucal) que "se está fundando distante de La Habana 6 leguas a la parte del Sur" (1710). Las escuadras tienen 90x50 varas y las calles 10 varas. El cuadro del Ejido 5 caballerías. (AGI. Santo Domingo, 512).

Mapa de las 4 caballerías de tierra asignadas a los pobladores de San Felipe y Santiago, según Arrasate, en 1726. (AGI. Santo Domingo, 425).

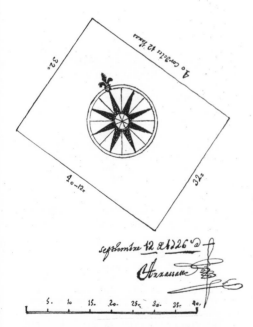

para que fundase un *pueblo de españoles*.[145] Núñez acogió la idea y presentó a la Corona un memorial de 29 capítulos que fue aceptado, concediéndosele el título de Marqués de San Felipe y Santiago en 30-III-1713, con *señorío*, o sea, la facultad de impartir justicia dentro de la jurisdicción que le correspondía.[146]

El primer compromiso que cumpliría el nuevo Marqués sería la construcción de la Iglesia, que le tomó dos años y una inversión de más de 34.000 pesos. En 9-III-1724 informaba que, según sus cuentas, incluyendo el precio de las 4 caballerías de tierra destinadas a la población, había gastado en la ciudad en formación 83.750 pesos. Quiso se designara párroco, pues dependía del de Batabanó e informaba que los diezmos rendían 333 pesos anuales, a los que él sumaría 110. El gobernador Martínez de la Vega se mostraría pesimista sobre el desarrollo de la nueva ciudad, cuyos pobladores no aumentaban. En cambio

de los que fueron a establecerse van algunos a otros parajes, motivados de su general inclinación a la libertad, o de la violencia con que por efecto de la inconsideración del Marqués, se les ha querido obligar a hacer diferentes actos de rendimiento y abandono de algunos derechos suyos, por lo que más se puede esperar la total desolación de la población que su aumento.[147]

Al morir en 1725 el primer Marqués, le sucedió su hijo, quien terminó de cumplir los trámites de urbanización, sobre los cuales se mostraría exigente la Corona. La confirmación del título y señorío fue otorgada en 1730. La nueva ciudad, que por el nombre del corral donde fue establecida pasaría a ser conocida como Bejucal, no prosperó rápidamente, a pesar de su relativamente densa población rural. Cuando en VIII-1754 la visitó el Obispo Morell, la ciudad, escribiría, situada

en un terreno llano, pero sin agua, compónese de 50 casas de paja [bohíos]; una de ellas es la del Marqués... [quien] entiende actualmente en otra de cantería, muy capaz, primorosa y correspondiente a su carácter.

La población, según Morell, la componían 190 familias y un total de 1.658 personas de todos los estados.

La ciudad señorial de Santa María del Rosario

La segunda ciudad señorial cubana fue fundada por el Conde de Casa Bayona, don Joseph de Bayona y Chacón,[148] acaudalado hacendado habanero, quien incluía entre sus propiedades el ingenio Quiebrahacha y el corral de Xiaraco, ambos contiguos y a unas 4 leguas al E. de La Habana. Estimulado quizás por la fundación de San Felipe y Santiago, Bayona anunció su propósito como consecuencia inmediata de un hecho conmocional: una sangrienta rebelión de sus esclavos, en 1727. Se estimó entonces que la rebelión había tenido relación con la prolongada presencia, frente a las costas habaneras, de la escuadra del Almirante inglés Hossier, y que pudo haber sido instigada por agentes suyos. No debemos olvidar que los esclavos habían venido siendo llevados a La Habana por los factores del Asiento inglés y que la posibilidad de que el enemigo se valiese de los esclavos indispuestos

Mapa de las tierras de Xiaraco, Quiebra Hacha y ciudad de Santa María del Rosario, según Arrasate, en 1733. (AGI. Santo Domingo, 381).

contra sus dueños, para tener apoyo en tierra, era tema considerado por los habaneros desde el Seiscientos.

En 23-II-1728 el Conde de Bayona declaró sus intenciones y motivos para la fundación de la ciudad ante el escribano Miguel Hernández Arturo. Explicaría que el año anterior había

padecido el quebranto y contratiempo de habérsele levantado parte de los negros esclavos de la labor del... ingenio, con las armas de fuego y de corte que... [le] robaron y... hecho conmoción

de los demás negros de los otros ingenios de la comarca, que sublevados y bien municionados hicieron en los campos muchos y graves insultos, muertes y sacrilegios, hurtando las vestiduras y vasos sagrados, poniendo a esta ciudad [La Habana] y sus moradores en gran cuidado por la universal conmoción de negros que se temió, y se hubiera experimentado a no haberse acudido con prontitud al reparo, con destacamentos de infantería, dragones y gente del país, que los avanzaron y destruyeron, matando y prendiendo todos los que se pudieron aprisionar vivos.

En atención a lo ocurrido, expresaría Bayona su deseo de servir a Dios y al Rey con el

aumento y extensión de las poblaciones de españoles... y... siendo el sitio del... ingenio muy apropósito para fundar pueblo... [estimaba] de gran beneficio que en él se funde, así porque el vecindario que se congregare sirva de respeto a los negros que habitan aquellos campos... como porque en aquellos contornos asiste mucha gente en sus estancias de labor y se espera que se aumente el concurso de los labradores...

También mostraba preocupación el Conde por los labradores, ya que

viven sin doctrina ni comercio político, por estar algo distantes de la ciudad y serles muy costoso mantener en ella sus casas y familias... Aunque tiene párroco no pueden frecuentar sus parroquias... por tener sus casas en los campos y no poder desampararlas a mucha distancia...

Decidido a realizar su propósito colonizador, Bayona Chacón comenzó a demoler una y otra hacienda, destruyendo la crianza de ganados del Corral y las labranzas del ingenio... repartiendo sus tierras en caballerías,[149] para la labor, sólo con el fin de que en los campos se aumente la cultura y tengan los labradores una república en que situar sus casas...

Su fundación pretendía hacerla, terminaba, para honra y gloria de Dios y mayor aumento de la Corona de España.[150]

Una R.C. de 4-V-1732 acogió favorablemente el proyecto del Conde de Casa Bayona, así como los capítulos que sobre la fundación acompañara, excepto dos. El Rey aprobó las preocupaciones sobre la posible repetición de la rebelión de esclavos y las sospechas de que Inglaterra —entonces en posesión del Asiento—,

había sugerido la conspiración de negros... por haber sido en tiempo que estaba sobre su puerto la escuadra inglesa del almirante Hossier,

en actitud intimidatoria, debido a la tirante situación de las relaciones entre Inglaterra y España.

Reconocía la R.C. que el Conde perdía más de 70.000 pesos en la demolición emprendida, del caudal de 250.000 pesos que se estimaba poseía en bienes raíces y esclavos y que, de su actuación, podía

deducirse su desinterés [siendo] las condiciones que proponía, al parecer, más favorables a la utilidad del común que a su propia conveniencia...

Quería Bayona no sólo fundar la ciudad, bajo la advocación de Santa María del Rosario, sino también un convento de dominicos

Cifras

PADRON DE LOS 30 VECINOS PRINCIPALES DE SANTA MARIA DEL ROSARIO (1732)

- Miguel González de la Cruz Suárez y Joseph Herrera, alcaldes ordinarios.
- Gregorio Yañes, alférez mayor.
- Sebastián Luis, provincial de la Santa Hermandad.
- Domingo Francisco de Acosta y Bernardo Caravallo de Villavicencio, alcaldes de la Santa Hermandad.
- Juan Antonio Carabeo, alguacil mayor.
- Joseph Gutiérrez, fiel ejecutor.
- Claudio Hernández Guirola, depositario general.
- Nicolás Pérez, Cristóbal Fundora y Juan Domínguez Alfonso, regidores.
- Nicolás Germán, procurador general.
- Salvador Hernández Piloto, Joseph Acebedo, Juan Martín Guerrero, Joseph Henriquez, Gerónimo Núñez, Manuel de Mendoza, Sebastián Padrón, Manuel Luis, Tte. Esteban Albares, Juan de Cáceres, Pedro del Pozo, Joseph del Pozo, Christóbal González, Domingo Palacios del Hoyo, Francisco Palacios y Bernardo Rizo, vecinos.

FUENTE: AGI. Santo Domingo, 381. (A.A.).

para la educación y enseñanza de los que se avecinden en ella...

El gobernador Martínez de la Vega había informado que tenía

el paraje destinado para la nueva población 4 leguas contiguas y más de 30 caballerías de territorio llano y saludable, con permanencia de aguas dulces...,

y advertía que si bien distaba menos de las 5 leguas de La Habana, requeridas por ley para ser titulada ciudad, porque

la jurisdicción de La Habana tenía más de 40 leguas... por el oriente y 80 por el poniente, no podía indisponer la nueva población... sino antes bien, estableciéndose, serviría de antemuro y defensa a

La Habana y sería de grande utilidad a todas las haciendas e ingenios circunvecinos para obviar y refrenar las sublevaciones de esclavos...

El Obispo Valdés (6-IX-1728) estimaba loable el propósito

de sacar del campo a sus habitadores, donde vivían rústicamente,

pero se opondría al convento dominico, estimando suficiente la erección de una parroquia. El Rey concurrió con el Obispo. También negó la Corona la condición de *hidalgos* y *nobles* que pedía el Conde para los primeros 30 pobladores, que ya había seleccionado.

Una admirable preocupación urbanística presidió el proyecto. Bayona se comprometió a

dar graciosamente a cada uno de los 30 pobladores un solar con 20 varas de frontera y 40 de fondo, sin gravamen alguno, para que... cuiden sus casas y viviendas de que han de ser propios dueños...

La ciudad, que se erigiría en las

dos caballerías de tierra inmediata a [sus]... casas de habitación y retiro... por ser la tierra más llana, de más comodidad y proveída de aguas dulces,

se iniciaría con los primeros 30 solares repartidos

en 4 cuadras diametrales, de manera que un frente de cada una de ella mire a una plaza que en medio de quedar en cuadro, prolongada con 600 pies de longitud y 400 de latitud, repartiendo 4 solares en cada frontera de las 2 cuadras prolongadas y 3 en las colaterales, para la fábrica de 56 casas, haciendo primero las 30 de la obligación, en las fronteras de la plaza.

De la plaza han de salir 8 calles, 2 de cada esquina, sacadas a cuerda y cordel...

Preocupado por el ornato, precisó el Conde que, tanto los 30 pobladores principales, como los que se sumasen luego, tuviesen la obligación de

fabricar con igualdad sus casas, de rafas y tapias fuertes, cubiertas de terrado, de fábrica de bovedilla, coronada de almenas que se han de mirar con una misma proporción, con hermosa y delectable vista; y a sus fábricas ha de concurrir el fundador, ayudando a los pobladores con suplemento de su caudal, debajo de los conciertos y pactos que con cada uno celebre.

El sostén económico de la ciudad se lograría mediante la obligación de Bayona de vender hasta 3 caballerías de tierra a cada poblador, quienes ya habían comenzado a romper tierras en 1728. En ellas

han de tener una yunta de bueyes, 6 gallinas y un gallo... un caballo de servicio y otro de montar, sin que necesiten tener yeguas por la abundancia que de ellas hay en la isla, ni ovejas por no ser terreno que pueda criarlas.

En cumplimiento con lo dispuesto por la *Recopilación*, además de las 2 caballerías destinadas a *fondo* de la ciudad,

han de quedar comunes en círculo otras 2 caballerías y más, si fuere menester, para ejidos... ...En las demás tierras que no necesitaren los pobladores, ha de poder el Conde disponer a su voluntad y reservar la que le pareciere para huertas, jardines y labranzas,

por ser el más principal poblador y haber de dejar su casa incorporada para vivir en la misma ciudad.

La extensión del señorío que originalmente solicitara el Conde de Casa Bayona, con facultad de justicia, quedó reducido, ante las numerosas objecciones vistas en el Consejo de Indias

a la que comprendiese el [territorio] de su ingenio y corral, sin que al presente ni en lo futuro pudiese por sí ni sus sucesores aspirar a más jurisdicción.

Disponemos hoy del padrón de los 30 primeros pobladores y sus familias, seleccionados cuidadosamente por Bayona entre los vecinos de La Habana, previa

información de limpieza de sangre, para que constando que son españoles, sin máculas de judíos, indios, negros, mulatos ni de los nuevamente convertidos, se han registrado con sus caudales habidos, y tenidos por principales pobladores, y como tales, dignos de las honras y mercedes...

Entre estos 30 cabezas de familia distribuyó el Conde los cargos concejiles. La población inicial, constituida por estas 30 familias principales, la formaban 145 personas;[151] la media de hijos por matrimonio era de 3.8.

El convento que insistía en fundar el Conde encontró la oposición del gobernador Güemes Horcasitas, quien en 3-V-1744 escribía al Rey

sobre el corto crecimiento de la ciudad... [El Conde] ...no deja hijos, ...el estado de su caudal no es el más sobresaliente en especie de plata, y en hacienda sólo se le conoce un ingenio nuevo que ha fabricado en 1743 ...San Miguel del Rosario, a una legua de la ciudad, muy bien aviado de esclavos y todo lo necesario para la zafra de azúcar...

Las tierras que tiene repartidas en estancias a sus vasallos, y otras que tiene en ser y en arrendamiento, que le reditúan una moderada ganancia al año, y en la que padece bastantes quebrantos por depender su paga de las buenas o malas cosechas de los frutos que se siembran.[152]

En 31-VIII-1754, o sea, 21 años después de iniciada la construcción de la nueva ciudad señorial,[153] la visitó el Obispo Morell, quien describe así la casa del Conde, construída en 1721:

...de piedra y teja, con sus bajos y altos, corredores en cuadro y dos miradores el uno con su relox, todo con gran primor y costosos adornos...

La población había crecido, aunque no como la proyectara su fundador, pues contaba con

53 casas, las 16 de teja, y las restantes de guano... forman 7 calles y 14 cuadras. Las personas habitantes en ellas y en los campos... [son] 1598 con 2 compañías [de milicias] y sus respectivos oficiales...

Impresionó al Obispo la iglesia parroquial que, con las adiciones posteriores, sería llamada en el siglo XIX por el Obispo Espada, *la catedral de los campos de Cuba.* Morell la vio

de piedra y teja, baja, ...de 3 naves que corren de Oriente a Poniente,... de 22 por 13 varas, y altitud de 5; incluye 7 altares muy decentes, púlpito, coro alto y órgano... La sacristía queda a las espaldas, con 9 por 5 varas... las alhajas y ornamentos... son costosos... su ...valor llega a 13.000 pesos; una custodia con esmalte de piedras preciosas... se regula en 3.000 pesos...

Las campanas, que son 3, están sobre un torreoncillo de madera a la entrada de la sacristía... La Condesa, impelida de su religiosidad y celo verdaderamente cristiano, se ha dedicado a mantener el culto de Dios y celebrar las funciones eclesiásticas a su expensas, con la misma solemnidad y pompa... que en esta Capital se practican.

El Conde, por su parte, se comprometió con el Obispo Morell

en la construcción de otro templo más capaz y suntuoso.[154]

La villa de Guanabacoa

Guanabacoa, fundada como pueblo de indios hacia 1553,[155] alcanzaría categoría de villa 190 años más tarde, cuando por R.C. de 14-VIII-1743 se atenderían finalmente los reclamos de sus vecinos, a quienes se otorgó también el escudo de armas municipal. La población ascendía ya a 5.500 personas, pero la mayor resistencia a reconocer su autonomía provenía de los habaneros, cuyo Cabildo temía perder parte de su extensísima jurisdicción. Fue por ello que al nuevo ayuntamiento de la villa de la Asunción de Guanabacoa se le limitara la jurisdicción,

dentro de sus goteras

Escudo concedido a la Villa de Guanabacoa, al ser reconocida como tal en 14-VII-1743. Los dos castillos corresponden al Torreón de Cojimar y al Fuerte de Bacuranao, que defendían sus accesos. (AGI. Santo Domingo, 1315)

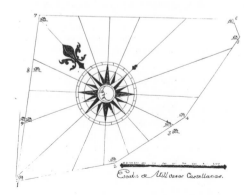

o sea, reducida a sus estrictos límites urbanos, comprendidos de Corral Falso a Corral Nuevo. La merced del título de villa la concedió la Corona a cambio de la oferta de los vecinos de construir

un cuartel de 80 varas de frente, circundado de colgadizos, de rafas y tejas, en el puerto y fortaleza de Bacuranao, para que sirva de alojamiento a la tropa que se mantiene allí en tiempo de invasión.

Además, la villa pagaría 1.750 reales de plata doble, como media annata, de 15 en 15 años. La Corona se beneficiaría al designar a quienes, mediante almoneda, adquiriesen los cargos del nuevo cabildo.

Guanabacoa debió luchar frente a la oposición del Cabildo de La Habana, antes de lograr convertirse en villa. Los habaneros temían perder parte de su extensa jurisdicción, que cubría algo más de las tres provincias occidentales. Por ello, los límites de la jurisdicción de Guanabacoa quedaron limitados "a sus goteras", o sea, el área urbana deslindada en este plano de don José Fernández Sotolongo, en 1744. Las casas que sirvieron de hitos fueron: 1. Nicolás Hernández, en Corral Nuevo; 2. Nicolás Caballero; 3. Ermita y casa de vivienda de Juan Cabrera; 4. Tejar de Juan Cabrera; 5. Tejar de Juan Joseph; 6. Casa de Manuel Arcia en Corral Falso; 7. Manuel Castilla; 8. Alf. Basilio Alvarado y 9. Pedro Somoza. (AGI. Santo Domingo, 1356).

Tras reconocer los servicios prestados por Guanabacoa,

desde inmemorial tiempo a esta parte,

sosteniendo además de las milicias españolas, dos compañías de pardos, se concedió autorización para una feria anual, a celebrarse los dos primeros día de cada año, cuando iban a la villa muchos vecinos de La Habana y lugares circunvecinos, realizando

compras y ventas de todo lo que hay en ella y le entra de fuera.[156]

Santiago de las Vegas

El benemérito obispo Compostela erigió en 18-II-1694 uno de sus *curatos del campo*,[157] para llevar la religión a los cultivadores de tabaco que, dispersos sobre los suelos rojos, a unas 4 leguas al sur de La Habana, sumaban ya varios centenares. Espontáneamente, al fabricar los vegueros sus bohíos próximos a la ermita, surgió la simiente del que sería pueblo de Santiago de las Vegas.

Los labradores, cuyo producto interesaba especialmente a la Corona, cultivaban las tierras mediante censo, y pidieron que se les permitiese constituir una villa, previo reparto de solares y tierras de cultivo. El propósito fue apoyado por el gobernador Güemes, quien estimó estratégicamente favorable situar la población a 5 leguas de La Habana y a 9 del puerto de Batabanó, sobre el camino real. En 18-IX-1740 mencionaba haber encontrado

un paño de tierra litigiosa, pero bastante para repartir pueblo y estancias de labor.[158]

Una R.C. de 26-VIII-1745, tras aceptar la recomendación del Gobernador Güemes en favor del proyecto, y por encima de las contradicciones del Marqués de San Felipe y de Dionisio de Berroa y Garro, ordenaba:

Pase a fundar nuevo pueblo en el paraje que lo pretenden los labradores dispersos del partido de Santiago de las Vegas, señalándoles el término proporcionado y suficiente para sus labranzas, exidos y pastos, y adjudicándoseles en tierras realengas y baldías, en la mejor forma que se pueda.[159]

El proyecto fue adelante y el ayuntamiento quedó establecido en 1749. Cuando el Obispo Morell visitó la villa en 1754, el número de familias era de 328 y las personas, 1.954. Desde el punto de vista urbano era una población modesta, pues casi todos los vecinos vivían en las vegas próximas:

[Los bohíos] existentes son 40, con ellos se han comenzado a formar calles, aunque no guardan el debido orden, sin embargo de hallarse en un terreno perfectamente llano. Trátase de que los demás vecinos construyan los suyos.[160]

La cercanía de Santiago de las Vegas a Bejucal hizo que el Marqués de San Felipe se opusiese tenazmente al establecimiento de la nueva villa, que le restaba jurisdicción y vasallos posibles a su señorío y afectaba también sus intereses agrarios. Otro terrateniente, Dionisio de Berroa, sumó su resistencia. Curiosamente se quejaron también al Rey,

al ver reducidos sus ingresos por el asentamiento de los vegueros, los conventos de Santa Catalina de Sena y de San Juan de Letrán.

A pesar de los obstáculos, la Corona continuó apoyando a los labradores, representados por Miguel Masías, alguacil mayor del nuevo pueblo de Santiago de las Vegas. Una R.C. de 25-XI-1755 ratificó las anteriores y el Gobernador Caxigal escribiría al Rey, que haría que, como se ordenaba,

se les entregasen las tierras a los labradores con prevención de que las 100 caballerías asignadas para pastos y ejidos hubiesen de ser contiguas y correlativas a Sacalohondo, incluyendo para este fin las de Govea y que la adjudicación fuese libre de pensión y gravamen, mandando restituir a cada uno de los interesados lo que hubiese pagado de los solares y tierras adjudicadas hasta entonces.

El teniente gobernador fue personalmente a cumplimentar lo ordenado y

practicó la nueva alineación del pueblo en paraje que pudiese salvarse el inconveniente del derribo de las casas que actualmente existen... y hecha la distribución de los solares para destinarlos a los pobladores y designación de estos hasta el número de 96 entre principales y menos principales. Se les dio posesión [de los solares] pasándose al reconocimiento de las tierras, así las inmediatas [que] corresponden a ...Sacalohondo... como las de Govea, que le caen inmediatas entre ella y la de Bejucal. Se halló haber 135 caballerías en... Sacalohondo... y 109 en lo de Govea, que considerando la mitad de las unas y de las otras anegadizas y pedregosas, quedan útiles casi las mismas 135 caballerías mandadas adjudicar al ...pueblo, a saber:

Planta de la distribución de las caballerías de tierra asignadas para la población de Santiago de las Vegas en 1756, obra de don José Tantete. A. La Plaza (220x122 varas) B. Solar para el cura; C. Sitio de la Iglesia (80 varas²); para casas del teniente y subteniente de cura y cementerio, tiene de plaza entre la Casa del Cabildo 36 vs. y se advierte que entre a frente de las casas, detrás de la Iglesia, Casa de Cabildo y Carnicerías 18 vs. para dichos solares tengan más luz; D. Casa de Cabildo de 40x80 vs. para el aljibe y demás fábricas; E. Carnicería de 40 vs.²; F. Cárcel, 40 vs.²; G. Cuadra reservada para lo que se ofreciere.

Las cuadras de la planta contienen en cuadro 92 vs. con 8 solares iguales en varas²; 6 de 30 2/3 vs. de fondo; los dos solares de los costados son de 23 vs. de frente y 46 de fondo.

H-H Solares para negros y mulatos que sirve de arraval; contiene 23 vs. de frente y 24 de fondo. Las calles de la planta tienen 12 vs. de ancho; las 2 calles de los negros, 10 vs. de ancho.

I-I. Arboledas. Las dos de la derecha e izquierda tienen 22 vs. de ancho; la arboleda de los negros y mulatos a los solares hay 10 varas de ancho. Los solares señalados 1, 2, 3, etc. son para los principales pobladores y los demás solares de las 12 cuadras que circunvalan la plaza son para los demás pobladores.

K. Iglesia actual; L-L. Casas que se hallan hechas; Casas que hacen la línea M-M permanecerán hasta ponerse en orden de la planta. (AGI. Santo Domingo, 1576).

	Caballerías
Para el fundo de la población	4
Pobladores principales a 1 caballería	31
Para pastos, ejidos y acomodo de los demás	100
Total	135

Se procedió al deslinde particular y a la práctica de dicho acomodo, dando posesión a los... pobladores a razón de 1 caballería, hasta en número de 103, en que se incluyeron 14 caballerías entregadas al alguacil mayor Miguel Masías, a consecuencia de lo dispuesto por R.C. de 17-X-1750...

Viniendo a ser 89 los pobladores a quienes se dio posesión de su respectiva caballería, incluyendo una que se destinó al párroco... En las tierras restantes hasta...

244 caballerías entre útiles e inútiles, de Sacalohondo y Govea, se hizo la adjudicación al pueblo de las que le corresponden para pastos y ejidos y demás usos de comunidad.[161]

Todavía en 1757 el capitán Berroa, acompañado de Pedro Castellón, apelaba al Rey, acusando a Miguel Masías, principal promotor de la fundación de Santiago de las Vegas, de haber presentado recursos

con siniestro informe, por el que se les despojó

de partes de sus corrales Sacalohondo y Govea, ya que al expropiar sus tierras, tasadas primero a 750 pesos caballerías las redujeron luego a 400 pesos.

La priora y religiosas de Santa Catalina alegarían que al condescender el Gobernador al pedido de los

habitantes del territorio titulado de las Vegas, para que se estableciese formal población y se les dotase con las tierras correspondientes [comprendió] ...en el territorio aplicado a los nuevos pobladores 23 caballerías de tierra que... pertenecen al Convento.

Según la tasación el terreno valía solamente 7.668 pesos, que al rédito común del 5 % produciría 363 pesos anuales al monasterio, cuando hasta entonces obtenía 1.000 pesos anuales [162] que aplicaba a obras pías y sufragios. En 1738 cada caballería de tierra había sido tasada en 793 pesos, en tanto casi 20 años después se la estimaba en 333 pesos. Creían, sin duda, que los tasadores

por haberse coludido con los nuevos pobladores,

les habían asignado precio tan bajo, ya que nunca valió la caballería *el precio ínfimo* de 400 a 500 pesos. Y agregarían:

Sólo el desmonte, limpia y roza de una caballería de tierra tiene 300 pesos de coste.

El Convento estimaba en 20.000 pesos el valor de la tierra, por la que se le reconocía ahora un 36 % de ese valor. [163]

El convento de los dominicos reclamó también contra la modesta distribución de tierras autorizada por la Corona en beneficio de los cultivadores de tabaco de Santiago de las Vegas. El prior, fray Miguel de Cárdenas, insistiría en que con la

Real Provisión conseguida por el nuevo pueblo de Santiago [de las Vegas] se ha despojado a su convento de la pacífica posesión en que se hallaba de 1 3/4 caballerías de tierras propias, que lindan con otras del capitán Pedro Ferriol, Thomas Pérez, Bartolomé de Barrios y otros. [164]

La ciudad de San Isidoro de Holguín

Cuando fue organizada como asentamiento urbano y reconocida como ciudad, en 1752, contaba ya Holguín con una larga historia, nacida, cuando en los primeros años de la colonización fundara el hato de su nombre el capitán García Holguín, uno de los acompañantes de Hernán Cortés, quien al igual que Vasco Porcallo, retornaría a la isla que ayudara a ocupar años antes, como miembro de la hueste de Velázquez. [165] Durante más de dos siglos, vecinos de Bayamo se habían dirigido hacia el Norte de Oriente, ocupando tierras mercedadas por el cabildo de Bayamo, cuya jurisdicción alcanzaba desde Cabo Cruz hasta la costa septentrional. Al crecer esta dispersa población aumentaron

Cifras

POBLACION DE LOS PARTIDOS DE BAYAMO EN 1735

	Personas
Parroquia mayor [a]	15.335
Las Piedras [b]	840
Holguín [c]	600
San José de Yara [d]	1.957
San Pablo de Jiguaní [e]	865
San Gerónimo de las Tunas [f]	513
	20.110

a. Beneficiados Gabriel de Macaya y José Mariño y Arauz.
b. Tte. cura Joseph Marrero. Las Piedras estaba a 4 leguas de Bayamo y su padrón incluía "personas de todo género, así de las vecindadas de antiguo como otros muchas que por su suma pobreza, desnudez y otras calamidades se han retirado a los campos".
c. Datos de 1733; el partido se daba como limitado por el río Cauto, Varajagua, Haguará, Bahía de Nipe y Puerto del Padre.
d. Párroco Carlos Pérez Bello, dominico.
e. Andrés de Xerez, párroco. Abarcaba desde el río Cautillo hasta Contramaestre.
f. Nicolás de Tamayo, párroco.

FUENTE: AGI. Santo Domingo, 364.

sus dificultades, ya que no era fácil trasladarse hasta Bayamo para las funciones de culto o para dirimir problemas de justicia.

Una vecina de Holguín, María Leyta [166] había hecho construir en su hacienda una ermita, donde según el Obispo Morell

los comarcanos se congregaban anualmente a celebrar en su día a Ntra. Sra. del Rosario, que era la titular. Para el efecto tenían el trabajo de conducir un sacerdote de... [Bayamo] distante 22 leguas... [167]

Para obviar la carencia de dirección espiritual, pidieron en 1712 al obispo Gerónimo Valdés que con-

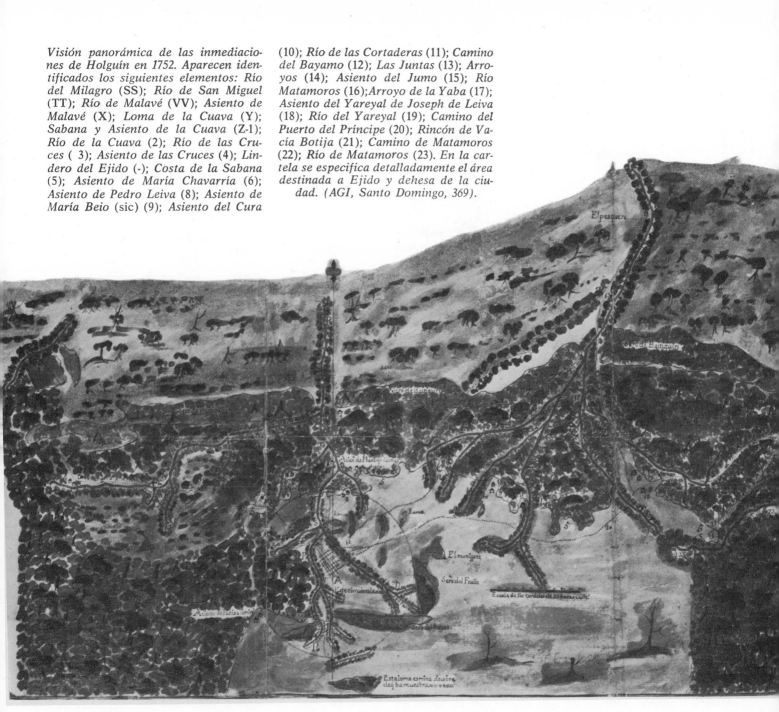

Visión panorámica de las inmediaciones de Holguín en 1752. Aparecen identificados los siguientes elementos: *Río del Milagro* (SS); *Río de San Miguel* (TT); *Río de Malavé* (VV); *Asiento de Malavé* (X); *Loma de la Cuava* (Y); *Sabana y Asiento de la Cuava* (Z-1); *Río de la Cuava* (2); *Río de las Cruces* (3); *Asiento de las Cruces* (4); *Lindero del Ejido* (-); *Costa de la Sabana* (5); *Asiento de María Chavarría* (6); *Asiento de Pedro Leiva* (8); *Asiento de María Beio* (sic) (9); *Asiento del Cura* (10); *Río de las Cortaderas* (11); *Camino del Bayamo* (12); *Las Juntas* (13); *Arroyos* (14); *Asiento del Jumo* (15); *Río Matamoros* (16);*Arroyo de la Yaba* (17); *Asiento del Yareyal de Joseph de Leiva* (18); *Río del Yareyal* (19); *Camino del Puerto del Príncipe* (20); *Rincón de Vacía Botija* (21); *Camino de Matamoros* (22); *Río de Matamoros* (23). En la cartela se especifica detalladamente el área destinada a Ejido y dehesa de la ciudad. (AGI, Santo Domingo, 369).

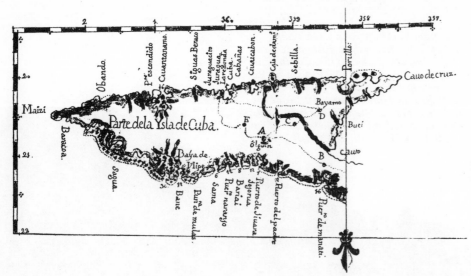

La localización estratégica de Holguín en el Oriente cubano aparece subrayada en este mapa de 1737 que incluye numerosos toponímicos del período. (AGI. Santo Domingo, 497).

se anticipó a nombrar teniente gobernador al rico vecino don Diego de la Torre Chavarría, lo que aprobó la Corona en 19-XI-1732.[171] Una R.C. de 29-XII-1734 solicitaría nuevos informes sobre la posibilidad de que

se ponga en forma la nueva población, siendo arreglada en todo a las Leyes del Título 5.° del Libro 4 de la Recopilación,

con lo cual recogía la opinión favorable recibida, basada en la necesidad

del aumento... de las pocas poblaciones... en esa Isla... crecido número de habitantes en los campos, sin congregarse,[172] ni gozar del pasto espiritual que necesitan para evitar las culpas que se cometen, asegurar el país de cualquier invasión que intenten los piratas y enemigos y excusar las ilícitas correspondencias que ocasiona la cercanía de sus puertos.[173]

El gobernador de la isla, Juan Francisco Güemes Horcasitas, remitió al Consejo de Indias en 30-V-1737 el padrón de vecinos ya radicados en Holguín, así como un detallado estudio corográfico preparado por el ingeniero militar Joseph del Monte Mesa. Contaba ya Holguín con

732 personas, aunque 86 son esclavos. Es gente doméstica, de buena índole e inclinación, hombres de trabajo y buen aspecto. Los más son blancos y de buena color, con cabellos rubios los más de los niños, lo cual debe atribuirse al temperamento y aguas... Tiene Holguín 200 hombres de armas...

De la mucha tierra realenga que sería dable a censo

virtiese su ermita en parroquia, lo que lograron de inmediato.[168] Decidieron entonces levantar un pueblo en torno a la Iglesia, pero

presto desistieron... por las muchas piedras y lomas... y volvieron sus vistas a otro ventajoso,

situado a 2 leguas al E. Los vecinos Juan González de la Rivera y Juan de Avila, sus poseedores, cedieron 300 pesos del fundo,[169] para la población y Diego de Avila donó otros 100 pesos del fundo para que, con lo que produjese la cría de cerdos se sostuviese el párroco. En 1716 trasladaron la Iglesia al nuevo sitio y mientras muchos vecinos construían sus casas, en 1724 solicitaron de la Corona permiso para establecer formalmente la población. El párroco, por mediación del gobernador Carlos Sucre, de Santiago, pedía

se le concediese título de villa o ciudad,... eximiéndola de la jurisdicción de Bayamo, respecto de las vejaciones que experimentaban sus moradores.[170]

Por Rs. Cs. de 18-V-1725 y 13-VII-1727 se pidió información detallada al Gobernador y al Obispo. El Gobernador, en 11-II-1731, en atención a que

tenían formado su pueblo, con Iglesia y más de 60 casas, calles, plaza y buena disposición y esperanza de hacerse una célebre población, por la amenidad, ríos, montes y sabanas que comprendía su territorio,

podrá salir... la cóngrua... del cura y un sacristán...

informaba del Monte, quien con visión optimista preveía que el territorio de Holguín

es capaz de la situación y labranza de 2.000 vecinos.

Güemes aprobaba con entusiasmo el propósito de oficializar la población, nacida de la voluntad creadora de sus vecinos, por

las ventajosas, proporcionadas circunstancias que concurren en su admirable, hermosa situación, y genio de sus moradores... que pueden en caso de necesidad defender a Cuba [Santiago], pues han acudido a este fin con gran puntualidad y celo.[174]

En 1741 visitó Holguín el coronel Matheo López de Cangas, por orden del gobernador de Santiago de Cuba, al tener

noticia de la pérdida de un navío de la Real Compañía de Francia; pasó al hato de Holguín... para recaudar los negros que andan vagando por los montes, que salieron a tierra.

No encontró ministro alguno que distribuyese las órdenes y como de la Torre Chavarría había muerto, nombró a su hijo

capitán de caballos de toda la gente del partido de la costa norte... para que en cualquier frangente que se ofrezca, se monten y lo abodezcan.[175]

A pesar de los favorables informes fue necesaria una nueva gestión del gobernador de Santiago, mariscal de campo Alonso Arcos Moreno, en 1749, quien utilizó las opiniones positivas emitidas por Pedro Morell de Santa Cruz, cuando era Dean de la Catedral. Por R.C. de 1-II-1751 se le confirió a Arcos autorización para que procediese a organizar el régimen local de Holguín, lo cual realizó en 18-I-1752, dándole título de ciudad y designando a quienes ocuparían los cargos creados.[176] Tras el acto civil de la toma de posesión de los nuevos funcionarios,

coronó función tan plausible con otra puramente cristiana: redújose a una fiesta de acción de gracias... misa, sermón y procesión por la plaza.[177]

Cuando el Obispo Morell visitó a Holguín en 1756 encontró la población

situada sobre un terreno perfectamente llano y sólido... En el extremo norte se levanta un cerro... de tanta elevación que desde él se registra el mar... Nacen en el cerro dos ríos [uno al Norte]... y otro al Oeste: el Marañón y el Holguín. Diviértenla con el murmullo de sus corrientes y la proveen de agua... júntanse después y... van a descargar a la costa sur. ...En el centro de esta península... cuya figura viene a ser a modo de una meseta, se numeran 238 casas, 7 de texa y las restantes de paxa; 14 calles y 43 cuadras bien niveladas, con 9 varas de ancho. Tiene... 2 plazas: una menor... de la Parroquia y otra mayor, que llaman de armas, tan capaz en toda la isla no hay otra que la iguale. [La población] es de 345 familias y 1.751 personas. La planta es muy alegre, no sólo por su situación, sino también por el pedazo de cielo claro y despejado que la cubre. Su temperamento, cálido y húmedo. Los fríos son excesivos en el invierno, porque cae al Norte; los calores a correspondencia en el verano, mientras no refresca el Este y el Nordeste, que por entonces reinan de día y de noche [Alisios]. Las enfermedades, en fin, se explican sin tesón; las epidemias muy de tarde en tarde; gózase ordinariamente de robusta salud y no pocas edades exceden de los 80 años.

Contaba ya Holguín, cuyo distrito medía 30 leguas cuadradas, con 104 haciendas de ganado, 36 haciendas y 42 vegas de tabaco, pero la prosperidad era limitada, según las observaciones del Obispo:

El resto de las tierras, aunque muy fértil en aguadas y abundante de pastos, se halla despoblado por falta de operarios para su cultivo. Viven, en conclusión, aquellas gentes en una gran miseria, sin más subsidio que las cosechas de tabaco que venden sobre el lugar a la Real Compañía.[178] Contribuye también para la pobreza el hallarse la población extraviada del Camino Real de los demás lugares, y sin comercio alguno con ellos, a la reserva de [Santiago de Cuba] adonde bajan a expender las pocas carnes que pueden aprontar.

Los agravios económicos eran compensados por la serenidad de la vida de los holguineros, quienes se sentían, según el Obispo

al mismo tiempo, muy contentos con sus desdichas, porque gozan de una tranquilidad inexplicable y digna de envidiarse. Es verdad que los más habitan, cuasi todo el año en sus haciendas; bajan pocos días al lugar y éste se mantiene con muy contadas familias.[179]

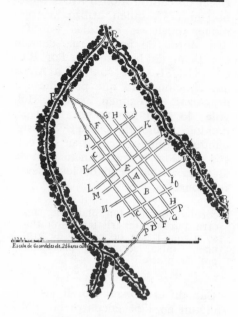

CRECIMIENTO DE LA POBLACION DE HOLGUIN (1732-1756)

Año	Familias	Personas
1732	110	?
1735	122	732
1752	268	1.426
1756	345	1.751 *

* En 1756, cuatro años después de fundada la ciudad oficialmente, y en un período de 21 años, el número de familias había aumentado en un 182 % y el de la población en un 139 %.
FUENTES: AGI. Santo Domingo, 369, 497, 534 (A.A.).

Holguín, asentado en una meseta bordeada por dos ríos, fue vista así por el maestro Baltasar Díaz Priego, en 1752. Referencias: A. *Ciudad;* B. *Plaza de Armas;* CC. *Calle de Santiago;* DD. *Calle de San Diego;* E. *Plaza de la Iglesia;* FF. *Calle Mayor de la Iglesia;* GG. *Calle de San Miguel;* HH. *Calle Nueva;* II. *Calle de Santa Bárbara;* JJ. *Calle de San Francisco;* KK. *Calle del Calvario;* LL. *Calle de San Ildefonso;* MM. *Calle de María Magdalena;* NN. *Calle de San Pablo;* OO. *Calle de San Pedro;* PP. *Calle de San Rafael;* QQ. *Camino de Santiago de Cuba;* RR. *Los dos ríos. (AGI. Santo Domingo, 369).*

Un mapa del área inmediata a Holguín, realizado en 1752 por el maestro de artes don Baltasar Díaz de Priego. En él pueden identificarse: A. *La ciudad, en el centro del círculo destinado a dehesa. De la población partían caminos hacia Puerto Príncipe (20) y hacia Bayamo (12) y Santiago de Cuba (9). Entre el lomerío holguinero aparecen identificados los cerros de Baitiquirí, del Fraile, El Monigote, del Bayao y la loma que prometía contener mineral de cobre.*
Varios asientos ganaderos señalados son los de Las Cruces (4); de María Chavarria (6); de Juan de Avila (7); de Pedro de Leiva (8); de María Bello (9); del Cura (10); de Pablo Ramírez y Manuel Gómez.
La línea señalada con varios 5 constituye el límite natural —la costa, según Díaz de Priego—, entre el paisaje de la sabana sobre el que surgió el núcleo urbano y los bosques que lo rodeaban.
Otros elementos identificados: R. *Los dos Ríos;* S. *Río del Milagro;* → T. *Río de San Miguel;* 11. *Río de las Cortaderas.*
(AGI. Santo Domingo, 369).

APELLIDOS DE LAS FAMILIAS DE HOLGUIN EN 1735

En el total de las 122 familias, integradas por 732 personas, sin excluir los esclavos, que habitaban Holguín, según el padrón del beneficiado José Antúnez y Zapata para 1735, aparecían registrados los siguientes apellidos:

- ACOSTA, Aguilar, Aguilera, Albarta, Aldana, Alemán, Almaguel, Almaguey, Alvarez, Angel, Antunes, de Arribas, Avila.
- BAPTISTA, Barrero, Batista, Bázquez, Ermudes, Brenes, Brieva.
- CABRERA, Castro, Céspedes, de la Cruz.
- CHAVARRIA.
- DIEGUEZ, Durán.
- ESCALANTE, Escalona, Espinosa.
- GALINDO, Gómez, González.
- HERNANDEZ, Hildalgo.
- LEYBA.
- MARACAIBO, Martín, Miquenes, Morales, Moreno, Moro, Moya.
- NUÑEZ.
- OYALDE.
- PACHECO, Paneque, de la Paz, de la Peña, Pérez, Periscobal, Polanco, Pupo.
- QUESADA.
- RABELL, Ramírez, de los Reyes, Reynaldos, Ricardo, Rivera, Romero, Roque, Roxas.
- SABLON, Saldívar, de los Santos.
- THORRE, de la; Toledano, de la Torre.
- VEGA, Velázquez.
- YRULA.

FUENTE: AGI. Santo Domingo, 497 (A.A.).

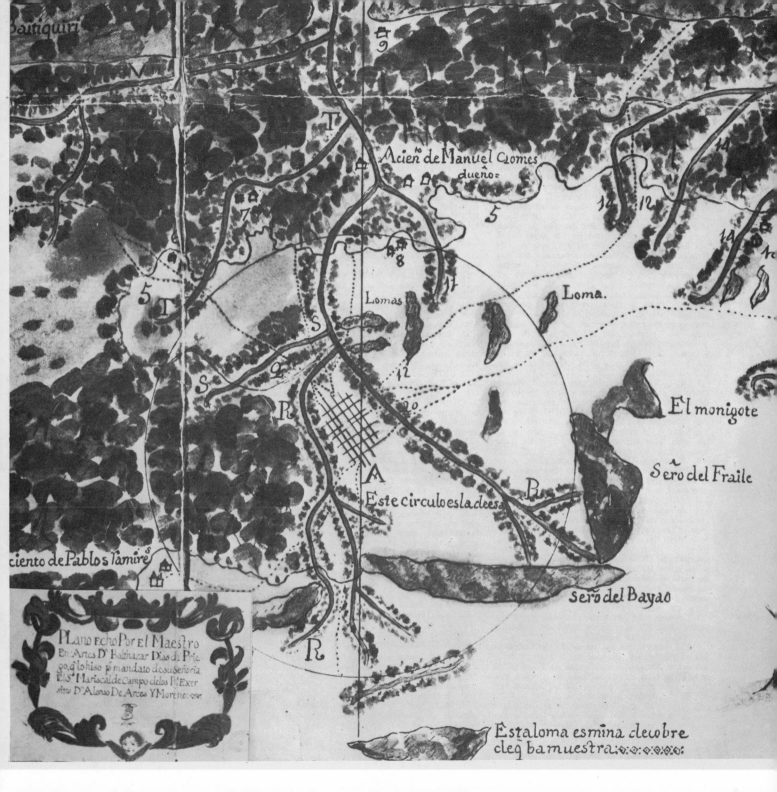

1. En los años finales del siglo XVIII la población de los países europeos había aumentado en forma sorprendente, en relación con las cifras del inicio de la centuria. Francia tenía ya en 1789, 26 millones de habitantes; Inglaterra aumentó de 5 a 9 millones en el transcurso del siglo; Italia pasó de 11 a 18 millones; España, Prusia y Suecia se calcula duplicaron sus poblaciones; Rusia la triplicó y Hungría la cuadruplicó. En conjunto la población total de Europa pasó de 120 a 187 millones hacia 1789. No es de extrañar que en 1798 el inglés Malthus (1766-1836) espantado por este auge demográfico lanzara su voz de alarma, al advertir este desbordamiento, tras un estancamiento plurisecular (Denis, M. y Blayan N., 1970). Cifras manejadas por Vicens Vives (1967) y Nadal, J. (1966) confirman el marcado aumento total de la población española, si bien diferenciando entre regiones de gran auge y otras de descenso. De entre 6 y 8 millones que debió contar España hacia 1700, pasaría a contar con 10,5 millones hacia 1800. El índice de crecimiento fue, sin duda, inferior a la media europea.

2. AGI. Santo Domingo, 384. Doc. 9. Hemos obtenido estas cifras de las cuentas de gastos de la Casa de Niños Expósitos remitidas por el gobernador Güemes en 12-VI-1737, y en las que aparecen los datos sobre los niños depositados y lo invertido en las sepulturas de los que fallecían, a razón de 2 reales cada una.

3. Dada la costumbre de bautizar a los niños inmediatamente después del nacimiento, podemos igualar las cifras de bautizos con la de nacimientos.

4. AGI. Santo Domingo, 516.

5. Aunque poseemos las cifras de velorios efectuados en el mismo período, no creemos incluya la cifra el total de las defunciones sino el de las personas cuyos deudos pudieron pagar las ceremonias religiosas, pues parece excesiva la disparidad entre los 2.183 bautizos y los solos 213 velorios en los cuatro años. De ser éste el número total de muertes, la tasa de mortalidad hubiera sido inferior al 5 x 1.000 anual, cifra que estimamos demasiado baja para las condiciones de vida de la época.

6. Boletín del Archivo Nacional de Cuba (1916), Año XV (Correspondencia del Gobernador Caxigal de la Vega).

7. El padrón general de población ordenado por el gobernador Marqués de la Torre, y erróneamente llamado *primer censo de Cuba* (1774) arrojó un total de 172.620 habitantes, cifra que justifica a nuestro juicio nuestro cálculo de 155.000 habitantes en 1763.

8. Entre los que murieron de vómito negro en La Habana figuró uno de los factores del Asiento de la Compañía del Mar del Sur.

9. Martínez Fortún y Foyo, J. A. (1952).

10. Ver el Volumen 1, pág. 198.

11. Citas en Nadal, J. (1967), págs. 97-98.

12. Parry, J. H. (1971) pág. 37.

13. AGI. Santo Domingo, 379.

14. Las mortíferas epidemias de viruelas en Africa, después de la introducción de la enfermedad por los europeos, fueron frecuentes Una de las más graves había diezmado la población de Angola en la década de 1680 (Parry J. H., 1971, pág. 37).

15. AGI. Santo Domingo, 381. (Martínez de la Vega al Rey, 26-I-1732) (A.A.).

16. Ibídem.

17. Ibídem (La Habana, 23-I-1732) (A.A.).

18. AGI. Santo Domingo, 1201.

19. Martínez Fortún, J. A. (1952).

20. AGI. Santo Domingo, 522 (Carta de Miguel Brioso Cervantes).

21. Ver el Capítulo 2.

22. Padrón de población ordenado por el Marqués de la Torre, conocido comúnmente como *primer censo de Cuba*. (Ver Sagra, Ramón de la, 1831, pág. 3).

23. AGI. Santo Domingo, 1157 (Urrutia y Matos, B. J., Fomento de la Isla, 1749, folio 18)

24. AGI. Santo Domingo, 1575 (La Habana 30-VIII-1756). Los labradores que, como jefes de familia otorgaron poder a uno de ellos, Salvador Durán, para realizar las gestiones, eran Manuel de Aranzibia, Miguel de Armas, Cristóbal de Figueroa, Sebastián González Avila, Francisco Morales, Gerónimo de Quadra, Antonio Ravelo, Sebastián Rodríguez, Lucas de Torres y Domingo y Francisco Vicho.

25. AGI. Santo Domingo, 337.

26. AGI. Santo Domingo, 421, núm. 3 (A.A.)

27. Ibídem.

28. AGI. Santo Domingo, 425. Acosta había sido mayordomo de la Factoría de Portugal en la transición entre los siglos XVII y XVIII y llevaba más de 19 años casado con Dña. María de Arriaza, natural de La Habana.

29. AGI. Santo Domingo, 421, 422, 424.

30. AGI. Santo Domingo, 425. *Recopilación* Ley 10, Título 27, Libro 9.

31. AGI. Santo Domingo, 431.

32. AGI. Santo Domingo, 363.

33. AGI. Santo Domingo, 387.

34. AGI. Contaduría, 1164.

35. AGI. Santo Domingo, 1456.

36. AGI. Santo Domingo, 519.

37. AGI. Santo Domingo, 520. (A.A.). *Grifo* El gallo o la gallina que tiene sus plumas encrespadas, y también suele decirse así a la persona de pelo idéntico. (Pichardo, 1875).

38. Ibídem.

39. AGI. Santo Domingo, 369. (Carta del gobernador de Santiago de Cuba, Alonso de Arcos Moreno al Rey; 12-V-1752).

40. AGI. Santo Domingo, 384. (A.A.).

41. Ibídem. Curiosamente, aunque los indios iban reduciéndose en número, la institución del protectorado, subsistía. En 1731 era protector de los indios de El Caney, don Joseph de Palacios Saldhurtum (AGI. Santo Domingo, 520 A.A.).

42. AGI. Santo Domingo, 384 (A.A.).

43. AGI. Santo Domingo, 386. Según Güemes contaba Guanabacoa con 729 casas, algunas de tejas, en tanto Corral Falso tenía 61 y Corral Nuevo 21, todas de guano.

44. AGI. Santo Domingo, 534 (A.A.).

45. AGI. Santo Domingo, 385.

46. AGI. Contaduría, 1152.

47. Ibídem.

48. Donnan, E. (1931), II, XXIV.

49. AGI. Santo Domingo, 417. (A.A.).

50. AGI. Santo Domingo, 413. (Pesquisa de Don Mateo de Agüero y Mier sobre la entrada en La Habana de navíos de enemigos de la Real Corona, 21-X-1710) (A.A.).

51. Memorandum de Matthew Prior, plenipotenciario inglés en Francia (VII-1711), en Donnan, E. (1931), II, pág. 142. Según Prior las ventas de la Compañía de Guinea, promediaban:

	Esclavos por año
Panamá	2000
Cartagena	1000 a 1500
La Habana	c. 1000
Santa Marta	500 a 600,

pero advertía que si los franceses no vendían más era por carecer de suficientes esclavos.

52. Ver el Volumen 2, págs. 207-210.

53. Donnan, E. (1931), II, pág. XXXIV.

54. El período que siguió al Tratado de Utrecht fue de extraordinaria actividad financiera en Europa, principalmente por las oportunidades de inversión en las nuevas tierras de Ultramar... Una de las aparentemente buenas inversiones para el capital inactivo fue la Compañía del Mar del Sur. Constituida en 1711 como un monopolio para el comercio británico con la América del Sur y las islas del Mar del Sur, se benefició grandemente con la concesión del *Asiento* a Gran Bretaña en el Tratado de Utrecht. La Compañía quedó atada más estrechamente al gobierno británico en 1719 por un acuerdo mediante el cual sus acciones podían ser dadas en pago de deudas del gobierno. Reflejando una oleada general de especulación que ya había alcanzado un punto alto en París, la demanda por acciones de la Compañía del Mar del Sur aumentó rápidamente en Londres, lo que estimuló a otras firmas a imitarla febrilmente, elevando la cotización en el

mercado de acciones más antiguas. En 1720, cuando las acciones de la Compañía del Mar del Sur se vendían a más de 1.000 libras, la *burbuja* estalló súbitamente. El descubrimiento de fraudes en la administración de la Compañía apresuró el colapso. En diciembre el precio de la acción descendió a 120 libras. Millares de fortunas se perdieron en el *crash*, aunque la Compañía fue reorganizada y continuó operando hasta 1853 (Gottschalk, L. y Lock, D., 1973, pág. 103).

55. Se precisaba que si Felipe V no disponía del numerario, se le anticiparía por la Compañía al 8 % anual.

56. La historiografía española tradicional ha concedido al *navío de permiso* una importancia, quizás excesiva, dentro de la compleja trama del comercio clandestino inglés. Según el Tratado debieron zarpar 30 *navíos de permiso* anuales entre 1714 y 1744, hacia Portobelo, pero por las guerras y conflictos diplomáticos del período solamente fueron despachados el primero en 1717, seguido por los de 1721, 1723, 1724, 1725, 1726, 1732 y 1733. Los historiadores ingleses aceptan que el *navío de permiso* fue frecuentemente un depósito flotante, en aguas españolas, al cual pasaban mercancías para llenar sus bodegas otras embarcaciones menores, con lo cual se multiplicaban las 500 toneladas autorizadas. Pero al mismo tiempo, sin pretexto de legitimidad, como en el caso del *navío*, docenas de mercantes ingleses practicaban el contrabando que se había pretendido evitar por España al autorizar el navío anual. Fue este contrabando, combatido enérgicamente por los guardacostas españoles, muchos de ellos con base en Cuba, la causa principal de la llamada Guerra de la oreja de Jenkins (1739-1748) (Penson, L. M., *The West Indies and the Spanish-American Trade*, 1713-1748, en *The Cambridge History of the British Empire*, I, 1929).

57. Los mutuos desacuerdos y desavenencias fueron tan graves, particularmente por el contrabando promovido desde puertos ingleses, que el gobierno de Londres temió el peligro de la enemistad de España, mientras su situación era tensa con Francia y otras naciones. Como era evidente el enriquecimiento ilícito de muchos agentes de la Compañía del Mar del Sur, la Gran Bretaña decidió ganarse la amistad española a cambio de renunciar a dos años de vigencia del renovado Asiento.

58. El personal inicial asignado a La Habana lo constituyeron un factor jefe, un contador y un cirujano, quienes ganarían anualmente 2.500, 1.250 y 833 1/3 pesos respectivamente (Minutas del Consejo de Directores de la Compañía del Mar del Sur; 28-X-1713, en Donnan, E. (1931), II, pág. 169). Poco después fue contratado un médico en La Habana, al cual pagaría el Asiento 80 pesos mensuales por atender a los esclavos recién llegados y darles las medicinas requeridas (Ibídem, pág. 223).

59. La organización inicial de las factorías en Cuba estuvo a cargo del caballero Dudley Woodbridge, a quien nombró la Compañía agente y director general en Barbados, Costa de Barlovento (Tierra Firme), la isla de Cuba, San Agustín y la costa entre el río Nicaragua y la ciudad de Campeche. La Compañía informaba a sus factores en Panamá que las factorías de La Habana y Santiago de Cuba habían sido puestas bajo el cuidado y dirección de Mr. Woodbridge "quien suplirá a toda la isla de Cuba con negros, mercancías y provisions según los pidan de tiempo en tiempo dichas factorías o según él piense pueden ser vendidos ventajosamente o usados". (British Musseum. Add. Mass. 25563, págs. 222-24. La Compañía del Mar del Sur a sus factores en Panamá).

60. Donnan, E. (II), pág. 223.

61. British Museum, Ad. Mss., 25.563, págs. 304-305. (La Compañía del Mar del Sur a los directores de la Compañía de Guinea, 9-IV-1718). El factor francés Garvey había introducido también ilegalmente 25 cabezas, de las cuales recobraron los ingleses 300 pesos.

62. Donnan, E. (1931) (II), págs. XXXIX.

63. Donnan, E. (1931) II, pág. 295.

64. British Museum. Add. Mass. 25.559, págs. 88-90. (Minutas de la correspondencia de la Compañía del Mar del Sur. Londres, 22-X-1717).

65. Donnan, E. (1931) II, pág. 312.

66. AGI. Contaduría, 1163. La cantidad pagada a los Reales Cajas fue de 54.267 reales.

67. Shelburne Papers, Vol. 43, págs. 279-283 (A.A.).

68. Ver el capítulo 2.

69. Shelburne Papers, Vol. XLIV.

70. El embajador español en la Corte de Londres Tomás Geraldino, representaba los intereses de España y su Rey, como miembro del consejo de la Compañía, tarea por la cual percibía 11.500 pesos españoles anuales, pero los ingleses le ocultaban los datos más significativos de las operaciones de la Compañía. Así Peter Burrell, subgobernador y verdadero ejecutivo de la Compañía, escribía a Sir Benjamin Keene, representante de la Compañía en España y embajador de la Gran Bretaña en Madrid: "Me complacería que cualquier información que pueda ser útil a la Compañía no llegue al conocimiento del Señor Geraldino..., pues todas las cartas son leídas en el Consejo en el que él está presente... pero puede Vd. escribirme a mi, sin reservas". Shelburne Papers, Vol. XLIII, pág. 9.

71. British Museum, Add. Mss. 25.559 (en Donnan, E., 1931, II, pág. 211).

72. Archivo General de Simancas. Estado, 2525.

73. Shelburne Papers. Vol. XLIV, págs. 911-913.

74. Shelburne Papers. Asiento, II, pág. 913.

75. AGI. Santo Domingo, 426.

76. AGI. Santo Domingo, 1157. *Fomento de la Isla*, fol. 19.

77. AGI. Santo Domingo, 426. (A.A.)

78. Ibídem. (Madrid, 29-IV-1743) (A.A.)

79. AGI. Santo Domingo, 387.

80. Pueden ser estimadas en unas 1.000 cabezas.

81. AHN. Papeles de Indias. Legajo 2320.

82. AGI. Santo Domingo, 388.

83. AGI. Santo Domingo, 2515. (Además tenía pendiente la Compañía una reclamación de 11.000 pesos "que pretende del común Don Pedro Estrada sobre la compra a que se le destinó a Jamaica").

84. Ibídem. (El Ayuntamiento de La Habana, 8-I-1767).

85. AGI. Santo Domingo, 1157. (*Fomento de la Isla*, fol. 29 vto.).

86. Ibídem. (Fol. 30 vto.).

87. AGI. Santo Domingo, 1157. (Urrutia y Matos: *Cuba: fomento de la Isla*, 1749; folios 16 al 19. A.A.).

88. Ibídem.

89. Boletín del Archivo Nacional de Cuba (1916), XV, 1. (Correspondencia del Gobernador Caxigal).

90. Archivo Nacional de Cuba. Correspondencia de la Administración de la Real Compañía, en Miscelánea, 1435.

91. Boletín del Archivo Nacional de Cuba (1917), XVI. (Correspondencia del Gobernador Caxigal).

92. AGI. Santo Domingo, 1135.

93. AGI. Santo Domingo, 2210. (A.A.).

93.bis Pezuela, J. de la (1868), dice que fueron más de 3.000.

94. Albemarle estableció un impuesto de 40 pesos per cápita para esclavos adultos y de 20 pesos por los muleques, pero más tarde debió devolver lo cobrado por ser considerada en Londres ilegal la medida. Albemarle se justificaría diciendo que se había cobrado para desanimar la entrada excesiva de esclavos, que a la larga beneficiaría a la Isla y perjudicaría a las colonias británicas. La confusión que ha tendido a exagerar el número de esclavos llevados a Cuba por los británicos se ha debido a la confusión de la cifra 1.700 esclavos contenida en un documento del AGI, que el historiador de la esclavitud en Cuba, H. H. Aimes interpretó en 10.700, lo cual se explica por la forma en que se separaban en España, entonces, los guarismos. El documento corresponde al Legajo de Santo Domingo, 2210 (27-IV-1763).

95. En Donnan, E. (1931), II, pág. 312.

96. Carta de John Merewether a Peter Burrell; Jamaica, 6-IX-1736 (En Donnan, E. 1931, II págs. 459-60).

97. AHN. Papeles de Indias, Legajo 2320.

98. AGI. Contaduría, 1179.

99. AGI. Contaduría, 1179.

100. Ibídem.

101. Ibídem.

102. AGI. Santo Domingo, 379 (18-III-1722). Podemos estimar en unos 265 reales la media cobrada por esclavo indultado.

103. AGI. Contaduría, 1191.

104. AGI. Santo Domingo, 379. Herrera escribía al Rey que llevaba un año preso en La Fuerza habanera "expuesto a frío, lluvia y demás inclemencias, aunque es viejo". Además se quejaba de que habían llevado todos sus esclavos a La Habana donde los remataron; y vendieron a pregón sus oficios de regidor y alguacil.

105. Ibídem. (Guazo Calderón al Rey; La Habana, 18-III-1722).

106. AGI. Contaduría, 1194.

107. Ver el cap. 2.

108. AHN. Papeles de Indias. Legajo 20.884. Nuestro estimado se basa en la media de los indultos de Oriente, en 1749, que fue de 291 reales por cabeza (AGI. Contaduría, 1167).

109. AHN. Papeles de Indias. Legajo 20.884.

110. AGI. Santo Domingo, 372. El Consejo de Indias aprobó la medida en 18-I-1757.

111. AHN. Papeles de Indias. Legajo 20.884.

112. Ibídem.

113. AGI. Contaduría, 1194.

114. En IX-1726 los dueños de ingenio de La Habana se quejaban de que los atrasos de sus haciendas se debían, entre otras razones, a que un negro en las colonias extranjeras valía 100 pesos como máximo y en La Habana el precio corriente era de 300 pesos (AGI. Santo Domingo, 380).

115. AGI. Santo Domingo, 1157 (Urrutia Matos, B. de, *Cuba: fomento de la Isla*, 1749).

116. Ver el volumen 3, pág. 283.

117. AGI. Santo Domingo, 417. (Carta al Rey de Juan Antonio Pérez, cura beneficiado de Santiago del Prado, 14-IV-1709, A.A.).

118. Entre los esclavos que habían mandado como capitanes las milicias de esclavos de El Cobre, figuró Juan Moreno, uno de los tres servidores de las minas que encontraron la imagen de la Virgen de la Caridad en los primeros años del siglo XVII. (Ver el volumen 5).

119. AGI. Santo Domingo, 417 (A.A.).

120. Destinado a un ingenio azucarero. "En los ingenios los fondos son unas calderas o pailas menores que las de un trenes, destinadas a recibir los claros". Pichardo, E. (1875).

121. AGI. Santo Domingo, 417 (A.A.). En atención a esta denuncia, el Consejo de Indias ordenó que el oidor Nicolás Chirinos pasase a Santiago de Cuba a realizar una pesquisa sobre la arbitraria conducta de Canales.

122. AGI. Santo Domingo, 380. (Cartas al Gobernador, por los Contadores de Cuentas, de 13 y 15-VIII-1728). (A.A.).

123. El alcalde de El Cobre, Juan Manuel Quiala, declarando en una información ordenada por el gobernador Ximénez en 2-XIII-1734, insistiría en que el real de ración que se les daba a los que trabajaban en El Morro no les permitía comer a ellos y a sus familias, por lo que necesitaban la concesión del hato de Barajagua para montear. Y agregaría: "En el gobierno de Aransivia... se les asistía a los que concurrían a trabajar por cuenta de S.M.... a cada hombre un real en plata, un tasajo y una torta de casabe" y a los muchachos, la mitad. (AGI. Santo Domingo, 456. Doc. 84. A.A.).

124. AGI. Santo Domingo, 1129. (Acuerdo del Consejo de 20-IX-1732). (A.A.).

125. AGI. Santo Domingo, 493 (A.A.). La población total de Santiago del Prado, que incluía a esclavos de particulares y algunos blancos, era de 843 personas, según el padrón levantado por el Pbtro. Silva en 1731, que incluía las siguientes personas:

Esclavos:		%
Del Pbtro. Silva	4	0.5
Del Pbtro. Bravo	4	0.5
De N. S. de la Caridad	10	1.1
De libertos	14	1.7
Del Rey	651	77.2
Libres	160	19.0
Totales	843	100.0

126. Ver el Volumen 5, cap. 11.

127. AGI. (Ver Pezuela, J. de la, 1868, II, págs. 351-55).

128. La sublevación duró, pues, 35 días.

129. Contra la conducta de Ximénez enviaron testimonios el gobernador de la isla, Dionisio Martínez de la Vega, el Marqués de San Felipe y Santiago y el cura rector de Santiago del Prado, Juan Jacinto de Silva, además del ex-gobernador de Santiago, coronel Carlos de Sucre, quien después de haber pagado las indemnizaciones de su residencia, era retenido preso en El Morro, por Ximénez, quien no lo dejaba pasar a su nuevo gobierno en Cumaná, en la Venezuela actual, alegando que había sido causante de la sublevación de los esclavos. La verdad era que los esclavos habían escrito a Sucre solicitando su consejo (AGI. Santo Domingo, 1129. A.A.).

130. AGI. Santo Domingo, 1129.

131. Con motivo de la residencia del ex-gobernador Canales se estableció que los vecinos de El Cobre pagarían al Rey el quinto de todo el metal que obtuviesen en el lavado de escorias y fundiciones de mineral.

132. AGI. Santo Domingo, 451 (A.A.).

133. Ibídem. (Doc. 84. R. C. de 3-IX-1733).

134. Aunque el gobernador Ximénez no quería reconocer el derecho de los habitantes de El Cobre a tener alcaldes y regidores, y logró que se anulara la orden del obispo Lazo de la Vega para que se permitiera al alcalde esclavo tener asiento en la Iglesia y recibir la paz, cuando fueron sus enviados a notificar la orden de trabajo, reunieron al cabildo, integrado por Phelis Gerónimo y Juan Manuel Quiala, alcaldes, y los regidores Domingo Alonso, Cristóbal de Zalazar, cap. Agustín de los Reyes, Tiburcio de Rosas, Domingo Joseph Alfonso, Marcelo González y Alonso de Lozada, quienes conjuntamente con el beneficiado Juan Jacinto de Silva, cura rector y el Lcdo. Francisco Suárez Calderón, capellán del Santuario de N. S. de la Caridad, presidieran la reunión de los vecinos que "por este día pudieron ser habidos". (AGI. Santo Domingo, 451. Doc. 84).

135. AGI. Santo Domingo, 451 (Santiago del Prado, 3-XII-1734).

136. AGI. Santo Domingo, 385. (Padrón de las personas que de todos sexos y edades tiene el pueblo de Santiago del Prado, Real de minas de El Cobre, con distinción de los esclavos de S.M., negros y mulatos, blancos y libres y esclavos de éstos. Remitido por el gobernador de Cuba al señor capitán general de la Isla) (A.A.).

137. Ibídem. Se hace constar que "el total de personas de todas edades y sexos son 980, y que de los 745 esclavos de S. M. hay 108 ausentes, sin incluir en éstos los desterrados por la última sublevación, a los Reinos de México y el Perú, que van puestos en relación". Igualmente se agrega que fueron dispersados por la Isla, particularmente en La Habana y Santiago 108 esclavos, o sea, el 14,5 % de la población total de esclavos del Rey en las minas.

138. Informe de Don Matheo López de Cangas, quien había visitado a Cuba, a la Junta de Comercio y Moneda. (AGI. Santo Domingo, 1129. 10-XIII-1733) (A.A.).

139. AHN. Papeles de Indias. Legajo 20.884.

140. AGI. Contaduría, 1185-B (A.A.).

141. AGI. Santo Domingo, 534. (Ver el Volumen 8).

142. AHN. Papeles de Indias. Legajo 20.884.

143. AGI. Santo Domingo, 534 (Morell al Rey, La Habana, 2-VII-1755) (A.A.).

144. AHN. Estado. Papeles de Indias, Legajo 20.884.

145. Núñez de Castilla apareció ya en sitio destacado entre los que participaron en la primera venta de tabaco cubano al Rey en 1699 (Ver el Volumen 4, pág. 66).

136. Aunque en Cuba se habían solicitado *señoríos* desde el siglo anterior (ver el Volumen 5), sería este el primero que se concedió. Le seguirán cuatro más: el del Condado de Casa Bayona y más tarde los del Condado de Jaruco y los marquesados de Guisa y de Cárdenas de Monte-Hermoso.

147. AGI. Santo Domingo, 379. (El gobernador de La Habana al Rey; 22-VII-1725).

148. El Capitán Bayona fue honrado con el título en 19-VIII-1721.

149. Según haría constar el escribano "los términos comprenden... 4 leguas diametrales y 43 caballerías". (AGI. Santo Domingo, 381. A.A.).

150. AGI. Santo Domingo, 381. (A.A.).

151. AGI. Santo Domingo, 381. (A.A.). Ver también AGI. Santo Domingo, 1353.

152. AGI. Santo Domingo, 1315.

153. Según Morell las obras se iniciaron en 25-I-1733 (AGI. Santo Domingo, 534. A.A.).

154. AGI. Santo Domingo, 524 (A.A.)

155. Ver el Volumen 1, pág. 221.

156. AGI. Santo Domingo, 1315.

157. Ver el Volumen 5.

158. AGI. Santo Domingo, 1315.

159. AGI. Santo Domingo, 387.

160. AGI. Santo Domingo, 534 (A.A.).

161. AGI. Santo Domingo, 1575 (A.A.). Las tierras distribuidas tenían poseedores, según se reconoció en la diligencia. En las de Sacalohondo reclamaban el convento de Sta. Catalina de Sena, don Dionisio de Berroa, don Pedro Castellón, don Miguel Díaz Amador, los herederos de Joseph Monzón, doña Juana González, doña Juana Medina y el Convento de los Dominicos. Este corral había sido mercedado por el Cabilo habanero a Martín Recio en 29-VII-1575. Las tierras de Govea eran propiedad del Marqués de San Felipe y Santiago (Caxigal de la Vega al Rey, 19-IV-1757).

162. De estas tierras, 15 caballerías las había dejado al Convento en 1738 doña Theresa de Sotolongo, para obras pías (AGI. Santo Domingo, 1575 A.A.).

163. AGI. Santo Domingo, 1575 (A.A.).

164. Ibídem.

165. Ver el Volumen 2, página 75.

166. Era frecuente todavía dar terminación femenina a los apellidos, cuando se trataba de mujeres, los que no permite identifica el apellido como Leyte, el cual ha perpetuado una de las familias más numerosas y respetadas de Holguín.

167. AGI. Santo Domingo, 534. En las memorias de la Sociedad Patriótica se publicaron datos relativos a la historia de Bayamo, compilados por Manuel José de Estrada, y recogidos después en el tomo 2 de *Los tres primeros historiadores de Cuba* (1876). Se incluyen por Estrada datos relativos a la fundación, en el hato de Holguín, por su propietaria María de las Nieves Rodríguez Aldona, de una iglesia, en 1649, a la cual concurrían los habitantes del hato y de sus inmediaciones, muchos de ellos, indios. Se dice allí: "Fue primer cimiento de la que es hoy ciudad de Holguín, aumentando tanto su población la numerosa descendencia de Las Nieves, nombrada por ello *Eva de Holguín*, que el año 1649, última visita de ordenanza [por el Cabildo de Bayamo] que practicó el regidor don Juan Lorenzo Muñoz, en la lista que presentó a este Ayuntamiento se contaron 175 personas procedentes y enlazadas con su familia y ella todavía viva".

168. El primer párroco sería el Pbro. Juan González de Herrera.

169. En la zona de Holguín funcionaba la institución de los pesos de tierra o pesos de posesión, que permitía la explotación conjunta de las *haciendas comuneras*, manteniéndolas indivisas (Ver el Vol. 2, pág. 84).

170. AGI. Santo Domingo, 497 (A.A.).

171. En 1731 quedaron organizadas dos compañías de milicias para la custodia de Holguín, al mando del capitán de la Torre. Una de caballos corazas, contaba con un teniente, un alférez, 4 cabos de escuadra y un *negro clarinero*, al frente de 66 soldados, y otra de infantería española al mando del capitán Juan González de Rivera, con un alférez, un sargento, 4 cabos de escuadra y un *tambor negro*, con 67 soldados (AGI. Santo Domingo, 497). Dos años después las milicias formaban 3 compañías con un total de 20 oficiales y 199 soldados (Ibídem).

172. La concepción española de la aldea, frente a la dispersión de la población rural cubana, dominante desde los primeros tiempos coloniales, es evidente en este párrafo metropolitano.

173. AGI. Santo Domingo, 497.

174. Ibídem.

175. Ibídem.

176. Fueron éstos los de teniente de gobernador y capitán a guerra, 2 alcaldes ordinarios, 3 regidores, alcalde provincial y 2 alcaldes de la Sta. Hermandad, alférez mayor, alguacil mayor, fiel ejecutor, depositario general, escriba-no público y de cabildo y registros, anotador de hipotecas y contador judicial. Las 4 compañías de milicias "por hallarse cargadas de gentes", las dividió entre 6 (AGI. Santo Domingo, 534).

177. AGI. Santo Domingo, 534.

178. Ver el Volumen 7.

179. AGI. Santo Domingo, 534. (El Obispo Morell al Rey; Santiago de Cuba, 14-IX-1756) (A.A.).

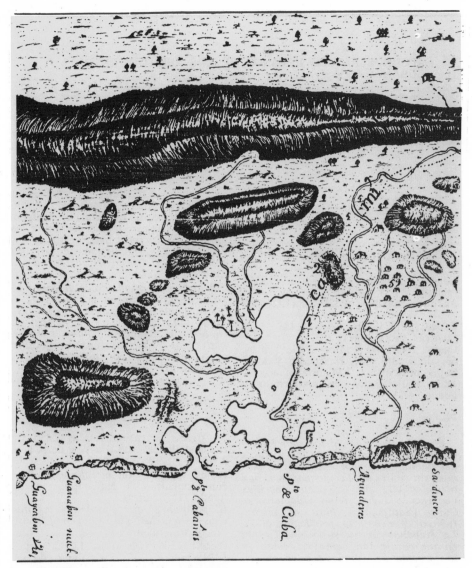

La bahía y la cuenca de Santiago de Cuba vistas por el ingeniero Francisco Angle en 1743 (AGI. Santo Domingo, 364).

ALGUNOS RASGOS URBANOS DE LOS ASENTAMIENTOS CUBANOS (1754-57)

Los detallados informes que sobre su visita general de la Isla (1754-57) remitiera al Rey el ilustrado obispo Pedro A. Morell de Santa Cruz, nos permiten disponer de una visión, en gran parte cuantitativa, de los principales núcleos de población de la Cuba del período. Además de las cifras, hemos incluido, en letra cursiva, algunos de los detalles y comentarios de indudable valor geográfico contenidos en la relación del inteligente Prelado, que permiten colocarlo entre los más lúcidos observadores de la naturaleza y la sociedad cubana de todos los tiempos.

Asentamientos fundados en el siglo XVI

LA HABANA (Intramuros)

Largo máximo: 2.201 varas (1.866.4 metros)
Anchura máxima: 1.321 vs. (1.120 m)ª

Calles: de E-W, 23; de N-S, 12.
Cuadras (manzanas): 633.
Casas: 3.497 (De 3 altos, 3; de 2 altos, 58; de 1 alto, 120. De piedra y teja: bajas principales, 1.342; bajas accesorias, 1.501. Bajas de embarrado y guano, 473).

Plazas: 6.

En testimonio del historiador Herrera [su puerto] es uno de los mejores del mundo; pase por exageración, porque sin salir de la misma Isla hay otros en ella que le hacen conocidas ventajas...: Jagua, Nipe, Guantánamo, Cuba [Santiago] ...Pero al mismo tiempo es necesario privilegiar al de La Habana por su situación. Tiénela en un paraje tan ventajoso como es la cercanía del canal de Bahama. Enseñó el tiempo que el modo de facilitar la navegación hacia Barlovento consiste en el rodeo de coger altura para descaeser al puerto del destino. El de La Habana, por todas razones es el que ofrece más comodidades para esta maniobra, desembocando por Bahama. Se ha hecho, pues, un paso preciso, un lugar de concurrencia, y una garganta por donde los inmensos teso-

ros, cosas exquisitas y chucherías apreciables que este Nuevo Mundo produce, han de transitar al Antiguo. En suma, por este medio por sobre los humildes principios del Puerto de Carenas, se ha erigido uno de los más soberbios, célebres y traficados de la América.

A las orillas occidentales de esta hermosa bahía se tiraron las líneas de la nueva población. Sentose con el título de villa, en un terreno macizo de cantería, perfectamente llano... Ha tenido tales progresos, que su nombre se ha extendido por las partes más remotas del orbe.

PUERTO DEL PRINCIPE

Su figura es casi redonda: 2.430 varas castellanas... de E a W y de N a S, 2.370.

Calles: de E-W. 10; la más extendida, con 12 cuadras. De N-S, 12; la más dilatada, 14 cuadras.
El poco nivel que guardan y las muchas callejuelas que incluyen, las cortan y desgracian.

Casas: 1.506. (De altos, 12; de tejas, 1.194; bohíos, 300). *La calidad de las casas la explicaba Morell por ser el país... abundante de materiales baratos para la construcción de edificios, porque el millar de ladrillos [había 60 tejares] importa 4 pesos y el de tejas cuando más 3 1/2 pesos y la fanega de cal, 1 ó 2 reales; exclusa la conducción que cuesta poco por la abundancia de los bagajes.*

En la provincia que los indios lla-

man Camagüey, una sabana muy igual que se extiende a más de una legua por todos los vientos, se eligió para la nueva población... a 20 leguas de la antigua hacia el S y 14 de una y otra costa. Los ríos Triana y Tínima la ciñen por el Oriente y Ocaso; después, a poco menos de un cuarto de legua se unen para formar otro muy caudaloso y abundante de pexes, que con el título de San Pedro va a la costa sur... Las de estos, antes de incorporarse, se cortan con la seca, son gruesas y sólo sirven para el ministerio común de las casas y para los pobres. Lo restante del vecindario se provee de 4 lagunas situadas las 3 como a tiros de cañón y la cuarta a una legua; llámanse Xequí, Yaba, Bagá y Ximón... Las comunidades y familias principales han añadido otras para su uso, que son los aljibes.

A excepción de La Habana no hay pueblo alguno que lo exceda ni aun lo iguale. Entre sus [1506] familias hay muchas de conocida nobleza, que mantienen el lustre y limpieza de 6 troncos.

BAYAMO

De NW-SE: 2.921 varas; 9 calles, 6 callejones y 128 cuadras.
De NE-SW: 776 varas; 15 calles, 21 callejones y 122 cuadras.
Casas: 1810 (De 1 alto, 8; de tejas bajas, 618; bohíos, 1.184).

...Se situó en una sabana o llanura perfectamente unida. Padece la tacha de pantanosa en tiempo de lluvia y de polvosa en el de seca. Su temple es muy húmedo, cálido y nutritivo de fiebres en el verano. A la parte occidental le queda el río que lleva el nombre de la villa; muy perennes y soberbias sus aguas... son algo gruesas porque el arroyo Managua, que le entra un cuarto de legua hacia arriba las vicia. Las crecientes que arroja son formidables; contra ellas sirven a la población unas barrancas elevadas, ...pero en siendo las avenidas extraordinarias, se señorean del terreno e inundan los edificios mas inmediatos; llévanse entonces algunos, y otros aun sin esta cir-

SANTIAGO NO ES UN VILLAJE

La mañana del día 4 de septiembre salí del Cobre para Cuba [Santiago]. Aunque el camino, sobre fragoso se hallaba con algún lodo, pude evacuar en 3 horas las 4 leguas de que consta. No lo ejecuté porque me precisaron a hacer alto a una legua de distancia de la ciudad, con el fin de que la entrada fuese a la tarde.

Desgraciose la función y las prevenciones todas corrieron tormenta, con los aguaceros copiosos que desde el mediodía hasta después de la noche sobrevinieron. A la mañana siguiente, dispuestas todas las cosas, me pasaron aviso para que marchase. Practíquelo inmediatamente, y fui recibido de aquel pueblo con tales demostraciones de regocijo, y con tan solemnizado aparato, que es común opinión, no haberse visto en lo pasado ni esperarse en lo sucesivo, igual recibimiento de Prelado.

No contentos con haber manifestado sus afectos por medios tan plausibles y dignos de memoria, han querido perpetuarla en la posteridad formando diseño fiel y relación exacta de la fundación. Daranse en fin a la estampa, y publicados, no sólo se sabrá el modo airoso con que se portaron, sino también saldrán algunos del errado concepto en que viven de que Cuba [Santiago] es un villaje, siendo realmente una ciudad.

Obispo Pedro A. MORELL DE SANTA CRUZ al Rey. (La Habana, 28-X-1757).

FUENTE: AGI. Santo Domingo, 534.

Una ingenua visión de la ciudad de Santiago de Cuba, incluida dentro de un mapa de la bahía, dibujado en 1751 por don Balthazar Díaz de Priego. A pesar de lo elemental del dibujo se aprecia fácilmente la cuesta que desciende desde la ciudad hacia la Marina, como se le llamaba a la zona portuaria santiaguera desde el siglo XVII. Obsérvense las embarcaciones inmediatas al muelle único de que disponían. Del otro lado de la bahía, en primer término, uno de los tejares que abastecían la ciudad. (AGI. Santo Domingo, 369).

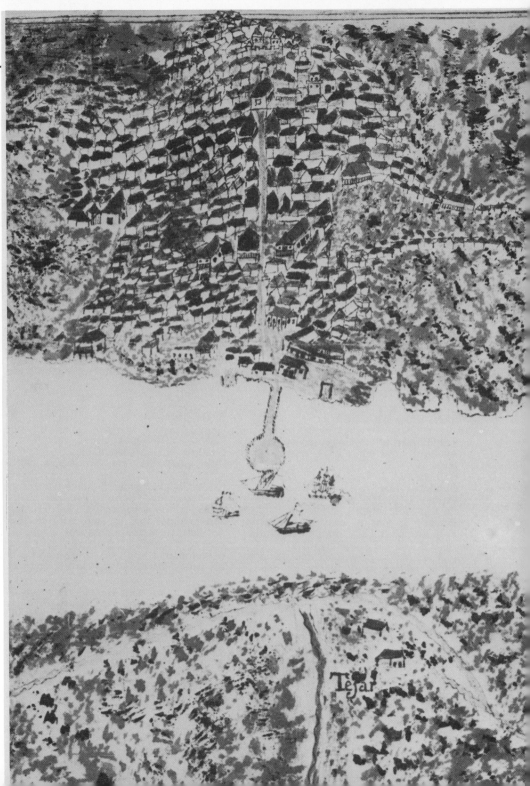

cunstancia experimentan la misma desgracia. La causa es que como las aguas baten sin interrupción al pie de estas murallas naturalmente erigidas, de tierra movediza, viene con el tiempo a faltarles el cimiento, y desplomándose a pedazos se llevan consigo las casas que sostienen... Este es un perjuicio que con frecuencia se padece y sin remedio se llora por el justo temor de que el río destruya el lugar con el transcurso de los años. No se numeran muchos en que había casas y calles en el propio terreno por donde ahora tiene su curso.

En medio de estas pensiones y de hallarse la villa a... 6 leguas del embarcadero del río Cauto, y ser el camino muy llano y de salinas, nunca ha sido saqueada de los enemigos, cuando todas las demás poblaciones... en esta... Isla no se han eximido de tan terrible calamidad. Por este motivo, sin mas fomento que el del tiempo, ha conseguido los auges en que al presente se halla.

SANTIAGO DE CUBA

Largo máximo: 1.726 pasos regulares.
Anchura máxima: 1.562 pasos regulares.
Calles: 44.
Cuadras: 133.
Casas: 1.418 (De teja, 338; colgadizos de teja, 775; bohíos, 405.
Plazas: 3, mas el castillo central de San Francisco, que domina la ciudad.

A las orillas orientales de esta admirable bahía, en distancia de dos leguas de su boca, se plantificó la villa, sobre un terreno, que a poco espacio de la Marina, comienza a elevarse, sin guardar reglas en su igualdad. No impide, sin embargo que las calles observen en lo principal el buen orden que corresponde. El defecto que tiene de pedregoso se oculta con un caliche que cubre la superficie, ofende la vista y aumenta el calor.

Carece de aguas, que es la primera base para un establecimiento; las que hay, sobre distantes una legua, son gruesas, y con la seca se cortan. En suma, es un país cuyo primer aspecto nada muestra de agradable; con la experiencia, no obstante, todas sus incomodidades se suavizan. Lo cálido del clima en el verano se templa con la frescura de la noche; de día también se mitiga con la brisa, que por lo ordinario comienza a las 10 de la mañana y termina a las 4 de la tarde. El blanquizal hace a la población mas alegre y clara, porque en él encuentra la luz fomento y la oscuridad resistencia.

Sobre todo, es el mas saludable de la Isla, porque a las cualidades de cálido y seco, se añade la circunstancia de hallarse en una elevación adonde los vientos lo bañan con libertad y provecho.

La advocación de Santiago, con que honraron a la villa, siempre ha corrido con el aditamento de Cuba, que es la Isla; pero el nombre de Cuba por si solo o junto con el de ciudad, hace venir en conocimiento de la de Santiago, que es prueba bastante de su mayoría.

TRINIDAD

Calles y callejuelas: 31.
Cuadras: 264 desordenadas.
Casas: 698 (De teja, 58; bohíos, 640).

Situola [Velázquez] sobre un terreno desgraciado; viene a ser una cantera de piedra amucarada. Su desigualdad es tanta que las calles no pueden ser llevadas a nivel sino por donde la menos fragosidad permite. Y para cumplimiento de sus incomodidades un polvo colorado que arroja, todo lo ensucia...

...Plaza enteramente abierta y sin la mas mínima defensa, los vecinos no pueden sentar el pie sin la zozobra de ser sorprendidos por los piratas o enemigos. La última invasión que experimentaron fue en el año 2 de este siglo; entonces la mayor parte del pueblo se redujo a cenizas. Por estos incidentes, siempre que sucede la guerra... o... presentarse algunas embarcaciones a la vista, que retirarse todos a La Popa que es un sitio eminente de donde con facilidad pueden retirarse a los montes. No obstante, después de ese contratiempo tan considerables han tenido los auges, que jamás se esperaron.

SANCTI SPIRITUS

Calles y callejones poco nivelados... el mayor desorden en el barrio de Jesús Nazareno, donde están totalmente dispersos y sin el mas mínimo concierto. Casas: 455 (De altos, 4; de tejas bajas, 99; bohíos, 352).

...Podía estar mas adelantada según su antigüedad. Erigiose por Diego Velázquez el mismo año que La Trinidad; añádese que aun en el mismo día, con diferencia de horas, cuyo mayor número se atribuye a Sancti Spiritus. De 30 años a esta parte ha tenido algún incremento y fabricándose casas de ladrillo y teja. La continuación, sin embargo, de los incendios... le han servido de notable atraso. El último sucedió por... marzo del año... pasado; quemáronse... 244 de paja.

BARACOA

Largo: 1.000 varas.
Anchura: 3 cuadras.
Calles, 3; callejones, 10.
Casas: 158 bohíos, con mucho fondo en que tienen sus labranzas.

...La [primera] población que el adelantado Diego Velázquez plantificó en la... Isla... el año 1511. Púsola por la banda norte, 10 leguas a sotavento de la punta oriental, llamada Maisí, en el puerto de Baracoa... Es tan reducido que sólo puede admitir 8 naos de porte... La figura circular que tiene le ha hecho adquirir el nombre de burén; llaman así al instrumento en que se cuecen las tortas del casabe.

Por la parte SW descarga el río Macaguanigua, que con sus avenidas ha cegado parte del fondo. Al mismo rumbo corre una serranía a modo de yunque de herrero; lleva este título y por su elevación sirve de derrotero para conocer el puerto. Desde éste, ti-

rando al SSE comienza una llanura de 3/4 de legua... y una altitud llamada el Seboruco [que] es lo mismo que sierra de piedras. En este terreno se sentó la villa y su Iglesia... Por 1518 se erigió ésta en Catedral y aquella se honró con el título de ciudad y... vino a gozar la preeminencia de capital en lo secular y eclesiástico. Poco tiempo la disfrutó, por haberse trasladado la silla a la de Santiago, que por entonces era mas ventajosa. Baracoa, en fin, quedó en un estado tan deplorable, que nunca ha podido restablecerse...

Por otra parte, no es lugar que pueda ser socorrido con presteza. Lo remoto que se halla de los demás de la isla y lo agrio de sus caminos, dificultan su comunicación... Santiago es la mas inmediata que pudiera darle la mano; y queda... a 80 leguas de montañas, de desiertos intraficables por la abundancia de espinazos, tan altos y peligrosos que aun estando secos se cansan los hombres y los bagajes y en tiempo de lluvias se precipitan a su profundidad... Baracoa se halla indefensa...

SAN LUIS DE LOS CANEYES

Cuadras: 15.
Casas: 83 (De teja, 12; bohíos, 71).

REMEDIOS

Calles: E-W, 10; N-S, 12; con poco concierto en su nivel.
Casas: 392 (De ladrillo y tejas, 3; bohíos, 289).

Conocida también por El Cayo [pues]... tuvo su primera fundación en uno... a media legua de tierra firme... fundación tan irregular sólo pudo ser de indios. Trasladose después por Vasco Porcallo, vecino hacendado de la Trinidad al terreno que hoy ocupa [a] una legua de la marina. Sírvele de embarcadero un estero muy poblado de mosquitos. No hay mas puerto que el abrigo de los cayos inmediatos.

GUANABACOA

Casas: 434. (De tejas de altos, 3; de tejas, 117; bohíos, 314).

●

Asentamientos fundados en el siglo XVII

SANTA CLARA

Calles: 18.
Casas: 457. (De tejas, de altos, 3; de tejas, bajas, 9; bohíos, 445).

Tiene su asiento en una sabana espaciosa; dos arroyos de buenas aguas la bañan... llénanla de humedad e introducen fiebres. Se ha cuidado que las calles guarden nivel. La plaza mayor... es muy hermosa.

MATANZAS

Calles: E-W, 4; N-S, 5.
Cuadras: 40.
Casas: 123. (De tejas, 4; bohíos, 119).

Entre [los ríos] Yumurí y Cañas se situó la población. Comenzose por la Plaza de Armas; siguieron las calles y últimamente el sitio para la Iglesia. La ciudad... sobre un terreno llano y divertido, porque al W se recrea la vista con las aguas de la bahía... a la del N con las del río Cañas. Padece, sin embargo, la tacha de húmedo y cálido; mas lo sería si las brisas de día, y los terrales de noche, no lo refrigerasen.

JIGUANI

Calles, 6; callejón, 1.
Casas: 102 bohíos.

Su situación en un terreno llano, aunque atolladizo en tiempo de lluvias. Por la parte oriental le domina una sierra algo elevada y por la occidental le baña un río de aguas delgadas y saludables. El clima es fresco y tan sano que sirve de lugar de convalescencia aun para las enfermedades incurables.

SANTIAGO DEL PRADO

Calles: 11, sin cuadras regulares.
Casas: 140. (De teja, 20; bohíos, 120).

●

Asentamientos fundados en el siglo XVIII.

SAN FELIPE Y SANTIAGO (Bejucal)

Casas: 50 bohíos.

SANTA MARIA DEL ROSARIO

Calles: 7.
Cuadras: 14.
Casas: 53. (De teja, 16; bohíos, 37).

SANTIAGO DE LAS VEGAS

Calles: 2, *que no guardan el debido orden sin embargo de hallarse en un terreno perfectamente llano.*
Casas: 40.

SAN ISIDORO DE HOLGUIN

Calles: 14, *bien niveladas y con 9 varas de ancho.*
Cuadras: 43.
Casas: 238. (De tejas, 7; bohíos, 231).
Plazas: 2 (de la Parroquia y de Armas).

●

Núcleos de población en las inmediaciones de La Habana.

GUADALUPE (Barrio)

Calles: E-W, 18; N-S, 9.
Cuadras: 47, *aunque poco niveladas.*
Casas: 669. (De piedra y teja de altos, 12; de tejas, bajas, 113; bohíos, 554).

Cuando se levantaron los muros de la ciudad [de La Habana] no se pensó que su vecindario pudiese aumentarse de forma que necesitase de mas terreno para su extensión.

El tiempo ha manifestado lo contrario, porque después de poblado el que por entonces se asignó, ha sido tan numeroso el concurso de las gentes que a modo de langostas se han esparcido por los campos de su jurisdicción, y en todos ellos han hecho sus habitaciones, labranzas, ingenios y vegas de tabaco, cuyos polvos han volado por todo el universo.

Los mas se han agolpado hacia la puerta occidental de tierra, que mira al SW. Desde ella comienza el barrio llamado Guadalupe... que debe su nombre a la Señora con este... título se venera en la Iglesia fabricada en él... Incluye... al astillero y arsenal, tres quintas de piedra y teja, capaces y hermosas y un jardín de piedra y teja, capaces y hermosas y un jardín y pertenecen a vecinos hacendados de la ciudad que ocúpanlas para su diversión y recreo en ciertos tiempos del año...

Este barrio, en suma, sirve para desahogo de los bochornos que se padecen intramuros; es ventilado de los aires en libertad. Divísanse en él muchas palmas reales que con su hermosura alegran la vista, y es el paseo mas acomodado para la relajación del ánimo y conservación de la salud.

JESUS DEL MONTE

A una legua al SW de La Habana.
Calle, 1. (La calzada de Guadalupe).
Casas: 69. (De piedra y altas, 2; de piedra bajas, 21; bohíos, 46, situados en los caminos reales).

CALVARIO

Bohíos: 10.

Sobre la cima de un monte fragoso y dominante desde el que se recrea la vista con la hermosura de los campos.

REGLA

Casas: 20.

Tiene su situación a la orilla oriental de la bahía [de La Habana]. El terreno que ocupa es llano, hermoso... con su muelle de piedra, muy bueno para el tráfico de la ciudad. La vista de ésta y los aires del mar causan diversión y salud.

SAN MIGUEL [DEL PADRON]

Bohíos: 19.

MANAGUANA

A 2 leguas de San Felipe y Santiago.
Casas: 16. (De tejas, alta, 1; bohíos, 15).

POTOSI

A 1/4 de legua al N de San Miguel.
Bohíos: 4.

GÜINES (San Julián)

Casas: 40 bohíos.

BATABANÓ

Casas: 40 bohíos en torno a la Iglesia.

●

Núcleos de población a Sotavento de La Habana.

QUEMADOS

Casas: 16 bohíos en torno a la Iglesia y 56 por los campos.

CANO

Casas: 19 bohíos en torno a la Iglesia.

GUANAJAY

Ermita erigida por el Obispo Compostela en 1695.

Casas: 1 bohío junto a la Iglesia.

SANTA CRUZ [DE LOS PINOS]

Ermita erigida por el Obispo Compostela en 1695.
Casas: 8 bohíos próximos a la iglesia

CONSOLACION [DEL SUR]

Ermita erigida por el Obispo Compostela en 1690.
Casas: 7 bohíos próximos a la Iglesia.

Hay un río titulado San Diego que tiene 3 especies de baños: unos fríos, otros templados y otros cálidos de azufre, todos muy saludables según los enfermos que acuden... en gran número.

PINAR DEL RIO

En el término de hato: 76 familias y 640 personas.

Ha tenido 3 iglesias: la primera erigida por el... Obispo Compostela en 1699... El asiento nuevo y la Iglesia se mudaron por las inundaciones del río en que se hallaban con inmediación, ...en 15-XI-1726... Abandonose también por la grande humedad del terreno y la tercera se halla a ...media legua y se principió en... 1749. Todas han merecido un mismo patrón...: San Rosendo.

GUANE

Casas: 5 bohíos en el contorno de la parroquia.
Ermita erigida por el Obispo Compostela en 1694.
Ultimo curato que cae al occidente de esta Capital... dista de ella 64 leguas.

a. El área total de La Habana intramuros equivaldría a 2.1 km².
b. Referencia al famoso delta lineal o *tibaracón* que ha construido este río.
c. *Espinazos.* Lomo largo y estrecho en que culminan algunos montes y casas muy expuestas a los vientos. En los siglos XVI y XVII, maleza, matorral (Martín Alonso).

FUENTE: AGI. Santo Domingo, 524 (A.A.).

LA PRESENCIA EXTRANJERA EN PAZ Y EN GUERRA

2

the Cambridge.

La principal lucha era en Europa, porque esta determinaría las grandes cuestiones concernientes a la historia mundial, como el dominio del mar y el control de países distantes, la posesión de colonias y, dependiente de ésta, el aumento de la riqueza.

A. T. MAHAN

La influencia exterior sobre Cuba, determinada por su localización estratégica, no disminuiría durante el siglo XVIII. Por el contrario, los ataques irregulares y esporádicos sufridos a todo lo largo del Seiscientos por los asentamientos cubanos, serían seguidos por un estado de tensión casi continuo que se resolvería en guerra abierta en cinco oportunidades entre 1701 y 1763, período en el cual únicamente 32 años serían de paz oficial. La diferencia clave fue que en el Setecientos se trató de guerras regulares, en medio de las cuales sería invadido por grandes contingentes el suelo cubano en dos ocasiones: Guantánamo (1741) y La Habana (1762).

En estas guerras, cuyas motivaciones esenciales en América serían de carácter económico, el enemigo principal vendría a ser la Gran Bretaña, ya en el camino de convertirse en la primera potencia marítima y comercial. Junto a ella, concurrirían en mares y territorio cubanos, como corsarios y voluntarios en tiempos de guerra, y como activísimos contrabandistas en los de paz, sus entonces colonos de Norteamérica que, en el último tercio del siglo, vendrían a constituir los Estados Unidos.

En mayor o menor grado Cuba debió mantenerse alerta, o combatir dentro o fuera de sus límites, en las 5 guerras del período de 1701 a 1763, en que se vería envuelta España frente al desafío de la Gran Bretaña:

- 1701-1713 (Guerra de la Sucesión Española).
- 1718-1720.
- 1727-1729.
- 1739-1748 (Guerra de la oreja de Jenkins).
- 1762-1763 (Guerra de los Siete Años).

Estas guerras son consideradas por los historiadores ingleses parte de un conflicto mayor, que tuvo como principales protagonistas a Gran Bretaña y Francia, y que se prolongaría desde 1689 a 1815. Esta *segunda guerra de los cien años*, que realmente duró 126, afectaría intensamente a España durante el siglo XVIII, como frecuente aliada de Francia desde 1701. En América influiría decisivamente en la independencia de Estados Unidos e Iberoamérica. Uno de sus episodios, la caída de La Habana en poder de los británicos en 1762, marcaría el final del período de la historia cubana que estudiamos, por las innegables consecuencias que tuvo sobre los destinos futuros de la Isla.

1. LA GUERRA DE SUCESION ESPAÑOLA Y SUS EFECTOS EN CUBA

España inició el siglo XVIII con un nuevo rey, Felipe V, quien abriría la dinastía de los Borbones españoles. Con ellos llegó una política, de inspiración francesa, destinada a revitalizar a España que, en 1700, al morir el último austria, Carlos II, no era, según José Cadalso,

sino el esqueleto de un gigante.[1]

A pesar de la innegable decadencia interna de España y del acoso de sus enemigos, la vitalidad y energía de su pueblo le había permitido conservar casi intacto su Imperio en Indias. La vastedad y la riqueza de los dominios españoles, que se extendían desde Milán hasta las Filipinas, podían inclinar todavía, en un sentido o en otro, la balanza del poder en Europa. Pero antes de que España pudiese comenzar una etapa de reorganización y recuperación bajo su nuevo Rey, debió sufrir los efectos de una larga guerra originada por las ambiciones de las principales potencias europeas por desmembrar y dividirse el Imperio Español.

Al decidir finalmente Carlos II, en 1700, designar heredero al joven príncipe Felipe de Anjou, sobrino suyo y nieto del poderoso Luis XIV de Francia, Inglaterra encabezó una gran alianza contra Francia y España, ahora vinculadas dinásticamente.[2]

La Guerra de la Sucesión Española influyó directamente en Cuba en tres campos distintos: el militar, el político y el económico. Aunque hubo una indudable y lógica disminución del tráfico regular con España, Cuba, y particularmente La Habana, vivieron un período de apertura económica, en el que el comercio francés jugó un papel esencial. Con la paz, en 1713, se abriría una nueva etapa de relaciones comerciales con Inglaterra, que pasaría a ser la beneficiaria del *Asiento*.[3]

Cuba en las hostilidades de la Guerra de Sucesión

Inglaterra amenazó las costas cubanas en distintas ocasiones, pero

Documentos

EL FIASCO DE GEORGIA (1706)

El capitán don Juan Bautista Jonché, factor... de la Real Compañía establecida en Francia, a cuyo cargo está el asiento de esclavos negros, y superintendente por comisión especial de S.M. Cristianísima en la ciudad de La Habana, dice... que en virtud de diferentes cartas del Gobernador de... San Agustín de la Florida, en que refirió lo infestado que estaban de enemigos por estar tan inmediata la población de San Jorge, y hallándose en La Habana [en 1706] 5 embarcaciones francesas al mando de los capitanes Lefevre Darbousete, Palquireau y Sorbey, los esforzó a que salieran con ellas y desalojasen los enemigos de dicha población.

Y aunque propusieron la falta de gente y armas que tenían, por servir a V.M. les ofrecí dar providencia de todo, y habiéndolo participado a don Luis Chacón..., gobernador de las armas, mandó publicar bando para levantar bastante gente y dio orden a don Andrés de Paredes y a Marcos de Aguilar, a cuyo cargo estaba la sala de armas, y a don Martín Recio de Oquendo, a cuyo cargo estaba la galeota de... La Habana, para que se proveyesen dichas embarcaciones de todo lo necesario; y en su cumplimiento se alistaron 150 hombres, además de los de la guarnición de [las] ...embarcaciones y se pusieron en ellas 100 lanzas, 2 cañones de bronce... 18 escopetas largas y 15 cortas y 34 alfanjes, con cuya prevención salieron... a la... población de San Jorge donde fueron apresadas por los enemigos, volviendo solo una a ...puerto...[a]

a. Jonchée explicaba lo ocurrido para solicitar de la Real Hacienda la devolución de los 300 pesos que había prestado para completar el armamento de la infortunada expedición.

FUENTE: AGI. Santo Domingo, 417. (A.A.).

no hubo un ataque formal en **gran** escala. A una acción de saqueo, **más** propia del siglo anterior que de los nuevos tiempos, se respondió desde Cuba con expediciones relativamente fuertes, y en un caso notablemente exitosa:

● 1702. El corsario inglés Carlos Gant, con base en Jamaica, aprovechó la ausencia de los principales corsarios de Trinidad y la atacó con 300 hombres. Los vecinos lograron escapar a los montes con sus posesiones más valiosas. Gant actuó en represalia contra los trinitarios que, armados en corso con 3 ó 4 naves, venían hostilizando a las embarcaciones mercantes de Jamaica.

● 1703. El gobernador de Santiago de Cuba, Juan Varón de Chaves, después de incautarse los barcos y caudales del *asiento portugués*, encargado de conducir esclavos a Cuba, preparó una expedición franco-española de 450 hombres al mando de Blas Mondragón y Claude la Chesnaye y la envió contra los establecimientos ingleses en las Bahamas. Allí tomaron las islas de Providence y Siguatey (Eleuthera), destruyeron los poblados en formación y mataron 100 hombres. En 13 barcos enemigos llevaron a Santiago de Cuba 100 prisioneros, 98 esclavos, 22 cañones y numerosas armas menores.

● 1706. Poco afortunada fue la expedición enviada desde La Habana por el gobernador interino don Luis Chacón. La mandaba el capitán Lefevre, francés, con 300 granaderos de Francia y 150 voluntarios habaneros. Su objetivo era el fuerte de San Jorge (Georgia), pero al fallar la sorpresa, perdieron 4 de sus 5 naves.

● 1711. Al firmarse los preliminares de paz ese año, entre España e Inglaterra, era indudable que si bien se habían anotado los ingleses sus victorias navales decisivas en los mares europeos, en las inmediaciones de Cuba sufrieron grandes pérdidas. Según el historiador Pezuela, los corsarios con base en Cuba

En combinación con los de La Española diariamente arrebataban presas en el mar y por las costas de Jamaica y Carolina... Con los negros y cargamentos apresados a los enemigos, dio la isla algún incremento a sus cultivos.[4]

Las facciones filoaustriaca y profrancesa en La Habana

Los ingleses no intentaron durante la Guerra de Sucesión un golpe en gran escala contra Cuba porque, dentro de sus limitaciones, las defensas: fortalezas, tropas regulares y milicias, eran impresionantes. Cabía, eso sí, que Cuba se declarase en favor del Archiduque, proclamado como Carlos III, y que un bando filoaustriaco entregara la isla a su aliada Inglaterra. Las poderosas fuerzas navales inglesas que se movían en el Mediterráneo americano, en defensa de sus colonias y en acecho de los tesoros que España necesitaba recibir en sus galeones, fueron utilizadas también para amedrentar a la gran mayoría fiel a Felipe V, y por lo tanto, profrancesa, y animar a los partidarios del Archiduque. Algunos episodios de esta guerra psicológica fueron los siguientes:

● 1703. Los almirantes ingleses Walker y Graydon, al mando de 36 buques de guerra, se presentarían ante el puerto de La Habana para instar al gobernador Chacón a que reconociera a *Carlos III*. Desairados, se retiraron. Antes, atemorizados, numerosos vecinos pusieron a salvo en la *tierra adentro* familias y caudales. Chacón logró movilizar eficazmente sus fuerzas.[5]

● 1704. Los emisarios del gobernador de Jamaica lograron crear inquietudes en la *tierra adentro*, en favor del Archiduque. En Santiago fueron dominadas las perturbaciones. En X y

Documentos

LA HABANA SOCORRE A FELIPE V

Don Laureano Torres y Ayala, gobernador y capitán general de la ciudad de La Habana... da cuenta de que luego que tomó posesión... convocó a todos los oficiales de guerra, caballeros y gremios de aquella ciudad y les representó las urgentes y graves necesidades en que, con la continuación de las guerras se hallaba V.M., exhortándolos a que contribuyese cada uno con el caudal que me permitiese la posibilidad de sus medios... Correspondieron gustosos con las expresiones correspondientes a la gran fidelidad y amor con que toda aquella ciudad ama y venera a V.M., y contribuyeron entre todos 7.183 pesos y 2 reales, que en 3 cajoncillos entregó al General Ducasse, para que en cualquiera de los puertos de España o Francia los pusiese a los reales pies de V.M....

El Consejo, en vista de esta carta y la fineza con que ha obrado el Gobernador de La Habana en la solicitud y facilitación de este socorro, pasa a ponerlo en la real noticia de V.M. a fin de que se sirva tener a bien se le manifiesta la real gratitud.

El Consejo de Indias a Felipe V (5-IX-1709).
FUENTE: AGI. Santo Domingo, 324.

XI-1704 la grave agitación filoaustriaca pudo ser controlada en La Habana por el arribo de una flota francesa al mando del almirante Coetlogon. Entre los filoaustriacos que habían infiltrado el Cabildo y lograron numerosos partidarios, aparecieron acusados el sargento mayor Lorenzo de Prado Carvajal, quien disputara antes a Chacón el gobierno interino, su hermano Francisco, el provincial de la Santa Hermandad Martín Recio de Oquendo, y varios abogados dirigidos por Juan de Balmaseda. La guarnición habanera

quedó reforzada con oficiales y soldados franceses dejados por Coetlogon.

● 1706. La sublevación catalana contra Felipe V dio nuevos ánimos a los filoaustriacos habaneros, movidos aparentemente por sus contactos jamaicanos. La opinión habanera pareció alejarse de los Borbones; hubo graves demostraciones contra los marinos franceses, algunos de los cuales fueron muertos.

En 19-IV-1706 fue necesario patrullar militarmente La Habana, dispersar grupos y publicar un bando que penaba con el destierro a la Florida a quienes transitasen después de las 12 de la noche. Ofender de palabra u obra a los franceses, se pagaría hasta con el suplicio. El siguiente día apareció al pie del bando anterior un papel desafiante:

El bando que se ha echado no sabe lo que se hace, y les amonestamos todos los hijos vecinos de esta ciudad a los gobernadores que, si mañana quedan los franceses en la bahía, no ha de quedar el gobernador vivo, porque nos hemos de levantar y avisar a Jamaica; y no hemos de consentir entre otro ningún francés y aclamaremos al Imperio.[6]

● 1707. En 19-III apareció ante La Habana una armada de 22 navíos de guerra ingleses y holandeses. Los gobernadores interinos, Chirino y Chacón, ambos criollos, rechazaron la intimación para que reconociesen al Archiduque. Ante la renovada movilización que encontraron, se marcharon dos días después.

● 1708-1711. Los navíos ingleses mantuvieron una amenaza constante sobre los puertos cubanos, tras los duros golpes sufridos en Europa por las armadas francesa y española. Hasta la terminación de las hostilidades no cesó en Cuba la propaganda secesionista inglesa.

● **73**

España abre a los franceses las puertas de Cuba

La Guerra de Sucesión abrió legalmente a Cuba, por primera vez, la posibilidad del intercambio con los extranjeros. El declive del poderío naval español obligó a Felipe V a depender de la armada francesa para la defensa de las rutas marítimas indianas, y lo más curioso aún, del genio de antiguos corsarios y filibusteros que, como los notorios Mr. Ducasse y Lorenzo de Graff, —el pirata Lorencillo—, años antes habían aterrorizado el Caribe español. Fue la presencia de estos viejos enemigos y ahora protectores, uno de los elementos psicológicos que utilizaría el partido filoaustriaco habanero para atacar a Felipe V.[7]

La Marina francesa, poderosa en 1701, y a la cual costaría un alto precio la guerra que se iniciaba, se hizo presente en Cuba desde ese mismo año, cuando llegó a La Habana la escuadra del Marqués de Coetlogon. En 1702 llegaría a La Habana una segunda escuadra, mandada por el Marqués de Chateau-Renaud, con el propósito ambas de acompañar en su viaje a España las naves del general Manuel Velasco, que cargarían más de 30 millones de pesos, en plata, oro y mercancías destinadas a España.

La novedad de los millares de franceses que pasarían cinco meses en La Habana, tomó un carácter marcadamente económico. No sólo se aprovechó de su presencia la industria de servicios que funcionaba en la ciudad desde la organización del sistema de flotas y galeones en el siglo XVI, sino que los vecinos y

Documentos

LA HABANA EN 1703 ¿PLAZA SEGURA?

Los oficiales franceses que vuelven de La Habana me han dicho falta género de municiones de guerra y de boca, que las Murallas no están acabadas; que esta plaza está sin fosos ni contraescarpas y que los almacenes y cisternas de los Castillos están expuestos a las bombas. Y habiendo dado cuenta al Rey me manda lo participe a V.E. a fin de que se tome el debido cuidado en materia tan importante, pues no ignora V.E. que la navegación de México se perdería si los enemigos tomasen dicha plaza.

(Extracto de la carta del Conde de Pontchartrain escrita de Orden de S.M. al Señor Abad D'Estress, Madrid, 2-XI-1703)

Por carta que recibí en 15-IV- (1703) remitida por el Conde de Pontchartrain... su fecha en Barzalla en 12-XII (1702), se me participó estarse previniendo un grueso armamento de Holanda e Inglaterra para venir sobre una de las plazas de esta América... muy ciertos en la inteligencia de S.M. Cristianísima... y alentado de las Reales órdenes de V.M. tengo la providencia de una cadena que cierra el puerto, hecha con la fortaleza mas posible y ahorro de la Real Hacienda; he reforzado la Muralla con la... artillería... para cuyo efecto la he compuesto lo mejor que se ha podido, por no poder adelantar su obra, que se halla con mucha quiebra, por el corto caudal que hay para ello.
He guarnecido todos los puestos de desembarque con gente, recintos y alojamientos precisos para la buena guarda y seguridad de las municiones. Se hallan los castillos y esta plaza con la prevención de víveres en sus almacenes para cualquier contratiempo de sitio. Y asimismo se hallan expedidas mis órdenes para la caballería, lanceros, infantería veterana y gente del batallón.

El Gobernador de las Armas Don Luis Chacón, al Rey (La Habana, 26-V-1703)
FUENTE: AGI. Santo Domingo, 324 (A.A.).

mercaderes tuvieron amplia ocasión de trocar su azúcar, tabacos, cueros y otros *productos de la tierra*, por mercancías de Francia. Como subrayaría un historiador:

El recuerdo... [de] tan excepcional e inesperada ocasión para dar vida al comercio y a la agricultura, con artículos y aun con negros de otras islas, duró después, los muchos años en que se perdió la esperanza de que pudiera renovarse el mismo beneficio.[8]

El intercambio entre los marinos franceses y los vecinos de los puertos indianos había sido autorizado por Felipe V, hasta un límite prefijado, pero es indudable que en La Habana el trato excedió con mucho la medida.[9] Según noticias confiables llegadas al Consejo de Indias, y enviadas desde La Habana en V-1702

los franceses están comprando allí y negociando casi todo el azúcar que hay en la ciudad y la isla para cargarla en sus navíos.[10]

Las naves de Velasco, convoyadas por las de Coetlogon y Chateau-Renaud tendrían un final desastroso en Vigo, donde fueron destruidas en su casi totalidad en 22-X-1702, por un poderoso y audaz ataque combinado, anglo-holandés. La Armada de Francia perdería ese día su capacidad para desafiar con éxito, en el futuro, el poderío naval inglés. En cuanto a España, aunque se conocería lo sucedido como la *catástrofe de Vigo*, no resultó tan grave en lo económico para la Corona. Análisis recientes prueban que Felipe V

utilizó el ataque aliado como una excusa para confiscar la plata que había venido en la Flota como parte de las mercancías pertenecientes a mercaderes ingleses y franceses. El resultado fue que Felipe recibió la suma mayor obtenida en cualquier año, de América, por cualquier rey español... La suma total metálica salvada fue de pesos 13.639.230; de este total, tanto como 6.994.293 pesos entraron directamente en las Cajas Reales.[11]

El desastre de Vigo afectó gravemente a los cargadores habaneros quienes, según documentos de la época, perdieron más de 400.000 pesos, valor del azúcar, el tabaco y la plata que habían enviado a España en las infortunadas naves.[12]

Del enorme volumen de comercio promovido por la alianza de Francia con Felipe V se benefició inicialmente el vecindario habanero, que recibió numerosos esclavos para desarrollar sus haciendas, pero los aliados franceses no cesaron en sus prácticas de contrabando. Desde Veracruz se denunciaba en 1706 que un barco francés procedente de La Habana, que llegó pretextando llevar esclavos para el *asiento*, no condujo sino 50 ó 60, y en cambio introdujo gran cantidad de ropa.[13]

Una visión parcial de la Flota española de 22 navíos, que mandada por el Almirante Velasco, y convoyada por 17 buques de guerra franceses, se refugió en Vigo, para evitar un encuentro con la armada del Almirante Shovel, inglés, tras desviarse de su ruta original La Habana-Cádiz. Atacando en el interior de la bahía los navíos franceses y españoles, en X-1702, los ingleses alcanzaron una resonante victoria, a la que los españoles vendrían a calificar como la catástrofe de Vigo. Los ingleses obtuvieron un botín equivalente a 1.200.000 libras esterlinas en plata, además de numerosas barras de oro. La mayor parte del tesoro, sin embargo, fue desembarcado antes del ataque y puesto a salvo tierra adentro. Los mercaderes habaneros que habían enviado mercancías y plata en los galeones, tuvieron fuertes pérdidas. (Fragmento de un cuadro de Ludolf Bakhuigrn, en The National Maritime Museum de Greenwich, Londres).

La explotación del comercio indiano por los franceses, acogidos a las favorables circunstancias creadas por la Guerra de Sucesión, terminaron por alertar a España. A pesar de sus dificultades, Felipe V se negó a aceptar en 1705 la oferta de una escolta francesa para los galeones que zarparían de Cádiz hacia las Indias. En 1706 tampoco encontró eco favorable el proyecto francés de que España le entregase La Habana para utilizarla como base en caso de que las hostilidades se recrudecieran en el Caribe. La pérdida de Madrid por las tropas de Felipe V en 1706, modificó en parte la actitud española. El año siguiente un escuadrón al mando de Ducasse partió hacia Veracruz y La Habana para proteger las naves españolas que, con su ayuda, llegaron a salvo a España en 1708, 1709 y 1712.

Inicio de los contactos pacíficos con las colonias inglesas del Norte

Otro aspecto de la apertura creada por la Guerra de Sucesión fue la presencia en La Habana de numerosos prisioneros capturados durante las operaciones de corso, principalmente colonos del Norte, futuros Estados Unidos. Tales visitas tenían como contrapartida la de colonos de Cuba a las colonias del Norte, conducidos allí por sus captores, dentro del marco de la activa política corsaria que tenía como escenario las aguas inmediatas a Cuba. Las consecuencias de tales estancias de prisioneros en tierras ajenas serían altamente interesantes, ya que, como señala Portell Vilá:

resultaba que la lucha de las potencias, que lógicamente debía haber separado a sus respectivas colonias y haber hecho difícil sus relaciones, las facilitaba con la concentración de prisioneros norteamericanos en Cuba y en La Florida, en ocasiones durante años enteros, en que tenían unos y otros oportunidad de conocer las poblaciones que, en épocas normales no podían siquiera visitar.[14]

2. LA PAZ DE UTRECHT CONFIRMA LA SUPERIORIDAD INGLESA

Los complejos convenios que pusieron término a la Guerra de Sucesión Española, y que conocemos como la Paz de Utrecht, confirmarían la realidad del predominio naval británico. Francia salía de las hostilidades con su Armada de Guerra casi destruida, Holanda relegada a segundo término como potencial naval y comercial, detrás de Inglaterra, y España forzada por primera vez a quebrar su monopolio total del comercio de las Indias, al transferir, bajo presión, el *Asiento* esclavista a los agresivos ingleses, quienes, además, obtenían el derecho a enviar el llamado *barco de permiso* al Caribe.[15]

Teóricamente pudo España retener el control del comercio indiano al negarse a conceder a los ingleses el libre intercambio entre sus colonos y los españoles en el Mediterráneo americano. Los ingleses exigieron, en compensación, que España no cediese territorios coloniales suyos a ninguna otra nación. Utrecht representó, según el criterio general de los historiados británicos, el tér-

mino del período que para Europa representaba el predominio de la vieja monarquía francesa y el tránsito hacia una nueva era mundial: la de la supremacía marítima, comercial y financiera de Inglaterra. Ya en esta época

...el movimiento hacia el desarrollo de los recursos mundiales, a través de la aplicación del capital acumulado, encontraba su principal campo de operaciones en Inglaterra. La capitalización industrial estaba todavía en los días de límites pequeños, aunque los trabajadores textiles de los talleres domésticos negociaban a través de intermediarios capitalistas. Pero la capitalización del comercio mundial era ya conducida en gran escala, y su centro se estaba desplazando desde Amsterdam a Londres.

Bajo la presión de los comerciantes y con el aplauso general de la opinión, el gobierno conservador inglés en 1713, con el tratado del *Asiento* creó el punto de partida

para un amplio comercio ilícito, y quedó iniciada la lucha por la *puerta abierta* en la América española, lucha que sólo llegaría a su fin con el término del régimen español en tiempos de Bolívar y Canning.[16]

La Paz de Utrecht fue, pues, tanto un término como un comienzo. Inglaterra, en pleno auge marítimo y comercial, quiso explotar al máximo las posibilidades económicas de una situación favorable y ello complicaría aún más los conflictos de intereses. El historiador Bancroft lo explicaría:

El mundo había entrado en un período de privilegios mercantiles. En lugar de establecer una justicia equitativa, Inglaterra buscó ventajas comerciales; ...y como en Europa por cerca de dos siglos habían prevalecido las guerras religiosas; ahora se preparan las guerras por ventajas económicas. Los intereses del comercio, desde el estrecho punto de vista del privilegio, regulaban la diplomacia, determinaban la legislación y propiciaban revoluciones.[17]

Aun en la paz no escaparía Cuba a episodios nacidos de la raigal hostilidad comercial anglo-española. Cuando en 30-VII-1715 un huracán destruyó frente a Cabo Cañaveral, en La Florida, 10 de las 11 naves de la flota del General Esteban Ubilla, quien murió con mil personas más, se organizó eficazmente el rescate de supervivientes y caudales, bajo el mando del sargento mayor de La Habana, don Juan del Hoyo y Solórzano. De los 14 millones de pesos que se perdieron, pronto rescató 4 millones. Un antiguo filibustero inglés, Henry Jennings, enterado de que en un puesto en Cabo Cañaveral era depositada la plata recobrada, lo atacó con 600 hombres y robó 350.000 pesos, y continuó luego sus fechorías apresando a un bergantín en viaje a La Habana, del que robó 3.000 doblones en oro. Desde Cuba el gobernador Vicente Raxa reclamó al gobernador de Jamaica, quien alegó que Jennings era un alzado que actuaba por su cuenta. No lejos del puerto habanero fue capturado el capitán Carpenter, secuaz de Jennings, y fue ahorcado.[18]

Temeroso de que retornase de nuevo el filibusterismo, al ser atacadas varias embarcaciones del *trato costero* de la isla, expidió Raxa numerosas patentes de corso y se

Testimonios

¿PIRATAS O FIELES Y CATOLICOS SUBDITOS?

En la guerra que se libraba entre las colonias del Caribe, las fuerzas irregulares de Cuba y de Jamaica representarían papeles dramáticamente protagónicos. Algunos de los antiguos secuaces del filibustero Jennings, acogido a indulto, temieron volver a Inglaterra o a Jamaica, donde les aguardaba la justicia. Dos de ellos, Cristopher Winter y Nicholas Brown, considerados *ferocísimos bandidos*, optaron por pedir protección a su viejo enemigo Guazo Calderón, gobernador de Cuba. En La Habana quedaron algunos con sus naves y otras fueron destinadas a Trinidad.

Los nuevos aliados atacaron a los ingleses de las Bahamas y Jamaica, isla de la cual robaron varias armazones de esclavos. El capitán Vernon —futuro almirante—, envió tres de sus naves a reclamar en Trinidad la entrega de ex-filibusteros y esclavos. Documentos de la época recogen el intercambio ocurrido entre el jefe inglés, capitán Laws, y el teniente a guerra de Trinidad, Gerónimo Fuentes:

De Fuentes y Manzano a Laws:

No hay en este pueblo ni negros ni navíos cogidos en Jamaica, ni en estas aguas desde la suspensión de hostilidades. Los que han sido cogidos, lo han sido por estar haciendo el contrabando.

En cuanto a los ingleses fugitivos a que V. se refiere están aquí considerados como súbditos del Rey de España por haber abrazado nuestra Santa religión y recibido el bautismo. Si faltasen a la buena

conducta que deben observar, serán castigados con arreglo a las leyes y ordenanzas del Rey N.S. Por todo lo cual, y porque estamos resueltos a no permitir que haga V. aquí ningún negocio, le rogamos que leve el ancla inmediatamente. Dios guarde a V. muchos años.

Trinidad, 8-II-1720. *Gerónimo de Fuentes. Alfonso del Manzano,* alcalde.

De Laws a Fuentes:

Quebrantáis el derecho de gentes no entregándome los súbditos ingleses y debo deciros que no me apartaré de esta costa sin ejercer represalias y sin tratar como piratas, y no como súbditos del Rey de España a los buques que encontrase, una vez que pretextáis vuestra religión para proteger a semejantes bandidos.

De Manzano a Laws:

Nada me hará faltar a mi deber. Los presentados que aquí están serán remitidos al Gobernador de La Habana; y si V. manda en el mar, yo mando en la tierra. Si V. trata como piratas a los españoles que encuentre, lo mismo haré yo con los ingleses que coja. Sin embargo, si V. observa las leyes internacionales, no las quebrantaré yo tampoco. También yo puedo obrar como militar y no me falta aquí fuerza.

FUENTE: AGI (Pezuela, J. de la, 1868, II, págs. 319-21).

armaron en La Habana dos piraguas de guerra. La proximidad de Trinidad a Jamaica y lo abierto de sus accesos, llevó a designar como te-

niente a guerra al capitán Gerónimo de Fuentes, quien organizó 5 compañías bajo su mando y de los capitanes Diego Martín, Domingo

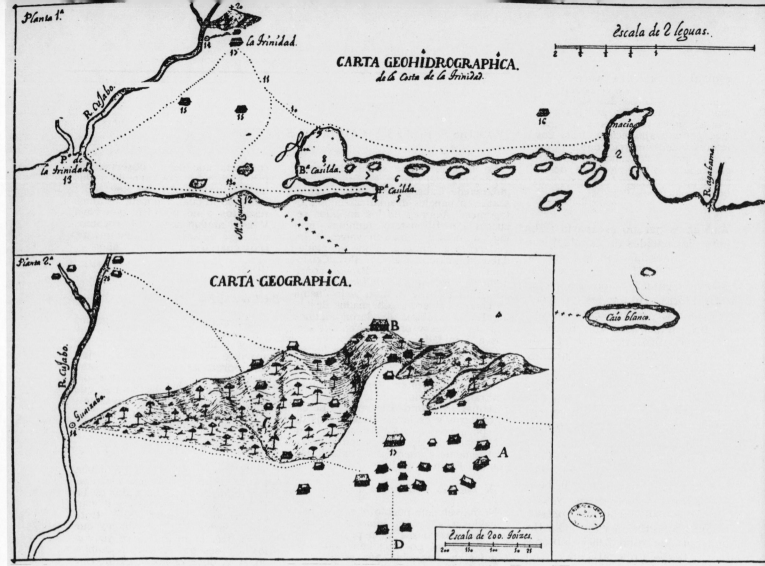

Planta 1ª

CARTA GEOHIDROGRAPHICA.
de la Costa de la Trinidad.

Escala de 2 leguas.

Planta 2ª

CARTA GEOGRAPHICA.

Cayo blanco.

Escala de 200. Varas.

Trinidad, asediada por los corsarios de Jamaica, y convertida a su vez en base de corsarios, aspiraba a convertirse en ciudad fortificada. Con ese motivo fueron enviadas desde La Habana en 22-VII-1725, por el gobernador las muy informativas cartas del grabado. La primera, geohidrográfica, era explicada así:

1) Boca del río Agabama en el cual entran piraguas y lanchas hasta 4 leguas distantes del mar; 2) La ensenada del Ma-

cío, puerto que sólo sirve para piraguas y lanchas; 3) Cayo de Guayos; 4) Punta Casilda; la entrada de Bahía Casilda es por los números 5, 6, 7, 8, 9, cuyo embarcadero es por la nota 9; los números 10 y 11 marcan el camino para La Trinidad distante 1 1/8 leguas del mar; 20) La Vigía distante de la ciudad 1/4 de legua; 100) Comunicación de las aguas de la bahía con las 3 lagunas; 130) Embarcadero de María Aguilar; 13) Puerto de La Trinidad en la ensenada y boca del río Cujabo, por el cual entran las piraguas y lanchas hasta Guairabo; 14) un cuarto de legua distante de la ciudad; 15) y 16) Haciendas para criar ganado. En todas esta costa no hay puerto bueno y por la banda de Sota-

vento tampoco lo hay hasta la bahía de Jagua.

Explicación de la carta geográfica: La ciudad se expresa entre A, B, C, D; la mitad sobre colinas y la otra mitad, de la parte sur, en una llanada. Todas las casas son de madera, cobijadas de hojas de palma. Desde B para el norte continúan las montañas más de 1/4 de legua, dominando siempre las más lejos a las más próximas; tierra áspera y muy quebrada. En esta ciudad no hay agua para beber y es preciso que los vecinos vayan a por ella al río Cujabo, distante de la ciudad 3/4 de legua, cuyo camino es por los puntos C hasta 21. (FUENTE: AGI. Santo Domingo, 379).

Quiroga, Martín de Olivera y Thomas Sánchez, con un total de 480 milicianos, más otra compañía de morenos libres.

Entre 1718 y 1729 se vio envuelta España en otras dos guerras originadas por problemas europeos, pues pretendió recuperar sus dominios italianos. Aunque en ambos casos tuvo otros enemigos además de Inglaterra,[19] en las Indias el enemigo a combatir fue Inglaterra.

Durante el conflicto de 1718-20 continuaría vivo en Cuba el problema de Cabo Cañaveral. El capitán Manuel Miralles, nativo de Francia y avecindado en La Habana,[20] había firmado un asiento para bucear la plata aun no recobrada. Al mando de una armadilla (1718) logró sorprender a merodeadores ingleses, a los que tomó 180.000 pesos que habían buceado, más 98 esclavos. Los 86 prisioneros ingleses, llevados a La Habana, fueron destinados a trabajos forzados.

En 1720, bajo planes del gobernador Guazo Calderón, 1.000 habaneros, en su mayoría voluntarios, desmantelaron un intento de 400 ingleses por recolonizar la isla de Providencia en las Bahamas. Les tomaron 100 esclavos.

Si los corsarios y contrabandistas ingleses se mostraban activos en estos años, les superarían los habaneros, corsarios avezados que dominaban los mares inmediatos a Cuba, como el Capitán Antonio Mendieta, jefe de los guardacostas de La Habana, José Cordero, Andrés González, Gutiérrez, Bustillos, Espinosa y Olavarría,[21] quienes entre 1720 y 1722 tomaron a los ingleses más de 20 naves cerca de Cuba.

Comercio y contrabando, paz y guerra, eran términos intercambiables en la fluída situación que la agresividad económica inglesa había creado en el Caribe y a la que respondía el corso español. En 1725 el ministro de Marina e Indias de España, Ripperdá, anunció en Madrid planes para reprimir con la mayor dureza el contrabando inglés. Como respuesta envió Londres al Caribe una poderosa escuadra de 10 navíos, para anticiparse, en plena paz, a capturar los galeones y su tesoro indiano. El Almirante Hossier, al mando de la escuadra llegó frente a Cartagena durante la feria de 1726 y bloqueó el puerto, así como el de Portobelo. Después, en un alarde de fuerza, se presentó ante La Habana en 1727. Sin atacar plaza alguna, la escuadra intimidadora de Hossier, cuya tripulación venía siendo ya diezmada por la fiebre, resultaría impresionante.[22] El gobernador Dionisio Martínez de la Vega tomó medidas defensivas extremas, hasta movilizar más de 3.000 soldados y 2.000 milicianos. En tanto, presuntos agentes ingleses lograron promover insurrecciones entre las dotaciones de algunos ingenios próximos a La Habana.[23] Hossier fracasó en su intento por capturar los galeones de la plata y moriría lejos de Londres, como otros 4.000 de sus hombres, víctimas de las fiebres, azote y defensa del Caribe contra los europeos.

La paz lograda mediante el Tratado de Sevilla (1729) fue frágil e inoperante. Los contrabandistas ingleses y norteamericanos intensificarían sus actividades con el paso de los años, y contra ellos se movilizarían, con creciente poder y audacia los corsarios, españoles y criollos, que tripulaban los *guardacostas* con base en Cuba.

3. EL CORSO, LOS GUARDACOSTAS Y LA GUERRA DE LA OREJA DE JENKINS

Los comerciantes ingleses no cesarían en sus empresas de contrabando en la América hispánica, en las cuales obtenían una media de 500.000 pesos mensuales,[24] considerablemente más que lo obtenido por medio del *Asiento* y del irregular *barco de permiso*, fachadas poco rendidoras al cabo, de su política de penetración activa del monopolio comercial español. La acogida que brindaban los vecinos a los contrabandistas no podía ser, generalmente, más positiva. Pero las represalias españolas eran tajantes. En Cuba los *guardacostas* y los navíos corsarios no daban tregua a las docenas de navíos ingleses y norteamericanos que merodeaban próximos a la costa, listos a cargar los *frutos de la tierra* y pagarlos con esclavos, ropas y todo tipo de mercancías, o simplemente venderlos por plata. Los corsarios, los guardacostas, los gobernadores y la burocracia participaban, al igual que la Real Hacienda, en el producto de las presas hechas. Ello explica la proliferación y eficacia de los ataques a la navegación inglesa, más o menos legítima.

Como la Armada inglesa no podía ser destinada, a pesar de su rápido crecimiento, a proteger estos navíos que navegaban individualmen-

LA COMPAÑIA DEL MAR DEL SUR: GUERRAS Y REPRESALIAS

La Compañía del Mar del Sur resultó víctima de los conflictos entre Gran Bretaña y España, en parte, a su vez, debidos a su existencia. El alerta gobernador Güemes Horcasitas causaría graves pérdidas a la Compañía al anticiparse a sus planes, cuando ya era inminente la Guerra de la Oreja de Jenkins.

En 17-IX-1739 procedió Güemes a hacer represalia de todos los efectos de la Factoría del Real Asiento de Negros en conformidad a las Rs. Cs. ... y con motivo de mi celo ...comuniqué a los gobernadores de Veracruz y Cuba, se ha logrado coger descuidados a los factores ingleses y hacer una completa represalia por no haber tenido tiempo de ocultar sus efectos, libros y papeles, ni practicar las confianzas que en semejantes casos se han hecho para librarlos de confiscación, creyendo se haya conseguido lo mismo en Campeche y Cartagenta donde dirigí al mismo tiempo iguales avisos.[a]

Güemes actuó al cañonear unas embarcaciones inglesas los fuertes de Bacuranao y Cojímar. Avisado Caxigal, gobernador de Santiago no sólo se incautó de la factoría del Asiento, sino logró

represaliar también un bergantín cargado de azúcar y cueros el cual se había hecho a la vela la mañana del día antecedente, y le detuve con el pretexto de que llevaba algún dinero de por alto, como le hallé, con efecto, fuera de registro, 2.000 pesos que se declararon por de comiso.

Entre los documentos confiscados por Caxigal en la factoría santiaguera figuraba una carta fechada en Jamaica en 10-VIII-1739,[b] por la cual comunicaban al factor Leonardo Choquet firmada por Johan Merebeter y Eduardo Maning[c] que según noticias enviadas de Gran Bretaña por el capitán Bostauen en su navío *El Choram* (sic),

las guerras con España eran indubitables

y que debía comunicarse a los factores

para asegurar todos los efectos de la Compañía.

Agregaban:

Nuestro Gobernador da patentes de corso... y el domingo sale el comandante a corsear y hacer hostilidades.

El envío de la carta,

en un modo muy secreto, por vía de la costa de Bayamo

costó 50 libras a los agentes de la compañía de Jamaica. Su contenido asustó muy mucho el factor Choquet pues pensaba que las paces entre Inglaterra y España estaban establecidas.

Para cumplir, demoró el bergantín para embarcar todo el azúcar almacenado, pero el Capitán le dijo sólo podría recibir 156 cajas de blanco, 94 de pardo y 490 cueros. Quiso enviar el bergantín a Europa, pero su capitán se excusó y en cuanto

a los azúcares que quedan en las bodegas es imposible por ahora moverlas... para asegurarlas en otra parte, por una guardia de soldados que está siempre a 10 pasos a la vista de las ...bodegas. Por lo que toca a los negros y los vales no puedo disponer de ellos por no causar malicia...
...Perdonen estos pocos renglones... porque es de noche cuando los escribo con todo secreto, sin querer que mi secretario ni otro alguno sospechasen de las guerras, hasta que saliese el bergantín...

Gracias a la urgencia de Güemes y a la astucia de Caxigal, el factor no lograría salvar el bergantín, *sus negros y efectos*, ni aún el secreto de su carta.[d]

a. AGI. Santo Domingo, 385. (Güemes al Rey, 23-XI-1739). (A.A.).

b. Fechada en estilo viejo, se advierte.

c. La ortografía corresponde a las versiones al español conservadas en el AGI.

d. AGI. Santo Domingo, 363. (Caxigal al Rey; Santiago de Cuba, 12-X-1939) (A.A.).

---

te, por cuenta de activos y numerosos mercaderes que tenían a Jamaica y las Colonias del Norte como sus principales bases, los aguerridos marinos de Cuba y de otras colonias del Caribe español les batían con frecuencia y les ocasionaban pérdidas cuantiosas.[25]

La política naval del ministro español José Patiño había hecho mucho por restaurar el poderío marítimo español, y en Londres los comerciantes resentían que España, en proceso de reorganización interna, presionara en el Caribe, en la

(sigue en la páigan 86)

GÜEMES APOYA LA ACTIVIDAD DE LOS GUARDACOSTAS CUBANOS

Mientras en Inglaterra tronaba la opinión contra los *guardacostas*, y se pedía por el ministro británico en Madrid, Benjamin Keene, cesaran los

actos de piratería... pues... el daño crece cada día y la impunidad de... los armadores españoles... los anima a atacar a todas las embarcaciones inglesas en cualquier parte que las encuentren, ni más ni menos que si las dos naciones estuviesen en una guerra abierta,

y amenazaba con serias represalias si no eran restituidas las presas[a] y los guardacostas con base en Cuba no detenían su campaña, que conduciría finalmente a la *Guerra de la Oreja de Jenkins.*

El Tratado de Sevilla (1729) obligaba a España a indemnizar cuando era atacado el comercio inglés legítimo, y como si no fuera bastante, en 8-II-1732 se firmó en Sevilla una declaración por la cual no se otorgarían en América más patentes de corso por ministros españoles y los que mandasen guardacostas debían dar fianzas bastantes ante los gobernadores. Inglaterra, a cambio se comprometió a

prohibir y efectivamente embarazar que bajo cualquier pretexto los bajeles de guerra de S.M.B. amparen, escolten o protejan las embarcaciones que cometen trato ilícito en las costas de los dominios de S.M.C.[b]

El gobernador de Cuba, Juan Francisco Güemes Horcasitas era un decidido partidario de la acción de los guardacostas y en 6-III-1737 despachó la fragata *Triunfo,* al mando del Tte. de navío Domingo López de Avilés, a un recorrido que debía prolongarse hasta IX, cuando comenzarían los huracanes y nortes. Defendía Güemes la ventaja de La Habana como base de

la persecución de los *ilícitos comercios,* por

la oportunidad que ofrece la situación de este puerto para embarazarlos, pues manteniéndose a su vista la fragata guardacostas impide que siga el universal sistema de tan radicado mal, por ser el paso forzoso para Europa, el canal de Bahama, con que cruzando desde aquí a Matanzas, solo le podrá tener la embarcación que, conforme a las paces y permitidos frutos, llevase lícita carga. Y el que no, será fácilmente descubierto y juzgado sin las asechanzas, corrupciones y atropellamientos de que ellos se acudan en mayor sustancia ni riesgo de la fragata, pues la

inmediación le asegura de la hostilidad y de los tiempos.

Esta advertencia y el gran número de bajeles que continuamente pasan y atraviesan a la vista de este puerto, sin que se conozcan frutos ilícitos de que puedan ocupar sus buques, ni de que naciones sean, sin remedio de que al mismo tiempo o antes no toquen en los dominios del Rey, aun del distinto de este gobierno, donde los vasallos viven en alguna manera corregidos y escarmentados...

Las presas obtenidas por el guardacostas *Triunfo,* de 300 hombres de equipaje y 32 cañones, y su balandra, fueron numerosas, y muy pronto desde Londres se reclamaría su devolución. Entre III y VIII de 1737 fueron tomadas las embarcaciones siguientes, según documentos del ministro británico, confirmados por relaciones de La Habana:

Embarcaciones (Inglesas)	Capitán	Ruta	Apresado en
Príncipe Guillermo (navío)	Juan Kinglay	St. Kitts a Londres	24-III a 150 leguas de Bermuda
Santiago (navío)	Juan Curtis	Madera a Jamaica	12-V a 20 leguas de P. Rico
Jorge (bergantín)	Enrique Weyr	Jamaica a Bristol	21-V cerca de Cabo Tiburón
Neptuno (bergantín)	Guillermo Playters	Jamaica a Londres	12-VIII altura (s) Isla de Príncipes
Príncipe Guillermo (navío)	Juan Reynolds		(s)
Bergantín de Nueva Inglaterra	Cap. Basill		(s)
César (bergantín)	H. Donaldson	Barbados a Curazao	1-VII (a)
Leal Carlos (navío)	Cap. Way	Jamaica a Londres	VII altura de Bermuda
Dispatche	Cap. La Mote	Jamaica a Londres	VII altura de Bermuda
Caballo Marino	Guillermo Griffith	Jamaica a Bristol	18-VIII (s) altura de Cuba

(a) atacado, escapó, según testimonios ingleses.
(s) no fueron apresados, sino saqueados, según los testigos ingleses.

● 81

VIENTOS, CORRIENTES Y RUTAS EN FAVOR DE LOS GUARDACOSTAS

Si los *guardacostas* se hubiesen contentado con reprimir el contrabando, la guerra de 1739 nunca hubiera ocurrido. Sin embargo, apresaban tanto el comercio lícito como el ilícito de las colonias inglesas, especialmente el de Jamaica.

Los alisios prevalecientes en las Antillas son los del Este. La ruta más común de los navíos, de Inglaterra a Jamaica, consistía en seguir la latitud adecuada hasta alcanzar alguna de las Antillas y entonces descender al Sur con los vientos. Esta ruta les llevaba cerca, pero no mucho, de las costas meridionales de Puerto Rico y del Santo Domingo español. Allí podían ser atrapados por los corsarios de Puerto Rico y acusados de rondar las costas con propósitos ilícitos. Este, sin embargo, no era un riesgo tan grande como en el viaje de regreso. Las naves al salir de Kingston tenían dos alternativas: podían ir a través del Paso de los Vientos, entre Cuba y el Saint Domingue francés, o tomar el *Paso del Golfo*, alrededor del extremo occidental de Cuba, rebasar La Habana y atravesar el estrecho de la Florida. De ambos modos debían navegar muy cerca de costas españolas; el Paso de los Vientos no es muy ancho y para evadir el golfo de Leogane, en Saint Domingue, tenían que navegar cerca del lado cubano del estrecho; además, los terrales se estimaban muy útiles. Al hacer esto debían pasar cerca del puerto de Santiago de Cuba, base de corsarios. Si tomaban la vía del Golfo, tenían que costear 3/4 de Cuba, manteniéndose particularmente cerca del Cabo de San Antonio, para evitar la contracorriente que a menudo se mueve del Golfo de México hacia el Caribe.

Puede parecer que la ruta del Golfo era la menos natural y que nadie la tomaría excepto para contrabandear cerca de La Habana. En realidad era muy a menudo la más conveniente si no la única posible. Los vientos y las corrientes en el lado sur de Jamaica eran a veces tan fuertes que las embarcaciones de retorno demoraban una semana o más en rodear la punta oriental de la isla; después tenían que enfrentar vientos contrarios a través del Paso de los Vientos... Si tomaban la ruta del Golfo los vientos eran favorables hasta que rodeaban el extremo occidental de Cuba, y entonces, aunque había con frecuencia calmas frente a La Habana, otros vientos y corrientes favorables les llevaba hacia el Este, a través del Canal de la Florida. Esta ruta era, por ello, propia y natural, pero podían, sin duda, encontrar un guardacostas no lejos de La Habana, que muy bien podía apresarlos bajo el pretexto de comerciar ilícitamente. Fue esta la ruta que varias naves tomaron en 1737 y cuya captura renovó en Londres la agitación y las disputas que condujeron a la guerra.

Richard PARES

FUENTE: *War and Trade in the West Indies*, 1739-1763, Oxford University Press, 1936, Londres.

Además, en el mismo período, fueron apresados por el *Triunfo* una fragata holandesa cerca de la isla de Mona en viaje de Amsterdam a Curazao y una balandra también holandesa que iba de Curazao a Holanda.

El recrudecimiento de la actividad de los guardacostas despachados por Güemes provocaría en Londres un clamor del que se haría eco el ministro de España ante la Corte británica Tomás Giraldino. El Consejo de Indias, aunque recomendaría dar las gracias a Güemes, propuso al rey, ante la gravedad de la situación, escribirle con toda urgencia, pues

padece este gobierno equivocación en suponer se halla prohibido por órdenes de V.M. el que los navíos del Asiento conducir los frutos desde los puertos donde los reciben a cambio de negros a las islas y plantaciones pertenecientes a la Gran Bretaña, pues la que en esta razón se expidió en 22-VII-1733 sólo fue a fin de que se dificultase el tráfico de dichos frutos de unos puertos de la América a otros de los dominios de V.M.... por lo que el Consejo tiene por conveniente se prevenga a este Ministro el yerro que ha padecido...

Parece al Consejo deberse prevenir a dicho Gobernador que arreglándose a la expresada R.O. de 1734, suspenda el molestar las embarcaciones inglesas que se hallasen siguiendo sin extravío su derrota desde Jamaica a Inglaterra, o a sus colonias, haciéndole particular encargo de que instruya a los capitanes de las embarcaciones que salieren al corso cuiden de que la gente de su tripulación en los navíos que reconocieren, visitaren o apresaren, no cometan excesos que den lugar a queja.[c]

Reconocía el Consejo era legítima la preocupación de Güemes por la explotación del palo Campeche en Honduras (Belice actual) pero debía España contemporizar, no obstante admitir oficialmente el Consejo

la incesante extracción de palo de tinte... que practican furtivamente... y la confesión de los mismos autores ingleses de llegar a seis millones de pesos al año, la tercera parte en plata y oro y el resto en frutos, lo que el ilícito comercio de nuestras Américas produce a la Inglaterra...[d]

Para defender tales ingresos, iría Gran Bretaña a la guerra el siguiente año, y Cuba sería uno de sus objetivos preferentes.

a. AGI. Santo Domingo, 498 (El Escorial, 30-X-1737).

b. Ibídem. Firmaron el Marqués de la Paz, José Patiño y Benjamín Keene.

c. El Consejo, Madrid, 7-I-1738. AGI. Santo Domingo, 498.

d. Ibídem.

UN DOBLE AGENTE BURLA A LA INTELIGENCIA BRITANICA INTERESADA EN XAGUA

Don Gaspar de Courseulle, soldado de ingenieros, natural de Flandes, llevaba largos años al servicio del Rey de España, y varios de ellos en La Habana, cuando hacia 1735 dos factores de la Compañía del Mar del Sur se le acercaron proponiéndole *sirviese* a Inglaterra. Más tarde insistiría en ello Alexander Wright, médico de la factoría de esclavos, quien diciendo hablaba en nombre del Almirantazgo británico alegaría

que conociendo bien su mérito lo habían de atender mucho... pues ...10 años de servicio que tenía en España y gastando sus haciendas era bastante tiempo para haber sido adelantado como otros, y para conocer que se perdía en continuar al servicio de España.

Un viaje por etapas

Courseulle proyectaba desde antes un viaje a España para *representar* sus servicios al Rey y vio en ello la oportunidad de actuar como un doble agente al servicio de Madrid. Tras pedir y obtener permiso del Gobernador Güemes para viajar, en la fragata inglesa *El León*, se entrevistó con los ingleses y prometió servirles a cambio de una patente de capitán.

El León, que se dirigía a Portsmouth, hizo escala en La Carolina. Según escribiría después don Gaspar

tuvo ...la ocasión buena para enterarse de La Carolina, penetrar las intenciones de los ingleses tocante a las Indias, servir a V. M. y dar pruebas de su celo y fidelidad.
Embarcó el 24-X-1735 y llegando a La Carolina fue tierra adentro haciendo 400 leguas, a modo de caza, con los caballeros de la tierra y en tres meses y medio que estuvo se enteró bien de las entradas, salidas, fuerzas, costumbres, número de gente, política e intentos que tienen sobre La Florida y todas las circunstancias de dicha tierra.
El remedio de La Florida y el modo de coger La Carolina los... dará... don Gaspar luego que se lo pidan, no habiéndolos puesto al limpio por enfermo de 3.000 leguas que ha hecho por mar y por tierra.

Como hablaba bien inglés, francés y español, sus nuevos amigos le pidieron regresara una vez cumplida su misión, pues allí lograría progresos. Así lo prometió.

*Contactos con el Almirantazgo inglés
y la Embajada española*

En II-1736 embarcó hacia Portsmouth

con el rigor del invierno y fue a posar en casa del capitán de navío Christobal O'Brien.

La presencia de don Gaspar fue advertida de inmediato por el embajador de España en Londres, Tomás Geraldino, quien escribiría al ministro don Joseph Patiño en 25-V-1736:

En 3 del presente di cuenta de haber llegado en 1.º del mismo al puerto de Plymouth el navío *El León* con carga de cuenta de la Compañía del Asiento. Y habiendo hecho las diligencias que siempre practico para saber si... habían venido pasajeros españoles o... efectos no pertenecientes a la Compañía, pude comprender se había transportado un pasajero que decían haber sido soldado en La Habana y que tenía comunicación estrecha con el capitán don Christobal O'Brien del navío de guerra inglés *El Rupert* que estuvo en aquel puerto por VII-1735.
Cuando estaba tomando medidas para saber quien era... y el motivo de su estrechez con... O'Brien, vino él mismo a verme y dijo llamarse don Gaspar de Coxersuelle (sic), ...de nación flamenco y que había residido 6 años en La Habana, sirviendo de soldado en una compañía de ingenieros, en la que no pudiendo adelantarse había pedido licencia a don J. F. Güemes de Horcasitas, con motivo de pasar a servir a Italia, y que se la había dado por escrito para que se embarcase en *El León*.

...Y aunque en ella no conste otra cosa que la ...licencia para embarcarse, no quise dejarle sentir que notaba el defecto... porque no se me extraviase el principal asunto, de su comunicación con el Capitán O'Brien, sólo le pregunté que si discurría detenerse aquí mucho, a que me respondió que intentaba pasar a Francia y volver aquí antes de ir a España, y que no quería ocultarme que habiendo tenido conocimiento en La Habana, por medio de los Factores de la Compañía del Mar del Sur con el capitán O'Brien y encontrado a éste en Plymouth a su desembarco y venido con él hasta esta capital, le había propuesto que si quería servir a Inglaterra lo introduciría al Almirante Wager y que no dudase se le acomodaría. Lo que él no había despedido ni aceptado, porque quería descubrir lo que esperaban de él.
Y habiéndole yo hasta aquí dejado hablar sin interrumpirle, reconociéndole bastante viveza, y que al darle sospecha de desconfianza podría frustrar mayor descubierta, le dije que no dudaba que en sabiendo más me lo comunicaría.

Sus siguientes pasos los relataría así don Gaspar:

El Capitán de navío... O'Brien— lo llevó en Londres al Almirante don Carlos Wager... quien dijo estaba enterado de su mérito y lo quería de capitán o ingeniero, fuere despachado al instante. Hizo don Gaspar algunas dificultades sobre la religión y sobre una proposición tan de repente.
Respondieron que se había de componer eso con don Roberto Walpole [Primer Ministro] y que viese como quisiere.
Pidió don Gaspar algunos días para determinarse. Le pidieron un plano de Xagua, el cual no pudo excusarse por no dar sospechas y sacar sus intenciones, y dio la verdad de lo que sabían ellos por un plano del capitán Dick, inglés, que fue preso con su bergantín a *La Trinidad* y que pasó en un barco a La Habana, por la bahía de Xagua, y eliminando don Gaspar de dicho plano lo que ellos ignoraban, preguntaron cual era mejor para coger la isla de Cuba: Bahía Honda, Xagua o Matanzas, o si fuere mas conveniente coger a La Habana primero. Respondió don Gaspar de dejar eso a su cuidado, que se había de desempeñar y dio parte secretamente a don Tomás Geraldino...

Geraldino confirmaría la versión:

Habiendo vuelto segunda vez de noche, a verme, me dijo que... O'Brien le había dicho que si podía hacer un plan de la bahía y puerto de Jagua, en la isla de Cuba, le sería aceptable al Almirante Wager y... cuando lo tuviese... le llevaría a verle. Y que si resolvía quedarse en servicio de Inglaterra se le daría empleo. A lo que él había dado esperanzas, aunque dificultando hacer el plan perfecto por no tener apuntaciones. Y considerando... que amonestarle no le hiciese sería inútil si él procedía con doblez, le dije podría ser útil les hiciese tal plan que sin ser cierto les persuadiese a alguna creencia y por este medio saber todo lo que ellos deseaban saber y que si no lo ejecutaba de buena fe le daría yo carta para V. E. cuando pase a España.
Habiéndome ofrecido hacerlo así le señalé casa oculta de donde pudiese avisarme y yo encontrarlo cuando tuviese que decirme, sin venir a la mía. En cuyo estado estoy al presente, aguardando las resultas de su entrevista con el Almirante Wager...

Cuba: primer objetivo

Continuaba ahora don Gaspar su relato explicatorio:

Por lo referido y otras circunstancias largas de explicar ha descubierto y conocido perfectamente que...

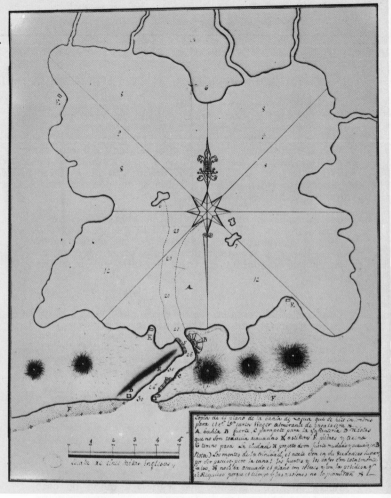

Copia del falso mapa de la bahía de Jagua, dibujado en Londres por don Gaspar Courselle, con destino al Almirante inglés Wager. En el texto de la cartela de esta copia, entregada al Embajador español por el doble agente, se incluyen las siguientes referencias: A. *Bahía*. B. *Fuerte*. C. *Parapeto para la infantería*. D. *Reductos que no son todavía acabados*. E. *Astillero*. F. *Piedras y arena*. G. *Terreno para la ciudad*. H. *Proyecto de un fuerte mudado a B.* —Nota: *Los montes de la Trinidad, al norte, son su verdadero lugar, por ser preciso, pero la canal, los fuertes y los bajos, son totalmente falsos. No se ha acabado el plano con colores y con la polidesa que se requiere porque el tiempo y las ocasiones no lo permiten.* (AGI. Indiferente general, 1905).

querían coger la isla de Cuba por la primera ocasión, diciendo que con... dicha isla tenían la llave de las Indias, haciéndose dueños de los dos Canales.

Quisieron que hiciera juramento de fidelidad al Rey Jorge, para recibir patente, pero ni aun la orden de la Jarretera y toda la grandeza de Inglaterra no hubieran hecho la menor cosa contra los intereses de V. M. y se excusó con motivo de sus haciendas que quería vender antes, que si no las había de perder si supieran en su tierra que sirve en Inglaterra. Y se despidió para su viaje diciendo que volvería. Luego, se fue a despedir de don Thomas Geraldino y tomando la posta vino a San Ildefonso...

La intervención de Geraldino

Según informaría Geraldino, había sido él quien sugirió a don Gaspar la excusa del viaje a Francia

insinuándole que si asintiese a algún empleo aquí, adquiría... jurisdicción en el este gobierno y podría arrestarle.

Me dijo que el Almirante Wager le había respondido le viese cuando volviese y comprendiendo yo que... su deseo era de instruirse por este sujeto de las circunstancias de... Cuba, aunque no le creo del todo ignorante de ellas, persuadí a... Courseulle a que no se detuviese aquí.

Y habiendo visto la certificación del tiempo que ha servido en La Habana y licencia para pasar a ese Reino y él entregándome la copia del plan que dice haber dado al Almirante Wager ofreciéndome dar extensa cuenta de todo a V. E. a su arribo a esa, le di una carta para V. E. ...(30-V-1736) cuando me dijo partía ...para su viaje por la Francia.

Don Gaspar en la Corte

Según don Gaspar de Courseulle:

No hallando despacho se ha detenido hasta ahora en la Corte. Bien estaba enterado el gobernador de La Habana de la honra y fidelidad... cuando se le dio... licencia para pasar a España en tiempo de guerra, habiendo trabajado en todos los planos de las Indias, sobre el papel y terreno... y principalmente el plano general de La Habana que levantó solo, conociendo todos los puertos de mar, costas, fortificaciones y la fuerza y flaqueza de la América española, inglesa y francesa.

Representa a V. M. que ha 11 años que sirve voluntariamente a su costa, sin sueldo, ni premio, conforme a sus certificaciones, habiendo gastado 7.000 pesos, vendido sus haciendas en el Real servicio. Hállanse pocos que hayan servido con sus circunstancias, sin haber tenido premio y empleo... en este último viaje gastó 1.095 pesos de La Habana hasta la Corte, de transporte solamente.

Don Gaspar

consumido cuanto tenía

pedía se le devolviese lo gastado en el viaje y el mando de una compañía en España o en Indias.

De regreso en Cuba: amoríos infortunados

Don Gaspar fue premiado con una capitanía y el rango de ingeniero ordinario y se le ordenó volviese a La Habana. Estaba vacante el cargo de ingeniero jefe de la plaza y ante las aspiraciones de don Gaspar se interponían las del teniente Antonio Arredondo, quien tenía el apoyo del gobernador Güemes Horcasitas. Arredondo se negaba a admitir su

parecer sobre los yerros que se están haciendo

en las obras y tampoco el Gobernador a quien

se lo representó delante de testigos por el bien del Real servicio pues me hacían hacer obras contra el arte, reglas y máximas de mi profesión...

Mantuvo absoluta discreción don Gaspar, según escribía al Marqués de Torrenueva, sobre

lo que se me pasó en la Corte de Inglaterra... porque no parecía necesario al real servicio...

Pero Güemes —insistía—, había

discernido que algunas personas poderosas me apadrinan en la corte y que bien pudiera yo, con el tiempo, por esta vía, ser ingeniero jefe en La Habana...

Un incidente infortunado malograría las esperanzas de don Gaspar. La habilidad y astucia que había mostrado en sus dobles tratos de espía, desaparecieron al caer víctima de una intriga amorosa. De ella se aprovecharían sus enemigos. El ingeniero flamenco sintetizaría así lo ocurrido al pedir ayuda a su amigo el Marqués:

Volviendo todas las tardes del Morro a mi casa, tuve amores con la hija de una vecina mía, escribiéndole papelitos de frioleras, como sucede a los demás hombres que están ociosos, con la condición de que me

viene de la página 80

frontera entre La Florida hispánica y la Georgia inglesa, a la vez que demandaba la restitución de Gibraltar, perdido desde 1704. El gobierno de Walpole intentó contener a la oposición que en Londres reclamaba la guerra contra España, que se decía atentaba contra el honor inglés por la debilidad de la política británica frente a la persecución implacable a los contrabandistas, quienes alegaban ser mercaderes legítimos.

Los españoles, en la larga y compleja batalla diplomática que recogen millares de folios, insistían en que la misión de sus guardacostas consistía únicamente en detener y visitar los navíos extranjeros sospechosos de contrabando o de llevar mercancías prohibidas, como el palo de tinta, que los ingleses extraían en Honduras y Campeche, donde fomentaron verdaderos asentamientos permanentes; y que únicamente eran retenidos o apresados aquellos bajeles cuya carga se prestaba a sospecha o estaba, efectivamente, destinada al comercio interlope.

Un incidente sospechoso, promovido y utilizado por la oposición parlamentaria, se produjo en Londres en 1738, cuando fue llevado ante la Cámara de los Comunes un antiguo capitán mercante, Robert Jenkins, quien relató, mientras sostenía en su mano lo que decía era su oreja izquierda, que había conservado, en un cofre de ébano y marfil, como había sido apresada su nave *Rebe* en aguas al Norte de Cuba en 1731, por un guardacostas cuyos tripulantes después de despojar y maltratar a la tripulación, procedieron a cortarle una oreja,[26] ordenándole luego fuese a decir al Rey inglés que le cabría igual destino si caía en manos de las gentes de los guardacostas.

Para cerrar el efecto dramático de la comparecencia de Jenkins, un diputado le preguntó qué había pasado por su mente en su momento de martirio. La respuesta, tajante y estudiada, tendría largo, ancho y trágico eco:

volviera mis papelitos después, como lo hacía yo con los suyos.
Al cabo de algún tiempo, me dieron malos informes de ellas; reconvine a la madre... y viendo que hacía peor... quise intentar alguna libertad, dándole dinero por su necesidad y a la hija, que me quería mucho, le pedí un escrito general y absoluto, como nunca me había de hacer ninguna petición de ninguna manera que pudiera ser, dando por nulo todo lo que yo prometiere en adelante verbalmente o por escrito, como de todo lo que se pudiera intentar contra mí...

La madre resultaría *codiciosa* y con algunos de los *papelitos* se fue a ver a los enemigos de don Gaspar. Advertido el Gobernador envió por el Ingeniero y tras increparlo

por alborotar el lugar,

lo envió a inspeccionar las obras del Castillo de San Severino en Matanzas. Tres semanas después, cumplida hacía mucho su tarea, carecía de noticias de La Habana. Se consideraba desterrado. ¿Por qué? Se respondería:

Si es tan gran delito haber enamorado, es menester castigar a todo el género humano.

Reconocía que sus

papelitos no son muy discretos y llenos de disparates...

pero si se hiciera lo mismo a todos los que escriben a mujeres, se verían infinitas locuras mayores que las mías, y de hombres de la primera jerarquía...

Quien escapó indemne de las complejas redes del espionaje internacional, se veía ahora atrapado en una intriga lugareña. Y le dolía aún más, porque

no servía por necesidad, sino por ascensor de honra y de inclinación,

y le hería, por sobre todo, los términos con que lo despidiera en su última entrevista el gobernador Güemes, *con el mayor desprecio*, a él, *hombre de honra*:

¡Mira que te haré! ¡Mientes! ¡loco! ¡indigno! ¡anda! ¡quita! ¡Vaya!

pronunciados

habiendo gentes a los rededores, con las puertas abiertas.

El incidente le convencía de

la ignorancia en que S. M. permite que los oficiales superiores traten a los que sirven debajo de sus mandos de esta manera.

FUENTE: AGI. Indiferente General. 1905 (A.A.).

—Encomendé mi alma a Dios y mi causa a Inglaterra.[27]

Para enfrentar la oposición, Walpole buscó en I-1739 un tratado por el cual España controlara los *guardacostas* e indemnizara a los comerciantes legítimos desposeídos, pero el partido de la guerra era muy fuerte y era apoyado por la propia Compañía del Mar del Sur. Fue así que en 31-X-1739 el primer ministro Walpole declaró abiertas las hostilidades contra España: sería para los ingleses, la *Guerra de la Oreja de Jenkins.*

Un historiador, en atención a sus consecuencias, consideraría hace más de un siglo que la decisión resultó infortunada para Inglaterra y España, y feliz para América:

Si debía aceptarse la razón del sistema colonial europeo, la declaración era una violación realizada con propósitos egoístas inmediatos; pero al pretender abrir los puertos de la América Española, se estaba declarando la guerra al monopolio comercial, que no terminaría hasta que las colonias americanas, tanto inglesas como españolas, obtuviesen su independencia.[28]

Una característica históricamente notable de esta guerra radica en que por vez primera un conflicto surgido en las colonias llegaría a envolver finalmente a las metrópolis. La situación se repetiría en la Guerra de los Siete Años (1756-1763).

La gran expedición de 1739

Desde antes de declarar la guerra, se había decidido en Londres enviar una poderosa expedición na-

La Estrella, castillo que formaba parte del complejo defensivo del puerto de Santiago de Cuba, según don José Monte y Mesa en 1712. (AGI. Santo Domingo, 408).

Referencias: A. Puerta de entrada; B. Almacén de pólvora; C. Puerta de socorro; D. Batería principal; E. Plataforma alta; F. Vigía de tierra; G. Alojamiento; H. Aljibe arruinado; I. Escalas; J. Batería baja; K. Cubo; L. Foso. (Escala en varas castellanas de 836 cm.)

val a la América Española para castigar ejemplarmente el apoyo oficial a la agresiva política de corsarios y guardacostas. Los objetivos a atacar, y como proceder después de la victoria, fueron tema de animados debates antes y durante la guerra.[29] Entre los puntos estudiados para posibles ataques, figuraron Puerto Rico y Santiago de Cuba, bases de guardacostas. También se consideró clave un intento contra La Habana, tras lo cual podría ocuparse toda Cuba. Pero los poderosos ha-

cendados de las Antillas inglesas rechazaban la ocupación de nuevas tierras que podrían producir azúcar y afectar sus intereses. En tanto, se daban a la publicidad documentos cuyo propósito era hacer atractiva la posibilidad del cambio a los futuros súbditos británicos, a quienes se prometía respeto a sus propiedades y religión, y libertad comercial dentro del mundo británico, conjuntamente con la eliminación de impuestos. William Wood, funcionario de la hacienda inglesa, se mostraba partidario de la ocupación de Cuba, cuya economía anticipaba vinculada a la de las Colonias del Norte:

Un muy vasto empleo adicional tendrán no solo los mercaderes y manufactureros de este Reino, sino los habitantes de las colonias británicas del Norte, particularmente las... de Nueva Inglaterra, New York y Pensylvania, lo que les prevendrá de afectar a su madre patria en muchas ramas del comercio muy pronto, como de otra manera podrán hacer por un siglo al menos.

El teniente gobernador de New York, George Clarke, del lado de acá del Atlántico, compartía el propósito. Alentando a los voluntarios del Norte para que se sumaran a la expedición, insistiría en 1740 y 1741 en que

Tales adquisiciones abrirán una puerta para un vasto consumo de provisiones, con lo que los agricultores como los comerciantes se enriquecerán grandemente.

Y de ser ocupada Cuba,

(continúa en la página 93)

LAS DEFENSAS DE LA HABANA, *ALMA DEL CUERPO AMERICANO*, EN 1740

El Gobernador J. F. Güemes Horcasitas quien en 15-V-1739 había escrito a Madrid sobre los peligros que corría Cuba, le informaría en 29-II-1740 al Conde de Montijo, ya en plena guerra, lo que significaba

la conservación de este puerto y plaza y toda la isla a la seguridad de estas Américas... El principal punto es que si por algún accidente o desgracia... ocupasen esta plaza, serían indubitablemente dueños de toda la isla y por consecuencia del Reino de Nueva España; y el de Tierra Firme quedaría, si no de la propia suerte en su poder, privado de la comunicación con él y el del Perú.
Tan evidente fundamental razón dicta que en esta capital debe haber caja y fondo... persuadiendo que aquí deben subsistir caudales y tropa, que no solo sean suficientes para atender y custodiar su guardia y defensa, y los muchos puertos importantes que hay que cubrir y se guarnecen, sino también una competente escuadra de navíos para acudir donde el caso lo pida... no siendo dudable que solo esta disposición pondrá a todas las potencias extranjeras en la mayor sujeción, cuido y respeto.
Este puerto, para la seguridad de los navíos es como pocos; para sus carenas aun dudo si los de España serán mas acomodados y menos costosos; y para construirlos, como ninguno... [Tales] atenciones instan que estos almacacenes se hallen siempre, con anticipación, proveídos de jarcias, pertrechos y palos para sus arboladuras... Al presente carece de todos estos adminículos, por cuyo defecto están sin habilitarse los 2 navíos de 70 cañones que se hallan construidos en este Astillero.
Prueba... que es aquí el punto céntrico de donde deben salir las líneas que preservan las otras partes de estas Améri-

cas [es] que a todas se despacharon los avisos de esta felónica irrupción para prevenirlas y se ejecutase la represalia. Y con particularidad en Veracruz... y Campeche quizás no estarían advertidas... si no hubiese precedido la deferencia con que despaché por diversas partes y embarcaciones que todos llegaron felizmente; y la primera que salió desde el Marien [Mariel] a Veracruz, en 7 días de viaje, de que resultó represaliar enteramente los efectos de la Factoría del Asiento de negros y de un paquebot que estaba para salir... cargado de frutos y caudales de su producto.
...Convence, sin disputa, que esto es el alma que a todos los miembros de este cuerpo americano debe repartir e inspirar los espíritus, para una perfecta conservación...
Asentados estos irrefragables principios... expondré a V. E. los cuidados y puestos inmediatos que tiene que atender esta Capital y... sus fuerzas, en que está librada su preservación.
● Castillo del Morro: ha menester 200 hombres y el de La Punta 80, a excepción de la gente que necesitan para servir la artillería.
● Matanzas debe tener otros 200 y el fuerte de Jagua, que cubre aquella preciosa bahía, 100.
● Los de Chorrera y Cojímar se cubren con pequeñas partidas de tropa y algunas milicias.
● En la ciudad de La Trinidad y villa de Sancti Spiritus hay pequeñas partidas de tropa para que a su ejemplo y calor obren las milicias y precaver los comercios ilícitos.
● En el Puerto del Príncipe, con estos mismos fines, y sujeción de los moradores, mantengo 30 dragones y 25 infantes.
● En Batabanó se mantienen 8 dragones y un cabo que atienden aquel desembarcadero, adonde vie-

nen todas las embarcaciones del tráfico de la isla de la costa del Sur y también las balandras que trafican de Portobelo, Cartagena y Panamá.
● Desde Bahía Honda al Mariel se mantienen otros 30, para atender ambos parajes, Cabañas, Mosquitos y La Dominica, con algunos paisanos de las haciendas inmediatas. Precisa poner en Bahía Honda 300 hombres de estas milicias por ser puerto capaz y seguro donde se pueden abrigar las escuadras enemigas. Textualmente diría Güemes que requería tantos hombres *por no tener disposición de cegarle, que es mi dictamen... expuesto a S. M. por vía reservada, respecto a que no sirve para las del Rey, ni hay ejemplos de que haya entrado ningún navío suyo en él, ni hay otro modo de contener* [a los extranjeros] *a que no echen gente en tierra, hagan agua da en los ríos que entran en la... bahía y se refresquen de carnes y frutas.*
● La dotación de tropas de la plaza de La Habana que guarnecen todos los puestos referidos consiste en:

Hombres

1 Batallón de 7 compañías de 100 hombres	700
5 Compañías de refuerzo	500
3 Compañías de dragones de 70 hombres	210
1 Compañía de Artilleros	100
Cubiertas las necesidades señaladas, de ellas no quedan para el servicio de la plaza sin contar enfermos y vacantes	600
Milicias urbanas	4.000 *

* Agregaría Güemes: "En estas milicias V. E. sabe cuan poco se puede contar para el empeño del fuego y moverlas de sus casas. Para el tiempo de paz y asegurar el sosiego hay suficiente fuerza, pero para los peligros... de la guerra la sabia penetración de V. E. sabrá discernir si hay necesidad de mayor precaución y resguardo."
FUENTE: AGI. Santo Domingo, 386 (Güemes Horcasitas al Conde de Montijo, La Habana, 29-II-1740) (A.A.).

UN SANTIAGUERO· INFILTRADO ENTRE LOS INGLESES DE JAMAICA (1739)

Comenzaba agosto de 1739 cuando don Francisco Caxigal de la Vega, coronel de los reales ejércitos, caballero de Santiago y gobernador y capitán a guerra de Santiago de Cuba y su jurisdicción, recibió un mensaje reservado. Desde La Habana el general de galeones don Blas de Lezo, con fecha 20-VII, le participaba

las grandes novedades y nuevas diferencias que parece hay con los ingleses,

y en conocimiento de lo logrado por Caxigal en ocasiones anteriores, le encargaba

introdujera en la isla de Jamaica una persona de satisfacción para que reconozca sus movimientos, y si han reforzado la armada que tenía en Puerto Real...

Caxigal contaba con la persona indicada: el vecino de Santiago, don Miguel Moncada Sandoval. El plan era aparentemente fácil: Moncada saldría en una goleta, con gente de su confianza, y llegaría a Jamaica alegando que iba hacia Puerto Príncipe, y que fue desviado por las calmas y corrientes. Falto de bastimentos, pediría adquirirlos en Puerto Real, donde los embarcaría. Al regreso, su venta cubriría los gastos del viaje.

Sus antecedentes eran notorios

Cuando Caxigal explicó su plan, Moncada insistiría en que

estaba pronto para hacer cuanto se le mandase y fuese del real servicio, hasta sacrificar su vida,

pero que en Jamaica eran notorios sus viajes anteriores y que su labor de espionaje había sido comunicada desde Santiago por Leonardo Cocke, factor del *Asiento* inglés. Además el ca-

pitán Guillermo Macullot (sic), en viaje para conducir esclavos a Santiago, le dijo personalmente que en la ciudad le informaron de que en ocasión anterior

había salido despachado en derechura a Jamaica.

Moncada, a pesar de los riesgos que anticipaba, aceptó la encomienda.

La carta: pretexto y justificación

Hombre de talento y recursos, Caxigal optó por inventar una historia que justificara el viaje de Moncada a Jamaica, y sin perder un minuto dictó una carta falaz al gobernador de Jamaica, de la cual sería portador el agente a infiltrar:

Señor Capitán General
Muy Señor mío: Yo celebraré mucho que V.E. conserve la buena salud de que tuve noticia por el navío del Asiento que estuvo en este puerto.

El día 7-VI pasado tocó en la ciudad de Baracoa un *aviso* de España, cuyo capitán me participó estar ajustadas del todo las diferencias que había entre S.M. Católica y Británica, la cual novedad se me conformó con los pliegos que recibí de mi Corte por la vía de La Habana en 22-VII, de lo que me doy la enhorabuena y se la doy a V.E., pues por este medio sólo podemos conseguir la buena unión y correspondencia que universalmente deseamos. Remito a V.E. la carta adjunta que recibí el día 19-VII de los alcaldes ordinarios de la villa del Bayamo, por la que me dan cuenta de un exceso grande cometido por la gente de una balandra bermudeña, en la costa de Manzanillo de esta isla, cuyo capitán, es un irlandés llamado Jonis, habiendo saltado a tierra con el pretexto de hacer agua y carne, se introdujeron hasta las casas del hato de Vicana, y después de haber tomado la carne que quisieron, sin pagarla, se llevaron una mulata de color blanco, y la embarcaron en su balandra y se levaron, sin haberse podido averiguar si fueron en derechura a esa isla, porque antes de haber cometido ese robo, decía el... capitán irlandés que hacía su viaje a Curazao.
Quien conoce al... capitán es don Miguel Moncada y otro hombre que lleva en su compañía,

nombrado Frontado, los cuales se hallaban... en la costa de Manzanillo al tiempo que sucedió todo lo referido, y pasan a esa isla a pedimento del regidor don Esteban de Silbeyra, amo de la expresada mulata. Yo quedo en la confianza de que V.E. le mande a entregar la... mulata al referido don Miguel, porque además de ser una muchacha de 21 años, tiene otras partidas que la hacen muy estimable. Y si no hubiese aportado a esa isla el... capitán irlandés, le he de merecer a V.E. que en cualquiera tiempo que llegase se le imponga la merecida pena, y que me la mande traer a este puerto, en donde se pagarán los costos [de]... su conducción, que yo quedo al tanto para servir a V.E. en todas las órdenes que se sirviere dispensarme y rogando a Dios guarde a V.E. muchos años como deseo. Santiago de Cuba, 23-VII-1739. Excmo. Sr. B.L.M. de V.E. su más seguro servidor, *Don Francisco Caxigal de la Vega.*

Moncada represaliado en Jamaica

Eran demasiado críticas las relaciones entre España e Inglaterra por la acción de los *guardacostas* españoles y Moncada concitaba demasiadas sospechas, para que lograse engañar del todo a los ingleses, aunque las cosas le fueron bien al principio. En 12-XII-1739 Carlos Méndez pidió al gobernador Caxigal noticias de Moncada Sandoval, quien le había arrendado su goleta 5 meses atrás, sin que le pagase ni tuviese otra información que la de que le habían *represaliado* en Jamaica. Caxigal ordenó a los tenientes de oficiales reales le pagasen a Méndez 200 pesos que valía la goleta y 100 por el flete. Además reclamó el Gobernador los 400 pesos que personalmente entregara a Moncada para gastos.

El diario de un espía

El 17 del propio diciembre retornaba Moncada a Santiago de Cuba. Traía consigo, además de muy ingratos recuerdos, notas para un diario revelador del estado de tensión e inseguridad que se vivía en el mundo del Caribe, visto desde Jamaica, centro nervioso de los planes de guerra que había puesto en marcha la Gran Bretaña, y que en 1741 alcanzarían directamente al territorio cubano.

El diario de Moncada, protocolizado por orden de Caxigal, y del cual se envió copia a España, reza así:

AGOSTO-1739

4. Al amanecer salí del puerto para el de Jamaica a llevar una carta para el gobernador... la que mandaba el señor Gobernador de Cuba.

8. Llegué al puerto a las 3 de la tarde.

9. Me llevaron delante del Gobernador que estaba en el campo 4 leguas del lugar... Me recibió muy bien y enterado de la carta me dijo que hasta el viernes no me podía dar la respuesta, porque no pasaba hasta el jueves a Espanistón. [Spanish Town].

13. Pasé a Espaniston en compañía del oficial real de Puerto Real.

14. Me dio el Gobernador respuesta de la carta y licencia para salir.

14. Le hablé de todo lo que necesitaba.

16. Salí del puerto al amanecer y dicho día entró una fragata de aviso de 16 cañones, con órdenes de hacerles a los españoles todos los daños posibles, pues la orden es de coger, de servir, de quemar y fundir, que así se fijó en las tabernas. El mismo día despacharon la falúa del comandante a cogerme.

17. Al amanecer me cogió diciéndome que había guerra y a mi y mi gente nos despojaron de cuanto teníamos y nos llevaron.

18. Entramos a bordo del [navío] comandante donde hallé que con toda prisa estaba trabajando noche y día en todos los navíos para salir a la mar.

20. Mandaron subir toda la gente al combés y les dijeron si estaban contentos de ir contra los españoles; a lo que respondieron con grande algazara que sí. Y a todo esto sin haberse declarado la guerra, porque dicen que es sólo una represalia para hacerse pago de lo que se les debe de las presas que se hicieron en La Habana y otras partes.

21. Vino el Comandante a bordo, que siempre había estado en tierra. Le presenté un memorial pidiéndole me concediese mi libertad, pues no había de traer una carta al Gobernador, y que debajo de la misma paz había salido. A lo que respondió que darme libertad no podía ser, porque había ir a avisar lo que pasaba. Que si, en queriendo salir a la mar, nos dejaría en manos del gobernador y un capitán de otro navío que se hallaba a bordo, que hablaba español y francés. Me hizo muchas preguntas sobre si había muchos navíos de guerra en Cartagena y La Habana, y que sabía de una armada de 25 navíos de Francia. Habían mandado 18 de 60 hasta 90 [cañones]

y que tenían 10 sobre Gibraltar y que esperaban 12 para Jamaica con un Almirante y que siempre estaban 12 navíos sobre Santander para embarazar salir a los navíos españoles y que era tiempo de ellos lograr la suya, por estar el francés divertido en el mar Báltico. Y que yo no saldría tan presto, porque discurrían que había venido de espía, y otras muchas razones.

22. Nos mandó el comandante llevar al Castillo y el castellano no nos quiso recibir diciendo no tenía orden de su gobernador de recibir prisioneros. Entonces nos mandó poner en tierra en Puerto Real, libres, donde iba a suplicarle a un judío nombrado Sousa se sirviese de recogernos, que se lo pagaría, a lo que respondió que de buena voluntad, y nos mandó a hacer de cenar, y habiendo cenado, vinieron a prendernos [de parte] del que comandaba en Puerto Real. Supliqué me llevasen delante de él, que le quería hablar; me lo concedieron, y habiendo llegado a su presencia le dije que si el que nos había cogido nos dejaba libres, por qué razón nos mandaba prender. Dijo que él era preciso hacerlo y dar parte a su gobernador. Le dije que si se contentaría con que le diese fianza por mi y la gente y respondió que se lo escribiría al gobernador. Le respondí que yo también le iba a escribir y dijo que lo podía hacer. Nos llevaron a la cárcel.

25. Salieron los navíos, que son los siguientes: 2 de 60, 1 de 50, 2 de 40 y la fragata de 16; fueron a cruzar entre Cabo Corrientes y Cabo Catoche, dicen que a esperar la Flota y que también iban a entrar en Matanzas. Y se dice que los 12 navíos que se esperan de Londres irán a encontrarse con éstos para entrar en La Habana. El mismo día salió el paquebot de 10 a corsear entre las islas.

26. Escribí un memorial para el gobernador, poniéndole presente como había venido sólo a traerle una carta debajo de paz y que de la misma suerte había salido con su licencia y que el otro día había sido cogido y despojado de todo y detenido a bordo del Comandante, con media ración, y que habiéndonos dejado libres, nos había preso el coronel de Puerto Real, y que nos tenía indecentemente en la cárcel entre los negros y con una comida de 24 en 24 horas. Que él había ofrecido fianza por mi y mi gente. Nunca tuve respuesta, sólo le escribió al coronel que, dando yo fianza de 4.000 doblones me dejasen libre, la ciudad por cárcel y que llevasen mi gente a la prisión de Espanistón.

28. Escribí a Quinistón [Kingston] al capitán Guillermo McCulloch y a don Enrique Fraxford, para que me hiciesen el favor de ser mis fiadores de cárcel segura.

29. Vinieron a verme y me fiaron. Costó la fianza 4 pesos y 6 reales, los que pagó el capitán MacCulloch. Luego me dieron libertad,

y los 3 hombres que yo tenía los llevaron a la prisión de Espanistón.

SEPTIEMBRE

3. Recibí carta del capitán MacCulloch, de Quinistón, haber llegado a dicha ciudad don José Gibson Dalzel, que es alguacil de las cárceles, con quien me convenía hablar. Pasé a verle y encargarle los 3 hombres prisioneros que estaban en Espanistón. Me recibió muy bien y me dio 5 doblones para poderme vestir, por haberme dejado sin ropa. Le encargué los prisioneros, los cuales ofreció atender.

8. Recibí carta de los 3... prisioneros... Me dicen que la ración que les dan por día eran dos plátanos y un arencón y que habiendo llegado... Gibson Datzel a la cárcel, les preguntó que como les iba, a lo que le respondieron que muy mal. Le mandó dar un real todos los días en plata, con lo que compraban carne y casabe.

9. Salió una fragata de 20 cañones para la costa de Cartagena, la que llevaba un hombre para echar en tierra con cartas para los factores de Cartagena y Puertobelo... Dicho día entró otra fragata que venía de la costa francesa, la que dijo que [allí]... no se sabía nada de novedad.

21. Entró una balandra de Cartagena con 6 marineros de la Capitana y un piloto, los que... fueron puestos en la cárcel y luego sacaron al piloto para llevarlo delante del gobernador, el que no le habló por ser de noche muy tarde. Mandó que al otro día, 22, pasase al lugar de Espanistón, que él iría allá y vería que contenían las cartas que traían, que eran... de los factores de Cartagena para los de Jamaica, pidiendo bastimentos para los galeones.

23. Volvieron y llevaron a Quiniston, al cuidado de los factores los 6 hombres presos y el piloto preso.

25. Entró el pacabot (sic) con una balandra del Bayamo, de presa, que cogieron 6 leguas de Cuba [Santiago] cargada de tabaco para Puertobelo... Entró la fragata de 20 cañones que había ido a la costa de Cartagena, con el bote de la Capitana y un teniente y 20 hombres que cogieron en dicha costa. Por haber llegado con bandera francesa sobre dicha costa y haber mandado [el]... a saber lo que era, los cogieron y los trajeron a Jamaica prisioneros; es el mayor general el que cogieron.

29. Echaron los prisioneros de la balandra del Bayamo en tierra y entre ellos un religioso de Santo Domingo.

OCTUBRE

1. Entraron los prisioneros de una balandra de Puerto del Príncipe que llegó a la costa a hacer agua y la cogieron cargada de azúcar.

3. Salió el bergantín con 12 cañones a corso y... salió el pacabot de guerra.

4. Salió una fragata de 20 cañones, la que había ido a Cartagena.

5. Salió una flota de 25 velas para Londres y una fragata de 20 cañones en convoy.

6. Salió una balandra corsaria y... llevaron todos los prisioneros del bote de la capitana y de la balandra del Puerto del Príncipe a la cárcel de Espanistón, por todos 28.

8. Pasé a Espanistón a ver los prisioneros.

13. Me volví a Puerto Real, donde hallé la novedad de haber llegado a la costa un navío de Londres que dice que semanas antes que salieran, habían salido 8 navíos de Londres con un Almirante. Aquí se discurre que habrán ido a encontrarse con otros y... que irán a coger Matanzas o Bahía Honda.

15. Entró una balandra de Cuba [Santiago] que la cogió una fragata de 20 cañones... Se fijó una orden para venderse la balandra del Bayamo y su carga.

23. Entró el Almirante que se esperaba con otro navío, uno de 70 y el otro de 60. Dejó 3 navíos en la costa de Caracas.

31. Me dio licencia el gobernador para mi y mi gente.

NOVIEMBRE

4. El Almirante no me dejó salir, diciéndome que tenía que hablar con el gobernador... Entraron los 3 navíos que estaban en la costa de Caracas y el uno muy maltratado por haber reñido con los castillos de La Guaira; hay uno de 50 y dos de 60.

5. Entró uno de los navíos que estaban sobre La Habana, con dos presas. La una, el situado de La Florida y la otra el bergantín que iba a Cartagena.

6. Pasé a ver al gobernador sobre haberme embarazado el Almirante la salida y me dijo que el domingo lo esperaba y que hablaría con él.

9. Me dio otra licencia con 27 hombres más... Entró el comandante que estaba sobre La Habana con otra fragata la cual varó sobre los Bajos de Santa Isabel y echó al mar los cañones y el palo mayor.

10. Me embarazó el Almirante, otra vez, la salida, diciendo que se recelaba no fuese a Cartagena o Puertobelo en lugar de ir a Cuba, y que en saliendo él con sus navíos, saldría yo.

16. Salió el Almirante con 8 navíos; dicen que van a coger Puertobelo. Embarcaron 300 soldados y de orden del Rey hizo gracia a todos de cuanto podían robar, diciendo que su Rey no quería parte. Se embarcó mucha gente voluntaria.

17. Fui otra vez a ver al Gobernador y me dijo que todos los capitanes marchantes habían pedido no me dejasen salir hasta que ellos se fuesen, que sería el día 29.

18. Entró un navío de Londres que dice que los *azogues* entraron a Santander, y que los ingleses habían cogido dos navíos de pertrechos sobre Cádiz; que habían puesto sitio a Gibraltar y que la Francia había mandado por su embajador y que habían mandado el de España... Que estaban 6 navíos de guerra para venir a la América, y entre ellos uno de 80 para el Almirante.

24. Entró una fragata de 40 cañones que estaba sobre La Habana.

27. Entraron dos navíos de los que estaban sobre La Habana.

28. Salió uno de 40.

29. Entró uno de 40, que venía de la Barbada.

DICIEMBRE

1. Salió uno de 40 cañones.

3. Salieron 2, uno de 50 y otro de 40.

4. Entró uno de 20, de La Habana.

7. Salió una flota de 12 navíos con el paquebot de convoy y... pasé a ver al señor gobernador para pedirle otra vez licencia y a dar cuenta de habérseme muerto un religioso de Santo Domingo y un marinero casado en Cuba, ambos por falta de asistencia de médicos, y que su señoría había dado licencia a 3 para que se fuesen en unas balandras que iban al trato a las costas españolas, armadas en corso y mercancía, que si se servía darme 5 en lugar de los dichos para que el pasaporte estuviese completo; y a ponerle presente que no podía hacer más costos que los hechos en 4 meses que había estaba en Jamaica y que hacía 37 días me había dado la primera licencia, que tenía que pagar el costo de la embarcación y que 4 veces había hecho bastimentos. Que era preciso, si no me dejaba salir, volver a hacer más, para mantener 30 hombres que estaban a bordo. No pude conseguir hablarle porque siempre se fingió embarazado, y con su secretario me mandó a decir que no podía dar más gente; que bastante gracia me había hecho y que en llevar los prisioneros creía que se me hacía conveniencia, según las instancias que hacía y que si no los quería llevar, los volviese a la cárcel, y que si no, el sábado venidero me daría sin falta licencia y haría otro pasaporte rebajando los 5 hombres que faltaban. No pude en dicho día conseguir el pasaporte porque le dio calentura al gobernador y no lo pudo firmar, estando hecho, pasé... a ver al Mayor general y le pregunté si sería cierto que el sábado darían ambas licencias, y me dijo que así se lo había ofrecido y que ya tenía pedida una balandra para que lo llevasen y su gente. Le dejé encargado mi pasaporte... por venir a Puerto Real a disponer todo el sábado, bastimentos, agua y leña.

11. Mandé uno de mi gente a Espanistón por el pasaporte, y que si era cierto que hiciese diligencia de traer un hombre de Cuba, que era piloto, para traerlo escondido, como así lo conseguí, porque el gobierno no daba licencia a ningún piloto, ni a gente que consideraba podía salir a corso, sólo a los que le dije eran casados en la isla de La Habana...[b] Llegó el mayor general a Puerto Real con toda su gente y la gente que había venido de Cartagena en la balandra, y me trajo el pasaporte que constaba de 27 personas por todos, y otro mozo que consiguió un pasaporte suelto, que hacen 28 y 2 que traje escondidos, son 30... A las 9 de la noche me pasaron visita el propio oficial real de... Puerto Real.

12. A las 6 de la mañana me hice a la vela y yendo saliendo me llamaron del Castillo y me hicieron ir a la tierra por no haber el comandante avisado de mi salida. Luego que avisó, me dejaron salir.

16. Al amanecer vi una embarcación que venía dando caza y me puse a la capa a esperarla; llegó a bordo; era un paquebot de la Nueva Inglaterra armado en guerra, que se mantenía a la costa de Cuba y había cogido una goleta de La Florida que iba para La Habana cargada, según dijeron ellos, de harinas y bizcochos. Luego que vio el pasaporte me dejó libre y se fue la vuelta de abajo y yo seguí mi viaje para Cuba [Santiago].

17. Entré en... puerto a las 3 de la tarde y a las 5 salté en tierra, y fui llevado sin hablar con nadie en la presencia del señor Gobernador, a quien entregué este diario y las cuentas de lo que me quitaron cuando me cogieron y lo que gasté en mi detención en Jamaica y los bastimentos que compré para mantener los prisioneros que me entregaron...

Se decía en todo Jámaica que no podía salir de allí, por decirse cierto, que yo no había ido sino de espía todas las veces que había entrado en el puerto, que en un año han sido tres; y ésto lo decían por diferentes cartas que habían recibido de Cuba. Sobre estos había muchas habladas y me señalaban. Pasando revista a los milicianos me fui a la plaza a ver, y el coronel me mandó retirar y me amenazó. Un día fue un letrado a la cárcel y estuvo mucho tiempo hablando con un judío bellaco y después se fue el letrado llamó el judío a mi gente y les dijo que dijesen la verdad, y si no los mandarían a Londres... Todo esto me contaron mis marineros luego que los fui a ver.

Y por ser cierto y verdad todo lo que aquí tengo dicho y escrito, lo firmo en 17-XIII-1739. *Miguel de Moncada Sandoval.*

SANTIAGO PUESTO EN DEFENSA ANTE LA AMENAZA INGLESA (1739)

El Coronel Francisco Caxigal de la Vega ejecutó grandes *reparos* en las fortificaciones de Santiago, de modo que ya en 1739 estuviese *en defensa* ante la amenaza inglesa. Fueron estas obras las que en fortalezas que encontró,

indefensas y desprevenidas,

las que transformó y amplió al punto de colocar la plaza

El costo de la operación

El costo total de la operación secreta, según las cuentas de Moncada, fue de poco más de 1.500 pesos, que finalmente ordenó pagar Caxigal, previo descuento de los 400 pesos que él había adelantado. Moncada incluyó mercancías por valor de 847 pesos y 6 reales que había adquirido en Jamaica y le decomisaron los ingleses, cuando le hicieron regresar a puerto en la etapa final de su viaje de retorno. Se había estimado que la venta de esas mercancías en Santiago dejarían margen suficiente para que la misión secreta nada costase a la Real Hacienda. Todo fue pagado, en definitiva, con cargo al *caudal de la represalia hecha a los ingleses*, cuando fue intervenida la factoría del Asiento. Entre los 3 marineros que acompañaron a Moncada se distribuyeron 100 pesos. La cuenta oficial de Moncada, incluiría una partida de *9 pesos que gasté en agua y leña, porque todo se compra en la... isla de Jamaica.* Su *manutención, casa y ropa limpia*, en una posada jamaicana le costó a razón de 30 pesos mensuales durante 3 meses y medio.

a. Gibson Dalzel había sido factor de la Compañía del Mar del Sur, a cargo del Asiento, en Cuba.

b. Curiosamente todavía en Oriente se distinguía a la isla de Cuba, *como de la Habana* y se llamaba Cuba, a Santiago de Cuba.

FUENTE: AGI. Santo Domingo, 364. (A.A.).

en un estado muy respetable de forma que estando el enemigo inglés en Guantánamo a 20 leguas a Barlovento... con designio de invadir por mar y tierra la plaza, no se ha atrevido a ejecutarlo por parecerle la empresa muy difícil.

Las obras realizadas por Caxigal fueron tasadas en 101.611 pesos por el ingeniero militar Francisco de Angle, en forma detallada, de acuerdo con los precios locales. En síntesis, lo realizado valía:

Obras en	Valor (pesos)
Castillo del Morro	20.490
La Estrella	36.676
Aguadores	24.200
Cabañas	5.500
Guaycabón	500
Juraguasito	5.500
Sardinero	220
Juragua Grande	3.200
	96.286
Materiales y obras menores	5.325
Total	101.611

Pero el costo abonado por la Real Hacienda fue de sólo 15.320 pesos y 3 reales, según certificarían los oficiales reales. Según tales cifras, Caxigal le había ahorrado al Rey el 85 % del valor de las obras y había salvado la segunda ciudad de la isla, en importancia política.

Cinco días después que los anglo-norteamericanos habían abandonado Guantánamo, el Coronel Caxigal aún temía por Santiago, a pesar de sus previsiones, y escribió al Rey:

Debiendo precaverme de que intenten forzarme algún puesto de los desembarcos inmediatos a esta ciudad, estoy sobre las armas esperándolos y con la igual constancia de siempre para disputárselo, y cuando su dicha fuese tanta que lo

lograsen, se defenderían a buen precio los pasos que les quedasen por dar para apoderarse de esta ciudad abierta, y después arrimarse a las fortalezas del puerto, asegurado que por su boca no entraría la enemiga armada, sin que primero por tierra se hiciere dueño de El Morro y de La Estrella. Y mediante los reparos que por esta les he podido poner, daría treguas su conquista, la que con algunas tropas la podría hacer difícil y dilatada.

Lo peor no ocurrió; la previsión y la inteligente campaña de hostigamiento de Caxigal, acompañada de las epidemias implacables, habían salvado a Santiago de Cuba de un destino peor que el de 1662.

FUENTE: AGI. Santo Domingo, 364 (A.A.).

Documentos

LOS INGLESES EVALUAN ESTRATEGICAMENTE A CUBA

Si la Corona de Inglaterra llegase a poseer la isla de Cuba, esa llave de toda la América, ningún conocedor puede negar que la Gran Bretaña, en ese caso, entraría en posesión de la totalidad del comercio del Imperio español.

P. HAMILTON a Wager (14-V-1739).

●

[Debemos] tomar y retener a Cuba [porque] cuando los británicos la poseamos, el mundo entero no será capaz de arrebatárnosla.

Sir William Poultney a Vernon (20-VIII-1740).
FUENTE: Vernon-Wager Papers, Library of Congress, Washington, citados por Portel Vilá, H. (1938), I.

viene de la página 87

que puede sostener vastos y numerosos asentamientos, tal colonia de poblamiento, como puede ser, adquirirá más provisiones de estas provincias del Norte, que todas las demás islas de las Antillas.[30]

Los intereses azucareros de las Antillas británicas adversaban tales criterios, y uno de sus voceros, James Knight, sostuvo que La Habana debía ser destruida antes que retenida.

En el análisis estratégico, ya con la expedición colocada bajo el mando de Lord Cathcart, La Habana aparecía en primer término como el gran objetivo. Un ex-factor de la Compañía del Mar del Sur, conocedor de La Habana, calculó en 10.000 los hombres requeridos para tal empeño. Se disponía de 3.000, pero el gobernador de Jamaica, Edward Trelawny, escribió a Londres en 1740:

En suma, hay un gran espíritu entre los colonos del Norte, que en su imaginación se han tragado a toda Cuba... Es verdad son indisciplinados, pero serán apoyados por el doble número de tropas disciplinadas que Lord Cathcart traiga.

Finalmente fue descartada La Habana, y cuando la gran expedición llegó finalmente a las Antillas y se le unió el Almirante Vernon, experimentado marino, mucho tiempo navegante en aguas de Jamaica, los jefes acordaron atacar el istmo, donde se concentraban los tesoros suramericanos destinados a España.

Las diferencias entre los jefes junto a los efectos destructores de las enfermedades tropicales y el ron, han sido consideradas por los historiadores ingleses las principales causas del fracaso de los atacantes. Vernon tomó a Portobelo en XI-1739 y destruyó sus fortificaciones; en III-1740 tomó a Chagres y bombardeó a Cartagena, a la cual atacó con el apoyo de los voluntarios del Norte, pero no logró tomarla. En V-1741 los británicos se retiraron a Jamaica.

Vernon en Guantánamo;
La fundación de Cumberland

Replegados a Jamaica, decidieron los jefes angloamericanos que su objetivo inmediato debía ser la cercana y desierta bahía de Guantánamo, desde donde podrían avanzar hacia Santiago de Cuba. El plan del almirante Edward Vernon y del General Thomas Wentworth consistía en apoderarse del Oriente de Cuba, tal como los franceses habían hecho el siglo anterior con el Occidente de La Española. En Jamaica la idea era popular, ya que tal nueva colonia inglesa libraría a la isla del vecino corso español y dejaría libre a la navegación el Paso de los Vientos. El proyecto de colonización tuvo total endoso en Londres y en las Colonias del Norte.

En 28-VII-1741 desembarcarían los invasores en la impresionante bahía de Guantánamo, que llamara *Puerto Grande* su descubridor, Cristóbal Colón, en 1494. En una campaña relativamente corta derrotaron a los invasores dos conjuntos de factores, igualmente decisivos:

● La capacidad militar y administrativa del gobernador de Santiago de Cuba, Francisco Caxigal de la Vega, quien movilizó y aprovechó al maximun los recursos humanos, económicos y tácticos a su alcance. Preparó a Santiago para una larga lucha, reforzó su escasa guarnición con las milicias de las poblaciones de su mando; acuñó moneda de cobre para mantener viva la economía local y utilizó simultáneamente las ventajas del terreno, aplicando un constante hostigamiento guerrillero a las tropas inglesas, norteamericanas y jamaicanas.

● Lo insalubre de la región, casi totalmente desierta, facilitó la propagación de las epidemias entre los europeos y norteamericanos, que sufrieron centenares de bajas por las fiebres.

Los norteamericanos en
Guantánamo

Entre los voluntarios norteamericanos desembarcados en Guantánamo había muchos de Massachussets. En un discurso pronunciado en 23-IX-1741 por el gobernador de la colonia, Shirley, ante la cámara de representantes, con el propósito de obtener refuerzos para los ocupantes de la región de Guantánamo, ofreció una amplia información sobre la situación de los expedicionarios. Según le habían comunicado los comandantes, habían comenzado a colonizar

en esta isla, Cuba, de aire muy templado y fértil suelo, capaz de producir todo lo necesario para la vida; donde los súbditos de S.M. son invitados a ir y establecerse

continúa en la página 102

● 93

SANTIAGO DE CUBA EN PIE DE GUERRA FRENTE A LA INVASION ANGLO-NORTEAMERICANA (1741)

Diario de lo ocurrido desde la primera noticia (11-VII) al 23-VIII.

EL AVISO DESDE ESPAÑA VIA SAINT DOMINGUE

11-VII-1741. Llegó correo de Baracoa despachado por el teniente a guerra, incluyendo carta del capellán del regimiento de Itálica, quien viniendo de España a La Habana arribó a las Colonias francesas y fue despachado por su general, Marqués de Larnage con pliegos para el Gobernador de ésta y para el Comandante general... Por haber sido la balandra francesa en que venía atacada y registrada por un navío inglés de 60 cañones, echaron al agua los pliegos, pero lo que en ellos decía el Marqués, por habérselo confiado previniendo este accidente, era que la Armada inglesa resolvía atacar a Santiago de Cuba, para cuyo fin debían juntarse el 22 de corriente los navíos de guerra que estaban corseando, y abrir pliego que les daría instrucciones; con cuyas noticias se tomaron precauciones para adelantar los trabajos y aprontar los víveres necesarios para sufrir un sitio dilatado.

LAS PRIMERAS PRECAUCIONES

15-VII. Se dejó ver un navío que se arrimó a poco más del tiro del cañón del Morro, donde se mantuvo a la capa todo el día, y la noche rindió bordo a la mar, cuya maniobra ha practicado todos los días siguientes.

22-VII. Se dio orden a toda la tropa arreglada y miliciana para estar prontos a marchar al primer tiro de cañón.

23-VII. Se mandó a las milicias hacer cuerpo de guardia en casa de sus capitanes, con la tercera parte de la gente.

25-VII. Se destinaron 200 esclavos para la trinchera flanqueada que se hace en El Morro a fin de cubrirle por la banda de tierra y flanquear la subida del monte, por si los enemigos rompen los puestos de desembarco que son 6 precisos, e intentan ponerle baterías por esta parte, que es la más flaca. Se envió un teniente con 10 caballos a los dos Juraguaes; un sargento con 4 a Punta de Verracos y un cabo con 7 a Guaycabón, éste... a Sotavento, para que apostados a trechos señalados puedan traer a esta ciudad, con prontitud, los avisos.

REVISTA DE LAS TROPAS

26-VII. Se pasó revista e inspección por nuestro Gobernador [Caxigal] a las 5 compañías del presidio y 4 de re-fuerzo de Portugal, Vitoria y Milán, y por estar muy faltas de oficiales, se puso de interinos al teniente don Pedro Hornedo por capitán; por tenientes a los alféreces de pie antiguo, don José García de Aguilar, don Sebastián Caro, don Manuel de Limonta y don Gregorio Carrión y a los subtenientes de Vitoria don Pablo Jurado y don Manuel de Villalón y por subtenientes a los sargentos don José Brioso y don José Ruiz y cadetes Isidro de Limonta, Juan de Velasco, Vicente de Céspedes, Francisco de Solís y Francisco Veranes. Esta tarde se pasó revista general a las milicias de los blancos.

27-VII. Esta tarde se pasó revista general a las milicias de los pardos, chinos[a] y negros libres.

FAGINA EN EL MORRO

28-VII. A las 3 de la mañana marchó nuestro Gobernador al Morro, con la compañía de dragones montados, las 2 de corazas de blancos y pardos y las de infantería de pardos, chinos y negros libres, a hacer fagina... Se mantuvieron todo el día y muy de noche se retiró la caballería y quedó a la continuación del trabajo toda la infantería.

LOS PUESTOS AVANZADOS

29-VII. Se mandó de comandante de los Juraguaes[b] al capitán don Francisco Estrasieri, con 2 subalternos, 10 hombres más de tropa arreglada y la compañía del Caney, compuesta de 3 oficiales, 2 sargentos y 50 hombres, todos indios. Se nombró al regidor y alguacil mayor don Francisco Javier de Cisneros, con los alcaldes de la Hermandad y su tropa, para el abasto de víveres. Pasó a Aguadores el capitán don Pedro de Hornedo, y a Cabañas el capitán don Diego de Aria, cuyos puestos se reforzaron con oficiales subalternos, tropa arreglada y de milicia.

AVISTADA LA EXPEDICION ENEMIGA

Este día a la una de la madrugada se tuvo aviso por el mayoral del hato de Sigua, distante de esta ciudad 10 leguas a Barlovento, de haber visto, estando monteando, la tarde antecedente, más de 100 velas, con cuya novedad se tocó a rebato y al amanecer avisó la guardia de Verracos estar a su vista dos navíos y del Morro, que el de centinela se dejaba ver. Se nombraron oficiales de contaduría y tesorería a los puestos del Morro, Barlovento y Sotavento, para la cuenta y razón de víveres y municiones; se despacharon correos al capitán general y tenientes de Puerto Príncipe y Bayamo, pidiendo socorro y que aprontasen las milicias y las pusiesen en marcha para esta ciudad al repetirse la señal de rebato.

30-VII. A las 11 del día llegó correo, despachado por el comandante del partido de Guantánamo, don Pedro Guerra, avisando hallarse dentro de la bahía 17 velas y 8 a su boca... A la tarde entró otro propio con aviso de que habiendo intentado con lanchas a hacer aguada en el río; fueron rechazadas por 37 hombres, con mucha pérdida de los enemigos; 2 de ellas lastimadas con un cañoncito de a libra que en ella empleó 3 tiros... Los dos papeles originales se remitieron al Capitán general con posta, y se repitió la petición de milicias a Puerto del Príncipe, Bayamo y Giguaní.ᶜ Se despachó orden al Morro para que con la mayor precaución se bajara la pólvora a las nuevas bóvedas de la plataforma, que se subieran los víveres a los antiguos almacenes y se hiciera toda la fagina que el Ingeniero mandase, a fin de tener preparativos para cegar la boca del puerto en caso de querer forzarle los enemigos, para lo que marcharon al Morro 2 goletas y todas las embarcaciones pequeñas de este surgidero.

31-VII. Amanecieron a vista del Morro 4 navíos y una hora después se avistaron 3 más. Se tocó nuevo rebato. Se echó bando para que todos los vecinos manifestasen sus esclavos, por haberse huido los del trabajo del Morro, a excepción de 42. Y que los que tuviesen aguardiente lo pusiesen de manifiesto. Ejecutaron los vecinos uno y otro. Se reforzó el Morro con 200 negros para el trabajo; se enviaron para el mismo fin 26 a Cabañas y se proveyeron todos los puestos de aguardiente, cirujanos, y capellanes con los avíos de la muerte.

Por el desorden con que las familias se extraían con sus muebles de la ciudad, dejándola sin caballería y esclavos, cosa tan precisa para la provisión de los puestos avanzados, el que más 6 leguas y el que menos 2, y para los trabajos proyectados, se echó bando y pusieron guardias en los caminos, para que ninguna persona saliese de la ciudad sin expresa licencia, bajo graves penas, con cuya providencia se atajó el desorden que pudiera ser de perjudiciales consecuencias.

Se despachó correo a la justicia, cabildo y regimiento de la villa del Bayamo, para que aprontasen y remitiesen a esta ciudad provisiones, sin excepción de personas.

A las 11 de este día llegó correo despachado por el comandante de Guantánamo, dando cuenta como habían subido por el río 2 lanchas y fueron rechazadas con el cañonzuelo.

A las 4.30 de la tarde se dejó acercar al Morro un navío, y ya bajo de su tiro echó bandera española, asegurándola con un cañonazo e izando el gallardete por 3 veces. Se le envió práctico, entró en el puerto y se reconoció ser aviso de España, que salió de El Ferrol el día 1-VI al cargo del teniente de navío don Diego Morgan, con pliegos del Rey para el comandante general de esta Isla, y lona y jarcia para la escuadra del cargo del Tte. Gral. don Rodrigo de Torres... Habiendo pasado por medio de los enemigos no le dieron caza hasta estar inmediato al puerto; quizá por ser presa inglesa le creyeron de su conserva; dio el aviso de estar en la bahía de Guantánamo más de 60 velas ancladas. Esta tarde se reforzó a Juraguá Chiquito con la compañía de milicias de don Félix Ferrer y a Aguadores con la de forasteros de don Juan Ramos.

1-VIII. No se dejó ver mas navío que el de centinela. Se despacharon los pliegos del Rey... que condujo el aviso de quien se ha empezado a descargar la jarcia y lona con el fin de tenerle pronto para echarle a pique en la canal del puerto, en caso preciso.

Llegó un nuevo correo de Guantánamo avisando se habían reforzado las 2 lanchas rebatidas, con 7 más, para la aguada, pero que todas habían sido rebatidas, con fusil, por haberse descabalgado el cañonzuelo al primer tiro.

Entraron esta tarde de refuerzo... el sargento mayor de milicias de Bayamo, un capitán, un sargento y 32 hombres, con los que se reforzó a Cabañas. Se enviaron a Guantánamo 20 fusiles, 2 arrobas de pólvora, 300 balas y 30 piedras de fusil.

2-VIII. Llegó correo de Guantánamo con aviso de que habiendo penetrado 2 lanchas río arriba, confiados por muy prevenidos, fueron atacadas por los nuestros 37 hombres, y apresadas con pérdida de los que en ellas venían, muertos al fusil o ahogados, a excepción de 4 que se libertaron a nado. Y por venir muchas lanchas en su socorro, fueron estas 2 quemadas con 30 barriles de aguada y se recogieron 4 fusiles, la bandera de la comandante y alguna ropa, con la que han venido vestidos éste y los demás correos para testimonio del triunfo.

A las 2 de la tarde llegó otro correo con aviso de que las lanchas de socorro habían sido también rebatidas, sin hacer la aguada. Se aprontaron 102 caballerías con otros tantos esclavos para la provisión de los puestos y retirar los heridos y se pusieron al cuidado de los regidores.

Se acabó la descarga del navío. Se principió un reducto a la entrada del camino bajo del Morro, que mira a La Estrella, donde se debían colocar los 4 cañones de a 3 que trae el navío, para flanquear la playa que puede darle paso al desembarco de los enemigos, en caso de forzar la boca del puerto.

Se dejó ver otro navío que al anochecer se incorporó con el de centinela. Esta tarde llegó correo de Guantánamo, diciendo su comandante que con 4 balandras sostenidas de 2 navíos, intentaban hacer la aguada, pero que se les impedía por la poca gente que tenía, con el amparo de los bosques y breñas, y que sólo recelaba no le armasen emboscada; motivo que obligó a pensar en socorrerle con más gente y se le remitieron luego 2 quintales de bizcocho y 16 fusiles, mandando a toda la jurisdicción de aquel partido y la de Tiguabos, los socorriesen con carne, casabe, aguardiente y conservas.

4-VIII. Pasó el Sargento mayor al Morro con 3 compañías para los trabajos. Se dejaron ver todo el día los 2 navíos y se mandó a la compañía de San Luis del Caney, retirarse a su pueblo desde... Juraguá Grande, porque se aprontasen para ir a sostener a los de Guantánamo, de donde avisó su comandante que la tarde antecedente se habían hecho a la vela todas las embarcaciones que en su bahía estaban, quedando sólo 3 navíos anclados, y que dirigían su rumbo a Sotavento, con cuya noticia se mandó volver a la compañía del Caney a su puesto de Juraguá. Se previno de ello a los puestos del Morro y desembarcaderos, y se aprontaron para éstos los hombres que entraron de refuerzo de la villa del Bayamo.

5-VIII. Llegó correo de Baracoa con carta del señor Marqués de Larnage, general de las colonias francesas; repitiendo a nuestro Gobernador la noticia comunicada por el capellán del regimiento de Itálica, y avisando que ya había salido la armada inglesa de Jamaica. Pedía no se le dejen de comunicar por todas las vías las novedades, pues de no venir a este puerto los ingleses se persuadía pasarían a la Veracruz. Se despachó correo al Señor Capitán general de esta isla, incluyendo pliegos para el Señor Virrey de México con copia de los papeles de Guantánamo y del Señor Marqués.

Se mantuvieron los 2 navíos todo el día a la vista. A las 6 de la tarde llegó otro correo por la vía de Baracoa, despachado por Monsieur de Larnage, reiterando las noticias de la carta antecedente con fecha 24-VII.

En consecuencia del correo despachado por el Señor Capitán general... a nuestro Gobernador, que llegó aquí el 31-VII, con la infausta noticia de que a causa de la que llegó de México, de la vociferada idea de los ingleses, en pasar a sitiar la Veracruz, después de la conquista de Cartagena, había resuelto el Señor Virrey, Duque de la Conquista, retirar los caudales tierra adentro, destinados para estas islas de Barlovento, que debían conducir a La Habana, la *Europa* y la *Bizarra*, valiéndose de la guarnición de ellas para la defensa del castillo de San Juan de Ulúa. Y que por este motivo se atrasaría por mucho tiempo el socorro que ansiosamente esperaba, por estar estas Cajas reales sin dinero alguno. La guarnición con 3 años de atraso, y el subsidio del diario para la tropa arreglada, la de milicias y precisos trabajos era indispensable. Resolvió el señor Gobernador juntar el Cabildo... para buscar medios en tan urgente necesidad y se celebró la mañana del 4-VIII ...resolviendo por único arbitrio se labren monedas de cobre, sobre cuyo logro se ventilan las precauciones.

Amanecieron cerca del Morro los 2 navíos centinelas. Se despachó correo a Guantánamo a las 9 de la noche del día antecedente, solicitando saber la derrota de las velas enemigas, por no haberlo ejecutado su comandante desde la noticia de haberse levado el día 4 y no haber parecido en esta costa mas velas que las 2 de centinela... A las 4 y media de la tarde avisó ...como hallándose con su gente apostado en la boca del río, para la continuación de impedirles la aguada y observar los movimientos, pudo comprender como echaban gente en tierra y precaviéndose de ser cortado, tomó sus providencias... Esperando su resolución vieron venir a cosa de las 10 del inmediato día 5, lanchas a hacer aguada... y queriendo reconocer el monte antes de empeñarse con ellas, salió nuestra gente de su apostadero y a pocos pasos dieron con una de 3 emboscadas que tenían los enemigos, a quienes rompieron, retirándose a puesto ventajoso, a la boca de otro río que entra en el de Guantánamo, llamado Iguanabana, donde se les ha puesto emboscada por si intentan penetrar. Nos faltan 10 hombres y parece que la falta de agua obligó a los enemigos a salir del puerto para hacer el desembarco, que según dice el comandante, con nuevo correo que entró a pocas horas del otro, llegarían a 300 hombres. Y avisa que de los 10 hombres han parecido 7, quienes dicen habían visto retirarse al bosque otro, conque sólo faltan dos.

Se echó bando para que los dueños de algunos esclavos que se habían huido del trabajo del Morro, los reemplazasen mañana con ellos, o con otros, y se ha dispuesto pase cada día un regidor por comisario de ellos. Se enviaron a Guantánamo 200 balas y 50 piedras de fusil. Se despachó correo con esta novedad a los señores Capitán general... y Comandante general de la Armada, don Rodrigo de Torres.

REFUERZO DE LOS INDIOS DE JIGUANI Y OPERACIONES DE LOS DEL CANEY

Entró de refuerzo la compañía de indios de Giguaní (sic) compuesta de 59 hombres con su oficiales.

7-VIII. No conformando 3 correos que han venido después de los del día antecedente de Guantánamo, en las noticias de las operaciones de los enemigos, y no trayendo papeles del comandante ni del capitán Marcos Pérez, por decir que se habían retirado enfermos, resolvió el señor Gobernador mandar al alférez de milicias don Juan Antonio Caballero, por ser práctico de aquel terreno, con el teniente y 25 hombres de la compañía de San Luis del Caney, de indios también prácticos, para que reconocieran la positura, movimientos y estado de los enemigos, llevando particular instrucción para lo que deben ejecutar, y orden para que todos los de aquel partido obedezcan sus órdenes. Se reforzó el puesto de Juaraguacito con la compañía de milicias de don Vicente López.

8-VIII. Se dispuso que el capitán de milicias don Lope Caballero, con su compañía, una de pardos de las de la ciudad y la de indios de Giguaní, número de 170 hombres, pasase como práctico a acalorar al alférez don Juan Antonio Caballero... Lleva instrucciones de no malograr las ocasiones que se le proporcionen de escarmentar al enemigo y ver si puede traer algunos prisioneros para indagar sus designios. Los 2 navíos del bloqueo, siempre a la vista.

BAYAMO Y PUERTO PRINCIPE ACUDEN CON AYUDA

9-VIII. Sólo se dejó ver uno de los dos navíos centinelas, no habiendo escrito del comandante de Guantánamo. Después de haberse retirado por haber hecho desembarco los ingleses, o por si adelantan sus ideas a penetrar o fortificarse en aquellos parajes se ha nombrado un piquete de tropa arreglada, compuesto de un capitán, teniente alférez, 2 sargentos y 40 soldados, con dos compañías de milicias, para que en caso necesario se pongan luego en marcha, según las ocurrencias.

Han entrado sucesivamente 3 correos de Puerto del Príncipe y Bayamo con la noticia de venir milicia y bastimentos a esta ciudad.

LA PERDIDA DE «EL INVENCIBLE»

10-VIII. A la madrugada... llegó correo de La Habana con pliegos del Capitán general y Comandante general de la Armada para nuestro Gobernador y trajeron la infausta noticia, que ya corría, de haberse volado la comandante, llamado *El Invencible*, con 400 quintales de pólvora, habiéndose prendido el fuego en el palo mayor por un rayo, sin que las más vivas diligencias bastasen a apagarle. Se perdieron del navío, 16 hombres. Padeció algún estrago La Habana, bien que no tanto como se temió.

SE LABRA MONEDA DE COBRE

Ayer se publicó bando mandando a todos los vecinos depositasen en esta Real contaduría todo el cobre que tuviesen para que de cuenta de S. M. se labrase la moneda proyectada para subvenir a la urgente necesidad, y sus cuños se están finalizando.

CONTINUAN LAS DESERCIONES DE ESCLAVOS.

Se celebró cabildo por el señor Gobernador para contener la deserción de los negros en el trabajo de el Morro y se nombraron regidores para que avisasen a los dueños su reemplazo. Los navíos centinelas se descubrieron con el día, y a cosa de las 12 se dejó ver por Barlovento otro muy grande, que llegando a la inmediación echó bandera, que pareció holandesa.

FORMIDABLES LAS FUERZAS DESEMBARCADAS

11-VIII. A cosa de las 11 de este día llegó correo del comandante de Guantánamo diciendo que después del desembarco de los ingleses el día 5... y la retirada de su gente mal ordenada y poca, había empleado su cuidado en indagar el número de velas que había en la bahía y el de la gente que habían echado en tierra y que aquellas se reducían a 9 navíos gruesos, 9 de pequeño porte y el resto hasta 76 velas, paquebotes, balandras y bergantines, y como 1.000 hombres habían penetrado en tierra cerca de 10 leguas, los más negros, y que hacía diligencias por ver si se podía coger alguno para saber las ideas de los enemigos.

VICTORIA DE LOS INDIOS DEL CANEY

A las 4 y media de esta tarde llegó otro correo despachado por el alférez don Juan Antonio Caballero; asegurando lo mismo sobre el número de velas y gente de tierra, y que por haber sido sentido por una partida de los enemigos no había logrado sorprenderlos en un corral;

pero que mejorándose de terreno asaltó con los indios del Caney y algunos de aquel partido que se le han agregado, a un oficial blanco y 12 negros, matando al primero y 4 de éstos y 5 que quedaron prisioneros, los que confiesan ser las ideas de los enemigos, luego que llegue una escuadra que esperan, atacar con su tropa por tierra a esta plaza y con sus navíos por mar.

HORNEDO, VETERANO, HACIA GUANTANAMO

Con cuya noticia y para contenerles se mandó mudar del puesto de Aguadores, donde estaba de comandante, al capitán don Pedro Hornedo, oficial de toda conducta, acreditada en repetidas ocasiones en España, Africa e Italia, y se ha destinado con un alférez, un sargento, 20 hombres de tropa arreglada, 26 de los esclavos y libres, negros y mulatos del Cobre, el resto de la compañía de El Caney y la de pardos de Angulo, número de más de 140 hombres para que pase mañana a la jurisdicción de Guantánamo, llevando instrucciones particulares para obrar según las operaciones de los enemigos y de restituirse a esta ciudad, doblando las marchas, siempre que reconozca se han embarcado, por si la llamada fuese falsa por enflaquecer las fuerzas.
Se le halló al oficial muerto una patente de segundo capitán del regimiento de los negros y envió el comandante de Guantánamo la bandera que quitó a los enemigos en las lanchas que quemó, y parece que recela se fortifican en la boca de la bahía.
Los 2 navíos aparecieron temprano, y habiendo arrimado por la tarde al Morro el más pequeño con bandera blanca se creyó que fuesen prisioneros que deben enviarnos, con lo que se arboló la misma en el Castillo, pero observando se mantenía fuera del tiro, y que no echaba bote, se abatió la nuestra para asegurarle si se arrimaba más, lo que no ejecutó, antes bien rindió el bordo al mar... Se discurre vendría sólo a reconocer, porque sería alguno de los relevados. Se trabaja con calor en la fortificación provisional que cubre el Morro por la banda de tierra, donde se construye un reducto con 9 cañones de a 3 y de a 4.

SE PIDE ENVIO DE REFUERZOS

12-VIII. Se puso en marcha temprano don Pedro Hornedo con la tropa referida. A las 2 de la mañana... se despachó correo al Capitán general y secretario del despacho señor Quintana, incluyendo copia de los anteriores papeles... pidiendo al primero tropa y municiones; también llevó cartas para el teniente del Puerto del Príncipe y comandante del Bayamo, pidiendo más milicias, y que las que están en marcha la aceleren. Los dos navíos, a lo diario.

INTERROGADOS LOS PRISIONEROS

Llegaron los 5 negros ingleses prisioneros, y en más de tres horas de preguntas por el señor Gobernador sólo declaran haber más de mes y medio que salieron de Jamaica más de 100 velas; que con un temporal se separaron 3 fragatas a cuyo bordo venían en las dos, negros, y en la otra tropa arreglada, las que discurren perdidas. Que algunas embarcaciones se han separado para diferentes rumbos y que las demás se anclaron en Guantánamo, variando en número y fuerza. Que están a cargo de dos almirantes y general de tierra, que han echado en tierra 1.000 negros y 200 blancos que han allanado alguna parte del monte y hecho 2 casas para víveres y alojamiento.
Que tenían intención de venir por tierra y por mar a atacar a Cuba [Santiago]; que todos los mas de los negros son esclavos tomados por el Rey a sus dueños a proporción del número, y condición de pagárselos si se perdiesen en función. Que todos los días los habilitan en el manejo de las armas, y que no habiendo de muchos confianza, los aseguran de noche con esposas.

MOVILIZADOS CON LANZAS Y MACHETES, 300 ESCLAVOS

13-VIII. Se dejaron ver los 2 navíos, aunque tarde. Se echó bando para que los dueños de 300 negros esclavos escogidos, con lanzas y machetes, que a prevención se revistaron este año por el señor Gobernador, los tengan prontos para cuando se los pidan. Y se prevenían algunos reparos para contener el desorden en la presa, porque no se malogren las victorias que esperamos en la divina piedad.

Se enviaron al Morro 4 cañones de bronce de a libra y se mandaron tener de repuesto salchichones[d] en las baterías nuevas de la plataforma y Estrella, para en caso de ser demolidos sus merlones,[e] ocurrir a reparar con ellos sus ruinas. No hallándose de venta papel alguno para el respuesto de cartuchos de fusil, se previno a los vecinos manifestasen el que tuvieren y lo han ejecutado.

BUENOS LOS PRACTICOS ENEMIGOS

14-VIII. Llegó correo de Guantánamo despachado por el capitán de milicias Lope Caballero, diciendo que por sus partidas había registrado los dos principales cuarteles de los enemigos en Guantánamo y Canabacoa, en los que tenían crecido número de tropa y que venían con muy buenos prácticos, pues se fortificaban y conducían a ello, los robos hechos por aquellas vecindades, sin dar en alguna de 3 emboscadas que le tenía puestas; antes bien, intentaban sorprenderle sus partidas, y una de éstas trajo un negro de los enemigos desarmado, quien dice se pasaba a nosotros.
El capitán Pedro Hornedo llegará hoy adonde se halla don Lope Caballero, según avisa por el mismo propio, y se le han enviado nuevas instrucciones para su gobierno a fin de no malograr el primer lance.
Los 2 navíos se dejaron ver ya tarde. Se despachó correo

al Capitán general con cartas para el Excmo. Señor Duque de la Conquista.

15-VIII. Dos compañías de negros libres con sus armas pasaron al trabajo del Morro, y se retiraron las 2 de pardos y la de chinos. Se repartió bando para que enviasen los 200 esclavos pedidos para el trabajo del Morro, mandando que mañana los condujesen sus dueños al principal, para ser revistados por el sargento mayor, a fin de que todos cumplan, pues acuden a él muy pocos, sin que baste providencia de haberles puesto por comisarios a los capitulares. Sólo se dejó ver un navío.

16-VIII. Se remitieron 13 esclavos para el reemplazo de los que han desertado el trabajo del Morro. Al Morro se enviaron 2 quintales de pólvora y uno de balas, por ser el paraje donde en caso de penetrar los enemigos se puede hacer el cuartel general. Y se han dado 9 resmas de papel para que se hagan más cartuchos de fusil, y los de cañón no van haciendo en número de sufrir un sitio dilatado. Se mandó al comandante del Morro recogiese los fusiles y pólvora que hubiese en el navío de aviso, que se halla a la entrada del puerto para cegarle, como está dicho, y haciéndolos limpiar y poner corrientes se guarden en la armería. También se sacaron 100 hojas de lata de las que trajo dicho *aviso* para forrar las puertas de los nuevos almacenes de pólvora en la plataforma.

Se despachó orden al comandante de los Juraguaes para que hiciese mandar la compañía de don Vicente López al Caney y que este capitán viniese a recibir las órdenes del señor Gobernador. Se dejaron ver los 2 navíos centinelas. De uno de ellos, el bote y la lancha intentaron sondear las inmediaciones del embarcadero de Juraguasito, y fueron bien despedidos por el cañón de la playa y el fuego de fusil de 25 hombres que estaban emboscados en la punta que hace su ensenada, y lastimados de aquellos con dos golpes y mucho más por éstos, por haberse metido a su tiro hecho, por cuyo fuego no consiguieron el fin y se retiraron luego.

Entraron de refuerzo 2 compañías de milicias del Puerto del Príncipe, en número ambas de 147 hombres, incluso oficiales. Llegó el negro inglés que se pasó a nosotros y confirma lo que los otros han dicho.

17-VIII. Marchó de refuerzo a Guantánamo la compañía de don Vicente López, dejando en Juraguasito los más endebles, cuyo puesto se reforzó con dos compañías de mulatos.

Por carta del comandante de Guantánamo, don Pedro Hornedo se sabe haber atacado una de sus partidas a otra de los enemigos, en la que quedaron 2 negros ingleses prisioneros y algunos muertos, y nosotros tuvimos un mulato y un indio muertos. Y estos 2 prisioneros confirman lo dicho por los demás. Los dos navíos, a lo ordinario.

18-VIII. Por carta del comandante Hornedo y otra del capitán de los Tiguabos, se asegura por declaración de 2 ordenantes prisioneros, que se les han huido a los ingleses, que estos tienen ya toda su gente en tierra con ánimo de venirnos a atacar por ella, y aunque dicen que el número de los blancos llegará a 8.000 y el de los negros a 2.000, no se cree les quede tanta gente, según la perdida en Cartagena y después de enfermedades, puede ser que hablen de la de desembarco, incluyendo la tripulación de navíos de guerra y transporte.

Entraron de refuerzo 2 compañías de milicias del Bayamo en número de 139 hombres, incluso oficiales, los mas sin fusiles.

Se echó bando mandándose aprontasen los esclavos destinados para el manejo de lanza y machete, a quienes se ha prometido la libertad si cumpliendo bien se bate al enemigo. Se despachó correo al Capitán general y secretario de despacho, señor Quintana. Los dos navíos a lo ordinario.

19-VIII. Se destacó para Guantánamo la compañía de Gutiérrez y se enviaron para el reducto de la nueva trinchera del Morro, 4 cañones de 4 a 6 libras. Los 2 navíos del bloqueo, a lo ordinario. Por 2 correos del capitán don Pedro Hornedo, escritos ayer al señor Gobernador, avisa que en virtud de sus instrucciones y de haber reconocido podía ser cortado de los enemigos en el paraje avanzado de Cabañas, donde se hallaba, determinó retirarse de aquel puesto al de la Demajagua, dejando en él al capitán Guerra con su compañía de los del Cobre e indios del Caney para observar los movimientos de los enemigos e inquietarlos a todas horas con pequeñas partidas, y que habiendo reconocido el Paso de la Talanquera, y hallándolo muy ventajoso, determinaba atrincherarse en él para cuyo trabajo se le han remitido los útiles necesarios.

Las lluvias de estos días han sido y son tan abundantes, que imposibilitan con los malos caminos el abasto de la tropa de Guantánamo, la que por no tener tiendas de campaña sufre todo el rigor al descampado.

Ha llegado el correo de La Habana con carta del señor

Capitán general de 27-VII, en que avisa haber desembocado por el Canal de Bahama cerca de 90 velas inglesas y que las escoltaban 14 navíos de guerra grandes, entre ellos 2 de tres puentes y 12 fragatas de 40 a 50 cañones, con lo que quedaba sin el recelo que le daba estar armada; pero con los avisos que después había recibido de la que queda sobre esta plaza, tendrá el cuidado de socorrerla.

20-VIII. Llegaron los 2 ordenantes y su declaración es que viniendo de La Habana para el Bayamo fueron aprisionados por los ingleses el 18-X-1739 y llevados a Jamaica. Que el día 10-VII-1741 salió la armada enemiga de Jamaica en número de 60 navíos, los 40 de transporte y 20 de guerra, y de estos 2 de a 80 cañones, los demás de 60 y 70, y fragatas de menos porte. Que sobre La Habana estuvieron algunos días esperando al almirante Vernon, que llegó a los 3 ó 4 días, y juntos siguieron hasta anclarse en la bahía de Guantánamo.

Que a fines de junio salió la flota para Inglaterra, compuesta de más de 80 velas, escoltada de 14 a 20 navíos de guerra, y echaron voz que se pondrían al frente de La Habana para embarazar pudiese socorrer a Cuba [Santiago]. Que los generales de mar son Vernon y Ogle y uno de tierra que no saben su nombre. Que los declarantes vinieron a bordo de un pingue que conducía 116 soldados de los de Europa. Que les ponían todos los días grillos y que descuidándose en ponérselos la noche del 12 del corriente, lograron arrojarse al río, donde estaba anclado su pingue, y a los dos días, tropezando con muchas partidas de los enemigos, llegaron a un hato que llaman Santa Catharina. Que una fragata corriente, de las embarcaciones de transporte, se perdió en la Navaza. Que traen dos bombardas y 3 brulotes, y que un sargento escocés amigo de los declarantes, les dijo traían 8.000 hombres de tropas y 2.000 negros, pero que les pareció no podían ser tantos.

FRANCIA AMENAZA A LA GRAN BRETAÑA

Que el día 11 del corriente entró en Guantánamo un paquebot de Jamaica divulgando que la Francia amenazaba declararse contra Inglaterra si no cesaba en las hostilidades contra España. Que dicho día oyó en su navío que un muchacho de esta ciudad de Cuba había dicho que salían de ella 400 hombres a echarlos de Guantánamo; y fue cierto salió la referida gente.

INSISTEN EN LA INVASIÓN POR TIERRA

Que los generales de mar se mantienen a bordo y sólo el de la tierra está en ella; que su ánimo es venir por tierra, confiados en que al llegar los navíos tendrían ya segura la entrada del puerto por ganadas sus fortalezas (¡Soberbia bárbara!).

Que de un lugarcito de indios que habían tomado, y no puede ser otro que el Tiguabo, habían ofrecido a Vernon se pasarían a su partido, y que respondió no necesitar de su ayuda, pues le sobraba gente para la conquista. Y que a más de lo dicho con los negros esclavos en los días antecedentes, les ofrecieron libre el saco.

Que los españoles que tienen y han tenido en Jamaica, que sacaban de la cárcel, daban al carcelero 4 pesos, pero huyéndose muchos, mandó el General que no se sacase ninguno sin dar fianza de 400 pesos el que lo sacase.

Que esperaban tropas de refuerzo de Londres, y que tienen navíos en los cruceros, recelosos de que venga alguna armada de España. Y que después que pusieron su tropa en tierra, todos con armas, les hacían hacer ejercicio todos los días a blancos y negros.

INCONTENIBLE LA FUGA DE ESCLAVOS

Marchó la compañía de Barona de refuerzo a Juraguasito, y la de Cisneros al Morro, y se agregaron a sus compañías los ramos sueltos que llegaron del Bayamo el día 18. Los dos navíos no pierden de vista el Morro y esperan quizás la entrada segura. Se han recibido 2 correos de Guantánamo sin mas novedad que los enemigos se fortifican en la avanzada que tienen en la casa del capitán Guerra.

21-VIII. Entraron de refuerzo la compañía de Holguín y el resto de los indios de Giguaní, en número de 67 hombres, incluso oficiales. Los 2 navíos, a lo ordinario.

22-VIII. No pudiendo contenerse la deserción de los negros en el trabajo del Morro, ni aún con todas las prevenciones de ponerles a los regidores por comisarios, dispuso el señor Gobernador pasasen al Morro los negros destinados para las armas de lanza y machete, con oficiales blancos que se les han nombrado, y han marchado esta tarde en número de 127 hombres. Los dos navíos, a lo ordinario.

¿SEÑALES DE RETIRADA?

23-VIII. Correo de Guantánamo sin cosa particular. Los dos navíos caseros, a lo ordinario.

24-VIII. A las dos de la mañana amaneciente a este día llegó correo del capitán don Pedro de Hornedo, diciendo que el capitán Guerra que estaba en la avanzada de Guantánamo le avisaba tenían los ingleses movimiento que parecía como de retirarse al mar su avanzada en las casas de Guantánamo, con cuya novedad reforzó la nuestra con 100 hombres.

Entró el alcalde la villa del Bayamo, don Diego Verdecia con 99 hombres de refuerzo, incluso oficiales.

Se reforzó El Morro con la compañía de Holguín, compuesta de 51 hombres con dos oficiales, y se mandaron de repuesto 2.000 balas de fusil a Juraguasito. Los dos navíos del bloqueo visitan con cuidado el desembarcadero de Juraguasito.[f]

a. En Cuba durante el siglo XVIII eran llamados *chinos* los mestizos de negro y mulato o viceversa (Pichardo, E., 1875). Según Juan Comas (1974) *Antropología de los pueblos americanos*, Labor, → Barcelona, en México era llamado *chino* el hijo de *lobo* y negra, considerándose *lobo* al hijo de indio y negra.

LO QUE OFRECIA INGLATERRA

Todos los habitantes de las colonias españolas que, sin cometer hostilidades se coloquen bajo la protección de S.M. Británica, serán recibidos, protegidos y mantenidos en sus tierras... de la misma manera que si fuesen súbditos naturales.

Poseerán y gozarán el ejercicio libre y completo de su religión, de la misma manera y forma que lo hacen al presente.

Se les librará de los crecidos impuestos, alcabalas, arbitrios, prohibiciones y otras opresiones que al presente sufren por la naturaleza y forma del gobierno establecido en las Indias españolas.

...En particular los indios quedarán exentos de los tributos y servicios reales a que han estado sometidos. Tendrán el privilegio y el derecho de comerciar directamente con la Gran Bretaña y todas las colonias británicas de América, y finalmente, en todos los respectos serán atendidos, favorecidos y tratados como súbditos naturales nativos de la Gran Bretaña.

Lord CATHCART, comandante de la expedición contra la América española en 1740.

FUENTE: Parés, Richard (1936), pág. 75.

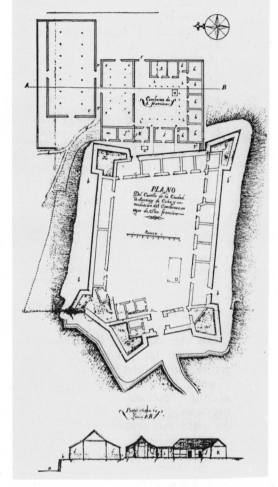

PLANO Del Castillo de la Ciudad de Santiago de Cuba y inmediación del Convento antiguo de San Francisco.

Perfil cortado la linea A.B.

Nunca las armas y la fe se mantuvieron más íntimamente unidas que cuando, desde el siglo XVII, fue necesario construir un castillo en el centro de Santiago de Cuba. Aunque inicialmente se proyectó construir la fortaleza en torno al Convento de San Francisco, se optaría finalmente por construir el recinto defensivo colindante al Convento, tal como se ve en el plano de Isidro José de Limonta (1746). En la parte superior, la distribución del espacio en el convento reconstruido, al centro el Castillo y debajo un perfil a través del Convento, que nos permite apreciar el tipo de arquitectura local. (AGI. Santo Domingo, 366).

b. Juraguá Grande y Juraguá Chico, desembarcaderos próximos a Santiago.

c. En la totalidad de los documentos de la época aparece así *Giguaní*, y no Jiguaní, como se escribiría después.

d. *Salchichón*. Fajina grande, formada por ramas gruesas. *Fajina*. Haz de ramas delgadas muy apretadas de que se sirven los ingenieros militares para diversos usos y muy señaladamente para revestimientos. (Martín Alonso).

e. *Merlón*. Cada uno de los trozos de parapeto que hay entre cañonera y cañonera. (Martín Alonso).

f. Terminan así los 16 folios que recogen, en forma de diario, las incidencias santiagueras de las primeras semanas de la invasión británica. Desconocemos si su autor continuó su labor en otros pliegos o si desistió en su tarea al hacerse tan comunes e iguales las entradas y tan familiar la presencia enemiga, que llegaría llamar *caseros* a los navíos de vigilancia.

FUENTE: AGI. Santo Domingo, 364. (*Diario de lo ocurrido en Santiago de Cuba desde la primera noticia de la intentada invasión por los ingleses*). (A.A.).

(viene de página 93)

con las promesas de concesiones de tierra.

Este interés colonizador que en todo momento mostraron los voluntarios norteamericanos figuró destacadamente entre las razones que promovieron sus conflictos con los ingleses. En documentos publicados a raiz de la expedición [31] se hace referencia al interés de los norteamericanos por asentarse en las Antillas,

y en Cuba, con preferencia a otros lugares,

en tanto los británicos no ocultaban su renuencia a correr los graves riesgos de la dura campaña si era para

procurar que los americanos se estableciesen.[32]

Según las noticias ofrecidas por el Gobernador Shirley, había ya en el territorio ocupado 2.400 soldados y 1.000 esclavos, los cuales se habían establecido

junto a un río navegable muy cómodamente, en un fértil suelo, con abundancia de provisiones y con un clima tan templado que los soldados habían recuperado su salud y estaban en excelente espíritu... Han construido allí unas mil cabañas y han abierto un camino de unas 16 millas hasta una aldea que los españoles abandonaron... Se ha comenzado a construir fortificaciones y se esperan refuerzos de Jamaica...

Aparte del interés de los ingleses en la conquista de Cuba, existía otro muy particular entre los colonos norteamericanos que habían aportado más de 600 hombres a la expedición. Con toda claridad lo expuso el Gobernador al agregar:

No debo insistir sobre la necesidad, no solo de mantener nuestra posesión allí, sino de extender estas conquistas y posesiones sobre la isla, y lo valioso que... resultaría para los ingleses en general y para las Colonias americanas de S.M. en particular, al proteger la navegación inglesa... y darnos poder para anonadar al enemigo e interrumpir su comercio y para abrir un comercio más rico y beneficioso para nosotros, como nunca hayamos disfrutado... y por ser esta provincia [Massachussets] el principal mercado comercial en la América británica, estamos más profundamente interesados en la conquista y colonización en la isla de Cuba que cualquiera otra colonia continental.[33]

Los elementos de propaganda incluidos en las palabras anteriores, confirman el interés especial de los colonos de Nueva Inglaterra en la aventura cubana de Vernon y el propósito de abrir un nuevo campo para su propia colonización y comercio.

Los principales núcleos procedían de las colonias de Massachussets, New York, Pennsylvania y Virginia. Entre los oficiales de estos voluntarios norteamericanos figuraba Lawrence Washington, hermano de George Washington.[33]

A pesar de la optimista versión sobre el asentamiento de Cumberland, ofrecida en Boston, el propósito fracasó totalmente por la resistencia de los defensores con base en Santiago, y por las fiebres. Cuando finalizaba noviembre, se ordenó reembarcar hacia Jamaica tropas y esclavos. De los 5.000 hombres que llegaron cuatro meses antes, se calcula murieron unos 2.000. Muchos de los muertos fueron voluntarios norteamericanos. Las quejas de los supervivientes contra los oficiales británicos abundaron y varios historiadores norteamericanos consideran que en suelo cubano nacieron los primeros síntomas de la anglofobia que 35 años después llevaría a las Trece Colonias a declarar su derecho a la independencia.

Caxigal de la Vega, al informar al Rey en 2-XII-1741 sobre el reembarque de los invasores, escribiría con indudable orgullo sobre

el precipitado cuidado con que ejecutaron su retirada, la que manifiesta el que les daban las inmediatas partidas que siempre les mantuve a la vista y las pocas ventajas que en las entradas que sus destacamentos hicieron, sacaron, habiendo sido siempre batidos en su retirada, no como mis deseos hubieran querido, pero a proporción de mis débiles fuerzas, no les ha quedado que hacer, manteniendo constante el honor de las armas de V.M., dejando vergonzosos a las de los contrarios en medio del superior número con que las han medido, siendo para su dominante altiva soberbia, un borrón que padecerán irreparable en este y estos Reinos.[34]

La invasión de Vernon, aunque terminada con la victoria de los defensores, resultó costosa a la Real Hacienda. Para las *urgencias del conflicto* fueron situados 1.186.792 reales en distintas partidas a nombre del gobernador Caxigal de la Vega. Los envíos se hicieron desde La Habana por orden del gobernador de la isla, Güemes, y debió pa-

(continúa en la pág. 110)

CUMBERLAND: PLANIFICACION MILITAR E INICIO COLONIZADOR (1741)

La presencia anglo-norteamericana en la cuenca de Guantánamo duró apenas 4 meses (28-VII a 27-XI-1741), pero en tan breve lapso realizaron una eficiente labor constructiva que provocaría el discreto asombro de los militares santiagueros que primero entraron en el área, parcialmente incendiada poco antes de abandonarla definitivamente los invasores.

El propósito colonizador defendido por los norteamericanos debió influir en la proliferación de las construcciones en una región naturalmente privilegiada, en la cual, a pesar de las sugerencias del·gobernador Caxigal, demoraría todavía décadas el fomento de la población por las autoridades españolas.

El informe que reproducimos fue enviado por el capitán Pedro Hornedo, soldado de larga veteranía y el jefe de mayor jerarquía entre los que condujeron la campaña de principio a fin. Fue redactado poco después de haber partido el enemigo hacia Jamaica, cuando aún humeaban las ruinas en Cumberland:

Primeramente se formaba el campamento en un llano muy limpio, en una línea que se componía de 24 casas de frente —que campado un regimiento son las casas de los sargentos— y 5·a la retaguardia de cada una, formadas de calles de mucha igualdad, y el aumento de la mayor en el centro. Todas son 114 casas a 15 pies de diámetro por cada costado de los cuatro.

En el frente de cada hilera de casas, se conoce el círculo de los pabellones, que en una si y en otra no, tenían 2 que componían 36 con la extensión de cada uno, capaz de 90 armas.

Este campamento, formado en una línea, daba el frente a la bahía, y talado el monte a 400 pasos por igual, y a 200 por el frente de los pabellones hay una zanja tosca y de su tierra formado un vallado, y cubierto por partes de ramos espinosos y a trechos señales de haber tenido 6 centinelas, que sin duda serían como pelotón de sargento.

En el paraje en que se ponen las banderas no he podido descubrir para saber las que había.

Por el frente del campamento, hasta el vallado que corría en línea recta, N-S, había 56 chozas y bujíos bien pequeños.

Por la retaguardia del campamento, que mira al río había 87 casas, unas mayores que otras, de diversas fábricas, que serían de oficiales, y entre ellas una más grande, circunvalada de una zanja de 5 a 6 pies de profundidad y más de 3 de ancha; y por la otra parte interior una estacada muy junta y aseada sin puntas, con sus rastrillos hechos de astas de caballos de Frisa, con sus regatones de hierro, por los que se entraba al jardín que formaba cuadrilongo con la casa, dividido con diferentes separaciones cuadradas; en ellas tablecitas ª muy limpias de hortalizas y legumbres y en otras empezadas a nacer o sembradas. Por el frente opuesto había lo mismo, y atravesaba la casa por su centro, en línea recta una calzadita empedrada primorosamente, de 70 pasos de largo y 9 de ancho, con dos ramales de a 3 pasos de ancho, que iban a 2 casitas separadas dentro del mismo cuadrilongo.

Y por la parte exterior, en los 4 ángulos, en cada uno su garita hecha con cuatro palos, y por arriba cubiertas de paja y broza, que serían, según parecían para 4 centinelas.

Inmediato al embarcadero había una casa muy grande, que por los fragmentos cercanos daba a entender ser almacén de víveres, pero no se pudo reconocer por el fuego. Cerca de ésta seguían 8 más pequeñas y por la orilla del río otras muchas, unas mayores que otras y en algunas vestigios de ropa de mujeres, como enaguas, chinelas y otras cosas de poco momento.

Desde la izquierda del campamento hasta la retaguardia corre un cauce descubierto de 3 a 4 palmos de extensión y hasta 12 de profundo, según el terreno, para llevar al río el agua que baja de las lomas, con 3 puentes de palos cubiertos con tierra, para su comunicación.

En una de las lomas, para bajar al campamento, había unas 54 casas, quemadas, del mismo diámetro que las del... campamento, formadas de a 2, en ángulo abierto, por no dar el terreno más facultad, y es dable fuera campamento de los negros de armas.

Entre las casitas del río y de las lomas hay, entre grandes y pequeñas, 97 puestas sin orden.

En la circunvalación del campamento hay cerca de 200 sepulcros y una zanja grande que se conoce ser para los muertos, pero no los que puede haber dentro, aunque hay fuera porción de tierra y por dentro casi igual, con la superficie plana y algunas de las otras cubiertas con ramos, que sin duda serán de personas de distinción. En la retaguardia del campamento estaba ardiendo una cureña del calibre de 12, y sin ruedas, de la fábrica que ahora se acostumbra en España.

En lo alto de las lomas hay 5 pedazos de trinchera, algunos con una zanja a manera de foso por la parte de afuera, fabricadas de salchichas y tierra para el fuego de fusil, y nada más para defensa contra los que les pudieran in-

→

● 103

Testimonios

LA RIQUEZA POTENCIAL DE CUBA ESTIMULA LA CODICIA BRITANICA

Entre los prisioneros británicos rescatados por los invasores de Vernon para que les sirviesen de informadores y guías, figuró W. Toler, quien estuvo retenido en Santiago de Cuba y Bayamo. Llevado ante el Almirante Vernon en 17-VIII-1741 insistiría en que los ingleses serían bien recibidos, pues advertía en la población un malestar nacido del predominio de unos pocos *Dones*,

que ejercían su arbitrario poder sobre una multitud de gente pobre, que sin el recurso de leyes que les aliviasen de tal inhumana y antinatural conducta, llevaban una vida de debilidad y ocio.

Agregaría, al destacar las ventajas que prometía la empresa de conquista:

Hay una población numerosa dispersa en esta extensa isla, ...la mayor parte está en La Habana, y... creo que esta ciudad contiene la mitad del total de habitantes.
...Fuí enviado de Santiago a Bayamo con 63 prisioneros por ser allí la vida más barata. Vivíamos con un

real al día y nos sobraba carne de res y cerdo y pan. Por todos los lugares que he pasado las *sabanas* hormigueaban de vacunos y los bosques de cerdos mansos y silvestres. La tierra es buena para caña de azúcar, que produce y tabaco, de la mejor clase, en gran abundancia. El trigo y el arroz crecen bien... legumbres en la mayor abundancia que haya visto y frutas de todas las que hay en estas Indias.
Los bosques están llenos de caobas, fustetes, olmos españoles y cedros y otras especies que no conozco. El algodón crece silvestre, además de cultivado.
El pueblo de El Cobre, a 3 leguas de Santiago, tiene las mayores minas de cobre conocidas y allí trabajan a diario.
La isla toda está llena de excelentes ríos y bahías adecuadas para el transporte. Todo esto lo he visto; nada puedo decir de la gran extensión de tierra que alcanza hasta La Habana, de la que se me ha dicho excede todo lo que he mencionado.

FUENTE: *Original Papers relating to the Expedition to the Island of Cuba* (1744), Londres.

---

sultar por el monte, el que han talado a tiro largo de fusil, y puesto en el medio de sus avanzadas. Tomé las medidas de cada trinchera y las distancias que hay de unas a otras, para sacarlas en limpio, como asimismo de un reducto, su figura triangular, abierto de dos frentes, que la una defiende la entrada al campamento por el cascajal y la otra la ribera del río por la parte de Sotavento.
Desde el paso Cayamas por la orilla del río abajo está desmontado hasta más abajo del embarcadero para descubrir desde su campo a Barlovento del río los que por Sotavento pudieran ir a reconocer. En parte ninguna se encuentra vestigio de haber tenido cañones, ni Malates, ni el Paso de Coba, Cayamas y todas las lomas, como los prácticos decían y afirmaban que los había.

Los cayos, que decían estaban desmontados enteramente no hay tal cosa, lo más que se puede considerar es haber hecho en uno 3 ó 4 chozas, sin duda para divertirse algunas tardes los oficiales de los navíos de Los Caños, por estar inmediatos, y el día 29 del pasado (XI) las quemaron de forma que el día primero (XII) a las 2 de la tarde no se descubría más que una.

En el campamento se han hallado birretinas,[b] diferentes ropas de vestir, batas, colchas de cama, espadines, cañones y llaves de fusil, bayonetas, pólvora, balas, piedras, menajes de cocina infinitos y repostería. Algunos espontones y albardas, bridas y sillas de caballo medio quemadas, candeleros de metal, muchas balas de fusil, aceite, chícharos, frijoles, arroz, habas,

carne embarrilada, jamones, algunas botellas de vino y mucho bizcocho en galletas muy buenas. Y sembrado todo el campo y su distrito de limetas.[c]

a. *Tabla*. (Siglo XVIII) cuadro o plantel de tierra en que se siembran verduras. (M. Alonso) El término ha sido retenido hasta hoy por los campesinos de Cuba: *tabla de maíz, tabla de yuca*, según la acepción de Pichardo, E. (1875): cierta extensión de terreno sembrado de una de estas cosas, al mismo tiempo.

b. Gorra de pelo que usaban los granaderos del ejército y algunos regimientos de húsares (M. Alonso).

c. *Limetas*. Botella de vientre ancho y corto y cuello bastante largo (M. Alonso).

FUENTE: AGI. Santo Domingo, 364 (A.A.).

PROPONE EL GOBERNADOR CAXIGAL EL POBLAMIENTO DE LA CUENCA DE GUANTANAMO AL RETIRARSE LOS BRITANICOS

Poco después de un año haber abandonado la cuenca de Guantánamo los invasores, el gobernador de Santiago de Cuba, Francisco Caxigal de la Vega propuso como la mejor defensa futura, poblar aquella privilegiada región. Su propósito, inteligentemente concebido y expuesto, no se vendría a realizar sistemáticamente sino casi un siglo más tarde, con la fundación de Santa Catalina del Saltadero del Guaso, la actual ciudad de Guantánamo. Su exposición, dirigida a la Corona, queda como un notable estudio en el cual se analizan los elementos geográficos favorables y se advierte el peligro a que seguiría expuesta, por su privilegiada localización, la bahía oriental, a la que quiso asignar un papel decisivo dentro la estrategia defensiva de España en el Mediterráneo americano:

Señor: En carta de 24-XII-1742 di cuenta a V.M., por su vía reservada, de haber pasado a la bahía de Guantánamo con el ingeniero... don Francisco del Angle y reconocido su bahía y territorio, del que se quedaba sacando el plano... que adjunto remito para que, examinado por V.M. pueda quedar enterado de la situación tan apreciable que los enemigos dominaron, y con razón deseaban establecerse en ella. Y no dudo, que con el conocimiento que les ha quedado, siempre que se les proporcione la ocasión, no la malogren. Y respecto a comprenderlo así V.M., como me lo manifiestan las órdenes que he recibido con las tropas que me condujo don José Iturriaga, a fin de que no sólo arrojase a los enemigos del terreno que ocupaban, sino que embarazase la volviesen a conseguir ni apoderarse de aquella bahía.

...Para emprender tan importante reparo [y] ... poner una bahía tan apetecida en seguridad, para que no la ocupen en ningún tiempo las anglicanas potencias ni otras, por vecinas que sean, se deberá emplear:

● Principalmente... fondos destinados para otra de tanta consideración.

● Lo segundo: viniendo familias,

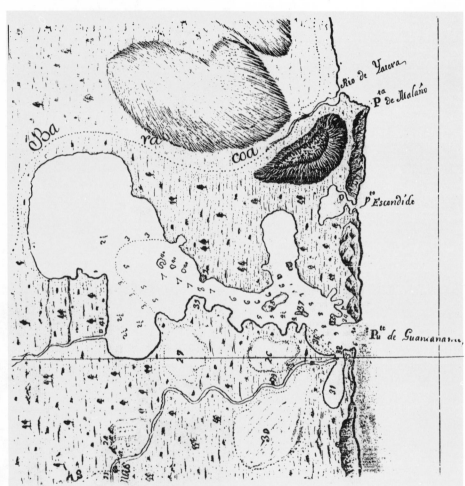

Mapa de la bahía de Guantánamo poco después de abandonarla las tropas británicas en 1741. (Fuente: AGI. Santo Domingo, 364).

CARTA ESTRATEGICA DE LA REGION SANTIAGO DE CUBA-GUANTANAMO REALIZADA EN 1743,

El presente mapa, que cubre las subregiones geográficas de las cuencas de Santiago de Cuba y Guantánamo, el valle central de Oriente y parte de la Sierra Maestra, fue trazado por el ingeniero Francisco de Angle, por encargo del gobernador Caxigal en 1743. En él se señalan los puntos históricos de la campaña contra Vernon y las sugerencias para fortificar Guantánamo cuya localización estratégica destaca el mapa a menor escala insertado en el ángulo superior izquierdo.

REFERENCIAS

1. Ciudad de Santiago de Cuba. 2. Cuesta de Quintero. 3. Puerto de Guaninicú. 4. Trinchera que en él se hizo. 5. Ingenios de Guaninicú de don Joseph Mustelier. 6. Ingenio de Jagüita. 7. Río de Jagua. 8. Ingenio de Jagua. 9. Corral de Aguadores. 10. Trinchera sobre el río Platanal. 11. Corral de La Sabanilla. 12. Trinchera. 13. Río Macuriges. 14. Corral de Macuriges. 15. Corral de Cuneira. 16. Iglesia de Tiguabos. 17. Paso de Limones en el río Jaibo. 18. Canal del Jobo. 19. Paso del Jobo. 20. Paso de Chapala. 21. Paso el Jobito. 22. Sta. Catharina (ható). 23. Paso de Coba. 24. Lomas de Melchor. 25. Avanzada de los enemigos. 26. Salinas de Puerto de Palmas. 27. Salinas El Cantillo. 28. Desembarcadero de Padú. 29. Desembarcadero El Obispo. 30. Terreno anegadizo. 31. Ensenada. 32. Boca del río. 33. Punta de Sotavento. 34. Punta de Barlovento. 35. Batería del enemigo en la playa del Poste. 36. Playa del Hicacal o del desembarco. 37. Cayo de la Bandera. 38. Cayo de mangles, anegadizo. 39. La Angostura, 40. Cayo donde los ingleses pusieron *mangasenes* (sic). 41. Caño de Joa donde había un reducto para defender la Aguada. 42. Paso de Melchor. 43. Lugares propios para establecer poblaciones. 44. Sabana de Acatabajo. 45. Paso y loma de Malaver. 46. El Corralillo. 47. Paso de Inaguabana. 48. Rincón de Acatabajo. 49. Hatos de Guantánamo y Canabacoa. 50. Vega del Corcovado. 51. Cabañas. 52. Trinchera de Talanquera. 53. La Demajagua. 54. Puerto de Ty. 55. Corral de Ty. 56. Corral La Güira. 57. Ingenio de Calderín. 58. Ingenio de don Felipe Mustelier. 59. El Caney, *población de indios.* 60. El Cobre, *población de negros y mulatos.* 61. La Caldera, donde se derraman los caños. *Nacimientos de ríos:* 62. Banes. 63. Guaso. 64. Jaibo. 65. de la Sabanilla. 66. de Macuriges. 67. de Guantánamo. 68. de Iguanabana. 69. Vereda por donde los enemigos pasaron desde Canabacoa a los Tiguabos.

FUENTE: AGI. Santo Domingo, 364.

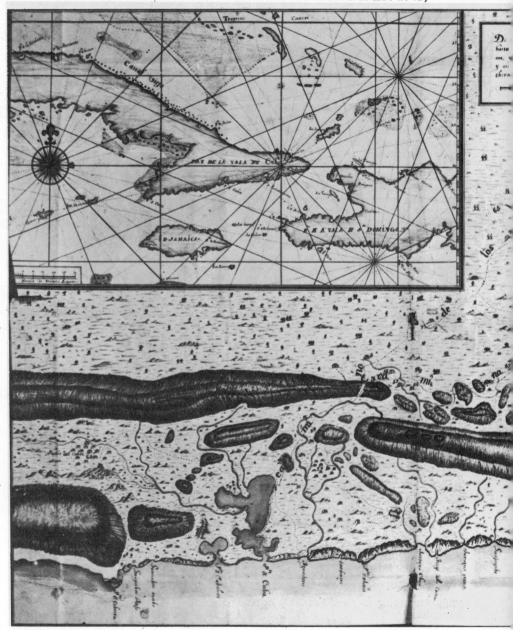

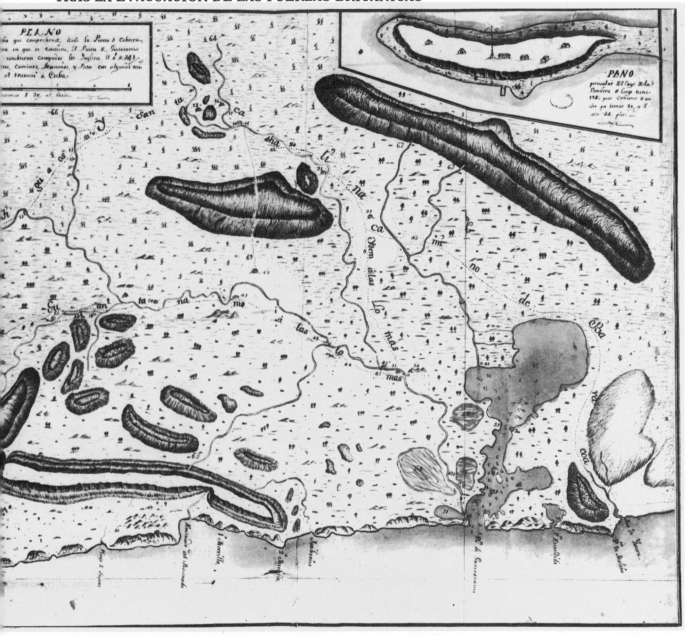

para lo menos por lo primitivo, establecer dos poblaciones en el lugar que adelante diré.

● Lo tercero: tenerles preparados a donde, luego que lleguen se alojen con los aprestos necesarios para su manutención espiritual y temporal.

● Lo cuarto: sacar de las minas de Santiago del Prado, como se puede, el cobre para la fundición de artillería que tanto se necesita, pues sin ella no se puede emprender ningún trabajo de fortificación en la bahía.

● Lo quinto: que para esta labor es menester que de esos Reinos vengan los maestros y útiles correspondientes pues por acá no se encuentra ni lo uno ni lo otro.

...Siendo lo más preciso el primer punto, de los caudales, cimiento principal para el logro de las más árduas empresas; y contemplando que en la situación presente los Reales erarios por todas partes se hallarán apurados por las muchas atenciones que han ocurrido y ocurrirán... que estableciéndose en esta isla la moneda de cobre... bajo de la más seria inspección para no ser sacada ni introducida por los extranjeros, se proporcionaba un fondo para poder emprender una obra de tanta importancia a la Corona.

...Teniendo V.M. la bahía de Guantánamo, con la importancia de este tan seguro puerto se afianzaba la entrada en ambos Reinos y la salida del de Tierra Firme. Y en cualquier revolución, cómo la actual, sería freno para contener, con una menos que mediana fuerza marítima, a la superior arrogante que hoy nos combate, por la considerable ventaja de hallarnos a su Barlovento, que en estos mares es de sumo provecho... Consideración [que] sin duda movió a los enemigos y moverá siempre a apoderarse y establecerse en Guantánamo... [sus] terrenos [de] fertilidad para las labores más útiles a la monarquía y ...a poca costa defensables por los estrechos pasos e impenetrables montes y

malezas que se encuentran en la despoblada distancia para venir a esta ciudad y su puerto, que puede ser el más seguro depósito para proveer de todo lo necesario a ambos Reinos, y nada menos, por mar y tierra a La Habana, en todos tiempos.

El segundo punto, que trata de la población, es impracticable en que no viniendo familias de esos dominios, con la de estos se consiga; lo primero por lo despoblados que estos territorios se hallan y por segundo por la ninguna aplicación que tienen al cultivo de las tierras... Juzgo por todas razones que sin familias de esos Reinos no se lograrán las poblaciones que se quieren y que tanto conviene haya en Guantánamo.

...En el plano va demostrado el Cayo de la Bandera, en donde juzgo... más conveniente para ser dueño de lo importante de la bahía, el que sea la principal fortificación... La distancia que media de él a la boca de la bahía no perjudica lo ocupe la más superior armada, respecto de su poca permanencia, por no tener otra aguada que la de los caños de Joa, internados al estremo de la bahía a más de 3 leguas del... Cayo... y tenemos la Angostura donde a la parte del N se deberá hacer un fuerte que afiance la entrada para desde este paso para la aguada está lo más famoso de la bahía, con fondo y abrigo para las más numerosas armadas... Como el principal objeto de V.M. es el que en estos sus dominios no se hagan obras extendidas, por los considerables costos de sus guarniciones, hallo que con estas dos, en una bahía de 8 leguas, quedarán nuestras embarcaciones seguras de ser tomadas ni quemadas de la más superior fuerza enemiga.

...Mediante que V.M. tiene mandado a los ingenieros director y en jefe, don Carlos Denaux y don Juan Baptista Manceban, el que pasen a esta plaza para reconocer sus obras y las que se deban hacer, ningunos con tanto acierto podrán exponer a V.M. el paraje más conveniente para las fortificaciones de Guantánamo después de reconocidos sus territorios, pues éstas, aunque hubiese todos los pre-

parativos que se necesitan, al presente no se podrían emprender a causa de que teniendo tan próxima a Jamaica, luego que allí se supiere este trabajo, como dueños de la mar lo embarazarían con un pequeño *paquibot*... Estas obras sólo en tiempo pacífico se pueden hacer ...y en el presente es menester contentarnos con disputarles el que no se internen en el territorio de Guantánamo. Me parece que con la tropa que hoy tengo, aunque volviesen con más superior fuerza que la vez pasada, no sacarían ninguna ventaja ni lograrían su fin.

Por lo que toca a las dos primeras poblaciones que se deben emprender van señaladas en el plano, y para colocarlas en donde se demuestran he considerado:

● Lo primero: lo más útil del terreno.

● Lo segundo: a que esté menos expuesto a ser insultado de los enemigos.

● Lo tercero: a tener tomados los pasos para no ser cortada la comunicación de los principales hatos de Guantánamo y Santa Catalina, parajes que para más adelante brindan el gusto para dos deliciosos pueblos y comunicando estos sus refuerzos a los dos avanzados, sin duda sería el territorio más fértil y pingüe de toda esta isla. Y como a Barlovento de este puerto y ciudad [Santiago de Cuba] se hallaría provisto de todo lo comestible, con superior abundancia, y con especialidad, de ganados, por lo extendido de sus llanuras o *sabanas*, que aquí llaman...

[En el plano] se manifiesta el [camino] que desde Santa Catalina toma para Baracoa, por la costa, hasta el río de Jojó, de donde hasta aquel puerto hay 12 leguas de cuchillas muy fragosas, debiendo pasar el río más → de 40 veces, pero sus crecientes son raras en todo el año, que lo impiden. Sobre lo importante que es el conservar [la] ...ciudad de Baracoa y su pequeño puerto, en seguridad, tén-

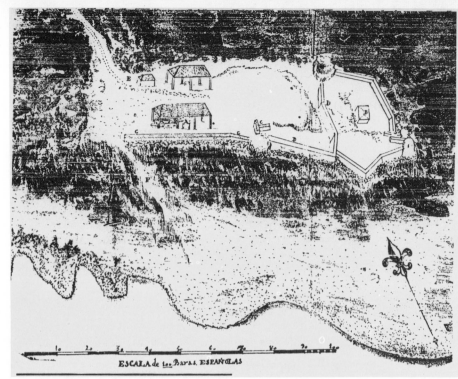

Fuerte de Aguadores, situado a una legua al Este del Morro de Santiago de Cuba, en 1712. A. Alojamiento. B. Almacén. C. Parapeto de piedra. D. Muralla nueva, no acabada. E. Camino a Santiago de Cuba. F. Camino a la playa. (AGI. Santo Domingo, 408).

golo hecho presente desde muy a los principos que tomé posesión de este gobierno y después he repetido, exponiendo su lamentable estado y la imposibilidad que... tengo por la falta de medios, para repararlo... A fuerza de arbitrio y ayuda de sus vecinos el comandante de la tropa que allí mantengo lo ha puesto provisionalmente en los términos que se manifiestan en el plano... Y siendo muy precisa alguna fortificación en la montaña que domina el pueblo y se llama El Seboruco, con ella se afianzaba la entrada por el puerto... tanto en paz como en guerra. Es útil este puerto por ser el paso del Canal Viejo para nuestra navegación por la banda del norte a La Habana y Veracruz, y donde se debe tomar práctico para ejecutarla; muy aparente para los corsos en el presente tiempo y por todas razones muy digno de conservarlo de que pueda ser tomado de los enemigos.

Francisco CAXIGAL DE LA VEGA al Rey (Santiago de Cuba, 8-II-1943)
FUENTE: AGI. Santo Domingo, 364. (A.A.).

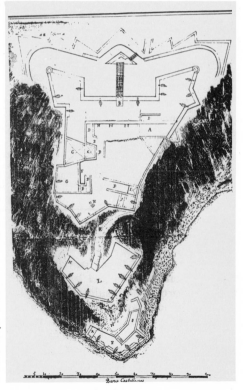

El Castillo de San Pedro de Roca, El Morro santiaguero, destruido por Myngs en 1662, ofrecía este aspecto en 1712, según plano de don José Monte Mesa. La obra requeriría aún mucha labor y destinados a ella, la evadirían en toda oportunidad propicia los esclavos de El Cobre, aun bajo la amenaza de Vernon en 1741. (AGI. Santo Domingo, 408).

Referencias: A) Capilla de San Pedro; B) Puerta principal; C) Almacenes de pólvora; D) Escalas planas; E) Aljibe; F) Sala de armas; G) Plataforma de adentro; H) Alojamientos; I) Puerta falsa; J) Puerta nueva no acabada; K) Escala de la plataforma; L) Plataforma de fuera; M) Almacén; N) Camino a la Punta; O) Escala plana de la Punta; P) Batería de la Punta; Q) Puerta de la Punta; R) Alojamiento. (Escala de 100 varas castellanas=83.6 metros).

PRESAS DE LOS CORSARIOS DE SANTIAGO DE CUBA (XII-1742 a VI-1743)

Capitán corsario y fecha	Presa *	En viaje de:	Carga
José Domingo Cortázar (10-XII-1742)	Abigail (B)	Rhode Island a Jamaica	Caballos frisones, duelas y víveres
José Domingo Cortázar (25-I-1743)	El Tigre (P)	Rhode Island a Islas de Sotavento	Caballos frisones, duelas y víveres
Bartolomé Valadón (17-III-1743)	Lafians (g)	Jamaica a Virginia	Miel
Bartolomé Valadón (17-III-1743)	Fénix (b)	Jamaica a Virginia	Café, pimienta y 3.000 pesos plata
Bartolomé Valadón (23-III-1743)	San Esteban (b)	Jamaica a costa francesa	Duelas, víveres y plata española
Bartolomé Valadón	Reina de las Indias (g)	Filadelfia a Jamaica	Harinas, jamones, bizcocho y tablazón
José Victoriano Hernández (13-V-1743)	Héctor (b)	Jamaica a Rhode Island	Miel, azúcar y ron
Bartolomé López (26-V-1743)	Roberto (b)	Plymouth (Nueva Inglaterra) a Jamaica	Bacalao, macarelas, tablazón y tajamaní
Bartolomé López (27-V-1743)	Antehelp (B)	Rhode Island a Jamaica	Harinas, jabón, jamones, velas de sebo, tablazón, caballos frisones
Luis Siberio (29-V-1743)	El Suceso (B)	Jamaica a Nueva Inglaterra	Azúcar y miel.
José Victorino Hernández (25-VII-1743)	La Santísima Trinidad (b) **	De Trinidad de Cuba a Portobelo (Rescatada)	Tabaco y azúcar
Juan Domínguez (30-VI-1743)	Fragata de 8 cañones de Archibaldo Hamilton	Glasgow (Escocia) a Jamaica	Jarcia, ropas, vino y víveres

* B = bergantín; b = balandra; P = Paquebot; g = goleta. Se ha respetado la ortografía en cuanto a los nombres de las embarcaciones.

** Esta balandra cubana fue apresada cerca de Portobelo por el corsario inglés capitán Disson (sic) y remitida a Jamaica a cargo de Juan Reineles, pero fue interceptada no lejos de Jamaica por la goleta corsaria de Santiago de Cuba, *Santa Bárbara*, al mando de J. V. Domínguez, quien logró rescatarla.

FUENTE: AGI. Santo Domingo, 364 (A.A.).

---

viene de la página 102

garse un 5 % de la suma enviada a los encargados del transporte.[35] Una porción considerable de los fondos fue destinada a pagar a las milicias y alimentarlas. La ración era de un real y los encargados de suministralas debían incluir tasajo, casabe, miel y aguardiente. Durante 5 meses estuvieron destacadas milicias en los puestos defensivos de Cabañas, Guaycabón, Sigua, Demajagua, Tiguabos, Guantánamo y Santa Catalina.[36]

Una de las consecuencias del ataque de Vernon fue que en 1742 una R.C. ordenó que la jurisdicción de Puerto del Príncipe pasase de nuevo a depender del gobierno de Santiago de Cuba, al informar Caxigal que los principeños no habían brindado la ayuda requerida. Estos, mediante sucesivas *informaciones*, insistirían en que habían cumplido con lo que se les había demandado.

El corso cubano en los años de guerra

La guerra, destinada a contener los ataques españoles contra los mercantes ingleses, sirvió para estimularlos. En los años 1740 y 1741 corsarios cubanos que partían de

La Habana, Santiago de Cuba, Baracoa y Trinidad no sólo atacaron la navegación inglesa en las inmediaciones de Jamaica y en el paso hacia el canal de Bahama, sino que llegaron en sus incursiones a las latitudes de New York y Rhode Island.[37] Entre 1743 y 1745 fueron despachadas en La Habana y Santiago más de 130 patentes de corso, y en esos años no menos de 77 mercantes ingleses y norteamericanos fueron apresados, con un rendimiento económico cuantioso,[38] según revelan los documentos que hemos revisado en el AGI.[39] Los corsarios de las Colonias del Norte ripostaron con fuerza: en 1744 poseían patentes de corso los capitanes de 113 embarcaciones que atacaban la navegación española, particularmente en aguas cubanas.[40]

Final de las hostilidades y del Asiento inglés

El fracaso de la expedición de Vernon en el Caribe probó la recuperación de España bajo el régimen borbónico y los benéficos resultados de su política económica y naval. España pudo no sólo rechazar los ataques ingleses, sino asestar además fuertes golpes. Una expedición que salió de La Habana en 1742 atacó con fortuna establecimientos en la colonia de Georgia.

La guerra, terminada en 1748, tuvo como epílogo el tratado comercial de 1750, en el que no se incluyeron referencias a la libertad absoluta de navegación invocando la cual había Inglaterra iniciado la lucha. Por medio de negociaciones la Compañía del Mar del Sur, que no había logrado a lo largo de los años

Cifras

PRISIONEROS: INTERCAMBIO Y APERTURA ENTRE CUBA Y LAS COLONIAS DEL NORTE

La presencia forzosa de prisioneros cubanos en las Trece Colonias de la América del Norte, y la de norteamericanos en Cuba, como resultado de la guerra de la Sucesión Española, se reprodujo en mayor escala al intensificarse el *corso* con la Guerra de la Oreja de Jenkins. Según datos de la Contaduría de La Habana, conservados en el AGI, entre 1747 y 1749 fueron traídos a La Habana 920 prisioneros. Por cada uno de estos prisioneros traídos del Norte, debían pagarse en La Habana 125 reales a los capitanes de las embarcaciones mercantes, generalmente balandras y goletas, que no perdieron oportunidad para comerciar lícitamente o no, según las ocasiones.

Capitanes, barcos y procedencia	Prisioneros traídos
1747	
Alejandro Cromer, Juan de Castellar, Thomas Parquer *, Isaac Colck y Joseph de Espinosa (de Carolina y Nueva Yorca *)	150
Pedro Comet y Alexandro Cramache (de Providence y Carolina)	27
Goleta *La Hermana Isabel* (De Jamaica)	35
James Mac Culloug (Goleta de Barbada)	143
El Cartel (de Providencia)	3
Jorge Davis (de Filadelfia)	4
Levinus Ranshaick (de Carolina del Sur)	3
Thomas Parker (de Jamaica a Trinidad)	170
Robert Marshall (de Jamaica)	54
1748	
El Pompeyo (de Filadelfia)	4
Balandra de la isla de Rodeland (Rhode Island)	16
La Isabela (de Carolina del Sur)	42
N.S. de la Altragracia (de Jamaica a Trinidad)	24
San Joseph (de Carolina del Sur)	21
Mermaid (a La Florida y La Habana)	221
1749	
Balandra (de Providencia)	3
Total	920

FUENTE: AGI. Contaduría, 1164.

las utilidades a que aspiraron sus promotores, aceptó renunciar a sus derechos sobre los años que aún le quedaban para cumplir el tiempo efectivo del *Asiento*, a cambio de 100.000 libras esterlinas que pagó la Corona española; desde 1739 había cesado de llevar esclavos a las colonias de España. En lo adelante el comercio ilícito continuó a la sombra de *las paces*, pero ya sin la cobertura del *Asiento*.

El tratado que cerró la Paz de Aquisgrán, firmado por la Gran Bretaña, España y Francia, que en 1744 se unió a la lucha junto a España, no resolvió ninguno de los problemas antillanos pendientes entre Gran Bretaña y Francia, ni contiene mención alguna al problema de los guardacostas, principal motivo de la guerra. Las inútiles campañas del Almirante Vernon y el General Wentworth costaron unos 20.000 hombres a los británicos, de los cuales muchos murieron víctimas más de las fiebres tropicales que de las balas españolas en el frustrado episodio de la cuenca cubana de Guantánamo.

4. LA GUERRA DE LOS SIETE AÑOS: LA HABANA EN PODER DE LOS INGLESES

Cuando comenzó la Guerra de los Siete Años (1756-1763) entre Gran Bretaña y Francia, ya hacía dos años que sus respectivos colonos de Norteamérica combatían por la posesión del valle superior del río Ohio. Como en 1739, un conflicto iniciado en las colonias arrastraría a las metrópolis. En la búsqueda de aliados, Londres y París provocaron lo que se ha llamado la *revolución diplomática* o la *reversión de las alianzas,* pues Gran Bretaña se alió a su antiguo enemigo, el Reino de Prusia, lo que llevó a Austria a unirse a Francia, vieja enemiga, para defenderse de la amenaza prusiana. Fernando VI de España (1746-1759) adherido a una estricta política de paz, había logrado restaurar una relativa prosperidad en España; evadió los compromisos familiares con la Corona de Francia y se negó a negociar su apoyo a la Gran Bretaña, que le ofrecía a cambio la devolución de Gibraltar y la retirada de sus cortadores de palo de tinta en la costa hondureña de Mosquitia (Belice).

Finalmente, bajo Carlos III (1759-1778), entraría España en el conflicto que, siendo un episodio más de la *segunda guerra de los cien años* que libraban Gran Bretaña y Francia por el predominio económico, se complicaría al punto de ser considerada por algunos historiadores como un verdadero conflicto mundial —el primero—, ya que se combatió en Europa, en América, en Filipinas y en la India.

Carlos III ha sido acusado por algunos historiadores españoles de haberse plegado a los designios borbónicos franceses por medio del *Tercer pacto de familia* (1761), pero en su ánimo debieron pesar otros argumentos poderosos:

● La negativa británica a devolver a España Gibraltar y Menorca.

● Los constantes ataques de los corsarios ingleses y la negativa a

Cifras

GUARNICION DE LA HABANA (1754)

Regimiento de Infantería (4 batallones)

Planas mayores	13
Oficiales	96
Sargentos	48
Tambores	44
Soldados en La Habana	711
Destacados en S. de Cuba	240
Destacados en La Florida	134
	1.286

Compañía de Artilleros

Oficiales	9
Sargentos	5
Tambores	2
Cabos de bombarderos	2
Bombarderos	7
Armeros	2
Herreros	2
Carpinteros	1
Cabos de Artillería	6
Artilleros en La Habana	64
Destacados en S. de Cuba	21
Destacados en La Florida	34
	155

Dragones: 4 Compañías

Oficiales	12
Sargentos, tambores y soldados montados en La Habana	125
Desmontados	80
Destacados en La Florida	47
	264
Total	1.705

FUENTE: Memorias de la Sociedad Económica de La Habana (XVI), 1843, páginas 69-75.

devolver los navíos mercantes capturados.

● El temor a que el triunfo de Inglaterra sobre Francia, al romper el equilibrio colonial de ambas en el Nuevo Mundo, dejara a las colonias españolas a merced de. la voluntad británica.

● El contrabando creciente que los ingleses practicaban en todos los dominios españoles de América; el establecimiento de los ingleses en el golfo de Honduras y la prohibi-

ción que los ingleses pretendían ejercitar contra los derechos históricos de los pescadores del golfo de Guipúzcoa, para arrojarlos de los grandes bancos de Terranova.

Los motivos económicos que influirían en el ánimo de Carlos III, tanto o más que los meros nexos dinásticos, se advierten el el preámbulo del *Tercer pacto de familia:*

> Toda Europa debe ya conocer el riesgo a que está expuesto el equilibrio marítimo si se consideran los ambiciosos proyectos de la Corte británica y el despotismo que intenta arrogarse en todos los mares. La nación inglesa ha mostrado y muestra claramente en sus procederes, con especialidad de diez años a esta parte, que quiere hacerse dueña absoluta de la navegación y no dejar a las demás sino un comercio pasivo y dependiente.[41]

La expedición contra La Habana

El poderío naval alcanzado por la Gran Bretaña le permitió en 1762 asestar el golpe con que soñaran los grandes marinos ingleses desde los tiempos de Drake: arrebatar a España *la llave de las Indias.* En los archivos británicos reposan millares de folios relacionados con esta empresa, acumulados a lo largo de los dos siglos anteriores y en los que La Habana aparece tentadora y difícil a la vez. El último de tales informes tendría un valor especial: databa de 1756, poco después de haber visitado La Habana su autor, el almirante Charles Knowles, gobernador de Jamaica, quien fuera huesped, a la sombra de las paces, del gobernador de la isla,

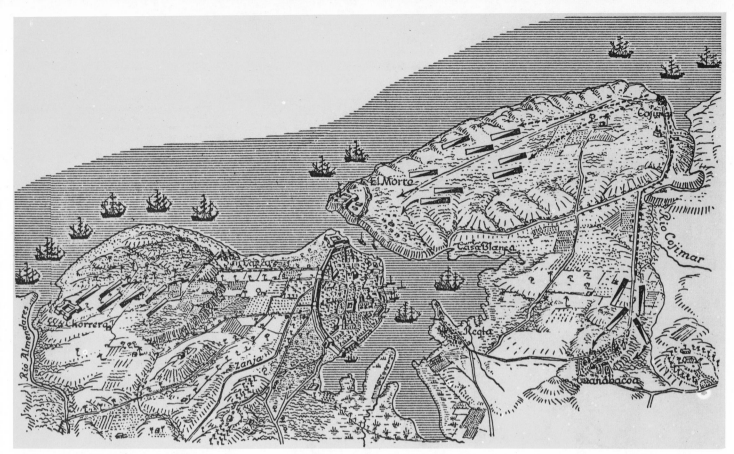

Francisco Caxigal de la Vega, quien quince años antes, como gobernador de Santiago, hiciera fracasar el intento de Vernon en Guantánamo. El informe secreto de Knowles, con copiosa y válida información topográfica, militar y demográfica y acompañado de un plan de ataque que sería seguido muy de cerca, selló de antemano del destino de la ciudad que lo acogiera con benevolente gallardía.

En 1762 no cabían las dubitaciones de 1739 sobre el punto clave al cual asestarían los británicos su golpe más fuerte. Fue así como bajo el mando naval de Sir Jorge Pocock y el militar del joven Conde de Albemarle, se despachó por el rey Jorge II la fuerza naval más pode-

El escenario por la lucha por La Habana, en 1762, según una notable reconstrucción histórico-cargráfica que destaca las características del paisaje inmediato a la ciudad murada, sobre el cual se movieron los atacantes. Las fuerzas británicas aparecen indicadas mediante rectángulos (Diagrama de Gerardo Canet: Atlas de Cuba).

rosa reunida en Europa desde los días de la *Armada Invencible* (1588). Al llegar frente a La Habana, tras ser reforzada en las Antillas Menores, contaba con:

Naves de guerra	60
Transportes	150
Soldados y marinos	27.000 [42]

Al poderío naval y militar se sumaría la sorpresa, pues interferido el correo que traía desde España la noticia de la declaración de guerra, Pocock desechó audazmente la ruta habitual del sur de Cuba y tomó la del peligroso Canal Viejo de Bahama, por donde, lógicamente, no podían esperarlo los españoles. Cuando supieron de él y de su impresionante armada, ya estaba frente a Matanzas.

La lucha por

la primera plaza fuerte del Imperio español

se prolongaría de 7-VI- al 12-VIII-1762 [43] y los atacantes desembarcarían 15.659 hombres.

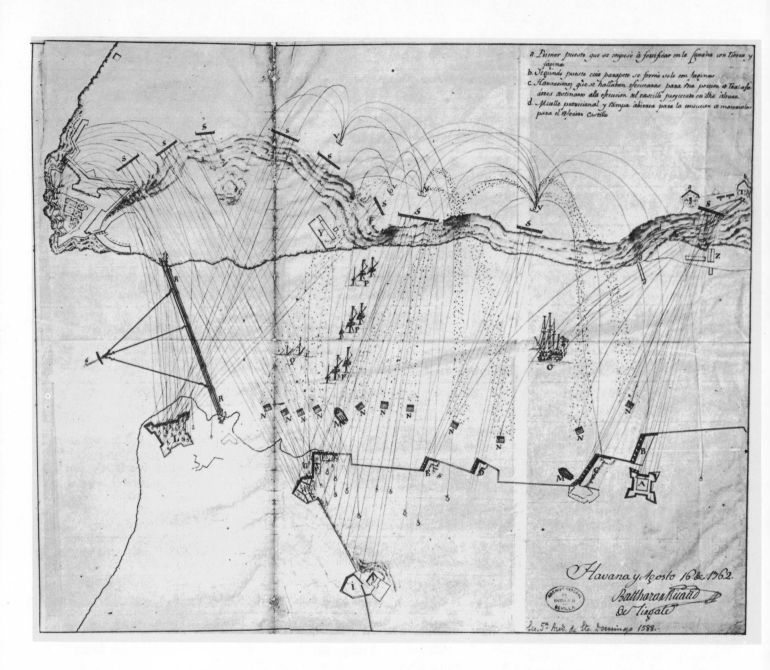

Havana y Agosto 16 de 1762.

Balthazar Ricaud
De Tigaté

Sc. 5ª Aud. de Sto. Domingo 1588.

a. *Primer puesto que se empezó à fortificar en la savana con trincheras y fagina*
b. *Segundo puesto cuio parapeto se forma solo con faginas*
c. *Havitaciones que se hallaban arruinadas para una porcion de trabajadores destinados ala execucion del castillo proyectado en dha altura.*
d. *Muelle provisional y rampa abierta para la conducion de materiales para el referido Castillo*

Por única vez en su historia vivió La Habana en 1762 la experiencia de un sitio y bombardeo. El grabado recoge una visión contemporánea de lo ocurrido. El plano es explicado así:

A. Castillo de la Real Fuerza, en que arruinadas todas las habitaciones que tenía en su parte superior se construyeron las baterías que manifiesta; B. Batería de Santa Bárbara; C. Batería de San Francisco Xavier; D. Batería

El Castillo del Morro, según plano de 1739, firmado por don Antonio Arredondo, en La Habana. Las referencias son: A. Subida al castillo. B. Entrada. H. Foso empezado. C. Batería inútil totalmente por falta de retirada; en su lugar se propone a D-E, capaz de 30 cañones, que flanquea la venida de mar en fuera de toda la boca del puerto y coge a las embarcaciones enfiladas de proa a popa y de costado. F-F. Línea que cierra dicha batería. G. Puerta para entrar en la batería. (AGI. Santo Domingo, 1588).

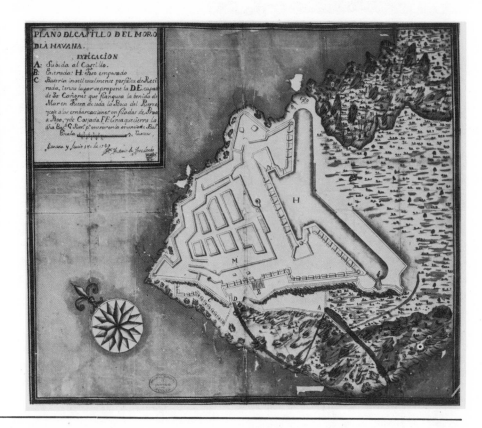

de San Ignacio; E. Batería de San Telmo; F. Batería de la puerta de La Punta; G. Puerta de La Punta; H. Baluarte de San Joseph con diferentes espaldones para cubrir su artillería de la enfilada de la Cabaña; I. Baluarte y batería del Angel; J. Repuesto de pólvora; L. Castillo de La Punta; M. Goletas armadas; N. Baterías sobre el agua de 2 piezas cada una, las que poco después de empezado el fuego fueron precisadas a retirarse para poder resistir a la incesante lluvia de piedras y metralla; O. El navío Aguilón que por dos veces fue precisado a retirarse por el grande estrago que hacían en él los tiros con obuses y con riesgo de haberse incendiado varias veces; P. Tres navíos de guerra que se echaron a pique para cerrar la canal; Q. Fragata La Perla situada en su paraje para que con su fuego barriese el campo entre la Puerta de La Punta y el Castillo, pero algunos días antes ataque fue echada a pique por las bombas de los enemigos; R. Cadenas con que se cerró la entrada del puerto; S. Baterías de los enemigos situadas en la altura de la Cabaña; T. Baterías de dos obuses; V. Baterías de morteros de 8 y 12 pulgadas; X. Morteritos de granadas reales que hicieron un incesante fuego contra el Castillo de la Punta días antes del ataque y lo continuaron con la mayor actividad contra el citado y el frente de él, con espolones para librarlo del fuego de enfilada y de revés a que quedan generalmente expuestos por la dominación de la Cabaña; Y. Batería de la Divina Pastora; Z. Almacén de la Marina.

Nota. Que nuestras baterías como las de los enemigos, de cañones y morteros, constan de igual número de piezas, que van demostradas en el plano; siendo las de los enemigos del calibre de a 24 y 36 y las de la Plaza de a 24 y 18.

FUENTE: AGI. Santo Domingo, 1588. (Plano de una porción del recinto de la plaza de La Habana, que comprende el Castillo de la Punta, con los ataques formados contra uno y otro por las armas de S. M. Británica en 11-VII-1762. Firmado por Balthazar Ricaud, en La Habana, el 16-VIII-1762).

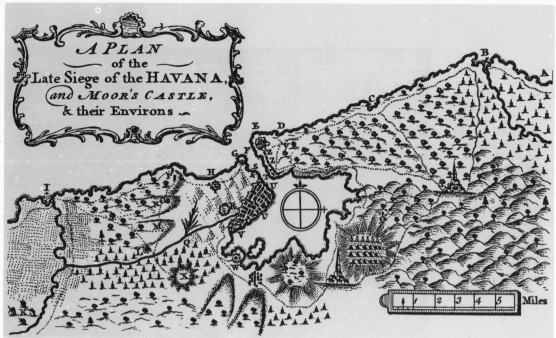

Los elementos esenciales del asedio de La Habana por las fuerzas británicas en 1762 aparecen señalados en el mapa, publicado por el *London Magazine* poco después de la caída de la ciudad.

Las referencias incluidas son: A. Sitio del principal desembarco: playa de Bacuranao, al E. de La Habana. B. Torreón de Cojimar, batido por la artillería británica para facilitar el avance hacia el W de las tropas invasoras C. Sitio donde se estableció el parque de la artillería. D. Batería de dos cañones establecida para defender El Morro. E. El Morro, cuya captura por asalto, tras obstinada defensa que prolongó heroicamente el Capitán Luis de Velasco, decidió el destino de la ciudad. Al sur de la línea de la costa entre B, C y D pueden distinguirse las alturas cubiertas por un monte vedado, que se interponía entre el mar y las lomas del Morro y la Cabaña. F. Entrada del puerto. G. La Punta. H. Torreón de San Lázaro. I. Torreón de la Chorrera, por donde se produjo un segundo desembarco británico. K. Molinos de tabaco en la margen occidental del río de La Chorrera; L. Cuartel del Coronel Horo. M. Campamento de los granaderos. N. Campamento de infantes de marina. O. Alturas de San Lázaro. P. baterías inglesas Q. Punto donde se cortó el paso del agua por la Zanja Real hacia la ciudad. R. Edificaciones extramuros. S. Batería del Gobernador T. Almacenes. U. La Habana intramuros. V. El Astillero o Arsenal. W. Colina fortificada X. la infantería ligera. Y. Batería contra El Morro. Z. Baterías emplazadas en la loma de la Cabaña contra la ciudad.

Plano de los accesos al Castillo del Morro durante el ataque inglés (*London Magazine*, 1762).

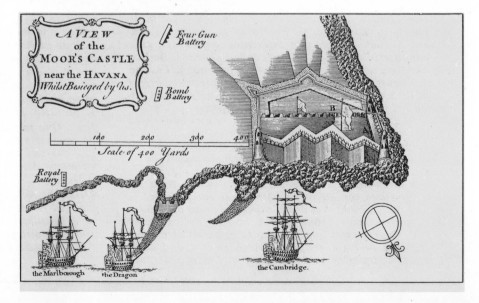

Plano de la ciudad de La Habana durante las operaciones del sitio británico, dibujado por un oficial inglés en 15-VIII-1762.

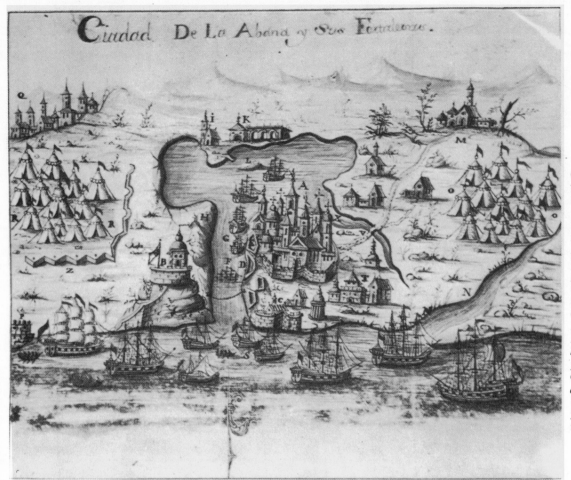

Ciudad de La Habana y sus fortalezas durante el asedio británico, según una versión española contemporánea. Las letras permiten identificar: A. *La ciudad*; B. *El Morro*; C. *La Punta*; D. *Fuerza Nueva*; E. *Fuerza Vieja*; F. *Navíos a pique*; G. *Navíos que baten La Cabaña*; H. *Cerro de La Cabaña*; I. *Ermita de Regla*; K. *Casa de Oquendo*; L. *Cayo de Putos*; M. *Jesús del Monte*; N. *Río de la Chorrera*; O. *Desembarco de los negros*; P. *Castillo por donde saltó el Inglés*; Q. *Guanabacoa*; S. *Bombardas que baten la ciudad*; T. *Hospital de San Lázaro*; V. *Puente y camino*; X. *Caño del Astillero*; Z. *Trinchera*. (Biblioteca Central, Barcelona).

La toma de La Habana fue conocida en Londres en 29-IX-1762, o sea, a los 48 días del acontecimiento, provocando en la capital un entusiasmo inaudito que sobrepasó quizás aquel con que se había acogido la noticia de la toma de Quebec en 1760.

Igual euforia hubo en las Colonias norteamericanas, cuyos voluntarios tomaron parte en la campaña. Tales explosiones poseían un trasfondo económico, pues según revelan los memoriales enviados al rey Jorge II por las ciudades marítimas de la Gran Bretaña:

Las clases comerciales se vieron sensiblemente excitadas por las ventajas mercantiles que la futura posesión podía traer. La Habana, para ellas, era *la principal ciudad de la grande y rica isla de Cuba*, verdaderamente *la llave de la América española*, con todas sus riquezas. ¿No era acaso la tierra que los *perros del mar* habían codiciado? El botín tomado por el conquistador igualaba lo que producía un subsidio nacional —tres millones de libras esterlinas, por lo menos—, excitó su apetito para obtener más. Era sólo una fracción de la riqueza que se obtendría, y por lo tanto pensaban con avidez en el futuro, si Inglaterra retenía la *perla de las Antillas*.[44]

La experiencia británica

La presencia de los vencedores en La Habana, aunque limitada a 10 meses, marcaría una huella histórica trascendente en el campo económico y aun en el político. Si bien hubo resistencia a los ocupantes por parte de la Iglesia, ejemplarmente defendida por el Obispo Morell, por los funcionarios españoles y quizás más aparente que real por muchos criollos principales, es indudable que quienes estuvieron en condiciones de aprovechar la coyuntura favorable, lo hicieron. Quizás los más sinceros enemigos de los británicos fueron muchas gentes del pueblo, intensamente española; algunos de ellos pagarían con su vida el deseo de probar su odio al enemigo, que por todos los medios —en los niveles superiores—, buscó simpatías y se mostró comedido mientras obtenía lo más posible de la ciudad conquistada.[45]

Documentos

LA CAIDA DE LA HABANA VISTA DESDE LONDRES Y DESDE NORTEAMERICA

Desde el momento en que fue tomada La Habana, todo el tesoro español y las riquezas de América yacen a nuestros pies.

WILLIAM PITT *

* Citado en Kate Hotblack, *The Peace of París* (1907), Royal Historical Transactions, Londres.

•

Es sin duda una conquista de gran importancia; pero nos ha costado extremadamente cara, cuando consideramos el caos provocado por las enfermedades en nuestro bravo y pequeño ejército. Espero que el acuerdo de paz nos procure algunas ventajas en el comercio o posesión que equilibren las grandes pérdidas sufridas en esta empresa.

BENJAMIN FRANKLIN **

** *The Writings of Benjamin Franklin*, IV, pág. 181. (Carta a William Straham, Philadelphia, 7-XII-1762).

MORELL PREVIO EL PELIGRO DE LA CABAÑA

Las defensas de La Habana tenían un punto débil: las alturas de la Cabaña, que la dominaban, estaban sin fortificación. Lo habían advertido Juan Bautista Antonelli y el Marqués de Varinas en el siglo XVII. Siete años antes de que los británicos tomaran La Habana y lo expulsaran de ella, como su máximo opositor, el Obispo Morell de Santa Cruz había informado al Rey del riesgo táctico que se corría:

Este puerto... cae dentro del trópico de Cancro (sic) en 22° de altura. Su figura se asemeja a un paralelógramo rectángulo, con algunos esteros en sus ángulos que miran a diversos rumbos. Su mayor longitud, que es de N-NE a S-SW se extiende a 4.358 varas y media y la menor, que corre de NW a SE, a 3.650 varas y media, desde la entrada del puerto hasta encontrar con uno de los lados que forman el paralelógramo rectángulo. Consta su longitud de 1.989 varas; su latitud 156 y tercio. Esta es la distancia de que su boca se compone y por ser tan reducida se comunican por medio de la vocina (sic) las dos fortalezas en sus extremos situadas: llámanse el Morro y la Punta; ésta a Sotavento y aquél a Barlovento.

El Morro es muy capaz y dominante, no sólo a la ciudad sino también del mar, especialmente desde una garita que por su elevación descubre a gran distancia las embarcaciones que se presentan a la vista. La Punta es reducida y baja. Ambas, en fin, tienen sus comandantes, guarniciones y artillería competente para una vigorosa defensa. El resto del puerto tiene de uno y otro lado diferentes baterías y fortines. La que comúnmente es conocida por La Fuerza, merece el primer lugar, así por su construcción más extendida y elevada como por su situación, que francamente descubre la entrada del puerto.

Este, en fin, con tan multiplicadas fortalezas sería inexpugnable a no tener sobre sí, a la parte oriental, una cordillera eminentemente llamada La Cabaña, que todo lo señorea y la Plaza le queda tan sometida que con piedras pueden ahuyentarse sus moradores. Por este motivo se ha pensado fabricar una ciudadela en el mismo paraje, que con su defensa evitase el perjuicio que puede sobrevivir.[a]

a. Las obras de construcción de la Fortaleza de La Cabaña se iniciaron inmediatamente después de ser devuelta La Habana por los británicos en 1763.

FUENTE: AGI. Santo Domingo 534 (El Obispo Morell al Rey; La Habana, 2-VII-1755 (A.A.).

Pezuela historiador apasionado y no siempre confiable en cuanto a los aspectos militares, pero liberal en muchos de sus enfoques sobre el pasado cubano, escribiría un siglo después:

Los ingleses al arrebatarlo todo... con una mano, con la otra prodigaron a los habitantes los medios de reponer en breve tiempo todo lo que habían perdido y aun de multiplicarlo.[46]

El breve respiro de actividad comercial acelerada que vivió La Habana británica, provocó con el paso de los años una nostalgia que, realzada por los liberales cubanos y los partidarios de la independencia desviaron el juicio de los historiadores al punto de convertir el año 1762 en el inicio mismo del fomento de Cuba y aun de su historia digna de ser estudiada.

Cuba era ya en 1762, como hemos

EL BOTIN DISTRIBUIDO EN LA HABANA (1762)

Para distribuir	*Libras* *		
Dinero encautado en las Cajas reales de La Habana	440.000		
Obtenido por la venta de mercancías apresadas	310.000		
Total	750.000		

La anterior suma fue distribuida entre 28.442 personas, en la forma siguiente:

	Libras	*Cheli-nes*	*Peni-ques*
Lord Albermarle (Sir George Keppel)	122.697	10	6
Sir George Pocock	122.697	10	6
Comodoro August Keppel	25.000	—	—
Mayor Gral. Wm. Keppel **	25.000	—	—
Capitán de barco ***	1.600	—	—
Soldado raso	4	1	8
Marinero	3	14	10

* La libra esterlina equivalía aproximadamente a 4 pesos y 2 reales, o sea, a 34 reales.

** Según estos datos oficiales, los 3 hermanos Keppel percibieron en conjunto el 23 % del botín.

*** En escala descendente se asignaron las cuotas de los oficiales inferiores y clases.

FUENTES: Valdés, J. A. (1877) y Thomas, Hugh (1973), I, págs. 66-67.

tenido oportunidad de ir presentando los hechos en los volúmenes anteriores, una sociedad compleja y no del todo pobre, si bien víctima de una política comercial monopólica que no podía abastecer sus necesidades ni procurar salida a los bienes que producía la isla. Cuando los británicos aplicaron su política no menos exclusivista dentro del pacto colonial, pero si abierta hacia los ricos y abastecidos mercados de las Islas Británicas y las Colonias del Norte, los habaneros tomaron conciencia de sus posibi-

lidades reales. No debemos equivocarnos, sin embargo: Londres no dio a La Habana libertad de comercio absoluta, como algunos han pretendido, sino libertad para comerciar con los mercados más prósperos del mundo, que eran los suyos.

A Francisco de Arango y Parreño debe la historiografía cubana el primero y más autorizado de los elogios de la experiencia británica, y

Testimonio

EL ESCLAVO INGLES A QUIEN LIBERO LA CAIDA DE LA HABANA

Los esclavos, utilizados masivamente en el Caribe como soldados en las guerras del Siglo XVIII, aprovechaban las hostilidades para escapar temporalmente o para ganar su libertad por su valentía. Muchos fueron los esclavos habaneros liberados en 1763 por haber combatido aguerridamente durante su defensa. En esa oportunidad también ganaría su libertad un esclavo jamaicano, quien luchara en las filas contrarias. Dado lo difícil que era obtener la libertad a un esclavo de las colonias inglesas, su caso ha merecido consideración especial.

Cuffee,· esclavo de Jamaica, había sido llevado en 1754 a cortar palo de tinte al Golfo de Honduras. Apresado por los españoles, fue vendido a Don Manuel, hacendado habanero. Al desembarcar los ingleses en 1762, corrió a unírseles como voluntario del Regimiento 46. Rendida la ciudad, su dueño se presentó a las autoridades británicas a reclamar su siervo. Le acompañaba un escribano. El Jefe del campamento dijo que desconocía a Cuffee el esclavo. Allí estaba Cuffe, el soldado libre de S.M.B.

Ante ello, Don Manuel pidió excusas y se marchó.

FUENTE: Jamaica Archives, St. Catherine *Vestry Minutes*, 1761-9, 15-VI-1763, citado por Black, C. V. (1958).

RACION SEMANAL DE UN SOLDADO BRITANICO EN LA HABANA (1762) *

Galleta o harina para hacer pan	7 libras
Carne de res fresca o salada **	7 libras
Carne de cerdo salada (en sustitución de la de res)	4 libras
Mantequilla	6 onzas
Aceite (en sustitución de la mantequilla)	1/2 pinta
Arroz	7 onzas
Chícharos o avena	1/2 azumbre ***
Ron	7 jícaras

* Orden de 23-IX-1762

** Días después "se autorizó a los soldados a ceder sus provisiones saladas a los habitantes, para comprar carne fresca, leche o vegetales.

*** Un azumbre, *medida para áridos*, equivalía a 2 litros o 4 cuartillos.

FUENTE: Libro de Ordenes del coronel Israel Putnam, en Rodríguez, A. (1962).

sus palabras, en los más variados tonos, se han repetido a lo largo de casi dos siglos:

Fue una verdadera época de resurrección de La Habana... Le dio vida de dos modos: el primero con las considerables riquezas, con la gran porción de negros, utensilios y telas que derramó en un solo año el comercio de la Gran Bretaña; y el segundo demostrando a nuestra Corte la importancia de aquel punto y llamando sobre él toda la atención y cuidado. Con sus negros y su libre comercio habían hecho más los ingleses que nosotros en los sesenta anteriores.[47]

La mentalidad de los dirigentes que harían de Cuba una gran colonia de plantaciones, estaba presente en este elogio de una política cuyo substrato esclavista nos deja hoy un sabor amargo. Pezuela detallaría el *modus operandi* británico:

Desde el mismo día 14 de agosto sustituyó al prohibicionismo español una ilimitada actividad mercantil, con derechos moderados, para todo buque con bandera de la Gran Bretaña y procedente de sus posesiones; y así recibió el puerto todo género de manufacturas y artículos extranjeros de uso y consumo... En los solos 10 meses que duró el dominio de la Gran Bretaña, introdujo por su capital, en toda la isla, los elementos que más contribuyeron después a desarrollar su agricultura. En La Habana sólo habían cargado productos del país hasta entonces unos 5 ó 6 buques al año. Ahora, en menos tiempo, la visitaron entre unas y otras, cerca de 1.000 embarcaciones.[48] Si un gran número vinieron a recoger despojos militares, todas importaban paños, lienzos, sedas, víveres, artículos de industria y más de 3.000 esclavos africanos; pocos menos en algunos meses que los que la Compañía privilegiada había introducido en 20 y tantos años.[49]

El comercio bilateral entre la Gran Bretaña y Cuba en los años 1762 y 1763 sumó 372.000 libras esterlinas (cerca de 1.600.000 pesos), equivalentes al 19.6 % de la suma total del comercio de la Gran Bretaña con la América del Sur y las Antillas no británicas.[50]

El historiador cubano J. M. de Ximeno formuló en 1938 la observación de que en realidad lo que ocurrió fue que el viejo contrabando británico fue temporalmente lícito:

•

Vino la dominación inglesa abriendo el puerto de La Habana a las colonias de Inglaterra, y como el contrabando se realizaba con Jamaica y Norteamérica principalmente, a los muelles de la Real

Documentos

LOS BRITANICOS Y LOS HABANEROS: CONFLICTOS Y SIMPATIAS

La presencia inglesa en La Habana provocaría desde las más agrias resistencias que costarían la vida a algunos hombres del pueblo, negados a aceptar el dominio hereje, hasta una convivencia cordial que llevaría inclusive a matrimonios de oficiales británicos con jóvenes habaneras. En lo religioso hubo conversiones en ambas direcciones. La opinión de los eclesiásticos sobre las relaciones anglo-criollas la revela el detallado informe que elevara un jesuita habanero al Prefecto Javier Bonilla, de Sevilla:

El Milord Conde de Albemarle dispuso a poco de su entrada tener en su casa (que lo fue la de la Contaduría de Marina) un sarao para al que convidó por medio de sus primeros Oficiales a los Señores de carácter, pero respondieron los más a S.E. no haber enjugado las lágrimas para entretenerse en diversiones, y acudieron pocos. Reiteró S.E. el convite para segunda noche, pasando en persona a cumplimentarlas en sus casas y no pudiendo ya excusarse fueron muchos, pero se les leía en el semblante el interior disgusto, y se desistió de estos convites. ...Nos causó grande sentimiento no tanto la sentencia de horca que dieron a algunos españoles, cuanto el modo inhumano en que lo ejecutaban, dejándolos pendientes a que muriesen por sí mismos y haciéndome a mí bajar la escalera al arrojarlos... Nos penetró mal la impiedad de no permitir a otros sentenciados al mismo suplicio recibir los sacramentos, ni aún acercarse ningún sacerdote para que, como ellos decían, se hiciese reo de la divina justicia, quien lo era tan justamente de la humana.
...El ejercicio de nuestra religión se ha mantenido en todos los actos de ella, así dentro como fuera de los templos, a los cuales si bien no se podía embarazar la entrada a los ingleses, lo hacían con respeto, si no religioso, moderado. No obstante fuera de los templos se procuraron prudentemente excusar las funciones para evitar irre-

verencias, negativas y aún el riesgo de las positivas; por lo que se llevaba el Santísimo Sacramento a los enfermos, oculto y el Párraco en su ordinario traje, hasta su destino. Ocuparon algunos templos; tomaron la iglesia de San Francisco para su *chercha* (sic); pero tuvo este gran Santo cuidado de la pureza de su casa, pues habiendo estado las llaves más de un mes en poder de su General, las restituyó sin motivo. Tomaron la de San Isidro a donde los domingos acudía la tropa desocupada de guardias para los ejercicios y boberías de su secta. Por lo que mira al escándalo de los católicos debo asegurar a V.R. que ni los argumentos ni razones se han pervertido, antes bien el libertinaje, descuido de su salvación y perversidad de costumbres han contribuido bastante para radicarse en nuestra católica religión. Sin embargo en este corto tiempo no dejamos de llorar el desorden de algunas mujeres que abandonando su religión, su honor, sus hijos y su patria, se han embarcado con ellos, y dos que contrajeron matrimonio según el rito protestante.[a]
También ha sido reprensible el haber dado lugar a sus oficiales para familiaridad y trato en muchas casas, aun de alguna distinción, y no sabemos en que hubiera parado a haberse diferido por algunos años el cautiverio; no obstante, las familias católicas por lo general mantuvieron su celo hasta el fin.

Un Jesuita habanero al Prefecto Javier Bonilla, de Sevilla (La Habana, 12-XII-1763)

a. La musa popular recogería entonces uno de estos episodios, al ser descubierta una joven en la bodega de una nave inglesa:

Las mujeres de La Habana
no tienen temor de Dios
pues se van con los ingleses
en los bocoyes de arroz

FUENTE: Valdés, Antonio J. (1877) pág. 211.

LOS INGLESES Y LAS CALESAS HABANERAS

Hacia 1762 tenía La Habana más de 1.000 calesas, de particulares y de alquiler, para una población de 50.000 personas de toda clase, según dato del obispo Morell.[a] Los invasores bri-

Calesa habanera de mediados del siglo XVIII.

tánicos debieron mostrar un interés particular en usarlas. Una orden militar de 15-IX-1762 estableció:

Los oficiales no usarán en sus alojamientos los enseres domésticos y los muebles, a no ser autorizados por sus propietarios, como tampoco harán uso de una calesa que no sea suya, a menos que sea alquilada o les haya sido prestada.

En 22-IX-1762 se ordenaría:

Habiendo presentado el capitán Francourt las excusas pertinentes al caballero español de quien se apropió la calesa, se le libera de su cautiverio de acuerdo con sus deseos.

En 26-IX-1762 se reglamentó el uso del medio de transporte más cómodo de la calurosa y trajinada ciudad:

Todas las calesas que se establezcan serán numeradas y marcadas *alquiler*, y se alquilarán de acuerdo con las siguientes tarifas:

Medio día (del amanecer a las 12 m.)	1 peso
El otro medio día, hasta la puesta del sol	1 peso, más 1 1/2 real por hora

El Conde de Albemarle espera que esta reglamentación pondrá fin a las diarias reclamaciones que recibe contra sus oficiales, por apoderarse de las calesas pertenecientes a los caballeros de la ciudad.

a. AGI. Santo Domingo, 534 (A.A.).
b. Libro de órdenes de Israel Putnam, en Rodríguez, A. (1962).

Compañía de Comercio atracaron bajeles y navíos que durante el gobierno español hacían sus alijos en esteros y ensenadas del litoral o en bahías lejos de La Habana,

por lo cual el volumen de los bienes entrados en Cuba, con excepción de los esclavos, no era realmente tan excesivo como se ha venido estimando.

El entusiasmo mostrado en el siglo XIX por muchos observadores de la realidad cubana, al asignar una connotación excesivamente positiva a la *experiencia británica*, no es compartido por todos los historiadores y sociólogos de la centuria actual:

Si la *humanitaria* Inglaterra hubiese continuado gobernando La Ha-

bana, antes de terminar el siglo XVIII habría dejado a Cuba convertida en una segunda Jamaica,

ha escrito H. Portell Vilá.[51]

El norteamericano Aimes, refiriéndose a la opinión de que las ventajas comerciales y la introducción de esclavos durante la ocupación británica

habían provocado el despertar y el desarrollo económico de Cuba,

se niega a admitirla y agrega:

Tal afirmación puede ser aceptada solamente como un ejemplo de autoglorificación anglosajona... El real desarrollo de Cuba comenzó mucho antes y los proyectos que más tarde se realizaron habían sido concebidos mucho antes por gobernantes españoles y franceses. La ocupación ayudó a los cubanos, sin duda, dándoles la oportunidad de adquirir mercancías y esclavos a bajo precio, pero el período de tiempo y el volumen de mercancías resultaron demasiado pequeños para haber sido factores de verdadera importancia. Lo que la isla necesitaba era una política liberal persistente en sus relaciones comerciales, no el influjo esporádico de traficantes bucaneros...[52]

En un contexto cultural más amplio, que responde a quienes hubiesen preferido la continuación del régimen británico sobre Cuba, respondería el análisis del venezolano Mariano Picón Salas sobre la acción civilizadora de los españoles en el trópico, comparándola con la acción inglesa en el Caribe:

Si los británicos fueron buenos colonizadores cuando, como en la América del Norte, en el Sur de Australia o en Nueva Zelandia, encontraron tierras de clima templa-

LA FIEBRE AMARILLA: ENEMIGA COMUN DE ESPAÑOLES Y BRITANICOS

La presencia de las tropas británicas en La Habana coincidió con una gravísima epidemia de fiebre amarilla iniciada en 1760 y que no cedería sino en 1763. Tan grave era ya la situación que el Cabildo acordó en 23-I-1761 concurrir en pleno a una rogativa en el Convento de los Dominicos. El arribo de una escuadra de refuerzo ante la inminencia de las hostilidades con Inglaterra, agravó la situación, al enfermar marineros y soldados de los batallones recién llegados. Lo dramático de la crisis aparece en un auto el Teniente del Rey Don Dionisio Soler, quien confirmaba la congestión del Hospital de San Juan de Dios y de la Factoría lo que causaba

la reagravación de los... enfermos y... los muchos que fallecen... por... el vómito negro que tan fatales estragos produce en estas provincias...

Ante aquello quiso Soler

proporcionar todos aquellos arbitrios... conducentes a atajar el daño de tan perniciosas consecuencias... que promete la naturaleza contagiosa y sumamente violenta de... el accidente que trasciende a los individuos particulares de las tropas de tierra y marina y a los vecinos de esta ciudad, tomándose las precauciones... adoptables... para impedir su comunicación de unas personas a otras... los que estén tocados de tal accidente experimenten efectivamente todos los auxilios que es capaz suministrarles la medicina.

Para ello citó a Junta a los comisarios del Cabildo, al procurador, a los protomédicos y al Prior del Hospital de San Juan de Dios. Los protomédicos Doctores José de Barrios y Juan José Alvarez Franco quienes dictaminaron

como facultativos de la naturaleza... del vómito negro, era contagioso... a los que por razón de la inmediación percibieran los hálitos que salen de los cuerpos tocados o bien sea por la respiración o por el tacto de las ropas que les han servido.

...Para que el mal no trascienda de unos enfermos a otros era indispensable dedicar una o dos salas del hospital, en que... estuviesen los... tocados de tal accidente... Era sumamente necesario dar el posible desahogo y ventilación a los enfermos... para que se consiga el aire más puro...

lo cual requería se alquilasen dos casas inmediatas al hospital por la *muchedumbre* de enfermos encerrados en los claustros altos y bajos del Convento. Debía además

para alivio y curación de los enfermos... practicarse con alguna frecuencia... la corrección del aire por medio de perfumes...

...También juzgaban muy preciso, con atención al bien público... que por el Ilustre Ayuntamiento se diesen providencias de que en las esquinas, con distancia de 3 a 4 cuadras se quemase buñigos de buey y postas de vaca con algunas yerbas aromáticas vulgares...

Las precauciones... con las ropas de los que fallecieron... fueran no usarlas hasta estar purificadas, lavadas y hervidas con maguey.

Y últimamente concluyeron juzgando sumamente conveniente y aun precisa... la disecación anatómica de algunos cadáveres, conforme lo habían de asistir los facultativos según las disposiciones que en el Real Tribunal del Protomedicato se expidiesen...

El Prior del Hospital P. Alejandro de Fleites solicitó ayuda económica, pues ya había invertido más de 7.000 pesos en atender a las víctimas de la epidemia en proceso y dada

la cortedad de rentas que goza el Hospital no son capaces de sufragar unos costos tan excesivos.

Se hizo presente que se pedirá ayuda a los vecinos y que

el mayordomo de los propios y rentas de la ciudad se hará cargo de satisfacer... los sahumerios que se previenen, valiéndose diariamente de los carromatos que sirven para el aseo de esta ciudad.[a]

Hubo un retroceso en el azote epidémico que afectó a la tropa enviada como refuerzo y los protomédicos pudieron certificar las diligencias realizadas en las casas de José de Roca y el escribano Ignacio de Ayala, alquiladas para ampliar los servicios del Hospital

en la curación de los enfermos de la tropa de S. M. que vinieron de refuerzo a esta ciudad.

Para ello ordenaron

se expurgasen dichas casas, mandando que a todas las piezas que habían servido de enfermería se les picasen los suelos y quitaren las tortas y encolados y se volviesen a echar de nuevo y que sus puertas, ventanas y techos se fregasen con agua de maguey y que los aljibes, mirando al aseo se fregasen, con lo cual quedan sobradamente purificadas dichas casas... para evitar contagios... mas cuando tuvimos especial cuidado no se curase en... ellas... ningún enfermo ético...[b]

De las 1.790 bajas iniciales sufridas por los británicos durante el sitio, hudo donde parecía fácil trasladar las costumbres y el estilo de la metrópoli, no desplegaron igual esfuerzo cultural en sus colonias del trópico. Nunca fueron equiparables las tradiciones de vida europea, de cultura y refinamiento intelectual con que España marcó su huella en Cuba y Puerto Rico con el inferior estilo de factoría que en las mismas aguas del Caribe mantuvo la británica Jamaica... De la Jamaica tórrida, buena productora de ron y caña de azúcar, no han salido un Hostos o un Rizal que, como en el Puerto Rico o las Filipinas hispánicas, sean los intérpretes de la nacionalidad naciente.[53]

Ni ninguno —agregaríamos nosotros— comparable a los forjadores del pensamiento nacional cubano del siglo XIX, de Varela a Martí.[54]

---

bo 346 muertos en acción o a consecuencia de las heridas sufridas, en tanto por las enfermedades murieron 649, o sea casi el doble de las víctimas de los combates. Hasta 8-X-1762 Albemarle había perdido 560 hombres en combate y 4.708 por enfermedad, o sea, más de la tercera parte del total de sus fuerzas; las bajas de Pocock fueron 186 caídos en acción y 1.300 marineros muertos por enfermedad.[c]

La altísima mortalidad sufrida por las tropas invasoras, víctimas de las fiebres, particularmente de la fiebre amarilla, y de la disentería, la revela un dato: el Mayor Joseph Gorham salió de New York al mando de un cuerpo de cazadores, en 30-VI-1762, y llegaron a La Habana en 6-VIII-1762, poco antes de la rendición. Su total era 253 al llegar. Al reembarcar hacia Norteamérica en 19-X-1762, 65 días después, habían muerto 102, o sea, el 40 %.[d]

a. AHM-AC (20-VIII-1761).
b. AHM-AC (22-I-1762).
c. Thomas, H. (1974) I, págs. 73-74.
d. Year-Book of the Society of Colonial Wars in the Commonwealth of Massachussets for 1899, Boston.

La presencia británica y la brecha entre criollos y peninsulares

Uno de los efectos más perdurables de la corta pero eficaz presencia británica en La Habana fue la profundización de la brecha entre peninsulares y criollos, visible ya en el tercio final del Seiscientos.[55] Los jefes británicos, preocupados por los problemas militares y logísticos que les impedían extender el territorio bajo su mando más allá de Mariel al W y de Matanzas al E, y conocedores de que el final de la guerra estaba próximo, cumplieron la honrosa capitulación otorgada a los heroicos defensores y dejaron el gobierno civil de la ciudad en manos del Cabildo. En la defensa destacarían simbólicamente el español Luis de Velasco, héroe del sitio de El Morro y José Antonio Gómez, el criollo, regidor de Guanabacoa, inmortalizado en el recuerdo popular por la valentía de sus hazañas de guerrillero y por su muerte, achacada a la incomprensión y altanería con que le tratara su jefe inmediato, el coronel peninsular Carlos Caro.

Lord Albemarle escogió como delegado suyo para dirigir las funciones civiles del gobierno a Sebastián Peñalver Angulo (1708-1772), criollo de tercera generación, quien pocas semanas después fue sustituido por Gonzalo Recio de Oquendo y más tarde restituído al cargo. Recio era un criollo de séptima generación y heredero de Antón Recio, uno de los fundadores de La Habana y creador del primer mayorazgo en la Isla.[56] Los dos alcaldes, Pedro José Calvo de la Puerta y Pedró Beltrán de Santa Cruz, también criollos,

---

Documentos

LOS PRINCIPEÑOS NO SE RINDEN

Tendrá V. E. por la más esforzada y declarada negativa el intento de rendirse esta villa a la subordinación de V. E., por no ser extensiva la jurisdicción que se dice haber ganado en virtud de la capitulación practicada, como categóricamente lo participan nuestros jefes, aseverando quedar libre esta villa y las demás poblaciones.

En cuyo supuesto ponemos en la inteligencia de V. E. estar estos vecinos con valeroso ánimo dispuestos a rendir primero sus vidas que el vasallaje a otro Soberano distinto de nuestro Católico Monarca.

El Cabildo de Puerto Príncipe al Conde de Albemarle, al serle instada la entrega de su territorio (1762).

FUENTE: *Los Tres Primeros Historiadores de Cuba* (1876), 3, pág. 552.

---

continuaron en sus puestos. El Cabildo, entre cuyos regidores figuraba Martín José Félix de Arrate, autor de la primera historia habanera, continuó reuniéndose,[57] aunque se negó a jurar lealtad al réy Jorge II de Inglaterra.

Con aparente renuencia, la enriquecida oligarquía habanera no se mostró excesivamente remisa a negociar con los ingleses las mejores condiciones para la preservación de sus ventajas. Peñalver y Angulo y Recio de Oquendo serían acusados más tarde de colaboración con el enemigo, especialmente el primero, por haber intervenido en la recolección del subsidio que demandó, como general vencedor, Lord Albemarle, de todos los vecinos, ricos y pobres.[58] Más tarde quedarían libres de culpabilidad y recibirían

Testimonios

UN CAUDILLO VILLACLAREÑO PROMUEVE EL RESCATE DE LA HABANA

Durante el sitio británico los habaneros no estuvieron solos. Por tierra, desde Santiago de Cuba, Bayamo, Puerto Príncipe, Trinidad, Sancti Spíritus y Remedios, acudieron las milicias que tendrían a la céntricamente localizada Villaclara como punto de reunión y auxilio en su larga y arriesgada marcha. Además de sumar sus propias milicias, Villaclara envió ganado y víveres a la capital amenazada. Más tarde, perdida la ciudad, acogerían los villaclareños a las tropas regulares que se retiraron a veces en desorden y a los milicianos de retorno

alojando y animando con mucha diligencia a todas las personas que en aquella triste ocasión andaban despavoridas.

En esta labor destacaría como jefe voluntarioso y desprendido al mismo tiempo el criollo Manuel López Silvero, alcalde ordinario y sargento mayor de las milicias de Santa Clara.

Según reconocería el Consejo de Indias,

después de aliviarlas, reforzó las milicias del país, infundiendo valor a los moradores para defenderse y ofender al enemigo, a quien procuró impedir toda especie de entrada ulterior al país.

Convertida Santa Clara en frontera de enemigos, mientras al Gobernador de Santiago de Cuba, Lorenzo de Madariaga asumía en nombre de España el gobierno del país no ocupado, López Silvero enfrentó a los británicos

amenazándoles no solo con las firmes y notorias disposiciones de fortificarse, sino con algunos preparativos de atacarles, para lo cual recogió, compuso e hizo armas, y tomó todas las medidas que pudiera en aquellas circunstancias un soldado experto que concertó el plan general de restaurar La Habana con prevenciones cuerdas y acertadas, que aprobaron todas las personas fieles de la Isla, cuya ejecución impidieron varias consideraciones del Gobernador de Cuba [Santiago] y las noticias que sobrevinieron de la paz.

El plan estaba entonces muy avanzado, pues López Silvero había ya convocado al Cabildo

y con él tomó en diversos ayuntamientos las medidas necesarias para oponerse al enemigo victorioso, llegando por su influjo a lograr la resolución acordada en 3-IX-1762 de perder la vida todos antes que dejar de mantener ilesos aquellos dominios a su soberano.

Fue López Silvero

el caudillo de ésta y de las otras determinaciones de aquel fidelísimo país y mantuvo el crédito de la nación en todas las fronteras: escarmentando a los ingleses que intentaron extraer las maderas que estaban cortadas y para embarcarse en los ríos Sagua la Grande y Chica...

En toda ocasión obró López Silvero

con prudencia y valor

virtudes a las que sumó su generosidad, pues debió

vender parte de sus bienes raíces para ejecutarlos, sacrificando su reposo y su caudal en obsequio del Real nombre de V. M., lo que ha continuado después [de]... la guerra, no admitiendo el costo de la aprehensión y transporte de 22 esclavos [del Rey]... desde Villaclara, hasta entregarlos al Intendente Don Lorenzo Montalvo.

Terminada la guerra, la burocracia real habanera pondría reparos en pagar a López Silvero el *alcance*, a su favor, de 5.127 pesos y 6 reales, resutado de su administración de los fondos militares durante la emergencia. Tras mucho alegar y justificar, el Consejo de Indias haría justicia al sargento mayor y caudillo de urgencia a quien se reconocería en 1766 haber

procedido en su manejo con la pureza que corresponde a un leal y fiel vasallo... en tiempo tan turbulento... y aun proyectar reconquistarles La Habana [al enemigo].

Quedó igualmente en claro que López Silvero retuvo en Santa Clara las tropas que arribaron de La Habana y que Madariaga exigía siguieran a Santiago,

ya por haber llegado parte enferma y parte haberse amotinado...

De cumplirse la orden de Madariaga hubiese quedado la jurisdicción central

expuesta y enteramente abandonada y los ingleses en términos de que adelantasen con facilidad sus conquistas y se hiciesen dueños de toda la mayor parte de... [la]... isla.

Así se justificaba la presunta desobediencia de López Silvero, cuya previsión elogiaría el Consejo.

FUENTE: AGI. Santo Domingo, 1135 (El Consejo de Indias al Rey; 4-VI-1766) (A.A.).

nuevas mercedes de la Corona española.

La prueba más evidente de la posición de la naciente burguesía habanera, de raiz criolla y ya consciente de que sus intereses no coincidían con los de los peninsulares, aparecería cuando los invasores se incautaron de los almacenes de la Real Compañía de Comercio de La Habana, repletos de mercancías. La Compañía, fundada en 1740 por iniciativa habanera y favorecida por la Corona con título de Real, gracias a haber sido interesado Felipe V como accionista, fue en la realidad cotidiana un instrumento utilizado, no siempre con honestidad, por los mercaderes habaneros para participar con ventaja, y en forma colectiva, del monopolio del comercio del tabaco y ropas, principalmente, otorgado antes por la Corona a asentistas peninsulares individuales. La influencia de la Real Compañía sobre el proceso económico cubano apenas ha sido estudiada hasta hoy.[59]

Una parte considerable de los accionistas de la Compañía eran peninsulares radicados en España, pero los habaneros, que controlaban las operaciones principales de la institución, habían logrado retener en La Habana, la administración. Cuando los vencedores alegaron que por ser *del rey* la Compañía, sus propiedades eran parte del botín de guerra, los accionistas criollos insistieron en que el Rey no era sino un accionista más. Sin defender los intereses reales ni los de los accionistas peninsulares, rescataron como suyas, por una gruesa suma, las mercancías de la Com-

pañía que se distribuyeron, disponiendo de ellas. Durante muchos años la Compañía, que conservó una vida lánguida, quedó sujeta a un largo conflicto interno en el cual los victimados españoles denunciaron de modo implacable a los *pérfidos habanos*. Igualmente se señalaría a algunos accionistas, como a otros criollos ricos, haberse apresurado a poner a salvo en la *tierra adentro*, cuando aun se estaba combatiendo, sus grandes caudales para salvarlos del alcance británico, en tanto dejaban los bienes de la Real Hacienda a merced de los conquistadores.

La historia tradicional, basada en la literatura documental oficiosa, insiste en las impresionantes muestras de entusiasmo con que fueron recibidos el nuevo gobernador español, Conde de Ricla, y las tropas que le acompañaban. Ello es posible, ya que dos siglos y medio de historia separaban a la población cubana de un enemigo tradicional, con el que sólo tuvo 10 meses de reprimida convivencia. Sin embargo, el auditor de guerra de La Habana, don Martín de Ulloa, español, quien había participado en la resistencia a la dominación inglesa, al igual que los restantes funcionarios reales, en un dictamen que escribiera sobre la transferencia de la soberanía sobre Cuba de España a Gran Bretaña y su devolución —conservado en el British Museum—, reconoce que

lo de una bandera o de otra era secundario, porque el cubano se sentía ya seguro de tener ya su patria.[60]

5. LA DEVOLUCION DE LA HABANA: UN TEMA POLEMICO

Nadie dudaba en 1763 que, como dijera años más tarde Raynal, era Cuba el

pivote de la grandeza española en el Nuevo Mundo

y que la isla

podría valer a España un Reino.

A pesar de esta verdad, reconocida ya por los ingleses y sus colonos de Norteamérica, España recuperó a La Habana mediante el tratado de 1763 que puso término al conflicto. Raynal apuntó dos razones para que ello fuese así:

● Los colonos del Norte preferían que Inglaterra ocupara a Canadá con lo cual terminarían los ataques de los franceses y sus aliados indios. Igualmente La Florida en poder de los ingleses eliminaría los frecuentes conflictos entre españoles y colonos de Georgia.

● Los influyentes colonos de las Antillas Menores inglesas aportaban una razón en defensa de su riqueza azucarera: si Cuba desarrollaba su industria del azúcar, bajo la bandera inglesa, desplazaría del mercado inglés a las pequeñas pero entonces muy ricas, *islas del azúcar*.

Carlos Pereyra intentó explicar la actitud británica como una consecuencia de la resistencia de la población habanera, que como en el caso de otras colonias españolas, había llevado a los ingleses a renunciar a colonizar:

Habían fracasado en Cartagena y en Guantánamo. Era patente la existencia de un bloque invulnerable en el mundo continental hispanoamericano... era muy difícil prolongar una ocupación contrariada por la hostilidad ambiente... La Habana... les llevó por el mismo convencimiento, no obstante el insuperable valor estratégico del punto, a no empeñarse en conservarlo, sino a ver en él una prenda para las negociaciones.[61]

No hay un acuerdo total entre los historiadores ingleses sobre si Londres hizo bien o mal al ceder sus conquistas en las Antillas, entre ellas La Habana. Parry y Sherlock, en un libro reciente, afirman:

Cuba dominaba mucho del comercio americano de España. Martinica tenía una posición semejante en el comercio francés de América, y todas estas islas de las Antillas estaban en contacto comercial estrecho —aunque ilícito, con las colonias inglesas de Norteamérica, un contacto que podía haber florecido más si se hubiese hecho abierto y lícito. Hubo buenas razones, tanto estratégicas como económicas, para que Inglaterra retuviese algunas de esas conquistas antillanas; aun así, fueron alegremente restituidas.
La gran superioridad lograda por Inglaterra durante la Guerra de los Siete Años —y la última oportunidad para reunir la mayor parte de las Antillas bajo una bandera—, fue desperdiciada en la paz, a cambio de ganancias territoriales en el continente, que, aunque inmensas, algunas duraron poco.
Para Cuba fue importante que los oficiales y muchos soldados de las fuerzas británicas y coloniales que ocuparon la isla, adquirieran el gusto por los cigarros cubanos —los mejores del mundo—, y aun más,

por el polvo de tabaco cubano; a su regreso a sus patrias comenzó a extenderse por el Norte de Europa y en Norteamérica, esa preferencia.
La ocupación fue también importante en otra dirección: estimulando el desarrollo de la joven pero creciente industria azucarera cubana. El tabaco, la principal producción agrícola insular, era cultivado en propiedades pequeñas; la gran plantación azucarera trabajada por esclavos era rara; pero durante la ocupación británica los mercaderes optimistas, que pensaron que Inglaterra debía conservar la Isla introdujeron unos 10.000 esclavos,[62] todos o casi todos destinados a las plantaciones azucareras. El flujo de los esclavos continuó después de la paz, bajo el asiento concedido en 1763 al Marqués de Casa Enrile y sus asociados, y muchos fueron introducidos por contrabandistas ingleses y españoles En general, los acontecimientos de 1762 aceleraron —si no originaron—, un desarrollo y un cambio significativos en la dirección de las actividades económicas de Cuba.[63]

Históricamente puede ser considerado, pues, un tema polémico, la relativa facilidad con que Londres devolvió a Madrid la estratégica plaza de La Habana, después de haber provocado entusismo su captura, tanto en Inglaterra como en las Trece Colonias. A la luz de los intereses económicos, y particularmente de los hacendados azucareros de las Antillas británicas el historiador Eric Williams explica así la situación:

Durante la Guerra de los Siete Años, Inglaterra arrebató Cuba a España y Guadalupe a Francia. Ambas islas fueron devueltas a sus metrópolis en 1763, recibiendo Inglaterra a cambio La Florida y Canadá.

Racionalizar esta decisión en relación con la importancia presente de esas áreas, no tiene sentido. Cuba era todavía un patito feo en 1763, pero cualquier tonto podría haber previsto en qué bello cisne llegaría a convertirse. No había excusa en cuanto a Guadalupe. Los *pocos acres de nieve*, como Voltaire burlonamente definió a Canadá, podían vanagloriarse sólo de sus pieles; Guadalupe tenía azúcar. *¿Qué significan unos cuántos sombreros* —preguntó un cáustico escritor anónimo en 1763—, *comparados con ese artículo de lujo: el azúcar?*
Es inconcebible pensar que los ministros ingleses desconocieran lo que era de conocimiento público en Inglaterra, Francia, y América. Entre 1759 y 1762 las importaciones inglesas de Quebec, alcanzaron un total de 48.000 libras esterlinas y las exportaciones a Quebec, 426.400 libras. Las importaciones británicas de Guadalupe llegaron a 2.004.933 libras entre 1759 y 1765; las exportaciones a Guadalupe: 475.237 libras. Las importaciones británicas desde La Habana alcanzaron a 263.084 libras entre 1762 y 1766 y las exportaciones a La Habana, 123.421 libras.
Comparemos a Canadá y La Florida con las pequeñas islas antillanas Granada y Dominica, conquistadas y retenidas por los ingleses en 1763. Hasta 1733 las importaciones inglesas desde Granada fueron 8 veces mayores que las importaciones de Canadá en igual período; las exportaciones inglesas al Canadá fueron el doble de las enviadas a Granada. Las importaciones de la Dominica fueron más de 18 veces las importaciones desde La Florida; las exportaciones a La Florida fueron solamente 1/7 menos que las enviadas a la Dominica.

Lo anterior explica, para Williams, lo que ocurrió. Si Inglaterra hubiese retenido a Guadalupe y Cuba, los hacendados azucareros de las

Antillas inglesas *se hubieran eclipsado*, pero como eran muy influyentes, pues no pocos residían en Inglaterra donde habían comprado asientos en el Parlamento, su criterio se impuso en definitiva. De lo que concluye Williams que

resulta claro que Canadá y La Florida fueron retenidas por Inglaterra no porque fueran más valiosas que Cuba, sino precisamente por todo lo contrario: porque eran menos valiosas,[64]

con lo cual corrobora la tesis de Raynal.

En Inglaterra la devolución de La Habana provocó una violenta polémica, pero el gobierno de Londres necesitaba la paz, debido a que le resultaba imposible financiar la continuación de la guerra, mientras Francia demandaba como condición básica para cualquier acuerdo la devolución de La Habana y Guadalupe.

Los argumentos utilizados por ingleses y franceses eran esencialmente económicos y las *islas del azúcar* constituían el eje del conflicto antes que las áreas continentales. ¿Por qué? Porque el azúcar, todavía artículo de lujo, alcanzaba un rendimiento económico superior a los otros productos coloniales: madera, arroz o trigo de Norteamérica. Aun el tabaco había perdido temporalmente la importancia de otras épocas debido a distintos períodos de bajos precios registrados en la primera mitad del Setecientos. Igualmente el mercado de las pieles había sufrido varias caídas por la superproducción.

Y un factor más próximo y no menos importante: los colonos norteamericanos apoyaron a los hacendados ingleses frente a los comerciantes que insistían en el mantenimiento de la soberanía británica sobre Cuba y Guadalupe. Para las Trece Colonias, Canadá y La Florida en manos británicas constituían fronteras seguras y una garantía de paz. Por esto, según el cubano René Lufriú,

antes de ser nación, los norteamericanos influyeron en el porvenir de Cuba, puesto que pusieron el peso de su interés en la balanza de la paz, y realizaron así, de soslayo, su primera ingerencia en el destino de Cuba.[65]

NOTAS AL CAPITULO 2

1. *Cartas Marruecas*.
2. Carlos II, *el hechizado*, sin hijos ni hermanos varones, no tenía herederos españoles. Entre los aspirantes a su herencia figuraban Luis XIV de Francia (1643-1715) y el emperador Leopoldo I de Alemania (1658-1705). Inglaterra y Holanda, potencias marítimas, aunque no interesadas en la sucesión española, vigilaban preocupadas el sesgo del proceso. Si el trono español pasaba a manos de un Borbón, todo el Occidente de Europa y la mayor parte de las tierras americanas quedarían bajo el control de Luis XIV, cuyo imperio sería mayor que el de Carlos V. Para Francia, por otra parte, era un gravísimo peligro la unión de Alemania, Austria y sus dominios bajo un Habsburgo, pues este renacer del antiguo Imperio de Carlos V rodearía nuevamente a Francia de enemigos. Cualquier solución que no fuera un arreglo previo entre las naciones interesadas, significaría la guerra.

Para sorpresa de todos, Carlos II, que había cambiado de opinión varias veces, bajo la influencia de consejeros interesados, se decidió poco antes de morir por su sobrino Felipe de Anjou, cuyo abuelo Luis XIV había sido hasta muy poco un obstinado enemigo de España. Al hacer heredero de sus 22 coronas a Felipe, Carlos II exigía que en ningún momento debían quedar unidas España y Francia bajo un mismo rey. Es posible que la decisión final de Carlos II se debiera a la preocupación de los nobles españoles, quienes advertían la grave posibilidad de que España fuese invadida por el poderoso ejército francés si un austriaco era designado heredero. A pesar de los peligros que para Francia representaba su decisión, Luis XIV aceptó el trono español para su nieto de 17 años, con una frase grandielocuente: "Ya no hay Pirineos: dos naciones que de tanto tiempo a esta parte se han disputado la preferencia, no harán en adelante más que un solo pueblo; la paz perpétua que habrá entre ellas, afianzará la tranquilidad de Europa", lo cual fue más que una frase, pues el dominante monarca francés no perdió oportunidad para tratar de imponer sus opiniones a los españoles.

Guillermo III de Inglaterra (1650-1702) fue el más enérgico promotor de la Gran Alianza que se integró contra España y Francia, y en la cual participaron Inglaterra, Holanda, Austria, varios estados alemanes, Portugal y Cerdeña. Los aliados exigían la corona de España para el archiduque Carlos, hijo segundo del emperador Leopoldo I, y como prueba del trasfondo económico del conflicto, reclamaban también la desaparición del monopolio comercial español en sus colonias. Durante la guerra (1701-1713), hubo campañas de alcance desconocido hasta entonces. Se combatió en Holanda, sur de Alemania, Italia y España, donde el antiguo Reino de Aragón acogió a Carlos como rey. Los ingleses se apoderaron de Gibraltar (1704) para no abandonarlo hasta hoy. En la América del Norte lucharon ingleses y franceses, dando lugar a la llamada *Guerra de la Reina Ana*.

Francia y España llevaban la peor parte de la lucha cuando Inglaterra, después de un cambio de gobierno, se mostró propicia a la paz; además el archiduque Carlos (*Carlos III* para sus partidarios en España) había sucedido en 1711 a su hermano como Emperador y rey de Austria, y si lograba además el trono español, hubiera venido a constituir para los ingleses y sus aliados una amenaza similar a la de Felipe V. Se llegó así a un complejo acuerdo europeo, a través de una serie de convenciones conocidas genéricamente como la Paz de Utrecht (1713). Felipe V fue reconocido como Rey de España y las Indias, pero bajo la condición de que España y Francia no se unirían nunca bajo el mismo rey.

3. Ver el capítulo 1.

4. Pezuela, J. de la (1868), II, págs. 260-61.

5. Con motivo de la presencia del "trozo de Armada de Inglaterra", se mantuvieron *en arma* durante 10 días las tropas veteranas y las milicias. Por R. C. de 31-III-1702 se había ordenado que, en el caso de movilizar las milicias, se les pagase, como a la tropa veterana, 3 reales diarios de socorro. Los milicianos habaneros movilizados en 1703 reclamaron los socorros y se les negaron. Se argumentaba que "las milicias de la ciudad y su contorno, por estar obligadas en todo tiempo a la común defensa, por sus mismos intereses... habían siempre asistido con sus personas y armas a las ocasiones que se habían ofrecido y por esta razón parecía no hablar de ellas la Real deliberación... [que] sólo se debía practicar con la gente veterana y milicias de tierra adentro, por estar fuera de sus casas y que a las... de La Habana que salían fuera... a guarnecer algunos puestos, bastaría se les socorriese con una libra de carne y otra de casabe". El Consejo de Indias (11-IX-1704) dio la razón al Gobernador porque "siendo la plaza de La Habana llave y antemural de las Indias y universal escala a la navegación y comercio de ellas", frecuentemente "por el recelo de invasión" se mantenían armadas las milicias 20, 30 y 40 días, lo que era muy gravoso y poco posible a la Real Hacienda. Se optó por eliminar, *in toto*, el socorro a milicianos y veteranos. (AGI. Santo Domingo, 324. A.A.).

6. AGI. (Pezuela, J. de la, 1868, II, págs. 255-63).

7. El famosísimo *Lorencillo* (ver el volumen 3, capítulo 2), llegó a La Habana en 1704, en la nave insignia del Almirante Coetlogon, cuya presencia permitió dominar una de las intentonas en favor de *Carlos III*. Según P. F. X. de Charlevoix en su *Histoire de Saint Domingue* (1733): "Toda la ciudad acudió a verle, pero por su propia seguridad le prohibió Coetlogon saltar a tierra". Ducasse, antiguo gobernador de Saint Domingue y protector de los filibusteros, terminaría condecorado con el *Toisón de oro* por Felipe V, cuando sus naves de guerra francesas en sustitución de los historiados galeones españoles permitieron llegar a salvo a España en dos ocasiones, tras burlar a los ingleses, los caudales de Indias. El antiguo filibustero, quien moriría en 1713 en Francia, pasados los 70 años, dejó un capital de más de 16 millones de francos, de los cuales una gran parte procedía de sus depredaciones contra los españoles; al morir era teniente general de la Marina de Francia.

8. Pezuela, J. de la (1868), II, págs. 249-50.

9. En una R. C. de 11-I-1701 anunció Felipe V a los gobernantes de Indias "la amistad y unidad de esta Corona con la de Francia y como consecuencia de esta alianza y estrechos lazos, he resuelto permitir la entrada de los navíos franceses en los puertos de Indias", pero aclaraba que sólo les estaba permitido a sus tri-

pulaciones comprar los materiales indispensables, mientras el comercio quedaba terminantemente prohibido. En decretos sucesivos de 1702, 1703 y 1705 se recordó lo anterior, fijándose en un valor de 1.500 a 2.000 libras francesas lo que podría gastarse por cada nave en *refresco*, reiterándose que cualquier súbdito español que comerciase en mercancías por mayor valor, debía ser castigado.

10. AGI. Indiferente general, 2716.

11. Kamen, Henry (1969), págs. 179-80. En pérdidas humanas el desastre de Vigo cobró un alto precio: más de 2.000 muertos por cada lado. Los franceses perdieron 15 navíos de guerra que escoltaban a 3 galeones y 13 mercantes españoles. Durante el mes exacto en que permaneció en Vigo la armada hispano-francesa, antes de ser atacada dentro de la bahía, lograron los españoles desembarcar casi toda la plata y gran parte de las mercancías, a pesar de las demoras creadas por la interferencia de la Casa de la Contratación de Sevilla. Los navíos habían buscado asilo en Vigo ante la presencia de una poderosa fuerza enemiga que los esperaba frente a Cádiz. En torno a la plata que se supone hundida con los galeones en el fondo de la bahía de Vigo surgió una leyenda, y varios empresarios, en ocasiones distintas, intentaron, sin éxito, recuperarla.

12. Pezuela, J. de la (1868), II, pág. 252.

13. AGI. Indiferente general, 2751.

14. Portell Vilá, H. (1938), I, pág. 40.

15. Ver el capítulo 1.

16. Trevelyan, G. M. (1945).

17. Bancroft, G. (1859).

18. Fernández Duro, C. (1973), VI, págs. 125-27.

19. La guerra de 1717-1720 se debió al propósito del Cardenal Alberoni, actuando en nombre de Felipe V, de recuperar las pérdidas posesiones italianas en Cerdeña y Sicilia. Se enfrentaron a España, tanto Inglaterra, Holanda y Austria como su antigua aliada Francia (Cuádruple Alianza) y terminó mediante el Tratado de la Haya (1720). En la otra guerra (1727-1729) tuvo España como enemigos a Inglaterra y Francia, que aceptaron finalmente, mediante el Tratado de Sevilla, la sucesión española en los ducados italianos.

20. Ver el capítulo 1.

21. Mencionados por Pezuela, J. de la, (1868), II, pág. 313.

22. Los navíos de Hossier representaban una nueva generación de bajeles de guerra de que disponía Inglaterra. Según Pezuela "eran flotantes y veloces fortalezas de más de 1.500 toneladas, de 3 puentes, con 2 órdenes de cañones de 24 en cada banda y más de 600 tripulantes entre marineros, soldados y operarios. Señora ya en aquel tiempo de los mares, y aventajada en industria naval, la Inglaterra... empezaba a reemplazar con verdaderos navíos de guerra a los antiguos buques de alto bordo". (1868, II, págs. 338-39).

23. Ver el capítulo 1.

24. AGI. Santo Domingo 498 (Consejo de Indias, Madrid, 7-I-1738).

25. Sobre detalles del contrabando en este período ver el Volumen 7.

26. Tal castigo era ya común en España en la Edad Media. El Padre Las Casas se quejaría de como "desorejados de Castilla", a quienes se había conmutado sus penas de cárcel por destierro en las Indias, se hacían servir en La Española, *como señores*, por sus indios encomendados.

27. Numerosos historiadores, entre ellos ingleses, consideran a Jenkins un farsante. Al igual que otros testigos del caso, no declaró bajo juramento y en los Comunes cubría su cabeza con la habitual peluca que impedía confirmar si efectivamente había sido desorejado por los feroces asaltantes de su navío. Aun así el testimonio llegó en un momento decisivo. La prensa londinense citaba el número de navíos ingleses atacados o apresados en los últimos años por los guardacostas con base en Cuba y Puerto Rico:

Año	Navíos
1731	3
1732	1
1732	6
1734	1
1735	9
1737	11

Las cifras anteriores fueron publicadas por el *Gentlemen's Magazine* en marzo de 1758 y las de 1737 aparecen confirmadas en documentos españoles de origen cubano (AGI. Santo Domingo, 498. A.A.).

28. Bancroft, G. (1859).

29. Pares, Richard (1936), págs. 77-97.

30. Ibídem. (Pág. 82).

31. *Original Papers relating to the Expedition to the Island of Cuba*, London, 1744.

32. La oferta de tierras en Cuba había sido formulada originalmente como un modo de atraer a los voluntarios americanos a la expedición de Vernon. Las áreas ofrecidas eran:

	Acres
Capitán	200
Teniente	150
Alférez	100
Soldado	80

Además se les prometieron préstamos sin interés para desarrollar tales tierras (Vernon-Wager Papers, Library of Congress, Washington. Memorandum a Wager citado por Portell Vilá, H. (1938), I, págs. 50-51.

33. Kendall Watkins, W. (1899), *Massachussets in the Expedition under Admiral Vernon in 1740-41 to the West Indies* (Year-Book of the Society of Colonial Wars). Boston.

33.bis Portell Vilá, H. (1938), I, pág. 51.

34. AGI. Santo Domingo, 364. (A.A.).

35. AGI. Contaduría, 1184A.

36. Ibidem.

37. Chapin, H. M. (1928, 1931).

38. Pezuela, J. de la (1868), II, pág. 391.

39. Ver el Volumen 8, capítulo sobre la Hacienda.

● **129**

40. Chapin, H. M. (1930).

41. El crecimiento del comercio de Inglaterra en los dos primeros tercios del siglo XVIII lo revelan las cifras del tonelaje de los navíos despachados en sus puertos, según datos de Cunningham, W. (1890-92):

Año	Millares de tons.
1701	273
1738	476
1763	561

42. Las fuerzas defensoras, según las noticias británicas recogidas por Valdés (1877) equilibran a las atacantes, pero el historiador Pezuela estimaba en mucho menos la totalidad de los defensores. Según los ingleses los defensores de La Habana eran:

Caballería (9 escuadrones)	810
Infantería (1 regimiento)	3.500
Artillería (3 compañías)	300
Marineros y tropas de marina	9.000
Subtotal	13.610
Milicias y gente de color	14.000
Total	27.610

Debe tenerse en cuenta que desde 1761 habían sido enviadas tropas de refuerzo a La Habana, por temor al posible ataque británico, ya que era una de las alternativas que podría tener Gran Bretaña como respuesta al Tercer pacto de familia. Estas tropas de refuerzo sufrieron numerosas bajas, antes del arribo de las tropas británicas por la epidemia de fiebre amarilla que las diezmó (AHM-AC, 1761).

43. El propósito de esta obra nos exime de reiterar el relato del sitio y su análisis militar. Se trata de uno de los temas más ampliamente estudiados dentro de la historiografía tradicional cubana. El lector interesado encontrará el más perspicaz y esclarecedor estudio en el Manual de Historia de Cuba de Ramiro Guerra (1938), cap. IX, quien utilizó equilibrada y lúcidamente las fuentes inglesas y españolas. Desde el punto de vista inglés merece destaque el análisis de lo ocurrido por Hugh Thomas (1973, I). Entre las obras clásicas encontrará el lector el estudio de Jacobo de la Pezuela y el de Pedro José Guiteras (1932). También contiene rica información Antonio J. Valdés (1877). Sobre algunas reacciones e impresiones personales de protagonistas y testigos, e información adicional, ver Cinco diarios del sitio de La Habana, por Amalia Rodríguez (1962). En la bibliografía del presente volumen aparecen mencionadas otras obras sobre el tema.

44. Vance Russell, N. (1929).

45. El odio de ciertos elementos populares hacia los ingleses, que llevaría a asesinar a algunos y a tratar de envenenar a otros, haciéndoles ingerir simultáneamente bananos y aguardiente —lo que era mortal según el criterio común—, pudo deberse en alguna medida a la arrogancia de los soldados, los chaquetas rojas, como eran generalmente conocidos (Thomas, H., 1973, I, pág. 80).

46. (1868) II.

47. Obras, I (1952), pág. 117.

48. Según los documentos británicos el número de barcos llegados a Cuba durante la ocupación fue de 727. El potencial económico desarrollado por Inglaterra en el siglo XVIII, independientemente del aporte de sus colonias americanas explica el movimiento mercantil que proporcionaron a La Habana. Los datos que siguen los confirman:

Comercio inglés total:

Año	Libras esterlinas
1714	14.000.000
1750	24.000.000

Navíos ingleses:

1702	3.300
1764	8.100

De los 717 embarcaciones entradas en La Habana durante la ocupación, 180 procedían de New York y 150 de Boston, Filadelfia y Charleston, o sea, estos 4 puertos aportaron el 25 % de los buques que abastecieron a Cuba (Bernstein, H,. 1945, pág. 22).

49. Pezuela, J. de la (1868), II.

50. Abstract of English Historical Statistics, citado por Thomas, Hugh (1973), I, pág. 77.

51. (1938), I.

52. Aimes, H. H. (1907), pág. 33.

53. De la Conquista a la Independencia (1958) pág. 42.

54. El historiador Eric Williams, de Trinidad-Tobago, confirma tal criterio al escribir (1970): La Cuba del siglo XIX produjo mas grandes hombres que el resto de los territorios del Caribe combinados a través de toda su historia —José Martí, Luz y Caballero, Arango y Parreño, Saco, Bachiller y Morales, Máximo Gómez, Céspedes, Maceo, Juan Gualberto Gómez, Plácido, estadistas, filósofos, humanistas, generales y poetas.

55. Ver el Volumen 5.

56. Ver el Volumen 2, página 379.

57. Ver Roig de Leuchsenring, E. (1928).

58. A pesar del cuantioso botín capturado, Albemarle exigió más: los vecinos debieron entregar 200.000 pesos y los religiosos 70.000, de los cuales pagarían 5.000 pesos los jesuitas (Valdés, J. A., 1877). Peñalver Angulo, gobernador de lo político, fue el mediador para obtenerlo y en el cotilleo habanero no faltaron quienes le señalaran como el autor de la idea de la exigencia forzosa al vecindario, ya que al ir a cobrar sus agentes se hacían acompañar de soldados británicos. Autor o no, como ejecutor de una iniciativa tan radicalmente impopular se ganó denuestos y epigramas, además de las denuncias que siguieron a la restauración de la soberanía española. Entre los epigramas de la época, conservados en el folklore habanero, figura el siguiente:

Entre los sesenta modos
que se han hallado de hurtar,
uno es decir que Arbemal
pide donativo a todos.
Peñalver hasta los codos
en sacarlos se ha empeñado,
mas yo tengo averiguado
que no lo hace con el Conde,
sino por ver lo que esconde
y quedar aprovechado.

59. Ver el Volumen 7, capítulo 7.

60. Según versión de Emeterio S. Santonvenia (1962) A dos siglos de la dominación británica en La Habana, Bohemia Libre. New York. Martín de Ulloa pertenecía a una familia de próceres españoles y era miembro de número de la Real Academia de la Lengua de Madrid (Ibídem).

61. Pereyra, C. (1959). No debemos olvidar que La Habana fue sólo un elemento a considerar dentro de un contexto mundial de paz. Merece subrayarse, aunque no corresponda exactamente al propósito de esta obra, que el resultado final de la Guerra de los Siete Años tuvo consecuencias de enorme significación para la historia posterior de Europa. La victoria de Federico el Grande sobre Austria hizo posible el desarrollo de Prusia como potencia germen del posterior Imperio Alemán. Inglaterra despojó a Francia de su imperio colonial en América, con excepción de las minúsculas Saint Pierre y Miquelón en las cercanías de Terranova, Guadalupe, Saint Domingue, algunas Antillas Menores y la Guayana Francesa. Sólo la Luisiana, entregada por Francia a España como compensación por la pérdida de La Florida, escapó a Inglaterra, que redondearía sus nuevos territorios en la América del Norte al obtener La Florida —mucho más extenso que el del actual Estado— a cambio de La Habana. Dos hechos destacan como consecuencia de esta aplastante victoria inglesa que se extendió del Canadá a la India: Gran Bretaña estaba en camino de dominar absolutamente los mares —lo que temieron los firmantes del Tercer pacto de familia—, y sus nuevas posesiones coloniales le garantizarían el abastecimiento de materias primas que le permitirían adelantarse a las demás naciones en la ruta de la revolución industrial.

62. Cifra errónea repetida a partir de Aimes, H. H. (1907); podemos calcular fueron unos 4.000.

63. Parry, J. H. and Sherlock, P. M. (1963).

64. Williams, Eric (1944).

65. El Impulso inicial, 1930.

LA TIERRA: LOS LIMITES DE LA APROPIACION

3

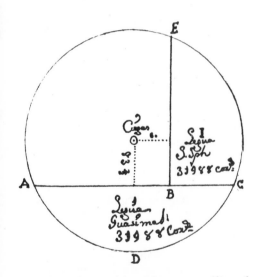

Tan inconsiderablemente liberal ha andado este Cabildo [de la Habana] en las mercedes y concesiones de tierra, que ni aun propios para sí ha dejado en muchas leguas en contorno.

Gobernador JUAN
GÜEMES HORCASITAS (1738)

El carácter agrícola que fue adquiriendo la economía cubana desde el siglo XVII, cuando el fomento azucarero dejó a la ganadería en posición secundaria, se acentuaría en la primera mitad del siglo XVIII. Las primeras compras de tabaco por la Corona en 1699[1] marcan un hito definidor en el balance favorable hacia la agricultura, que iría en continuo ascenso. Consecuencia del auge agrícola sería una revalorización en alza de la tierra como bien de capital, y un mayor interés por los problemas nacidos de la realidad agraria insular.

Hacia 1700 ya quedaba en Cuba poca tierra por apropiar. Basándose en su índice de mercedes del Cabildo habanero y de las informaciones que poseía sobre el resto de la Isla, estimaría Bernardo y Estrada (1857), que en el primer tercio del siglo XVIII, si las mercedes de tierra concedidas hubiesen ocupado el espacio que teóricamente les correspondía como hatos, corrales, ingenios, estancias huertas y solares, habrían sumado un 50 % en exceso del área total de la Isla.[2]

La imprecisión de los límites de los fundos y la conciencia de los poseedores de hatos y corrales circulares que muchos de los círculos teóricos de sus tierras se superponían a los de sus vecinos, y que eran también muchos los círculos incompletos, provocarían constantes litigios que irían multiplicándose con la toma de posesión más directa de la tierra, con el aumento de su precio, y ante la necesidad de redistribuirla en las cercanías de los asentamientos urbanos, para dar paso al fomento de ingenios, vegas, cacahuales, estancias, potreros y cafetales que, en unidades menores pero multiplicadas, dominarían el paisaje agrario cubano desde el tercio final del siglo XVIII y a un ritmo de vértigo en los dos primeros tercios del siglo XIX.

1. EL PRECIO DE LA TIERRA: INDICE DEL FOMENTO AGRO-PECUARIO INSULAR

Durante el siglo XVI la disponibilidad de la tierra era tal, que su precio resultaría irrisorio, aun en el caso de estancias que, por su proximidad a La Habana, estaban vinculadas al mercado estacional promovido por la demanda del abastecimiento de las Flotas y Armadas.[3] En el siglo XVII los hatos y corrales, al cambiar de poseesores, mediante operaciones de compraventa, alcanzaron en casos conocidos, valoración más estimable. Quizás nos ofrezca un indicio del nivel real del mercado al cerrarse el Seiscientos el corral de Matanzas, que mercedado gratuitamente en los inicios de la colonización, costaría a la Corona 8.000 ducados, al adquirirlo del Convento de Santa Clara, al cual había pasado como dote, para establecer en sus tierras a los primeros vecinos de San Carlos de Matanzas.[4] Sobre la base de 8.000 ducados corral, la caballería de tierra valdría en Matanzas, hacia 1700, poco más de 26 pesos. Estas tierras serían orientadas hacia el cultivo de tabaco. La propia burocracia real, al tasar las tierras apropiadas para tabaco, de parte de los corrales Sacalohondo y Govea, próximos a La Habana, tasó la caballería a 400 pesos en 1757, mientras sus poseedores las valoraban en 750 pesos caballería. Las monjas de Catalina de Sena reclamaban una indemnización mayor por las suyas, destinadas al pueblo de Santiago de las Vegas, insistiendo en que habían sido tasadas en 1728 a 793 pesos caballería, para ser dadas a rédito a cultivadores, en tanto la Corona iba a pagarles a 333 pesos. Solamente desmontar y limpiar una caballería de tierra costaba en 1757 unos 300 pesos.[5]

Los datos anteriores nos permiten calcular, conservadoramente, que en las seis primeras décadas del siglo XVIII el precio de la tierra debió aumentar, en ciertas áreas privilegiadas, hasta en más de un 2.000 por ciento. La cifra es impresionante, pero explicable por un hecho: la apropiación de la tierra, posibilitada durante más de dos siglos por el Cabildo habanero, había alcanzado su límite. En lo adelante, fuera de los *realengos* que vendería la Corona a precios relativamente bajos y generalmente a censos que redituaban un 5 % anual, la tierra era un bien en creciente demanda, al que no había libre acceso. Por ser así no debe extrañarnos que las monjas de Santa Catalina de Siena estuviesen reclamando 20.000 pesos por 23 caballerías de tierras para el cultivo del tabaco, pero a tal precio, el corral de Matanzas vendido en 1700 por 8.000 ducados, valdría teóricamente al Convento de Santa Clara, de haber resultado adecuadas para tabaco la totalidad de sus suelos, 366.087 pesos, medio siglo después.

Si no todas las tierras aumentaron de valor en forma brusca, es indudable que el rendidor cultivo

Testimonios

LA VENTA DE TIERRA A CENSO FAVORECIA A LOS LABRADORES

El juez de tierras Joseph A. Gelabert, basado en su experiencia, y en la Ley 15 del título 12 del Libro 4 de la *Recopilación*, favorecía la venta de las tierras del Rey a *censo al quitar* y no al contado, pues

siendo en crecido número las tierras que deben beneficiarse, y... las gentes que las han de tomar de diversas categorías, y las mas sin caudales en moneda, se facilita por este medio, el mas ventajoso a la Hacienda... siendo como es mayor el cuerpo de pobres labradores y de los que se aplican a la cultura de los campos, que absolutamente no pueden comprar sin estas proporciones, en que logran el tiempo para procrear y poder redimir lo que reciben a censo.

Joseph Antonio Gelabert
al Marqués de la Regalia
(La Habana, 15-X-1750)
FUENTE: AGI. Santo Domingo, 499 (A.A.).

del tabaco produjo una revolución de precios en el agro, particularmente en las mejores tierras cercanas a La Habana. Según el juez de tierras don Joseph Antonio Gelabert, un corral cuyo precio global de mercado era de 5.000 a 6.000 pesos, rendía al ser vendido, una vez dividido en estancias, hasta 100.000 pesos. La especulación era escandalosa y como pocos pequeños cultivadores disponían de *reales en efectivo* para pagar de contado, se hizo costumbre dejar las tierras vendidas a precios elevados, sujetas a censos redimibles al rédito habitual

del 5 % anual. En estos casos, un corral adquirido por 5.000 pesos unos años antes, rentaba, una vez *demolido*, los mismos 5.000 pesos cada año.[6]

Entre las pruebas concretas del aumento de los precios de la tierra en La Habana y sus inmediaciones tenemos el siguiente: en 1652 don Gaspar de Arteaga Ureña y doña Magdalena Corbera, compraron por 6.000 pesos una *estancia de labor y arboledas*, la cual había recibido como merced gratuita del Cabildo el vicario Pbtro. Cristóbal Benito de Rivera. Fue en esta estancia donde en 1675 fundó el matrimonio la ermita de Montserrate. De las 14.534 varas^2 de la estancia fueron tomadas 12.429 varas^2, o sea, el 85 % para las obras de La Muralla. Cuando tras un largo pleito se pagó en 1733 a los herederos de doña Magdalena Corbera la tierras, el valor de tasación de la porción expropiada a la estancia fue de 15.366 pesos, o sea, que la vara^2 comprada en 1652 a 112 1/3 maravedíes, la pagó la corona a un precio tres veces mayor, además de resarcir a los herederos en 7.039 pesos, o sea, más que el precio pagado originalmente por la estancia, por los intereses acumulados.[7]

Durante el primer tercio del Setecientos la revaloración de la tierra de la jurisdicción de La Habana se manifestaría en 5 formas distintas:

● El interés de algunos propietarios por revalidar las antiguas mercedes del Cabildo, que eran la base jurídica de su posesión, considerada generalmente en usufructo.

● La concesión de autorizaciones por el Cabildo para fomentar nuevas *poblaciones*, o sea, nuevos sitios de cría, fuera del centro, en las tierras poseidas.[7 bis]

● Demolición de haciendas, o sea, la distribución de un fundo, mediante ventas o acuerdos, entre un número de propietarios. El fomento azucarero sería uno de los factores que promovieron las más antiguas demoliciones de las haciendas ganaderas.

● Utilización parcial de los antiguos sitios o corrales de puercos para cría limitada de ganado vacuno de leche —vacas rejegas— o de carne, en respuesta a una creciente demanda del mercado por carne de res y leche.

● Transferencia del asiento principal de las haciendas, en la búsqueda de mejores condiciones económicas: accesibilidad y manantiales, entre otras.

Reducidos a cifras, estos rasgos sintomáticos de los cambios que producía dentro de la estructura agraria cubana la revaluación de la tierra, rezan a sí, según las actas del Cabildo habanero:

Tipo de merced	Pedidas	Concedidas
Sitios y ranchos	34	18
Realengos	14	6
Sobras · de tierra	5	4
Pedazos de tierra	2	1
Huecos entre haciendas	1	1
Totales	56	30

Las creces

En La Habana, donde iba surgiendo una burguesía interesada en ad-

---

Documentos

UNA TIERRA PROVIDA

Sus cosechas comerciales son tabacos, azúcar y cueros; no cogen trigo, por preferir la siembra de tabaco. Abunda, sin embargo, en tantas vituallas, en la yuca de que se hace pan y en carnes, que jamás vio necesidad grave. Coge mucho arroz, maiz y otros granos, razonable pesca en sus ríos y mares y en ellos algún carey.

En sus montes hay abejas que anidan y propagan dondequiera que las traspasen.

Y produce el cacao, el café, el té, diferentes semillas y yerbas medicinales, el añil, el algodón y el jenjibre.

FUENTE: AGI. Santo Domingo, 1157 (Cuba: *Fomento de la Isla*. 1749) (A.A.).

---

quirir tierras, el carácter monetario de la economía comercial, vuelta hacia el exterior, permitía valorar en forma concreta la tierra, poseída individualmente o por dos o tres asociados cada hacienda.

Fuera de la jurisdicción de La Habana, desde Alvarez hasta Santiago de Cuba, la revalorización de la tierra se manifestaría en otra forma, nacida de las condiciones de esta sección de la Isla. Desde finales del siglo XVI debió surgir la necesidad de dividir las tierras de las haciendas entre los herederos, problema que se agravaría con el paso de las generaciones. Surgieron así los *pesos de propiedad*, cuya eficacia conocemos especialmente por documentos preservados en Sancti Spíritus y Holguín. Una hacienda era tasada al morir su poseedor, en una cantidad determinada de pesos. Estos pesos eran divididos proporcionalmente entre los herederos, asignándose a cada uno una suma de *pesos de propiedad*, parte del precio en que fuera tasada la hacienda. La hacienda permanecía indivisa, ya que la razón clave del sistema era la imposibilidad material de repartirla por el valor relativamente escaso de la tierra y lo costoso de una operación de deslinde. La hacienda, a partir de la primera tasación y división en pesos de propiedad, devenía *comunera*, y cada uno de los poseedores de pesos de propiedad era dueño parcial de ella, en comunidad con el resto.

Los *comuneros* se dividían *in situ*, para establecer sus *asientos*, las tierras y aguadas que iban a utilizar para criar su ganado. Si alguno de los comuneros vendía su parte —lo que más tarde se llamaría *acción*—, el comprador pagaba la cantidad acordada y entraba en posesión de la parte del fundo que correspondía a los *pesos de propiedad* del vendedor, al que sustituía como miembro de la comunidad. El método, que funcionó con un razonable ingrediente de conflictos durante el largo ciclo ganadero del centro y del Oriente de Cuba, comenzaría a crear una grave situación legal en el siglo XIX, que vino a resolverse en la presente centuria.

A pesar de su carácter peculiar, aun las haciendas comuneras resultaron favorablemente afectadas por la mejor estimación del valor de la tierra. Las tasaciones originales fueron elevadas en muchos casos, y el total de los *pesos de propiedad* aumentó. La participación real del comunero, en cuanto a la porción alícuota de tierra que le correspondía no variaba, pero si el montante

Testimonios

LOS CONFUSOS DERECHOS DE PROPIEDAD EN LAS HACIENDAS COMUNERAS

Los problemas creados tanto por la imprecisión de los límites de las mercedes otorgadas, como por la multiplicación de los *comuneros*, aumentaron durante la primera mitad del siglo XVIII. Lo que venía ocurriendo puede advertirse con la lectura de los autos seguidos en relación con la merced del Ciego del Caballo, otorgada por el cabildo espirituano en 1639, para dar lugar a un pleito que duró 68 años, demora debida a

no haber en la villa Sancti Spiritus persona inteligente en jurisprudencia para la dirección del juicio.

La sentencia, por la cual se ordenaba el deslinde de las haciendas colindantes y que

se experimentaba gran desorden en las haciendas y había frecuentes discordias porque eran muchos los dueños, con partes desiguales, y cada uno de ellos quería poner sitio y hacer población de animales donde le parecía, sin obtener ni procurar licencia del cabildo,

bajo cuya inteligencia mandaba el Sr. Alcalde que dentro de 15 días se destruyesen todos los bohíos y asientos que hubiese fuera del centro de cada hato, bajo la pena en caso de desobediencia, de los 200 ducados que en el artículo 63 imponen las Ordenanzas Municipales. Agrégase también que los hacendados en lo sucesivo habrían de convenirse entre sí para cuanto fuese menester, y conformarse con tener sus asientos y corrales en el centro a corta distancia unos de otros, con los animales que pudiesen criar, según el interés que les correspondiese en la hacienda.[a]

Celorio, analizando esta sentencia, ha indicado que, además de revelar el predominio de la ganadería —al menos, en Sancti Spíritus—, reflejaba un propósito de

mantener unidos, por los lazos de la proximidad, a los particioneros de cada merced.

a. Pérez Luna, R. (1888).
b. Celorio, Benito (1914).

gua y cuarto; hacia el de Neiva 2 leguas y otras 2 hacia El Jumento. Que vieron muchas aguadas, muchos palmares y frutos y mucho pasto, que es capaz de criar hasta 5.000 reses y que lo apreciaban en 2.500 pesos. El juez aprobó la operación.

De haber completado el hato las *dos leguas a todos los vientos*, su área hubiera sido de 1.684 caballerías, pero por su cortedad hacia Cabaiguán podemos estimarlo en 1.400 caballerías. En este caso la caballería de tierra ganadera de la mejor clase se estimaba en el centro geográfico de Cuba a menos de 2 pesos.

Cuatro décadas después, en 1756, cuando la caballería de tierra tabacalera en las cercanías de La Habana se tasaba entre 333 y 750 pesos, en Sancti Spíritus se elvaba mediante *creces* el valor del corral La Concepción que estaba tasado en 300 pesos y cuyo nuevo valor sería el quíntuplo, 1.500 pesos

porque así lo requería el aumento de valor aprobado en ella por la industria y por los adelantos de la época.[b]

Es decir, a pesar de tal aumento, localmente dramático, la caballería de tierra del corral espirituano era tasada en poco más de tres pesos y medio. La cifra es reveladora del tremendo desequilibrio en el rendimiento económico —explicable bajo las condiciones de la época—, entre La Habana y su hinterland, de una parte, y el resto de la Isla de otra.

de los pesos de propiedad de que podía disponer.

El historiador Rafael Pérez de Luna (1888) recogió dos casos relacionados con el valor de la tierra en Sancti Spíritus y su aumento en pesos de propiedad, lo que vino a ser conocido como *creces*:

[En 1717] el alguacil mayor del Santo Oficio Gonzalo Fernández

Morera, único dueño del hato Calabazas, promovió tasación de éste para *darle creces*, nombrando por terceros avaluadores al capitán Cristóbal Díaz y al regidor capitán Pedro de la Reguera, quienes... pasaron a reconocer dicho hato. Declararon luego ante el juez de conocimiento, alcalde ordinario capitán don Diego Cañizares en 25-VI, y por ante el escribano Diego Ruiz Camarena, que desde el centro hacia el hato de Cabaiguán habrá le-

2. ACUERDO FINAL SOBRE LAS AREAS DE HATOS Y CORRALES

Entre los problemas de la estructura agraria que se definieron en el primer tercio del siglo XVIII figuró el de la determinación de las áreas correspondientes a las mayores mercedes de tierra: hatos y corrales. Desde el siglo XVI se mencionaron como *sabanas* las haciendas destinadas a la cría, en espacios llanos y de vegetación abierta, del ganado mayor o vacuno, y se llamó *sitios* a las haciendas en las que la vegetación de bosque —predominante entonces en la mitad occidental de Cuba— facilitaba la cría de ganado menor, llamado indistintamente cerdos, puercos o machos. Aun desde el inicio había ya un paralelismo lingüístico: mientras *sitio*, como lugar de asentamiento era de indudable raiz castellana, *sabana* era una connotación geobotánica tomada a préstamo —como tantos términos antillanos—, de la lengua arahuaca.

El que se prohibiera desde temprano *montear* dentro de una distancia de 2 leguas a la redonda del centro —bramadero— de una sabana que tuviese dueño, creó el concepto de la hacienda circular. Generalmente las sabanas, pocas y mercedadas temprano, alcanzaban a cubrir la totalidad de su área teórica: 12.57 leguas² (22.606 Hectáreas). Aun así hubo algunas por merced real que rebasaron las *cuatro leguas diametrales*, como la de Macurixes, con 3 leguas de radio y la de Hanábana, primero de 3 y más tarde de

---

Cifras

UN AGRIMENSOR EXPERIMENTADO DEFINE LAS MEDIDAS AGRARIAS CUBANAS EN 1751

Un corral que goza de antelación y preferencia a los demás, sus confinantes, tiene 4 leguas según *práctica* de esta Isla.

Una legua tiene 34.167 3/4 cordeles de 24 varas el cordel; si son los cordeles de 25 varas, tiene 31.488.

Bajo de la dicha mensuración tiene 1 legua 421 caballerías y 267 cordeles.

Una caballería tiene 324 cordeles cuadrados de a 24 varas. Un cordel plano tiene 576 varas.

Una caballería tiene 146 solares y 328 varas.

Un solar tiene 1.080 varas, que se compone de 27 de frente y 40 de fondo. Esto, fuera de 8 varas de calle.

Un hato de ganados mayores tiene 16 leguas planas y de diámetro 4 leguas en cruz, que son 833 cordeles y 8 varas de 24 varas cordel.

Un corral tiene de diámetro 416 2/3 cordeles.

FUENTE: AGI. Santo Domingo, 1319. (Informe del agrimensor público Bartolomé L. de Flores. La Habana, 20-VIII-1751) (A.A.).

---

5 leguas de radio, por decisión metropolitana. Hubo otros casos: en Río Bayamo, destinada a los indios de Guanabacoa, podían trazarse 2.5 leguas de radio y aun quedaban sobras, mientras la llamada San Juan de Contreras medía solamente 3 leguas diametrales.

En cuanto a los sitios mucho más numerosos que las sabanas, se acostumbró a considerarlos como de una legua de radio. Antes de conceder las mercedes para fundos, el Cabildo ordenadaba diligencias que incluían la consulta de los propietarios vecinos, visita de comisarios, y más tarde la presencia de agrimensores. Aun así, la multiplicación de las mercedes para sitios provocaría infinidad de superposiciones de círculos, de modo que sólo los más antiguos podían realmente ser calculados con el área correspondiente a un círculo de 2 leguas de diámetro: 3.14 leguas cuadradas (6.651 Hectáreas).[9] En los años finales en los que el Cabildo mercedó *sitios para criar ganado menor*, el espacio asignado era notoriamente inferior al del sitio tradicional, pero aun así se concedían las mercedes.[10]

En el cabildo de 16-VI-1719 pusieron término los regidores habaneros a toda posible confusión semántica y matemática, con una definición de los términos *sabana* y *sitio*, en su aplicación a las haciendas ganaderas. Esta decisión vital en el contexto agrario-ganadero de la época se debió al regidor Ambrosio Zayas Bazán, miembro de uno de los clanes más poderosos de La Habana, y muchos de cuyos integrantes poseían vastas haciendas.

Propuso Zayas Bazán que las tierras concedidas por el Cabildo, desde el siglo XVI, como

sabanas para criar vacas

fueran

habidas, tenidas y reputadas

por *hatos*, y por lo tanto,

deben gozar 4 leguas diametrales de tierra, incluyendo en ellas los bosques que se comprendieren,

lo cual revela el conflicto creado ante la contraposición del término genérico de sabana, aplicado por la porción central ocupada en la hacienda y la realidad geográfica de la existencia de áreas menores de bosques (*montes*) dentro del círculo mucho más amplio que cubría la merced.

El Cabildo aceptó lo anterior, al igual que la proposición de que

los corrales, criaderos de puercos [tuviesen] dos [leguas] en la misma conformidad.

pero agregando que ello se observaría

sin perjuicio de vecino que sea más antiguo en posesión, porque éste debe preferir al de menos antigüedad, por ser conforme a derecho, y no en otra manera.

Además de quedar así ratificado que *primero en el tiempo, primero en derecho*, en los casos de superposición de mercedes, que se reconocían como numerosísimas, y que originarían toda clase de litigios, se aclaraba a continuación:

Sin que se entienda que si alguno o algunos de los hatos y corrales poblados, o los que en adelante se poblaren carecieren de los términos arriba dichos, por confinar por alguna o algunas haciendas más antiguas, deje de ser tenido y habido por tal hato y corral, sino que ha de quedar con tal título y jurisdicción, y ha de ser tenido por tal,

Cifras

TABLA DE MEDIDAS AGRARIAS CUBANAS TRADICIONALES

Lineales

1 vara = 0,8359 metro
1 cordel = 24 ó 25 varas cubanas
1 legua cubana = 4,240 metros

De Superficie

1 cordel cuadrado = 4,142 áreas
1 caballería = 13,42 Hectáreas
1 fanega = 0,6439 Hectáreas
1 hato = 1.684,45 caballerías
1 hato = 22.605,66 Hectáreas
1 corral = 421,25 caballerías
1 corral = 5.651,40 Hectáreas *
* Esta cifra corrige la errata contenida en la pág. 74 del Volumen 2.

FUENTE: Torre, José María de la (1888).

sin contradicción y gozando de sus términos según arriba expresado, por la parte o partes que puedan haberlos sin perjuicio de tercero que prefiere en antigüedad.[11]

El acuerdo del Cabildo definía tres situaciones:

● Las denominaciones definitivas de *hato* y *corral*.

● Las áreas teóricas máximas que correspondían a ambos tipos de fundos ganaderos.

● El reconocimiento oficial del derecho de precedencia. En todo deslinde futuro el poseedor más antiguo tenía derecho a que se le demarcara la totalidad de su círculo, en tanto se reduciría la del o de los

vecinos cuyas mercedes fuesen posteriores a la suya.[12]

A partir de entonces los poseedores de corrales acostumbraron a suponerlos integrados por 4 leguas de área, demarcadas por dos diámetros perpendiculares entre sí. Como el área real del corral íntegro era de 3,14 leguas cuadradas, las 4 leguas vendrían a ser llamadas *leguas corraleras* en la jurisdicción de La Habana y *leguas comuneras* desde Alvarez hacia el Este.[13]

La existencia de innumerables superposiciones de las mercedes, aun en el área más próxima a La Habana, se hizo evidente cuando fueron medidos, con las mayores precisiones posibles, hasta 17 corrales cuyos poseedores solicitaron permiso para demolerlos antes de 1751, a fin de destinar a ingenios y estancias las tierras hasta entonces destinadas a la cría de cerdos. Solamente 3 de ellos: La Chorrera, Managuana y Bajurayabo poseían la totalidad de los círculos de 421 caballerías, una vez aplicados los principios aprobados por el Cabildo habanero en 1729.[14]

3. ETAPA FINAL DE LA CONCESION DE MERCEDES POR EL CABILDO HABANERO

Desde 1701 el Cabildo habanero, consciente de la revalorización de la tierra y de su escasa disponibilidad, fue muy parco en la concesión de nuevas mercedes. En primer término quedaba muy poca tierra sin apropiar dentro de su jurisdicción y, en 1729, entraba en vigor la or-

PLANOS DE CIUDADES Y VILLAS DE CUBA (1712-1753)

Fuente: Archivo General de Indias

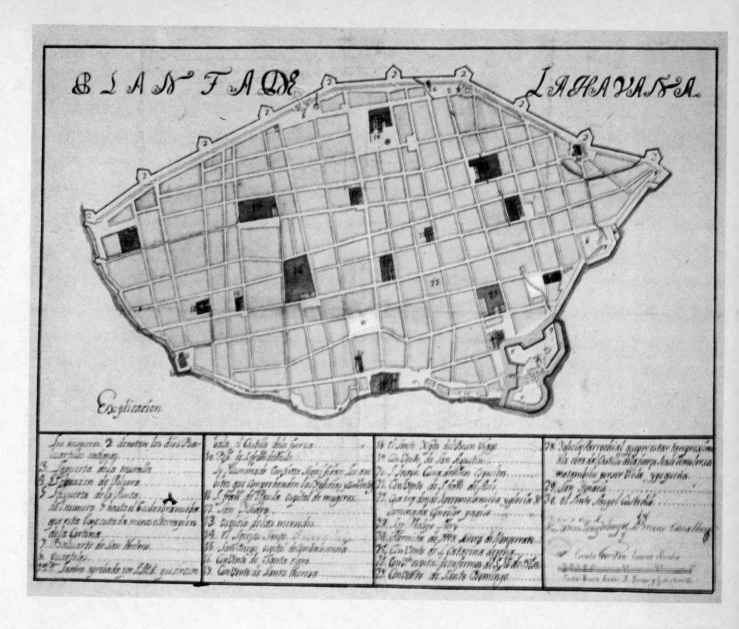

Las dos preocupaciones dominantes en La Habana del siglo XVIII aparecen recogidas en este plano de la ciudad intramuros: la defensa continua frente al acecho enemigo, y la religión. En 1730 el gobernador Martínez de la Vega envió a España este plano que destaca las características de La Punta y La Muralla, así como la localización de las iglesias y conventos. Plano del ingeniero militar don Bruno Caballero. (Fuente: AGI. Santo Domingo, legajo 385).

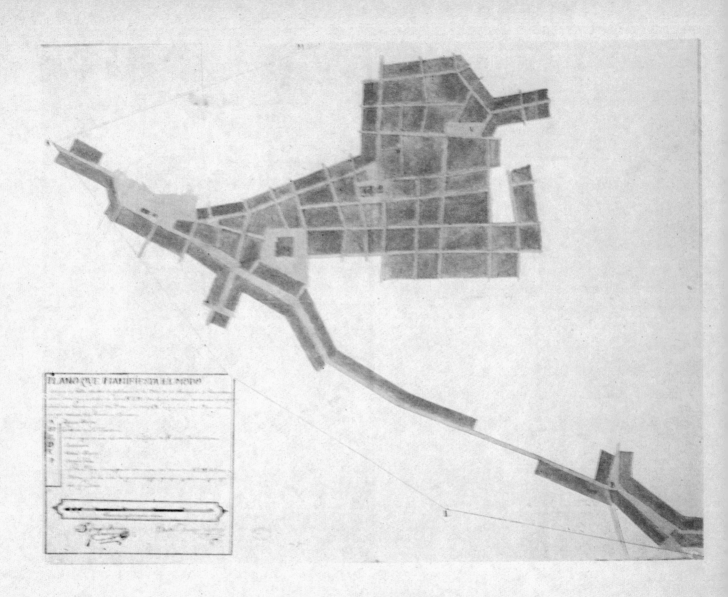

Guanbacoa, fundada como pueblo de indios al mediar el siglo XVI, fue convertida en villa en 1743. El plano, de 1746, fue levantado por los agrimensores José Fernández Sotolongo y Bartolomé Lorenzo de Flores. (Fuente: AGI. Santo Domingo, legajo 389).

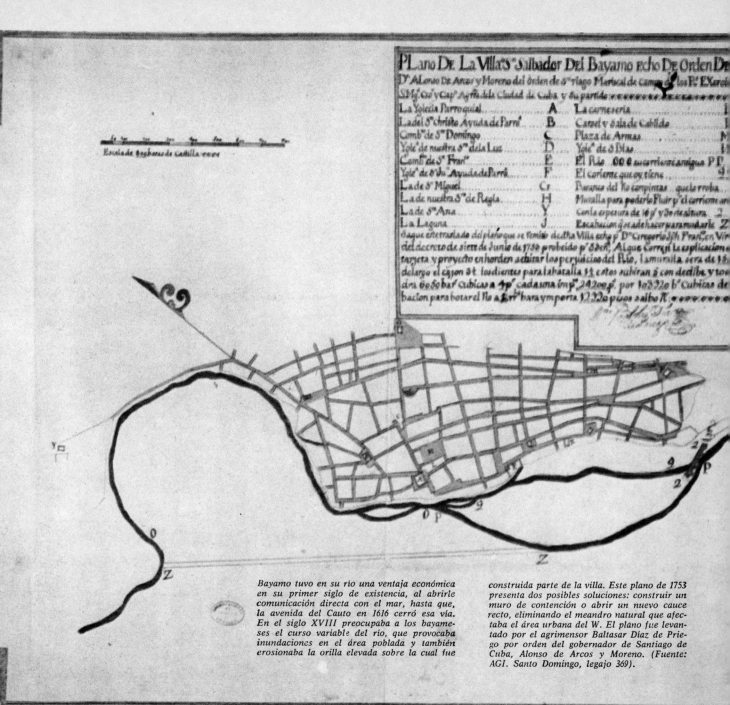

Bayamo tuvo en su río una ventaja económica en su primer siglo de existencia, al abrirle comunicación directa con el mar, hasta que, la avenida del Cauto en 1616 cerró esa vía. En el siglo XVIII preocupaba a los bayameses el curso variable del río, que provocaba inundaciones en el área poblada y también erosionaba la orilla elevada sobre la cual fue construida parte de la villa. Este plano de 1753 presenta dos posibles soluciones: construir un muro de contención o abrir un nuevo cauce recto, eliminando el meandro natural que afectaba el área urbana del W. El plano fue levantado por el agrimensor Baltasar Díaz de Priego por orden del gobernador de Santiago de Cuba, Alonso de Arcos y Moreno. (Fuente: AGI. Santo Domingo, legajo 369).

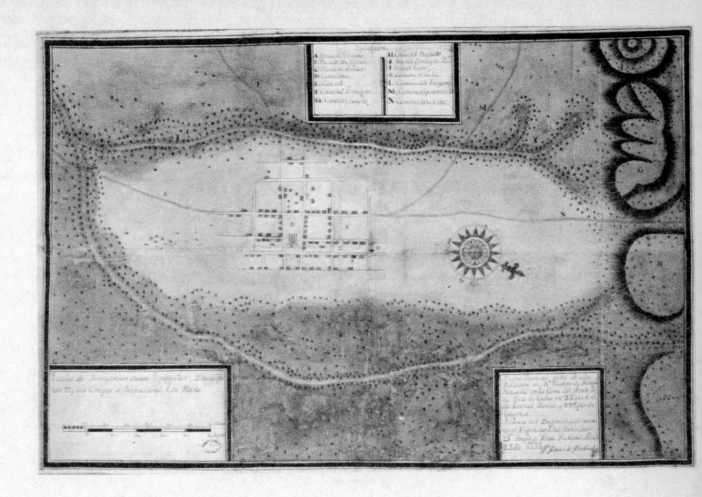

Este bello plano es uno de los enviados desde Cuba a Madrid durante el largo proceso que precedió al reconocimiento oficial de Holguín, por Antonio Arredondo, del original levantado por el ingeniero José del Monte y Mesa. (Fuente: AGI. Santo Domingo, legajo 497).

ESCALA D 2 LEGVAS ESPANOLAS

En 1737 fue precisada al área que, segregada del término de Bayamo, vendría a constituir la jurisdicción original de Holguín. A partir de la que sería nueva ciudad (A), por la costa norte alcanzaría Holguín desde Manatí al W hasta la bahía de Nipe al E. El mapa es copia del original preparado por José del Monte y Mesa. (Fuente: AGI. Santo Domingo, legajo 497).

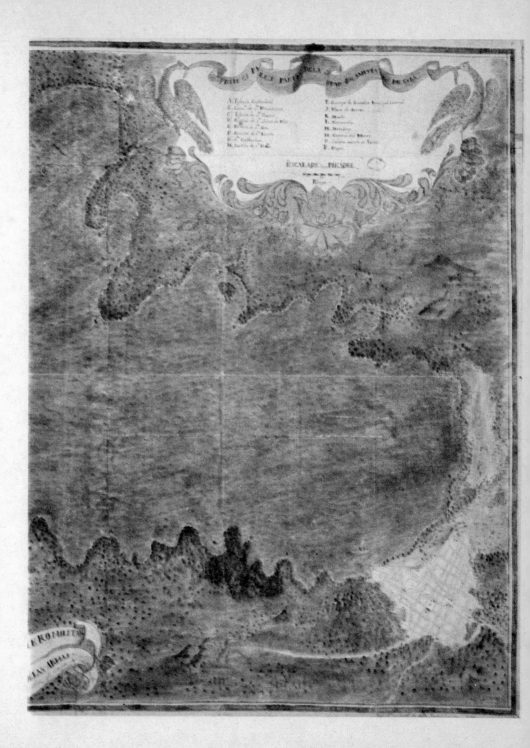

Una visión cartográfica de la ciudad de Santiago de Cuba y de la sección NE de la bahía, concebida en 1712 por el ingeniero militar José del Monte y Mesa, bajo el título de Plano hidrográfico y topográfico de la ciudad, puerto y bahía de Santiago de Cuba. (Sección del original conservado en el AGI. Santo Domingo, legajo 408).

Una sección de Santiago de Cuba aparece a vista de pájaro, según la concepción del ingeniero militar José del Monte y Mesa, en 1729. El propósito original del plano fue destacar la importancia asignada al Castillo de San Francisco erigido como refugio y defensa en el interior de la ciudad, ya que lo disperso de las edificaciones hacía imposible cualquier intento de amurallar la zona urbanizada. Nótense los techos de dos aguas de la mayoría de las edificaciones, en contraste con las más modestas, de una sola agua, llamadas localmente colgadizos. (Fuente: AGI. Indiferente General, 1884).

den de la Corona prohibiendo el uso de la potestad de mercedar.

Según los datos disponibles, la relación entre las mercedes solicitadas y las otorgadas —casi todas entre 1071 y 1725—, fue la siguiente:

Revalidación de mercedes	24
Nuevas poblaciones en haciendas antiguas	69
Corrales demolidos	9
Licencias para criar vacunos en corrales y sitios	42

Una de las últimas peticiones de licencias registradas [15] fue la formulada por Francisco Hernández para que, dentro de los términos de la hacienda La ciénaga de Zapata, se le permitiese hacer una población de ganado mayor en la Sabana de la Carrera.

4. LOS CABILDOS PIERDEN EL DERECHO A MERCEDAR LAS TIERRAS DE LA CORONA

Desde 1514 hasta 1729, a lo largo de 215 años, los Cabildos de Cuba ejercieron la autoridad de conceder mercedes de tierra y decidir sobre el uso a que era destinada la tierra concedida. En 1520, al revalidar las primeras mercedes cubanas, la Corona prohibió se otorgasen en lo futuro,[16] pero tal orden no se cumpliría. La necesidad de abastecer de carne a Flotas y Armadas hizo que el pragmático Alonso de Cáceres, en sus Ordenanzas de 1574, reconociese la autoridad usurpada por los cabildos y la regulase ventajosa y previsoramente.[17] Con un ligero cambio, que favoreció

Testimonios

LA MANO ABIERTA DE LA CORONA AL MERCEDAR LAS TIERRAS DE CUBA

Si durante más de dos siglos los Cabildos cubanos se mostraron excesivamente generosos en la distribución de las tierras, como repetiría en tono de censura la Corona, pues no regateaban tierra más o menos,[a] cuando llegó el caso los reyes fueron más liberales aún. Las haciendas circulares mayores de Cuba: Macuriges y Hanábana, no fueron mercedadas por el Cabildo de La Habana, sino por la Corona. Una prueba de esta munificencia agraria la confirmaría el Cabildo de San Juan de los Remedios del Cayo, cuando en su reunión de 14-XII-1723, conoció de una petición de don Bartolomé Manso de Contreras, quien pedía

se le amparase en la posesión de sus haciendas, en la cual se le perturbaba por muchos, especialmente de la parte de Sancti Spíritus.

Declaraba Manso ser dueño de las fincas

- Seibabo
- Santa Cruz
- Guainabo
- Yaguajay
- Centeno
- San Agustín
- Mayajigua y
- Caguanes (hato)

así como de todos los realengos existentes entre las 8 haciendas mencionadas y las colaterales:

- Pedro Barba
- Caunao
- Nuevas y
- Jobosí

Tal desmesurado latifundio, que teóricamente sumaba más de 612 kilómetros cuadrados, lo había adquirido Manso de Contreras de un religioso de inquieto genio, el beneficiado don Joseph González de la Cruz, protagonista de la grave polémica vecinal que en los años finales del Seiscientos llevó a la fundación de Villaclara y estuvo a punto de promover la desaparición de San Juan de los Remedios, la vieja villa de El Cayo, fundada por Vasco de Porcallo.[b] Manso de Contreras disponía de datos muy concretos sobre el origen de su propiedad. El cura González la poseía con entero derecho al venderla, pues la había adquirido del capitán Diego de Calona, quien había entrado en posesión de ella por especial merced de la Corona, que premiaba así

los servicios... prestados, suministrando bastimentos para el presidio de La Florida.

a. Bayle, Constantino (1952).
b. Ver el Volumen 3, Capítulo 1.

a los ganaderos dominantes sobre el pequeño estanciero, el poder de mercedar tierras fue ratificado por la Corona al confirmar tardíamente, en 1640, las Ordenanzas de 1574.

Siempre quedaron puntos oscuros. La Corona no renunció a otorgar alguna merced de tierras cuando lo tuvo a bien, en la mejor tradición regalista. Y no faltaron tenientes gobernadores letrados que se escandalizaran al llegar a La Habana desde España, para posesionarse de sus cargos, ante la forma en que los Ca-

Testimonios

EL IMPERIO RURAL DEL CONTADOR GARCIA DE PALACIOS Y SU ESPOSA

Don Manuel García de Palacios, contador de cuentas llegado a Cuba cuando finalizaba el siglo XVII, fue un fiel servidor real a quien debió la Corona las primeras y provechosas compras de tabaco habanero a partir de 1699.[a] La defensa de los caudales reales por aquel *buen hombre* provocaría un irónico comentario en el Consejo de Indias, que le llamó al orden cuando pretendía el Contador que todo el dinero recuperado en el buceo de las naves perdidas, *era del Rey*, aunque correspondiera a legítimos propietarios particulares.

En lo más elevado del estrato superior, García de Palacios acordó desposarse con una viuda miembro de una de las familias fundadoras, y enormemente rica: Nicolasa Estrada y Velázquez de Cuéllar, cuyo primer esposo fuera don Francisco Gaytán, castellano de La Punta. Aunque no parecía necesitarlo, la Corona, por una R.C. de 11-V-1692, concedió a la viuda un donativo, por una vez, de 500 ducados, con cargo a las vacantes de Obispados.

Al morir los padres de doña Nicolasa, el Capitán Hilario de Estrada y doña Luisa Mejía y Velázquez de Cuéllar, los bienes fueron divididos entre aquélla y su hermana Josepha de Estrada, casada con Pedro de Aranda Villanueva, Sargento Mayor de la guarnición habanera. Tocaron a doña Nicolasa las siguientes tierras:

- El Mulato (hato)
- Guareiras (hato)
- El Joyo (hato)
- La Sabanilla (corral)
- La Bermeja (corral)
- Cajobillas (sitio)
- Los Copeyes (sitio)

todos situados a 50 leguas a Barlovento, en la que sería provincia de Matanzas. Esas tierras habían sido mercedadas por el cabildo al alcalde ordinario de La Habana en 17 y 24-I-1572, 23-IV-1575 y 17-I-1578 con excepción de La Bermeja. Este corral, mercedado a Pedro Sánchez en 6-VII-1570 era sólo mitad propiedad de Velázquez de Cuéllar; cuando Estrada casó con doña Luisa compró la otra mitad a don Nuño Barreto de Aragón y a doña Catalina Castilla, su mujer, pagándoles en 1655 un total de 3.200 pesos, con todos sus ganados.

Ahora, por vía dotal, llegaban todas estas haciendas a manos de Don Manuel García de Palacios. Como funcionario real se le creaba un conflicto legal que llegó al Consejo de Indias. ¿Podía o no ser dueño de tales haciendas? El Fiscal del Consejo dictaminaría en 28-V-1701:

1) No hay ley que prohiba expresamente a los Contadores de Cuentas tener haciendas propias o de sus mujeres, pero las leyes 45 y 46, Libro 8, título 4 de la Recopilación prohibe a los oficiales reales todo género de aprovechamientos.
2) Aunque por las leyes del Libro 4, título 12 y en especial la 5.ª y 8.ª pueden los Cabildos conceder repartimientos de tierra, la confirmación o título que se pretende parece que no es en términos de rigurosa justicia, como lo es el que si se le deniega el título de confirmación, se le de término competente para que venda los muebles de dichas haciendas y para que... se les satisfagan las mejoras y adelantamientos de ellas, por la persona que los comprare...

En 4-VIII-1701 se despachó la Real confirmación de las mercedes. García de Palacios pidió entonces al Cabildo en 8-XII-1705 le mercedase todas las tierras realengas comprendidas entre los círculos de sus haciendas. El Cabildo le pidió fuese más específico y expresara qué cantidad era la tierra realenga que pedía.

Mucho más tarde, en 1718, el Cabildo le concedió, tal como pidiera

Todas las tierras realengas que hubiera entre las haciendas Guareira, El Hoyo, Sabanilla, Bermeja, Caobillas, Copeyes y otras de montería, confirmadas por el Rey. Y las confinantes a dichas tierras realengas, nombradas Hanábana, Guamutas, Managüíses, Ciegos, Cimarrones, Guásimas y Macuriges y con especialidad se le concedió el paraje llamado Dos Hermanos y Arroyo Bermejo, ambos inmediatos al hato principal de El Mulato. También pidió por merced otros parajes nombrados el Hoyo de los Ladrones y las Lagunas de las Piedras, que unos y otros pertenecen a la circunvalación y confines de dichas tierras.

Considerando que se justificaba la merced de los realengos por el Cabildo, por los méritos contraidos por su marido, doña Nicolasa logró que en 1737, cuando ya el precio de la tierra crecía aceleradamente ante la prohibición oficial de las mercedes, que el Consejo de Indias confirmara su extenso imperio. Había escrito proponiendo que estaba dispuesta a servir con 200 pesos escudos de a 8 reales de plata provincial. En su nombre se entregarían oficialmente a las Cajas Reales en Madrid 3200 reales de a vellón más 2.720 mvs. por media annata.

a. Ver el Volumen 4.
b. Bernardo y Estrada, R. (1857), pág. 51.
c. Uno de los herederos de estas tierras sería el juez de tierras Joseph A. Gelabert, casado con una nieta de García de Palacios, quien ocupara el mismo cargo de contador de Cuentas que Gelabert.
FUENTE: AGI. Santo Domingo, 415 y 425.

HANABANA: EL MAYOR LATIFUNDIO MERCEDADO EN CUBA

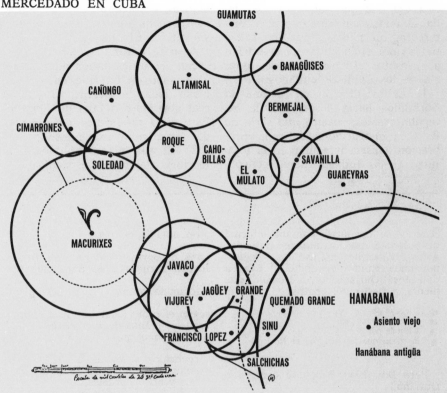

El mayor hato mercedado en Cuba no lo fue por ningún Cabildo, sino por la Corona. Sería las *Sabanas de la Hanábana,* cuya historia se remonta al gobierno Mazariegos (1556-1565).¹ El ganadero de Sancti Spíritus Alonso Sánchez del Corral logró una R.C. de 28-X-1568 por la cual se ordenaba al Gobernador le señalase tierra y *como con otras personas se acostumbraba... en las 150 leguas que hay de tierra despoblada entre... La Habana... y... Puerto del Príncipe.* Mazariegos señaló *tres leguas de término* a del Corral *para que él y sus herederos lo tuviesen solamente por el tiempo que fuese nuestra voluntad.* Pero el beneficiario consideró poca la tierra, y bajo el gobierno de Pedro Menéndez Márquez (1570) promovió instancia.

Menéndez Márquez apoyó la petición e informó al Rey era *poco término las... 3 leguas respecto ese mucho ganado que para pastar en ellas había.* El Rey aceptó la recomendación y tuvo *por bien... mandar ampliar a otras 2 leguas más para que sean cinco,* según R.C. de 12-XI-1572.

Teóricamente el círculo del hato de Hanábana debía alcanzar, un radio de 5 leguas, pero en la realidad no podía ser, *porque* parte del enorme círculo caía en el *mar del sur.*

Cuando el juez de tierras Gelabert corría con la venta de realengos recibió una denuncia secreta sobre la hacienda Hanábana, que situada a 50 leguas a Barlovento de La Habana, *excede notoriamente... los términos que debía gozar... en perjuicio de los legítimos haberes de S.M.* El mapa que publicamos fue preparado en 1750 por el agrimensor Andrés de Velasco, para la composición, de los sitios Guayabo Largo y Rancho de Jubier, solicitada por el padre Alonso García de Palacios. Obsérvese que además del hato de Hanábana, que aparece parcialmente en el ángulo inferior derecho, estaba el hato de Macurijes, cuyo radio, también excepcional, era de 3 leguas. La sección cartografiada corresponde a la presente provincia de Matanzas e incluye total o parcialmente a los hatos de Hanábana, Macurijes, Guareyras, Jaguey Grande, Javaco, Cañongo, Altamisal y Guamutas y los corrales de Cimarrones, Soledad, Roque, Banagüises, Bermeja, El Mulato, Sabanilla y Francisco López, así como vastos espacios realengos y superposiciones de mercedes, encendedoras de pleitos inacabables. →

Una R.O. de 28-IV-1753 ordenó al Gobernador Caxigal y a Gelabert investigar lo relativo a la merced de Haná-

Mapa de situación que revela la magnitud del hato de Hanábana, que alcanzaba hasta la ensenada de Cochinos. Aparece también otro fundo excepcional, el hato de Macurixes, con tres leguas diametrales. Dentro de las normas entonces aceptadas, podemos identificar como normales, como vía de comparación, el hato de Guareyras, con cuatro leguas diametrales y el corral El Mulato, con dos leguas diametrales. (Fuente: AGI. Santo Domingo, 507).

bildos, particularmente el de La Habana, disponían de las *tierras del Rey*.[18]

Tres circunstancias: una de política colonial general; otra vinculada al auge económico local y una tercera, un pleito específico sobre tierras del ejido habanero, vendrían a apresurar el cese del poder agrario de los Cabildos cubanos:

1. La orientación de la dinastía borbónica hacia la defensa de las regalías reales, suscitó una serie de Rs. Cs. e instrucciones sobre la apropiación agraria irregular en la totalidad de las Indias. Apenas consolidado en el trono el primer Borbón, Felipe V, en 1713, fueron dictadas Rs. Cs. ordenando que por mediación de un Delegado radicado en Madrid, se procediese a la venta y *composición* de las tierras poseídas sin título. El encargado metropolitano para realizar la tarea fue don Diego de Zúñiga, quien designó delegado suyo en La Habana, en 1720, como juez de tierras, al tesorero real don Matheo Luis de Florencia. Este sería un primer paso destinado a reafirmar una nueva política.

2. El alto precio que iba alcanzando la tierra y la especulación de algunos poseedores de corrales, que los *demolían* para venderlos fraccionados a cultivadores, provocó la atención y las denuncias de los gobernadores, que siempre resistieron, por razones de autoridad, la forma en que los Cabildos mercedaban las tierras.

3. Un conflicto entre el Cabildo y los funcionarios reales sobre las tierras del ejido habanero. El viejo pleito databa del siglo XVII y lo sostenía ahora doña Petrolina Medrano y Corbera, quien como antes sus padres, insistía en obtener tierras inmediatas a La Muralla, como com-

---

bana y se encontró por un informe de 6-XI-1648 que el entonces poseedor Alonso Velázquez no usó las 5 leguas por cada rumbo y vendió el hato a don José Quijano, especificando que medía, a partir del centro:

- 3 leguas por el Este
- 2 leguas por el Sur
- 2 leguas por el W y
- la tierra que hubiere por el Norte.

Pero Don Blas Pita, que compró a Quijano

se apropió las 10 leguas de diámetro y vendió la demás tierra, sin tener otro dominio que la escritura citada.

Ante tal hallazgo, Caxigal ordenó a Gelabert actuase ante tal

usurpación notable de tierra sin perder instante de tiempo.

En realidad ya Gelabert, secretamente, había informado a su superior en el ramo de tierras, Marqués de la Regalía, desde 6-XI-1748. Explicaba que se trataba de

un notable exceso,

pues el agrimensor público Dr. don Joseph Fernández de Sotolongo había

formado mapa y ejecutado plano

según el cual el hato contenía 2.336.372 cordeles planos de 25 cordeles de frente cada uno que

reducidos a leguas de 31.448 cordeles hacen más de 74 leguas planas y 6.260 cordeles,

área equivalente a casi 1.334 km².

Informaba Gelabert que el área estaba poblada por numerosas haciendas de ganado mayor y podrían poblarse otras tantas. Su

monstruosidad me promovió a solicitar los títulos con que se poseía

y encontró la R.C. de El Pardo a 12-XI-1572 que autorizaba agregar 2 leguas radiales a las 3 originales. No debía revalidarse tal merced y lo más que podía aceptarse serían 2 leguas, que era

lo más a que se extendía una merced cuando este país no corría en tanta opulencia.

Consideraba indebido que

debajo de un solo título y de una sola gracia, corriesen más de 74 leguas cuadradas de tierra, casi 3 veces de lo más que debió adquirirse originalmente: 24 leguas y 5.680 cordeles cuadrados.

Era evidente que

son usurpadas al Rey 50 leguas y 472 cordeles, bajados los segmentos, así del círculo mayor como del menor, por caer estos al mar, que de no ser así, aún gozaría mayor porción.

Pedía Gelabert instrucciones específicas, pues podía esperarse

seminarios de historias y de pleitos entre los poseedores.

a. Ver el Volumen 2, páginas 61-62.
b. AGI. Santo Domingo, 507.
c. AGI. Santo Domingo, 499 (Caxigal al Marqués de la Ensenada, 10-V-1753).
d. AGI. Santo Domingo, 499.

pensación de las que les fueran expropiadas para construir el muro defensivo. Mientras los demás perjudicados aceptaron el pago de sus tierras *en reales*, ellos insistían el recibir nuevas tierras.

La polémica sobre las tierras del Ejido

El Cabildo resistió desde 1682 la orden real de entregar tierras del ejido, ya muy limitado,[19] a la familia Medrano. En 10-II-1719, mediante R.P. la Audiencia de Santo Domingo ordenó fueran entregadas las tierras, tal como había fallado la Real justicia, y estableció que hasta que no lo hiciera, no podría el Cabildo habanero mercedar tierra alguna.

El Cabildo defendía el ejido con razones teóricamente inobjetables y alegaban sus comisarios Martín Recio de Oquendo y Matheo de Cárdenas en 1721,

el estado miserable en que se halla... a causa de que las tierras que tenía disputadas para el pasto común de los ganados de sus moradores las ocupan diferentes individuos con estancias de labor, por haberlas comprado a doña Petronila Corbera, a quien se entregaron en virtud de R. O. mal entendida, pues sólo se dirigía a que con tierras realengas quedase satisfecha de cierta cantidad, sin que dagnificase (sic) a ningún tercero. Y no siendo [realengos] los ejidos, porque antes bien tienen tantos dueños como vecinos... débese restituir [a la ciudad] los referidos ejidos para que no se experimenten faltas en el abasto de carnes.

El gobernador Guazo Calderón tras escuchar ambas partes en justicia, informaría a la Corona que había un trasfondo de interés en la actuación de Oquendo y los demás regidores, pues las tierras recibidas por la señora Corbera

fueron las mismas que un yerno de... don Martín de Oquendo y otros regidores se habían apropiado por merced del ayuntamiento y... tenían en ellas formadas estancias... de que se infiere cuan lejos de la verdad y del beneficio común caminan, en la ponderación de que hacen del estado miserable en que se hallan los ejidos.

Ante el informe de Guazo el Fiscal del Consejo recomendaría ordenarle quedase

entendiendo en lo que se le mandó.

El Cabildo habanero perdía así una de las últimas escaramuzas de su larga lucha, pero en 1726 volvería a la carga, insistiendo en la necesidad de restaurarle a La Habana, íntegramente, sus ejidos. El gobernador Dionisio Martínez de la Vega apoyó al Cabildo en 1728, pero finalmente, en 1733, el Consejo de Indias confirmaría su decisión en favor de los herederos de doña Petronila Medrano.[20]

La resistencia del Cabildo habanero a cumplir la orden real de 1719 de entregar las tierras del Ejido provocaría a plazo medio una reacción típica de la nueva política regalista que ya se manifestaba en España. Si los Austrias habían mostrado cierta disposición a aceptar una jurisdicción limitada de los Cabildos en materias económicas locales, tal criterio no se avenía con el pensamiento económico centralizador que dominaba entre la nueva burocracia borbónica, orientada por el modelo francés. Terminada la Guerra de Sucesión, en 1720 se había dispuesto en España que correspondía exclusivamente al Rey disponer de las tierras de América. Finalmente había tocado el turno de perder a los Cabildos cubanos. De ellos, el que por razones obvias, lucharía más enconadamente hasta el final, sería el habanero.

Un primer paso relacionado con la nueva situación fue la legalización de las mercedes existentes, mediante el pago de la media annata de mercedes de tierras. En La Habana fueron pocos los que cumplieron el requisito; entre los casos que conocemos figura el de Francisco de Sotolongo, quien pagó 40 reales de media annata por el sitio Las Cabezadas, próximo a Camarioca y tasado en 200 pesos (1713).[21] Entre 1726 y 1728 solamente 4 vecinos de Puerto Príncipe pagaron un total de 16 reales por media annata de tierras y 2 pagaron por solares a razón de 11 reales.[22] En Santiago de Cuba fueron muchos los que pagaron a la Real Hacienda los 11 reales por sus solares.

*La Real Cédula de 23-XI-1729
y el Cabildo habanero*

Uno de los documentos clave de la historia agraria cubana fue la R.C. de 23-XI-1729 que privó específicamente a los cabildos de la Isla de la autoridad para mercedar tierra. En ella se lee:

Y respecto que no tenéis facultad para conceder mercedes de tierras y solares, y realizar ventas y traspasos de ellas y que ésto me toca y pertenece privativamente, para dispensar semejantes gracias y concesión, y en mi real nombre a los subdelegados de composición de tierras, que tengo dado a don Diego de Zúñiga, ministro de mi Consejo de Indias, por despacho de 5-XII-1720, ha parecido ordenaros y mandaros, como lo ejecuto, que en lo adelante os abstengáis de conceder merced de tierras y solares de esa jurisdicción, que sólo pueden hacer los referidos subdelegados.

El Cabildo habanero, reunido en 27-IV-1730 conoció la R.C.,

la cual fue obedecida... y suplicada para que no se cumpliese su disposición, en conformidad de lo que para en semejantes casos se previene por las leyes de la Recopilación.

El *diputado de la isla de la Havana*, don Martín de Aróstegui, en nombre del Cabildo justicia y regimiento de la ciudad, se encargó de argumentar en 1730 en favor de la retención de la facultad de mercedar

confirmada por R. C. de 1640... y mandada a observar por otras de los años 1700, de 1706 y otras más modernas,

y que databa

desde el descubrimiento de la Isla.

Lamentaba Aróstegui la medida, pues era notorio,

los favorables efectos que se han seguido con su población, abastos y surtimienos de bastimentos para el común de ella, Reales armadas, Flotas y presidios vecinos, en fuerza del desvelo y particular atención que el Cabildo había tenido en todos los tiempos para su concesión, labranzas y población. Y debiéndose servir de mérito este cuidado, se halla, sin ser oído, despojado de su dilatada y justificada posesión de repartir y conceder los... solares y tierras.

Y dando un paso más allá, en la defensa de los poseedores de la tierra, agregaría:

Suplica a V. M. se sirva confirmar la posesión inmemorial en que se hallan de sus tierras, mandando libertarles del gravamen que por este requisito había mandado V. M. contribuyesen.

Referencia indudable ésta a la obligación de pesar ganado bajo las condiciones y precios fijados por el Cabildo. Alegaba Aróstegui

la miseria en que se hallan por el descaecimiento de sus frutos, sin poder ni aún pagar las capellanías ni obras pías en que están gravadas, como tampoco las nuevas contribuciones que deben satisfacer los dueños de las tierras por la cría de sus ganados.

Recordaba que con la sisa impuesta sobre la carne se había construido —en parte— la Zanja desde la Presa,

que dista 3 leguas de la bahía, en

que logra V. M. el beneficio de que las Armadas se provean en 24 horas,

y que este tributo, que ahora ingresaba en las Cajas Reales, sostenía el *guardacostas*.[23]

En espera de la decisión real, el Cabildo continuó entendiendo con los problemas relativos a la tierra, si bien disponía ya de poco que mercedar. Cuando en 1734 se hizo cargo del gobierno Güemes Horcasitas, expresó su decisión de que la prohibición de 1729 se cumpliera. En R.C. de 21-V-1737 se pidió a Güemes opinase reservadamente sobre la insistencia del Cabildo en retener sus facultades. Pragmáticamente enfocaría Güemes la cuestión, no jurídicamente. Hombre avisado y de visión económica, consideraba que había ya suficiente tierra apropiada para cubrir en exceso las necesidades de la Isla y de los servicios que prestaba, y no era necesario mercedar más. Sus términos eran precisos:

Habiendo hecho muchas mercedes de tierra... hay establecidos copiosos, abundantes hatos de ganado mayor y menor de que se surte esta ciudad... y las reales armadas de flotas y galeones, con notable conveniencia.

En razón de lo que abundan, no hay ya la necesidad que urgía en lo primitivo, mayormente cuando van tomando más cuerpo los referidos hatos, por lo que fructifican en estos fértiles parajes.[24]

Tampoco la hay por lo que mira a la repartición de solares, constándome hay infinitos concedidos sin mas fábricas que unos colgadizos de guano expuestos a un continuado incendio... Y en caso de que algún vecino... ocurra en adelante a la real piedad de V. M. impetrando la gracia de algún solar, soy de parecer se le conceda con informe del que fuere gobernador, por no encontrarse los inconvenientes que yo he tocado en los concedidos por el Cabildo dentro de la distancia que debe quedar entre ellos y las reales Murallas, que ha sido preciso tasarlos y comprarlos la Real Hacienda como se ha hecho en el paraje que llaman la Puerta de la Punta, y deje libre y desembarazada la distancia.

Y en una acusación final sobre la liberalidad del Cabildo en cuanto a las mercedes, agregaría Güemes:

Tan inconsideradamente liberal ha andado este Cabildo en las mercedes y concesiones de tierras, que ni aún propios para él ha dejado en muchas leguas en contorno, de manera que el ganado mayor que traen para la pesa, de las haciendas en que está repartida, lo encierran en un corral fuera de la Puerta de Tierra, en el arrabal de N. S. de Guadalupe, porque no tienen ejido, ni término donde pastar, y de allí se traen al matadero —que hice hacer en mi tiempo porque tampoco lo había—, después de haber estado las últimas reses 8 ó 10 días sin comer ni beber, motivo de salir por esta causa y la del excesivo sol —sin reparo que lo mitigue—, casi muertas de flaqueza, cuyo gravísimo perjuicio es ya irreparable, porque están ya constituidos en este método, que además de causar a los hacendados tan crecidas sumas, no se comen en lo común ni en particular las carnes con aquella sazón y bondad que se lograría si hubiese otra disposición.[25]

Las consideraciones de Güemes Horcasitas fueron recogidas casi literalmente en la R.O. de 16-II-1739, que surgió del acuerdo del Consejo de 5-XII-1738, reiterando la prohibición de 1729.

La Habana: atención especial a las composiciones de tierras

La R.O. de 16-II-1739 privó definitivamente a los cabildos de su poder agrario, pero no cejarían los habaneros en sus alegaciones, basadas en la importancia estratégica de su ciudad. Habían logrado que durmiese años dentro del aparato burocrático de Madrid la decisión sobre su *súplica* de 10-VI-1730, que fue pasada en 7-IX-1730 a don Diego de Zúñiga, del Consejo de Indias, como juez privativo de ventas y composiciones de tierra. En 1733 el ministro José Patiño ordenó se enviasen los antecedentes al Fiscal del Consejo, quien sugirió se pidiese informe al gobernador de la Isla, lo cual acordó en 4-IV-1737. Güemes contestó en 12-IV-1738 y en 5-XII-1738 decidió el Consejo ratificar la prohibición dictada casi una década atrás. La influencia habanera actuaría ahora en sentido contrario, pues inmediatamente después de enviar la R.O. de 16-II-1739, reiterando la prohibición, el Consejo se dirigió con urgencia al juez privativo de tierras don Antonio de Pineda y al Rey. Tras insistir en el

mal uso que aquella ciudad ha hecho de estas facultades permitidas,

declaraba tener presente

que la conservación y aumento de la ciudad de La Habana merecen muy particular atención... Y por lo que mira a las concesiones y composiciones de tierras del distrito y jurisdicción de esta ciudad, es de parecer el Consejo que S. M. se sirva mandar al juez privativo que en la valuación y regulación de los servicios pecuniarios que se ajustaren e hicieren para tales ventas y composiciones atienda muy particularmente a los vecinos de esta ciudad y su distrito, para que logren, con la minoración de ellos, todo el arbitrio que se les pueda dispensar a fin de alentarlos al aumento de la cría de ganados, cultivo de tierras y fábrica de ingenios, en que se interesará considerablemente la Real Hacienda y ellos lograrán el alivio correspondiente. ...Convendrá que el expresado juez privativo antes de pasar al ajuste y composición de tierras tome los informes correspondientes así del Gobernador como del juez subdelegado que debe tener en aquella ciudad para... proceder con el debido conocimiento sobre este importantísimo asunto.[26]

La frustrada restauración del Ejido

Quedaba un problema por resolver en La Habana: la falta de ejido,

por la liberalidad con que ha procedido la ciudad.

Preocupaba al Consejo la falta de tierras donde pueda pastar el ganado que se trae a su matadero para el abasto de su vecindario y guarnición y provisión de escuadras y navíos sueltos que hacen escala tan frecuentemente en aquel puerto... y estando el ganado... para el común alimento y para proveer las embarcaciones de tasajo y la salmuera, tan mal atendido, las carnes no pueden tener ni aquella sanidad que tanto conviene, ni dejar de exponerse a corrupción las que se previenen para los viajes de mar...

Era necesario, para ello, expropiar. Pero la burocracia real, con conocimiento del valor del trabajo de las generaciones que, con su esfuerzo habían humanizado y hecho productivas las tierras habaneras, previó la justicia de una indemnización pronta y adecuada. El interés social del Ejido iría por delante, pero no se despojaría arbitrariamente a los poseedores de las estancias y huertas que ahora cubrían la antigua faja de pastos. Se les movería a mayor distancia, pero no se les desconocerían sus derechos. Así recomendaría el Consejo al Rey:

S. M. se sirva mandar se expidan las órdenes convenientes para que desde luego se destinen en aquellas cercanías los pastos y abrevaderos precisos y convenientes para los ganados que se traen al matadero, de modo que puedan ser mantenidos en ellos con suficientes aguas aquellos días que, según la estación y clima del país, se consideren convenientes, para que diariamente se conduzcan las cabezas que hubieren de matarse...
Deberán proceder con el mas maduro y reflexivo conocimiento, eligiendo los sitios en que con menor perjuicio de los dueños y poseedores de ellos se puedan lograr los fines expresados, haciendo se evalúen por sus precios justos y debidos, con su citación y del procurador del común de la ciudad; y señalándoles en lugar de los que se repararen y destinaren, otros sitios y tierras equivalentes, de modo que se resarza con el número y calidad [de las tierras] que se les dieren, que también se han de apreciar conforme a sus distancias y estimación, todo aquel valor legítimo que tengan aquellas de que se les despojare para tan importante fin, precaviéndose desde luego con el resarcimiento que se les haga.[27]

Finalmente se ordenaría que las tierras así recuperadas no podrían ser dedicadas a otro fin, en ninguna ocasión.[28]

Una década dèspués la pérdida del ejido era ya admitida como irremediable hasta por el regidor José Martín Félix de Arrate, cuya devoción por su ciudad natal impregna su *Llave del Nuevo Mundo*.[29] Arrate, preocupado como otros regidores por la escasez de propios, propuso al Cabildo en 5-XII-1749:

Esta ciudad, en consideración a que las tierras del exido no producían hierba correspondiente para que pastasen los animales que se conducían para el abasto público, tuvo por bien el año 1699 repartirlas entre algunos vecinos para que las cultivasen, con la expresa condición de que siempre que la ciudad las pidiese o hubiese menester, las habían de volver, lo que nunca se ha verificado y las han poseído más de 40 años. Y aunque por esta razón se pretendíese haber prescrito contra la ciudad... todavía debían reconocer cierto tributo a beneficio de la ciudad, con el que, asegurados los poseedores en su propiedad, pueda acrecentarse el fondo de las rentas de este Cabildo.[30]

El Cabildo habanero cumple la prohibición impuesta

Frente a las medidas reales que en las Indias se consideraban de aplicación gravosa o inconveniente, se adoptó desde temprano por los Cabildos la fórmula de *se acata, pero no se obedece*.[31] Nos parece desafiante y aun sarcástica, pero no lo era en los primeros tiempos coloniales. La palabra del Rey debía ser acatada, más al obedecerla podrían resultar afectados intereses legítimos o mal parada la justicia vista desde este lado del Atlántico.

El no obedecer no era definitivo, pues el Cabildo inmediatamente reunía sus razones y con ellas bien certificadas y reiteradas *suplicaba* la Real disposición. Mientras el Consejo de Indias consultaba y elevaba al Rey su opinión razonada para una revisión o una confirmación, lo ordenado quedaba de facto en suspenso, pero nadie creyó nunca que indefinidamente.

La R.C. de 1729 fue suplicada por el Cabildo habanero y sería ratificada una década después, pero contra lo que ha historia tradicional ha dicho, desde 1730 en adelante el Cabildo de La Habana no otorgó ninguna merced de tierras ganaderas, y se atuvo a lo ordenado en espera de que se oyesen sus peticiones. En 1730 fue tomada la última decisión, pero sobre un caso pendiente por pleito de una fecha anterior. En 1747, justificando como había cumplido la R.C. de 23-XII-1729, relataría así el Cabildo esta excepción:

En 4-VIII-1730 se le hizo merced a don Ambrosio de Zayas Bazán de los sitios nombrados Las Minas y Hoyo Cañongo, en conformidad de decreto proveído con asesor, por el Señor Gobernador y capitán general que era de esta plaza e Isla de Cuba, no obstante la R. C. de S. M. —Dios le guarde—, su data en Sevilla a 23-XII-1729, en que se sirvió mandar que el ilustre Cabildo de esta ciudad, en lo adelante se abstuviese de conceder licencias y mercedes de tierras y solares de su jurisdicción, por haber impetrado dichas mercedes el enunciado... Zayas Bazán con anticipación al recibo de la... R. C. y sobre el asunto de las referidas mercedes haber estado siguiendo litis... don Ambrosio y el alférez mayor don Martín Recio de Oquendo.[32]

En el detallado informe sobre las últimas mercedes de tierra del Cabildo habanero, a partir de 1726, aparece certificado que desde 1730 en adelante solamente fueron mercedados *girones de solares* destinados a facilitar el alineamiento de casas y solo por excepción. Serían beneficiados el Convento de San Francisco, Diego Delgado, Martín Aróstegui y Diego de Pedroso. Este último, por 4 varas para alinear su casa con la del tesorero Diego Peñalver Angulo, pagó por la *licencia*, no por la merced, 300 pesos para propios. En los años 1731, 1733, desde 1734 a 1741, 1744, 1745 1747, el Cabildo no mercedó siquiera tierra para solares, mucho menos para uso agrícola.[33]

La revalidación de las mercedes fue frecuente en el primer tercio del siglo XVIII. En algunos casos los vecinos del solicitante se oponían, pero generalmente fueron concedidas mediante los trámites de rigor. Desde 1729 en lo adelante, el Cabildo habanero no se atrevió a revalidar mercedes antiguas, y cuando el poseedor de la hacienda San Marcos, Antonio López, insistió en el amparo de su valiosa hacienda, el Cabildo acordó indicarle en 31-VIII-1731,

ocurriese al Rey por confirmación.[34]

Las mercedes y los propios del Cabildo habanero

Desde el siglo XVIII, y ante la escasez de propios para los gastos mínimos de la ciudad, muchos de los solicitantes de mercedes ofrecieron establecer censos sobre las tierras recibidas y abonar anualmente un 5 % sobre la cantidad impuesta a favor de la ciudad. Ante una solicitud del Consejo de Indias, de 19-XI-1720, el mayordomo de rentas y propios del Cabildo reportaba entre los contribuyents a 74 poseedores de tierra, quienes debían pagar réditos de censos. Las cifras revelan hechos sorprendentes:

● La casi totalidad de los sitios (corrales) mercedados debieron valorarse en 137 1/2 pesos, y sus poseedores pagarían el 5 %, o sea, 55 reales anuales.

● Unos cuantos corrales, como El Barbudo, Río de Copey, Abra de Canalete, Altamisales, Laguna de Piedras, Casiguas y Los Ladrones, tenían censos por 275 pesos, que al 5 % serían 110 reales (13 pesos y 6 reales) anuales de rédito.

● Los escasos ingenios sobre cuyas tierras percibía algún rédito el Cabildo, a pesar de ser su área media (unas 20 caballerías), sólo un 5 % de la de un corral entero, tenían censos que promediaban 200 pesos y rendían 10 pesos anuales.

● Los censos no seguían una pauta discernible. Había corrales que pagaban el doble de otros. El de Managuana, más tarde demolido, pagaba al año 34 pesos y 3 reales, o sea, el interés de un censo de 687 pesos y medio, mientras que por un hato, de área cuádruple teóricamente, pero mucho más alejado de La Habana, Guanamón, en el área cenagosa del Sur se pagaban 55 reales por un censo de 134 pesos y medio.

● En relación con el número total de mercedes muy pocos poseedores de tierras estaban comprometidos con el Cabildo. Los ganaderos estimaban que con contribuir a la pesa y pagar el impuesto de matanza, cumplían. Además los derechos del Cabildo sobre tierras mercedadas muchas décadas atrás, a veces casi dos siglos, y con dueños sucesivos posteriores, habían prescrito para ellas desde hacía mucho tiempo. Dentro de la minoría que debía, pagar, haría constar el mayordomo del Cabildo que algunos llevaban hasta 15 años sin hacerlo, y algunos nunca habían pagado.[35]

Quizás el más escandaloso adeudo al Cabildo por censos sobre tierras mercedadas fue el denunciado por el mayordomo de propios en 18-III-1739, cuando informó ante los regidores que desde que en 1670 fueron mercedados el sitio Las Gordas y el Rancho de Malcasado a Diego de Rojas, no se había pagado un maravedí de rédito. En esos 69 años el Cabildo se había mostrado generoso, pues cuando el hijo de Rojas, Francisco González, formuló solicitud para nueva merced en 1720, se le concedió

para el hato de Las Gordas en la costa del Norte y de las haciendas Las Cruces; y que respecto a que a su padre se le hizo merced de 10 leguas de tierra para agregar por mitad a dichas Las Cruces y Las Gordas y al de Guane, se le conceda licencia y merced de 5 leguas...

A pesar de ello, 19 años más tarde, seguía sin pagar los réditos de los 1.000 pesos impuestos a favor de la ciudad. El Cabildo acordó se ejerciera *la acción que le compete.*[36]

Requerido de propios y ya sin la facultad de mercedar tierras, quiso el Cabildo habanero obtener algún beneficio de los cambios que se pro-

El centro de la hacienda Río Bayamo, cuya propiedad reconoció reiteradamente la Corona a los naturales de Guanabacoa, aparece hacia el centro del mapa, sedalado con el número 1 y rodeado por las tierras que varios vecinos pretendían eran realengas. Además aparecen clvaramente señaladas numerosas haciendas, no no todas con límites circulares por ser sitios poblados a posteriori. (AGI. Santo Domingo, 1452). Mapa primero demostrativo de las tierras pertenecientes a los vecinos de Guanabacoa. Por los agrimensores Joseph Fernández Sotolongo y Bartolomé de Flores).

Referencias: 1. Río Bayamo; 2. La Sabanilla; 3. Xiaraco; 4. Managuana; 5. Batavanó (sic); 6. Mayabeque; 7. Los Güines; 8. La Vija; 9. La Catharina; 10. San Marcos; 11. El Perú; 12. Tapaste; 13. Aguas Verdes; 14. Quibicán (sic); 15. El Güiro; 16. Guanabó; 17. Corral de Batabanó; 18. Mayaguano; 19. Santa Gertrudis; 20. Guaraguasí; 21. Corral de Mayabeque; 22. Nombre de Dios.
A. El Aguacate; B. Seibabo; C. Riohondo; D. San Miguel de Arroyo Blanco; E. Población de Candelas; G. Zaragoza y H. San Joseph.

ducían en el agro, en innegable auge. El fiel ejecutor Luis Joseph de Aguilar propuso en 5–XII-1749

que para mudar asiento o hacer fundo nuevo dentro de sus territorios y sin adquirir territorio, los hacendados de esta ciudad pidan licencia como es preciso a este Ilustre Ayuntamiento, pues en mejoras reciben, como han realizado muchos un incremento notorio, que es el fin con que obran, sin reconocer de manera alguna el benefi-

cio, ni dar al común parte alguna de aquel emolumento,

por lo cual debían tributar a los propios.[37]

5. LA TIERRA DE LOS INDIOS

Un hecho notable dentro del proceso agrario cubano fue la tendencia, muy efectiva, de la Corona a garantizar a los indocubanos residuales el derecho a las tierras que tenían asignadas. Resulta curioso constantar documentalmente que, aunque durante décadas se repetiría que los indios estaban *españolados*, que ya no eran tales sino mestizos indiferenciados, los organismos metropolitanos mantuvieron en vigor las disposiciones pro-indias que fue-

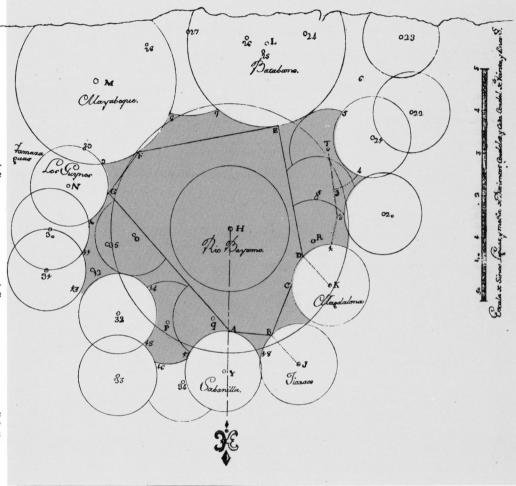

ron —a lo largo de la secularmente reiterada legislación indiana—, la herencia viva de la cruzada lascasiana. En Guanabacoa, en Bayamo y en Jiguaní las *tierras de los indios* serían tuteladas eficazmente por disposiciones que confirmaba la *Recopilación*.

Las tierras de los naturales de Guanabacoa

Los naturales de Guanabacoa, considerados como unidad comunitaria, figuraban al mediar el Setecientos entre los mayores terratenientes de Cuba. Las haciendas consideradas suyas, cuyo dominio se transfirió a la Villa de Guanabacoa,

Cifras

LAS TIERRAS DE LOS NATURALES Y VECINOS DE GUANABACOA

Las tierras de los *naturales y vecinos* de Guanabacoa, de acuerdo con *la inteligencia de su merced, el Fiscal de la Real Hacienda de La Habana,* constituían un total de casi 35 leguas cuadradas de 31.488 cordeles cada una. El plano de la página anterior, preparado en 1751, identifica así las tierras cuya posesión se reconocería a los descendientes de los indígenas concentrados en el *pueblo indio de Guanabacoa* hacia 1550:

	Leguas cuadradas	Cordeles cuadrados	Caballerías	Cordeles cuadrados
Río Bayamo, círculo menor de 3 leguas diametrales. Centro: H. Mide	9	—	949	24
Sobras pedidas por los naturales entre Sabanilla (Y); Xiaraco (J); Managuana (K); Batabanó (L); Mayabeque (M) y Los Guines (N) y que delineadas por las rectas A-B-C-D-E-F-G tienen un área total de	10	30.103	1.155	110
Area de haciendas de que fueron despojados vecinos de La Habana y poseen los naturales, delimitada por las líneas A-G-11-13-14-15-16-17	6	30.001	733	70
Entre la línea E-F y 7 y 8 hay:	1	27.324	196	311
Entre la línea D-E y los números 1-2-3-4, que es el camino que llaman de los naturales tienen:	5	30	558	73
Entre F-G-9 hay	—	12.125	40	193
Entre A-B-18 hay	—	6.895	28	145
Realengo de Santa Teresa: B-C-19	—	16.753	56	153
Totales *	34	28.775	3.618	107

* Estos totales no coincidían exactamente con los reclamados por los letrados de los naturales, que estimaban en más de 37 las leguas cuadradas pertenecientes a los indios.

FUENTE: AGI. Santo Domingo, 413.

sumaban entre 35 y 37 leguas cuadradas, según los distintos agrimensores que las midieron y deslindaron, o sea, el equivalente aproximado de 12 corrales de una legua de radio, en el corazón de la actual provincia de La Habana.

A los *naturales* de Guanabacoa les había sido reconocido por R.C. de 1632 el derecho a las tierras de la hacienda Río Bayamo, concedida para monterías por el Cabildo habanero y con las cuales se comunicaban desde su pueblo a través del *camino de los naturales* que pasaba por las haciendas Managuana y El Aguacate. La intervención real fue consecuencia de las denuncias formuladas en el siglo XVII por los protectores de los indios de Guanabacoa, a quienes los vecinos de La Habana despojaban de las tierras inmediatas al pueblo para destinarlas a estancias e ingenios. La intervención en favor de los indios residuales por el gobernador Juan Bitrián de Beaumonte en 1631, resultó decisiva [38] pues por R.C. se confirmó la cesión de Río Bayamo. En el siglo XVIII, convertida Guana-

bacoa en villa, se consideró heredera de los naturales, e insistiría su Cabildo en que Río Bayamo cubría 6 leguas diametrales, de acuerdo con los límites que estableció la Corona en 1632 al mencionar las haciendas entre las cuales se les daban tierras a los naturales reclamantes.

Dos *principales* habaneros, don Pedro García Menocal y don Mathías de León Castellanos, denunciaron como realengas tierras que los naturales estimaban suyas. Fue un largo pleito del cual obran millares de folios en el AGI. [39] En instancias sucesivas la Corona favoreció la permanencia de las tierras en manos de los reputados por *naturales.*

Según dictamen de 22-IX-1748, los agrimensores públicos Joseph Fernández Sotolongo, catedrático de prima de las Facultades Matemáticas de la Universidad de La Habana y el Tte. Bartholomé Joseph Flores, después de trazar varios mapas sobre los deslindes realizados, llegaron a las siguientes conclusiones:

● Las tierras consideradas como suyas por los naturales, una vez deslindadas, sumaban 1.191.854 cordeles planos, equivalentes a 37 leguas y 26.738 cordeles, lo que era igual a 3.089 1/2 caballerías.

● En estas tierras estaban pobladas por los vecinos de Guanabacoa 52 haciendas de criar, inclusa la llamada Las Lechugas, que tienen entre los términos de Mayabeque.

● Además tenían repartidas entre diferentes vecinos 250 caballerías de las que hay pobladas y comenzadas a labrar 24 poblaciones.

● En 1725, por Real ejecutoria,

les había sido entregada a las naturales, como *sobras de tierra*, la hacienda Santo Cristo de Candelas, que medía 2 leguas y 2.274 cordeles.

Entre las tierras repartidas por los *naturales* en las inmediaciones de Río Bayamo figuraban las llamadas de La Canoa. Se trataba de un realengo que fue denunciado en 1738 por el padre Don Mathías León, con el nombre de Realengo Santa Teresa. Medido en 1741 arrojó 56 caballerías y 158 cordeles, pero los naturales lo reclamaron y lo distribuyeron en distintos fundos, dados a censo en 1742.[40]

El Cabildo de Guanabacoa, por considerar a la villa heredera de las mercedes de tierra concedidas a los naturales, cuando el juez de tierras Joseph Antonio Gelabert pretendió

apear y deslindar

estas tierras —lo que costaría 1.000 pesos al Cabildo—, gestionó amparo ante la Corona por medio de sus diputados Juan Umpiérrez Trujillo y Miguel Ruiz. Una R.C. de 19-VII-1753, en atención al pedido de

quedar puesto en pacífica posesión del territorio que se le concedió de tiempo inmemorial a esta parte por el Ayuntamiento de... La Habana,

pues de procederse a composiciones se arruinarían los poseedores al no poder pagar los costos de deslindes, calculados en más de 4.000 pesos, sino también el Cabildo, que percibía los réditos, ordenó se deslindaran las tierras del Cabildo

sin réplica ni recurso en contrario... y se ampare y mantenga a sus vecinos... en la posesión de las

El Cabildo de Guanabacoa, autocalificándose heredero de las tierras concedidas por el Cabildo de La Habana a los indios naturales impuso censos en el siglo XVIII, sobre haciendas y estancias, vendió otras y regaló una parte menor a personajes influyentes que contribuyeron a su obtención del título de Villa. Uno de estos beneficiados fue el avisado empresario don Martín de Aróstegui, Presidente de la Real Compañía de Comercio, quien logró mediante 3.000 reales de vellón que la Corona le confirmase la merced. En estas tierras, situadas a 6 leguas al S. de La Habana y 1 legua al SE del Corral de Managuana, fomentó Aróstegui el ingenio Río del Plátano. (AGI. Santo Domingo, 431).

tierras que les correspondan, sin inquietarles en el uso y disfrute de ellas.

Y se reiteraba la orden al juez de tierras, Gelabert de modo expreso, ya que no se trataba

de tierras que resultasen de exceso y estuviesen usurpadas a mi Real Corona, que es el objeto de la comisión

que se le había confiado.[41]

Las tierras que retenía el Cabildo de Guanabacoa estaban constituídas en esta forma:

	Número	Censos (pesos)
Corrales y sitios de ganado	32	5.235
Estancias de labor	66	17.312
Totales	98	22.547

Además, el Cabildo de Guanabacoa había vendido 23 estancias en 5.040 1/2 pesos y había concedido gratuitamente 10 estancias; entre estos beneficiados figuraron Martín Aróstegui, presidente de la Real Compañía de Comercio (10 caballerías); el Dr. Bernardo Urrutia Matos, fiscal de la Real Hacienda (2 caballerías) y Miguel de Ayala, escribano de gobierno de La Habana (2 caballerías).[42]

Indios y tierras en Oriente

La forma irregular en que fueron mercedadas las tierras por los cabildos, y muy particularmente por los de la tierra adentro, creó numerosos conflictos que se agravaron cuando, a partir de 1729, quedó prohibida la concesión de nue-

TIERRAS DE PROPIOS DE LA VILLA DE GUANABACOA (1758)

Sitio o corral	Poseedor de la merced	Pesos a censo
Aguacate, El	Miguel Antonio Gómez	200
Arroyos, Los	José Oliver	137 1/2
Babiney	Juan González Vigot	200
Candelas	Ana Gertrudis Alfonso	200
Culebra, La	Alonso Barroto	200
Laxas, Las	Manuel Salgado	137 1/2
Leyva, La	Manuel Bolaños	400
Lima, La	Cap. José de Orta	137 1/2
Lira, La	Alonso Barroso	137 1/2
Managuacos	Simón Luxardo y Mateo Espinosa	150
Miraflores	Patricio de Horta	200
Navío, El	José Hilario Díaz	200
N. S. del Carmen	Bernabé Alfonso	137 1/2
Rancho del Catalán	Tomás Alvarez	137 1/2
Río Bayamo	Gregorio Rodríguez y Catalina González	200
Río Bayamo	José Quiñones	200
Río Blanco	Juan Antonio Ramos	200
Sacramento, El	Juan González Vigot	400
Saibavo	Manuela Bacallao	200
San Antonio	Bárbara María López	137 1/2
San Diego	Blasina del Aguila y Simón López	200
San Julián	José y Bárbara López	200
San Julián	Mauricio Landín	200
Santa Cruz	Juan Salgado	137 1/2
Zaragoza	Nicolás Díaz Gómez	200
		4.850

Más 7 sitios en El Cuaval	385
	5.235
63 Estancias de labor en La Canoa, Sábalo, Nazareno, Seyva y Caunao Propios del Cabildo	16.912 1/2
Además:	
33 Estancias vendidas en	5.040 1/2
4 Estancias y un solar	450
	27.638 *

10 mercedes gratis

* El rédito del 5 % anual era cobrado por el Cabildo.

FUENTE: AGI. Santo Domingo, 413, Doc. 4. (A.A.).

sensibilidad especial que mostraban los juristas metropolitanos en cuanto a los indios, una R.O. de 6-VIII-1733 previno al gobernador de Santiago de Cuba, coronel Pedro I. Ximénez interviniese; éste informaría en 18-VI-1736, tras investigar los antecedentes, lo que sigue:

● *El Ciego* no ha tenido dueño, aunque don Francisco Moxena, dueño del hato El Jíbaro, ha pretendido, a título de poderoso, apropiárselo, haciéndose imposible, por terminar las tierras de su hato un río muy caudaloso nombrado Cauto y distar El Ciego más de 10 leguas.

● *Vicana*. Algunos poderosos han pretendido apropiárselo trascendiendo los términos que se le señalan.

● *Guabaranao* y *Mancavo* en parte están poseídas de algunos vecinos, por tener ingenios. Se ha seguido pleito.

● *El Horno*. Se siguió pleito por los naturales con el dueño del hato Almirante. Los indios apelaron sin completar los trámites.

El Gobernador consideraba realengas las tierras reclamadas por los naturales y el Fiscal del Consejo de Indias, con vista de las diligencias, favoreció el criterio del Obispo, quien aportó una lista de los *muchos* indios matriculados ante su protector en Bayamo, lo cual negaba lo dicho por don Bartolomé de Aguilera, quien se consideraba dueño de Vicana. Propuso así al Consejo de Indias

vas mercedes. En el rico partido de Bayamo los terratenientes librarían una fuerte presión sobre los escasos indios residuales para despojarlos de las tierras que durante más de dos siglos habían considerado pertenecientes a los suyos. Para ello algunos *principales* lograron de los gobernadores, títulos de propiedad.

Los *naturales* de Bayamo, cuya condición real de indios merecedores de especial protección por la Corona, negaban los hacendados interesados en despojarlos, habían denunciado ante el Rey que se pretendía arrebatarles las tierras nombradas El Horno, Mancavo, Guabaranao, El Ciego y Vicana, por lo cual habían promovido juicio ante la Audiencia de Santo Domingo. Con la dar orden al Gobernador para que ampare y defienda a los indios en la quieta posesión de las tierras llamadas El Ciego y Vicana, las que disfruten para sus usos y aprovechamientos, sin que consienta que ahora ni en adelante persona alguna se lo impida ni se entrometa... Y por lo respectivo... El Horno, Mancavo y Guarabanao obligue a los indios a que saquen la compulsa de los autos... hechos y que constándole que por su indigencia no la pueden costear, se ejecute de oficio, dando parte al Fiscal de la Audiencia de Santo Domingo para que les defienda.[43]

Las tierras de los indios de Jiguaní, en gran parte cedidas a censo bajo la administración del párroco del pueblo, o arrendadas a españoles y criollos, serían objeto de prolongados pleitos a lo largo del siglo XVIII.

Una de las versiones más concretas sobre el origen de Jiguaní y de la posesión original de sus tierras es la siguiente:

Aunque sus tierras no son de la parte del Norte [de Bayamo] concedidas a los indios, una parte de los que las disfrutaban levantaron sus parajes [en Jiguaní] con motivo de haber logrado el Pbtero. don Nicolás Jerez que el indio Miguel Rodríguez, dueño y señor del corral de cerdos Jiguaní Arriba, ya anciano y sin sucesión, cediese aquella hacienda para que en ella se recogiesen los indios que quisieren poblarla, edificando iglesia con título de parroquia en 1701, cuyo primer párroco fue Jerez.[44]

El gobernador de Santiago de Cuba, Alonso de Arcos y Moreno, erigió a Jiguaní en pueblo de indios, designándole 6 regidores que elegían dos alcaldes pedáneos. El protector de los indios de Jiguaní residiría en Santiago y los representaría ante el Gobernador.[45]

6. LA IGLESIA Y LA TIERRA

La Iglesia tuvo una enorme influencia en el proceso de transformación de las estructuras agrarias a través de distintas vías que recogen los documentos de la época:

● Los gravámenes que constituían las capellanías y censos impuestos con fines piadosos sobre las haciendas, situación que databa del siglo XVI y que se agravó con la fundación de nuevos conventos en el Seiscientos. Estas cargas, que ya en los inicios de la colonización eran denunciadas por Manuel de Rojas,[46] aparecen reiteradas y confirmadas en centenares de escrituras de compraventa conservadas.

● Los conventos habaneros y la Compañía de Jesús intervinieron en el proceso de cambios agrarios en la primera mitad del siglo XVIII en forma variada. Algunos ejemplos serían:

1. La denuncia de tierras realengas de cuya venta y composición hizo la Corona beneficiario temporal preferente al Convento de Santa Clara.

2. La resistencia de los conventos de Santa Catalina de Siena y Santo Domingo al reparto de tierras por la Corona a los labradores de Santiago de las Vegas, alegando la baja tasación de que fueron objeto las tierras que se les expropiaba.

3. Participación en la demolición de haciendas, como en el caso del corral de Baracoa, de los padres belemitas (1730), y en el fomento de ingenios (belemitas y jesuitas) y cría de ganado vacuno manso (jesuitas).

4. Los muchos religiosos que poseían individualmente haciendas y las mantenían en explotación con la ventaja de estar exentos de impuestos sus productos. En la *tierra adentro* y Santiago de Cuba fue

ésta una situación frecuente. Si bien las mercedes de los Cabildos cesaron, muchos religiosos compraron y vendieron tierras, o las tomaron a censo, como el párraco de Jiguaní, quien explotaba parte de las asignadas a los indios.

La autoridad para deslindar sus propias tierras fue reclamada en varias ocasiones por los eclesiásticos. En 14-X-1736 el polémico gobernador de Santiago de Cuba, Pedro I. Ximénez, escribió al Rey quejándose del Provisor del Obispado, quien lo amenazó con excomulgarlo cuando le advirtió que no era de su competencia, sino de la del Cabildo secular, deslindar las tierras del ingenio *Río Seco*, del Pbtro. Francisco de Fromesta, colindante con el *Marianage* de Miguel Navarro, ambos situados en el camino viejo de Juragua.[47]

7. LA VENTA DE REALENGOS POR CUENTA DE LA CORONA

Al iniciarse el siglo XVIII era casi imposible —con excepción de algunas áreas de la tierra adentro—, encontrar tierras contiguas no ocupadas para completar los 56.5 Km^2 de un corral, y menos aún, el cuádruplo correspondiente al círculo de un hato. Quedaban, en cambio, segmentos menores sin asignar específicamente —aunque en gran proporción utilizada por los terratenientes vecinos—, de *tierras realengas*. Según la *Recopilación* de 1680 eran realengos

los terrenos baldíos, suelo y tierras que no tengan dueño particular legítimo, o lo que es lo mis-

UN DESLINDE AGRARIO EN 1737

La forma en que eran determinados en algunos casos, sobre el terreno, los derechos de propiedad, por medio de deslindes, resultaba tan pintoresca como eficaz. Pérez Luna recoge la operación ejecutada en 1737 por la reclamación presentada por doña Manuela Montalbán, de Trinidad, propietaria del hato Río Hondo, contra don Blas González de Alverja, de Sancti Spíritus, quien se decía dueño del sitio La Güira, y cuya merced pedía la actuante fuese anulada. Designados dos agrimensores y

...preparado un cordel de majagua dura, se tomó informe de testigos oculares que indicaron el punto céntrico, comenzándose a medir desde un horcón situado entre varios ciruelos, en una sabana inmediata al río Higuanojo, hacia la parte de Trinidad, en el camino real. Completose una legua junto al arroyo de la Güira, donde se fijó una cruz; se continuó la medida y a las doce cordeles se llegó al sitio de La Güira; y se completaron las dos leguas cuando se llegó a donde estaban dos árboles de guásima, junto a los cuales mandó el juez fijar un poste para que se respetara como lindero del hato Río Hondo, salvo lo que se resolviera en definitiva. Terminose así la operación, y se extendió acta que firmaron el juez, escribano y concurrentes, menos uno de los agrimensores, que no sabía firmar.[a]

a. Pérez Luna justifica tan extraña peculiaridad en un agrimensor al recordar que *estos agrimensores no tenían título: eran los prácticos nombrados por las partes o de oficio para hacer las medidas*. Más tarde irían de La Habana *agrimensores públicos*, bajo comisión del juez de tierras Gelabert.

FUENTE: Pérez Luna, R. (1888) Historia de Sancti Spritius.

mo, que no hayan pasado nunca al dominio privado, en virtud de concesión gratuita u onerosa, otorgada por las autoridades competentes.

Estas tierras realengas, conocidas en la parla de la época como *sobras de tierra*, *huecos* o *segmentos*, según los casos, habían venido siendo mercedadas por los cabildos para *completar* haciendas o para establecer, dentro de sus límites, nuevas poblaciones ganaderas, a vecinos que se sumaban así a la oligarquía de los grandes hacendados. En Oriente existían también realengos, aunque como especificara el máximo estudioso de estos problemas en el siglo XIX, don Esteban Pichardo, no serían

los sobrantes, huecos o segmentos que dejan entre sí los hatos y corrales, sino los espacios existentes entre las líneas que limitan las haciendas.

Algunos realengos eran realmente enormes. Uno descubierto al mediar el siglo, en las inmediaciones nes de la futura región de La Trocha, medía 20 3/4 leguas cuadradas, o sea, casi 373 Km².[48]

La Corona enfrenta al el problema agrario indiano

Vimos ya como el regalismo que caracterizaría a la dinastía borbónica se manifestó pronto en el problema agrario de las Indias, donde las oligarquías locales, utilizando métodos distintos pero orientados hacia el mismo fin, se habían apropiado de la casi totalidad de las tierras más valiosas. En 1713, cuando

EL DURO OFICIO DEL AGRIMENSOR PUBLICO

Bajo las más difíciles condiciones, un pequeño grupo de dedicados agrimensores rindieron al mediar el siglo XVIII una tarea admirable en el

apeo, medida y deslinde

de las tierras bajo investigación. Su salario por día era tasado en 3 ducados (33 reales).

Para delimitar en 1748 los realengos Loreto y San Francisco Xavier, el agrimensor Gregorio Franco debió cubrir 86 leguas en un recorrido que incluyó Puerto Príncipe, Sancti Spiritus, Morón y Cacarratas. Cada día debió viajar un promedio de 8 leguas, de modo que al terminar había invertido:

En la caminata:	10 días y medio
En las medidas:	18 días
En hacer el plano:	4 días

El valor de la tierra fue tasado en 60 pesos la legua

por ser agria, de pocos frutales, y sabanas.

El realengo de N. S. de Loreto midió 6 1/8 leguas² y 2.734 cordeles: se tasó en 372 pesos 5 reales.

El de San Francisco Xavier, 20 3/4 leguas² y 1548 cordeles²; se tasó en 1.386 pesos 1 real y se remató a pregón en 2.081 pesos.

FUENTE: AGI. Santo Domingo, 506.

apenas se consolidaba Felipe V, con el término de la Guerra de Sucesión, fue dictada una R.C. general que convocaba a quienes poseían tierras en las Indias, sin justo título, a legimarlas mediante composición, o sea,

Documentos

LA ESPECULACION SOBRE TIERRAS Y EL INEVITABLE COTILLEO OFICIALIZADO

Don Joseph Antonio Gelabert, quien pondría en orden la confusión de las ventas de las tierras del Rey, fue duro con los que negociaron antes con ellas; pero no menos graves serían las acusaciones en su contra del Gobernador Caxigal, quien señalara su conflicto de intereses como heredero de latifundios. Veamos lo que dicen los documentos:

Era hecho constante la colusión del mayordomo del Monasterio de Santa Clara Acosta con el fiscal asesor de la Real Hacienda y denunciantes de tierras realengas, so color de hacerse el pago del crédito que debe cubrirse, no sólo en gravísimos perjuicios irreparables al Rey, sino mas que perjudiciales a los hacendados, pues sobre lo cierto o incierto de las denuncias se suscitaban... innumerables pleitos...

...Hasta aquí ha sido el Monasterio juez y parte, percibiendo no obstante unos cortos ingresos y aprovechándose de 'lo demás los manipulantes... El fraude... que tasándose por menos de su valor pasan luego a venderle por el tercio menos a los denunciantes y éstos los traspasan, sin tomar posesión, con crecido beneficio, lo que no sucedería si se sacaran al pregón, como se ha debido practicar.

...Teniendo ya percibído más de 25.000 pesos, no se verifican los impuestos que han debido hacerse a su favor en quasi ninguna cantidad... en... perjuicio contra las principales antiguas dotes de este Monasterio... que siendo dueño de 230 que se han impuesto desde su creación, a... 2.000 du-

cados cada una, que valen 632.500 pesos, existen hoy solamente 523.260, de donde viene... quebranto de 109.240 pesos, que ha acarreado la poca solicitud que han tenido de las fincas.

...Los gobernadores, aunque con toda la mano y la autoridad de que necesitan para ejecutar cuanto corresponde a la administración de justicia, son legos, y de ordinario militares, sin ninguna práctica en la variedad y confuso de dependencias que el complexo de materias de una isla de la atención de esta, les da... les es preciso poner los buenos y malos expedientes en manos de los abogados —que son tantos aquí cuantos pudieran necesitar 2 ó 3 audiencias—, y siendo los mas de ellos mendigantes, por vivir sujetos a expensas de las injustas defensas que mantienen, y otros en línea de asesores, de la colusión y soborno indebido, como actualmente se experimenta contra el Rey y la República, eliminado de estar las mercedes del Cabildo sin la formalidad de medidas... resulta existir pasadas de 400 causas de esta naturaleza.

Figurando solicitar lo justo de los realengos, cuyas denuncias promueve

el ilíquido crédito del Monasterio de Santa Clara, suscitando no sólo bolumosos cuerpos de autos vestidos de artículos impertinentes, sino también vista de ojo y medidas que en distancia de 16 ó 50 ó más leguas de este puerto es más que gravosísimo el estipendio que se da a los ministros de justicia que se destinan a estas diligencias.

En sustancia, son inmensas las quimeras y de no ponerse freno a tanto desorden contra el Real fisco y bien común, tengo por sin duda el que nunca llegará a verificarse la voluntad del Rey en lo de composición de tierras, y menos en los realengos.

Joseph A. Gelabert a Antonio Joseph de Pineda y Capdevila (La Habana, 24-XI-1741)

●

En lo de la causa del Convento... de Santa Clara en que don Joseph Antonio Gelabert se presentaba para ser juez, era parte litigante con declarado empeño por haberse denunciado realengas parte de las tierras del hato de Guareiras y anexos, poseídos por doña Nicolasa de Estrada, abuela de su mujer, persona muy anciana a quien próximamente había de heredar y heredó...

Gobernador Francisco Caxigal de la Vega al Rey (La Habana, 2-XI-1747)
FUENTE: AGI. Santo Domingo, 499 (A.A.).

un pago negociado con la Corona; al mismo tiempo se ordenaba que las *tierras realengas* que fueran descubiertas fuesen vendidas al mejor postor, ingresando el importe en Las Cajas Reales. En Cuba fue encar-

gado de la comisión de juez de tierras, para aplicar lo ordenado, el tesorero Mateo Luis de Florencia, por R.C. de 25-V-1720; su primera encomienda fue pagar de lo que se obtuviese por la venta de realengos

el capital de 8.000 ducados que se debían al Convento de Santa Clara por el corral de Matanzas tomado en 1693 para fundar la ciudad, más los intereses que continuaban acumulándose.

Don Lorenzo de Montalvo, comisario de Marina, fue uno de los individuos de mayor poder en la Cuba de mediados del siglo XVIII. El desarrollo del Astillero y la construcción de muchos navíos de guerra fueron en gran medida obra suya. Pero en la vieja tradición quiso poseer vastas haciendas. Entre ellas Macurijes (C) y sus anexas: Río Nuevo, Santa Ana y Río Blanco, cuyos títulos compró al capitán Juan Pérez Caballero en 1746 por la suma de 33.071 pesos. Estas tierras habían sido mercedadas originalmente en 1559. Montalvo pidió componer sus tierras y Gelabent las hizo medir y deslindar. Se acordó que como composición pagaría a censo 1.015 pesos. El Consejo de Indias estimó que no correspondía componer estas tierras y ordenó se le devolviese el dinero pagado y en mérito a sus servicios se le confirmó a Montalvo la propiedad de sus haciendas. (AGI. Santo Domingo, 507).

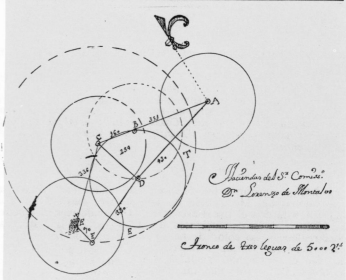

El Convento de Santa Clara y la especulación con la tierra

En 1721 los 11.000 pesos equivalentes a los 8.000 ducados en que fue tasado el corral de Matanzas se habían elevado, por la acumulación de intereses, a 28.050 pesos.[49] Como la Real Hacienda no disponía en Cuba de fondos aplicables, otra R.C. ordenó se pagase al Convento con el producto de la composición de las tierras encontradas vacas.[50]

En 26-VII-1734 fue despachada una ejecutoria a favor del Convento, cuyos representantes insistían en el cobro. Hubo resistencia, pues ya en 1731 el Cabildo de Matanzas alegaba que, aunque el corral se consideraba valía 8.000 ducados, de sus *4 leguas* solamente una era de provecho y había sido tasada en 800 pesos, despreciando las demás por inútiles.

Insistían en que tierras de la mejor calidad para la labranza y cría se vendían hacia 1693 a no màs de 500 pesos legua y hacia 1731 a 1.000 pesos como máximo.[51]

El proceso de *descubrimiento* de realengos comenzó lentamente. Entre 1731 y 1741 fueron denunciados solamente 17, y los trámites eran realizados con la intervención directa del apoderado general del Convento de Santa Clara, Juan Miguel de Acosta, a quien se acusaría luego de actuar como juez y parte. El Convento ofreció pagar al denunciante de realengos una cuarta parte de lo que le correspondiese cobrar y el ritmo de denuncias iría en aumento. Entre 1742 y 1747 las denuncias ascendieron a 40. Bajo Florencia, y después bajo comisión del contador don Manuel García de Palacios, la venta de realengos no mereció la atención debida y los especuladores actuaron con desenfado y eficacia.

Joseph Antonio Gelabert, contador de cuentas, esposo de una nieta de García de Palacios, designado subdelegado para la venta de realengos y composiciones de tierra con rango de juez privativo,[52] denunciaría la actuación de los intermediarios que aprovechaban el interés real en saldar la cuenta del Convento.

Entre 1737 y 1744 se destinó a pagar al Convento lo obtenido por la venta de

41 realengos de distintos tamaños y calidades que en parte eran inútiles, y los ha podido aplicar la industria... todos se tasaron por personas de público ejercicio y confianza...

(sigue en la página 158)

TIERRA BUENA PARA GANADOS MAYORES

Entre Santa Clara y Trinidad fue denunciado en 1748 un realengo que pretendía destinarse a la ganadería. Era conocido como Santa Quiteria, alias Las Congojas, y pasó a deslindarlo y medirlo el agrimensor Bartolomé L. de Flores, quien lo describiría así:

...Es capaz para poblarse en él y criar ganados mayores, como son vacas, yeguas y bestias mulares... Son maniguales de pendexerales salviales, rompezaragüeyes mezclados con algunas yerbas de pastos, que con el beneficio que hicieren de las quemazones vendrán a empastarse como algunos pedazos lo están... Puede criar algunos ganados menores, no muchos en cantidad, por la escasez de árboles frutíferos (sic) que le han quedado de las tormentas huracanes y quemazones.

...Tiene agua fértil y abundante, pues se halla, en el mismo centro donde se ha de hacer la población, el río que viene por el hato de Ciego Montero y va a desaguar al río Damugí (sic)... Al... sitio le puse por nombre Santa Quitería, alias Las Congojas... (27-V-1739).

Según tasación de Pedro Hernández Vega la legua de tierra valía 400 pesos (18-VI-1739). El realengo medía 93.320 cordeles, o sea, casi 3 leguas. Sacado a pregón muchos años después, fue rematado en dos postores que se unieron: Juan Cardoso e Ignacio de Morales, quienes pujaron hasta 3.000 pesos, de los cuales dejaron 2.000 pesos a *censo al quitar* en favor de S.M. La media annata ascendió a 88 1/2 pesos.

El juez de tierras J. A. Gelabert procedió a otorgarles el título de copropietarios a Cardoso y Morales, quienes quedaban autorizados para po-

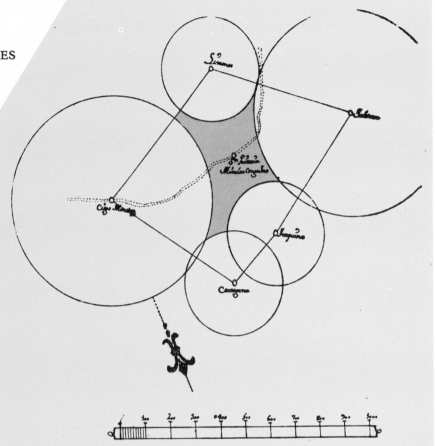

Mapa de localización del realengo Santa Quiteria o Congojas, en lo que vendría a ser Las Villas. (El área vendida, en gris.) (Fuente: AGI. Santo Domingo, 196)

blar su hacienda de ganado mayor y menor y bestias caballares y mulares (23-XI-1748). En el título se daban por linderos, según el mapa levantado por Bartolomé L. de Flores, las haciendas Ciego Montero, Jabacoa, Turquino y Cartagena, propiedad ésta de Cardoso.

En el propio título se precisaba que Cardoso establecería su asiento en la parte norte,

en la vuelta de su hacienda Cartagena, inmediato al río que divide el realengo o distante de él, en aquel paraje que le fuere más cómodo o conveniente... y... Ignacio de Morales, en la parte Sur de dicho río, nombrado Anaya...

En caso de venta o enajenación, preferiría el uno al otro.

FUENTE: AGI. Santo Domingo, 506. (A.A.).

HISTORIA DEL REMATE DE UN SITIO REALENGO: EL ROQUE

Uno de los primeros realengos mayores que se adjudicaron en La Habana, bajo el juzgado del contador J. A. Gelabert, fue El Roque, en la actual provincia de Matanzas. Por considerarlo ilustrativo del sistema empleado en los demás casos similares, reconstruimos —simplificándolo—, lo ocurrido.

Ignacio de Zayas Bazán denunció en 1743 como realengo el sitio —corral— denominado El Roque. Lo contradijo el teniente Pedro de Morales, albacea del Capitán Pedro de Oquendo. Aunque se alegó que la tierra había sido mercedada a Oquendo, se estimó no poseía derecho a la tierra por no haberla poblado oportunamente y fue adjudicada en favor del Monasterio de Santa Clara, como parte del crédito a su favor, reconocido por la Corona.

Morales apeló en 1744 ante el Consejo de Indias, que ratificó el carácter realengo de El Roque, si bien aplicándolo a la Corona.

Descripción de El Roque

Por encargo urgente del Marqués de la Regalía, el juez Gelabert ordenó en 1747 la puesta en marcha del procedimiento de remate, y ordenó al agrimensor público, alférez Bartolomé Lorenzo de Flores informase sobre el caso. Escribía Flores:

He formado el mapa del sitio del Roque, denunciado por don Ignacio Zayas Bazán, adjunto, con las haciendas y demás tierras confinantes... Tiene 4 leguas menos 5.501 cordeles que se minoran en los segmentos que le cercionan (sic) El Altamisal y Cañongo y se le agregan 1.039 cordeles que tiene el triángulo entre... Roque, Altamisal y Cañongo, que es en la letra E. Sólo le faltan para... las 4 le-

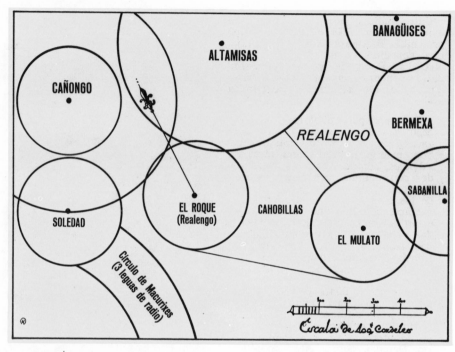

Localización del realengo El Roque, cuyas dimensiones alcanzaron a casi la totalidad de un corral, al ser delimitado durante el período de reajuste agrario de mediados del siglo XVIII. (Fuente: AGI. Santo Domingo, 507).

guas, 4.462 cordeles, los cuales se le pueden agregar en el rincón que hace la letra D, que es tierra baldía como se verá por el mapa. Declaro que la medida y reconocimiento que hice de El Roque el año 1737 no fue por medirlo, sino por confinante, en reconocimiento para el realengo denunciado por Juan Francisco Díaz Delgado.

...Las tierras que comprende... El Roque son pedregosas y con varios arrecifes, y sus montes estériles de árboles frutales para la crianza de ganados menores, y tenía porción de quemados de rompezaragüeyales y pendexerales y solo en el centro de la sitación (sic) de unas monterías, que allí estaban ejercitados en la matanza de ganado cimarrón, una sabanita limpia y empastada en donde don Pedro Morejón, arrendatario que era del Altamisas, metía las mulas nuevas del dicho...

Aguada no tenía, ni vide otra que la de un pozo, que sacaban el agua a mano para dar de beber a los animales [el cual] pozo puse por centro de... El Roque. Hoy en día pueden dichos quemados, con las quemazones, haberse reducido a muchos limpios empastados, como se han hecho muchos que he visto de esa misma naturaleza (16-IX-1747).

Gelabert aceptó como válidos mapa y descripción.

Tasación de las tierras

El juez encargó la tasación del realengo a don Joseph Pérez, *experimentado en la tierra*, quien

tasó y reguló la legua de tierra de El Roque a 400 pesos.

El defensor de la Real Hacienda

El Dr. don Bernardo Joseph de Urrutia y Matos *promotor fiscal y defensor de la Real Hacienda en los autos de tierras realengas*, informado debidamente por Gelabert, dijo que

en comprehensión de que lo resuelto por el Real y Supremo Consejo es que medido y tasado dicho realengo se venda y remate... en pública subastación... gozando el denunciante de preferencia, si lo quiere, por el tanto, suplico a v.m. se sirva mandar se saque... el sitio a pregón... para que se remate en el mejor postor...

Pregones, pujas y remate

Decretó Gelabert se pregonase El Roque en 23-X-1747, y el mismo día

estando a las puertas de la Real contaduría... se dio primer pregón... por medio de Carlos, negro esclavo, que hizo oficio de pregonero.

La primera postura la formuló Pedro de Morales y la puja continuaría en días sucesivos en los siguientes términos:

- 23-X. Pedro de Morales Oquendo: 1.200 pesos. (Pagaría los costos en reales y el resto a censo).
- 2-XI. Nadie concurrió al segundo pregón.
- 13-XI. Joseph Hernández: 1.300 pesos en efectivo. (No firmó, por no saber).
- 22-XI. Pbtro. Dr. Joachim de Zayas Bazán: 1.600 pesos en 5 meses.
- 14-XII. Christóbal Viañes de Sala, escribano: 1.650 (450 de contado). Pbtro. Zayas: 1.700 (en 5 meses). Miranda: 1.625 (contado). Zayas: 1.800 (en 5 meses). Miranda: 1.800 (contado), Zayas: 2.000 pesos (costas, de contado).

Y habiéndose publicado y referido cada una de las... posturas, por medio de dicho negro, con voces altas y perceptibles, como se iban haciendo, dieron las 12 del día... de orden de S.S. se suspendió esta diligencia para proseguirla... mañana día 15. Y citados los postores...

- 15-XII. Capitán Fernando Otero: para criar ganado mayor y menor. 2.500 pesos (costas de contado; resto en 2 plazos de un año). Miranda: 2.000 pesos (en reales efectivos). Dr. Zayas: 2.700 pesos (costas de contado; 2.000 en 5 meses y 700 en un año).

El mismo día se otorgó el remate a Joseph Victor Miranda, al considerar el Juez era la mejor postura.

El Pbtro. Dr. Joachim Zayas Bazán, denunciante del realengo, renunció al derecho del tanto y el remate quedó firme. En 20-XII-1747, el adquiriente Miranda

hizo real y efectiva exhibición de 2.000 pesos en reales.

El dinero fue distribuido de inmediato así:

	Pesos	Reales
Para el Rey 3 terceras partes (entregado a los Oficiales Reales)	1.333	2 1/2
Para el denunciante 1 cuarta parte (deberá satisfacer de ella los costos causados)	500	
Para el Juez Gelabert (un dosavo)	166	5 1/2
	2.000	0

Las costas a satisfacer

El Pbtro. Zayas Bazán debió pagar, de sus 500 pesos, los 90 pesos y 1/2

real que tuvo como costas el procedimiento y que se distribuyeron en la forma que sigue:

	Reales
Juez Gelabert:	
Por doce firmas	24
Por 2 asistencias a 2 ducados	44
Licenciado Miguel de Tapia	
Asesoría	208
Dr. Bernardo de Urrutia	
Honorario	48
5 peticiones de su agente	25
Papel sellado	1 1/2
Lcdo. Nicolás del Manzano	
Dos peticiones	20
Tte. Pedro Morales (por 1 firma de abogado)	17
Joseph Victor Miranda (por 1 firma y papel)	6
Agrimensor Bartholomé Lorenzo Flores (informe y mapa)	32
Escribano	
Por derechos de lo actuado (6.288 mvs)	184 1/2
Por papel sellado	2
Al pregonero	14
Por la tasación	16
Total	720 1/2

Media annata y título de propiedad

Adicionalmente pagaría Miranda el 2 1/2 % del valor del realengo: 400 reales más el 18 % de esta suma para su *lleva* y *conducción* a España. Pidió entonces el título de propiedad que le fue librado, y cuyo texto podemos considerar corresponde al tipo genérico concedido a cuantos, por este medio económico y jurídicamente inobjetable, entraron en posesión de las tierras del Rey.

TÍTULO

Don Joseph Antonio Gelabert, del Consejo de S. M., su seretario contador del Tribunal y Real audiencia de Cuentas de esta Isla, las de Barlovento y provincias de La Florida, juez privativo para la venta y composición de tierras y ministro superintendente para la cobranza de caudales procedidos de condenaciones de multas que se imponen por el Real y Supremo Consejo de Indias por el Ilustrísimo Señor Marqués de la Regalía, de dicho Consejo y su Real Cámara, Ministro principal para las referidas comisiones en los Reinos del Perú y Nueva España.

Por cuanto: en concurso de distintos postores al sitio nombrado El Roque, distante de esta ciudad 50 leguas a Barlovento, que por el auto del Real y Supremo Consejo de Indias de 27-I-1746 fue declarado a favor de S. M. y en su consecuencia sacádose por mi a pregón para su beneficio, ha sido rematado en Joseph Víctor de Miranda, vecino de esta ciudad, como el mayor postor, en la cantidad de 2.000 que exhibió en reales de contado, según las condiciones del remate celebrado en 14-XII-1747 y así mismo 472 reales del Real derecho de media annata, en lleva y conducción, como consta de los autos que se obraron sobre este asunto. Y siendo preciso conferirle al sobredicho el título correspondiente a la posesión y propiedad que tiene adquirida.

Por tanto: por el presente, en virtud de las facultades que son conferidas ,en nombre de S. M. —que Dios guarde— concedo al expresado Joseph Víctor Miranda la bastante que por derecho se requiere, para que en virtud de este título aprehenda la posesión corporal vel quasi de dicho sitio, sujetándolo a los linderos de las haciendas nombradas Macurixes, Soledad, Cañongo, Altamisal, Cahobillas y Guayabo Largo, según el mapa incluido en dichos autos, para que use de él libre y francamente, poblándolo, conforme a ley, de los ganados mayores o menores que le pareciere, vendiéndolo o enajenándolo a su arbitrio.

Y de este Juzgado se pondrá testimonio a continuación de dichos autos para dar cuenta de todo lo obrado, al ilustrísimo Señor Marqués de la Regalía, de dicho Real y Supremo Consejo y su Cámara, como así lo tiene prevenido, para en su vista alcanzar de S. M. su real confirmación. En cuya inteligencia mandé librar el presente, firmado de mi mano y sellado con el de mis armas, refrendado del infrascrito escribano.

Dado en La Habana a 12-VI-1748 años.

Don Joseph Antonio Gelabert
Por mandato de Su Señoría,
Francisco García Brito,
escribano público.

a. Gelabert escribiría más tarde a Madrid que era más favorable a los intereses de la Corona y de los labradores, escasos de efectivo, dar preferencia a las posturas a censo, si eran más altas que las de contado y citaba como ejemplo el caso de El Roque.

FUENTE: AGI. Santo Domingo, 505 (A.A.).

(viene de la página 154)

Solamente había dificultad

en algunos casos [por] la imposibilidad del reconocimiento, como en unas ciénagas de la banda del Sur, que la inundación y la abundancia de cocodrilos hacían intransitables, y excederse las tasaciones con pujas muy aventajadas...

La cuenta final reveló una ganancia notable para el Convento:

	Pesos	Reales
Precio del corral Matanzas en 1693: 8.000 ducados equivalentes a	11.000	0
Intereses acumulados	23.952	6
Deuda de la Corona	34.952	6
Cobrado por el Convento	44.835	1
Alcance a favor de la Corona	9.882	3

Gelabert había puesto en limpio las viejas cuentas y descubierto el *alcance*. El gobernador Caxigal creía en 1747 que dada la complejidad de las operaciones, y que

por las muchas personas que arrastró [el Convento] por el beneficio de perdonar la cuarta parte,

podrían originarse costosos pleitos de remover lo hecho, y era más sabio que la Corona aprobase el pago excesivo.[53]

Aunque en Madrid consideraba el Fiscal que había mucha confusión en el asunto y debía un relator poner sintéticamente en claro el contenido de 66 piezas de autos litigiosos, el Convento terminaría cobrando 4 veces el valor asignado en 1693 al corral, mercedado originalmente, en nombre de la Corona, sin percibir nada a cambio, por el Cabildo habanero.[54]

Cifras

DENUNCIAS DE REALENGOS (1731-1748)

DENUNCIAS

Año	Número
1731	1
1737	2
1739	1
1740	2
1741	11
1742	29
1744	1
1745	1
1747	9
1748	77
	163

DISTRIBUCION DE LAS TIERRAS DENUNCIADAS

La Habana

Ciudad y extramuros	18
Al Sur	1
A Sotavento	44
A Barlovento	50
	113
Guanabacoa	1
Matanzas	7
Pueblo Nuevo (Villaclara)	5
Remedios	2
Sancti Spiritus	14
Trinidad	3
Puerto Príncipe	9
Bayamo	1
Holguín	1
Sin identificar	7
Total	163

FUENTE: AGI. Santo Domingo, 499 (Informe de José A. Gelabert al Conde de Ricla, La Habana, 17-VI-1748).

LA IMPRECISION DE LOS LIMITES DE LAS JURISDICCIONES

Con motivo del deslinde de los realengos Santa Rita, San Francisco Javier y Nuestra Señora de Loreto, entre haciendas que pertenecían a las jurisdicciones de Sancti Spíritus y Puerto Príncipe, fue enviado a medir el agrimensor Gregorio Franco en 1747,

los realengos que corren de la costa Norte a la Sur,

según informaba el denunciante, el infatigable *descubridor* Luis Fernández Pacheco, capitán de granaderos de las milicias.

El deslinde requería medidas en docenas de haciendas y, previamente, fijar los límites entre las jurisdicciones de Sancti Spíritus y Puerto Príncipe. Varios testigos declararon que

el lindero que comparte la jurisdicción de Sancti Spíritus y la de Puerto Príncipe es las sabanas de Altamisal, en el fin de ellas, donde están unas maboas y picada una cruz en la maboa por donde llaman arroyo de Guayabos.

Pretendía Franco que le acompañase el alguacil mayor de Sancti Spíritus Mathías Arango, pero se excusó de ir

a paraje tan remoto y hallarse prohibido de mojarse y ser fangoso el camino y en su fuerza las aguas que continúan todos los días.

Finalmente encontraría Franco las maboas de Altamisal

que se han guardado de límite, sin contradicción ha tiempo inmemorial.

FUENTE: AGI. Santo Domingo, 507.

PRODUCTO DE LA VENTA DE REALENGOS Y COMPOSICION DE TIERRAS (1748-1766)

	Número de fundos	*Pesos*
Por tierras denunciadas y rematadas al contado	9	4.369
Por denunciadas y rematadas a censo	28	25.658
Por composiciones al contado	15	1.720
Por composiciones a censo	14	6.065
Por ventas en Santiago de Cuba		1.322
Producto de la media annata		1.517
Rédito de las vendidas a censo		11.574
		52.225
Réditos anteriores a 1762 cobrados durante la dominación inglesa		7.081
Total		59.306
Descuento de la composición de las haciendas Macurijes y anexas por don Lorenzo Montalvo, Comisario de Marina (Merced por R. O. de 7-VII-1752)		1.015
Producto total de la Comisión		58.291

FUENTE: AGI, Santo Domingo, 1156 (Informe de J. A. Gelabert, 16-VIII-1766).

La venta de realengos y las composiciones de tierra bajo el régimen de Gelabert

Joseph Antonio Gelabert se hizo cargo de las operaciones sobre las *tierras del Rey* en 15-VII-1747 y ello provocó una movilización sorprendente de *descubridores*. Entre 1731 y VII-1747 fueron denunciados 83 realengos; entre VIII-1747 y XII-1748 fueron denunciados 81. Se combinaron para ello varios factores: la revocación de la autoridad de los Cabildos para mercedar tierras era un hecho consumado, lo que aumentaba el valor de la tierra; y mientras los precaristas de buena fe se presentaban a *componer* su situación, no faltaron individuos bien informados que denunciaron cuanta tierra sin dueño conocían, aun dentro de los límites urbanos de La Habana. Uno de ellos, el capitán Luis Fernández Pacheco, denunció 16 realengos, Juan López Barroso, 14 e Ignacio de Zayas, 8.

A lo largo de 17 años fueron denunciados 163 realengos por 89 personas. Cuando en 1766 rendía Gelabert cuenta de su labor, aparecería a favor de la Corona, a partir de 1748, un total de 52.225 pesos, de los cuales habían entrado en las Reales Cajas 20.502 pesos y el resto quedaba impuesto a censos redimibles —*al quitar*— sobre las tierras, con un rédito del 5 % anual. En 1766 resumía Gelabert la labor cumplida al escribir:

Todo persuade que el manejo de esta comisión ha producido cuanto es posible a favor de la Real Hacienda...

Mientras alimentaba pocas esperanzas sobre las

● 159

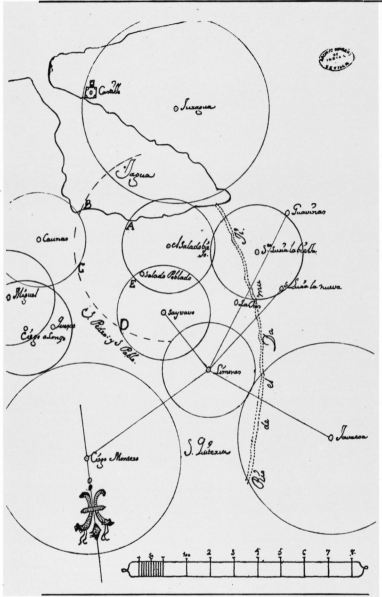

EL SALADO: GEOFAGIA Y COMPOSICION

Entre las denuncias elevadas a Gelabert por ocupación indebida de tierras, figuró la del Tte. Joseph Rangel contra el hermano Miguel de Quexo, quien era propietario de la hacienda El Salado

> que posee como corral en inteligencia de hato.

Denunciaba Rangel que

> según práctica de esta isla los corrales no deben gozar más tierra que una legua por cada rumbo... el hato El Salado... es una espesa montaña, por lo que se hace increíble se hubiese concedido merced para hato... En la medida que se hizo el año pasado por don Bartolomé de la Flor, agrimensor público... se le dieron 2 leguas por cada viento.

Quexo pidió permiso para pasar a Trinidad y Sancti Spíritus y

> solicitar en los archivos... mis títulos y practicar las diligencias.

Quedó en claro que El Salado fue mercedado originalmente a Gregorio Pérez, por el Cabildo de Trinidad, en 24-VIIII-1632. Pasó a manos de Juan Lorenzo de Ortiz, de Sancti Spíritus, quien lo donó al pardo libre Juan Esteban quien finalmente vendió a Quexo, tierras y animales por 200 pesos.

Se aceptó finalmente su extensión a hato de dos leguas al componerlo Quexo mediante censo redimible de 916 pesos 5 reales y medio y el pago de 29 1/2 pesos de media annata.

Por menos de 1.000 pesos obtenía Quexo el equivalente de 226 km² de excelente tierra.

La que en el siglo XIX devendría una de las áreas azucareras más ricas de Cuba, tras la fundación de Cienfuegos, poseía en 1749 una estructura agraria constituida por grandes latifundios ganaderos: 3 hatos (Juraguá;

Ciego Montero de Juan Ruiz, Manuel Clavero, Sebastián Hernández y otros) y Jivacoa y 7 corrales (Caunao, de Domingo Ricardo y otros; Miguel y Ciego Alonso de María González; Sayvavo; El Salado del hermano Miguel de Quexo; Limones, de Ruiz, Clavero, Hernández y otros y Santa Lucía y varios sitios: Lajas, Sta. Quiteria y Guabinas. El presente mapa fue preparado por el agrimensor B. Lorenzo de Flores después de un fatigante trabajo de campo por el cual se probó la existencia del realengo, denunciado por Quexo, al cual bautizó como San Pedro y San Pablo, tras establecer su área en 3 1/3 leguas² aproximadamente. Colindante con este realengo está el señalado por las letras A-B-C-D el realengo Las Congojas que denunció Domingo González Bello. De Quexo compraría el realengo por 916 pesos a censo más 29 1/2 pesos de media annata. En el mapa pueden localizarse la amplia bahía de Jagua con el Castillo que defendía su entrada y el río Damují. (AGI. Santo Domingo, 507).

La Vuelta de Abajo, el Sotavento de los habaneros, cuyas tierras adquirirían especial importancia por sus vegas, a partir del siglo XVIII, fue apropiada temprano por los oligarcas de la Capital, interesados desde el siglo XVI en los montes donde se criaba fácilmente el ganado de cerda, favorecido por los encinares que les proveían bellotas. En el "mapa y diseño" del agrimensor B. Lorenzo de Flores (1748) aparecen las haciendas Potrero de Luis Díaz Pimienta (A); La Catharina, cuya composición logró Diego Díaz Pimienta (B); El Valle (D) de Joseph de Salazar; y Pinal Alto (K) y el corral Las Yaguas (L) del capitán Lope de Morales. Aparecen en el mapa los ríos Sábalo (M-H-J) y el Cuyaguateje (N-G-A-B-Y). El sitio de la Catharina demarcado por las letras A-B-F-G, midió 1 1/2 legua y 2 798 cordeles planos, y Díaz Pimienta, de apellido ilustre y ya profundas raíces criollas, pagó de contado por ellas 100 pesos, más 23 1/2 reales de media annata. (AGI. Santo Domingo, 499 y 2171).

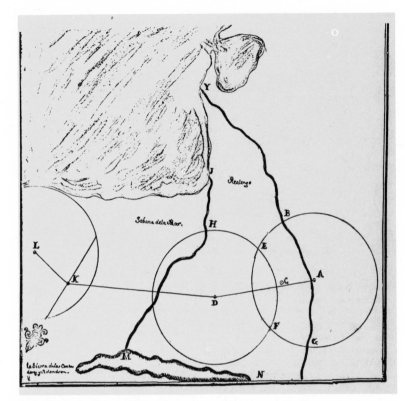

muchas denuncias que corren en autos, que necesitan de la mas exacta justificación para no perjudicar a unos poseedores de inmemorial tiempo, que tanto los ampara S. M. en su última instrucción de 1754.[55]

El análisis del estado de cuenta elevado por Gelabert en 1766 revela que manejó con hábil flexibilidad las instrucciones reales y que permitió a cada poseedor o postor de buena fe ajustarse a las circunstancias. De los 66 fundos que adjudicó —excluyendo a Oriente—, sólo 14 fueron pagados al contado, lo que representó solamente el 16 % del valor total asignado a las tierras, mientras el 84 % restante quedó en censos, cuyos réditos cobraría la Real Hacienda hasta que los redimieran los propietarios.

En cuanto a los precios, que respondieron a las tasaciones y pujas, resultaron bajos. Veamos algunos casos:

● A doña Josepha Policarpo le fueron compuestas a censo 20 caballerías del antiguo corral Matanzas por 1.200 pesos más 35 pesos y 3 reales de media annata. Considerando que la Corona pagó al Convento de Santa Clara en capital e intereses a 106 1/2 pesos la caballería, la composición representó una pérdida de un 42 %. Pero en cuanto al precio original de 11.000 pesos, el valor de venta era superior al de compra original en casi un 130 %.

● Hato Jobosí, de Miguel Palmero; composición de contado: 125 pesos.

● Hacienda Santa Catharina de Diego Díaz Pimienta; composición de contado: 100 pesos.

● Cuatro caballerías de tierra en Jaimanitas al hermano Juan Joseph Gutiérrez; composición al contado: 50 pesos.

● Huerta a Miguel Palomino; composición a censo: 400 pesos.

● Huerta a María Alvarez; composición a censo: 450 pesos.

● Algunas de las haciendas ganaderas compuestas a censo fueron:
Río Nuevo, Santa Ana y Río del Medio (Joseph Pérez Caballero): 240 pesos.
Guayabo Largo (Padre Alonso García de Palacios): 211 pesos.
Corral San Blas (Joseph Núñez de Villavivencio): 239 1/2 pesos.

● Por solares extramuros de La Habana:
Joseph de Vargas: 267 pesos
Francisco Morales: 251 pesos
En El Manglar, barrio humilde, componía a censo Francisco Medina un solar por 100 pesos.

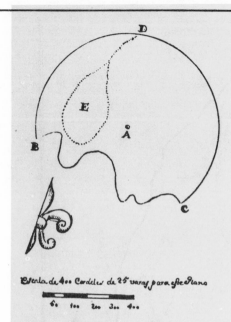

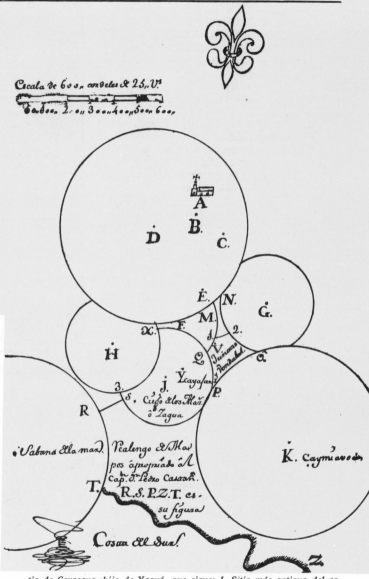

Mapa del realengo Baraguá, en la jurisdicción de Sancti Spíritus. Como en muchos casos parte del círculo correspondía al mar. A. Centro del Corral; B-C. Costa Sur; D-E. Derramadero del Itabo, alias La Atolladera. Firmado por Gregorio Joseph Franco. (Escala de 400 cordeles de a 25 varas) (AGI. Santo Domingo, 511).

En una de las áreas donde se desarrolló activamente desde el siglo XVI la ganadería, Sancti Spíritus, serían descubiertos dos extensos realengos en 1748: uno al Sur, Mapos, y otro, Las Juntas y Vendaval, que denunciara el capitán Pedro de Castañeda. Las referencias del mapa, que se inician con la Iglesia Mayor de Sancti Spíritus son reveladoras de los cambios de asientos y su multiplicación en más de dos siglos de actividad agropecuaria en las cercanías de las villas de Velázquez. (AGI. Santo Domingo, 507)

Referencias: A. Iglesia Mayor de la villa de S. Spíritus; B. Sitio antiguo de Rivera; C. Sitio antiguo de Marroquín; D. Asiento antiguo del hato principal de las Minas; E. Asiento antiguo de San Francisco que pobló el Padre Canales; F. Asiento antiguo del corral de Chovas que pobló Catarina de Oviedo; H. Sitio antiguo del corral de San Juan; Y. Sitio de Cayasana, hijo de Yaguá, que sigue; J. Sitio más antiguo del corral Yaguá; G. Asiento más antiguo del corral Bacuino; K. Asiento más antiguo del hato Caimiabo; L. Asiento declarado por más antiguo del hato Sabana de la Mar; 1-2-P-Q, realengo de Las Juntas, alias N. S. de las Angustias (3/4 leguas planas y 362 cordeles); 1-2-M-N. Tierra que coge gradualment el corral de San Francisco (Vale 1/4 de legua plana); V-P-S-3. Tierra que coge el corral Yaguá o Ciego de los Alazanez (3 3/4 leguas planas y 3.307 cordeles). Mapa de Gregorio Joseph Franco hecho en Sancti Spíritus en 6-XI-1748.

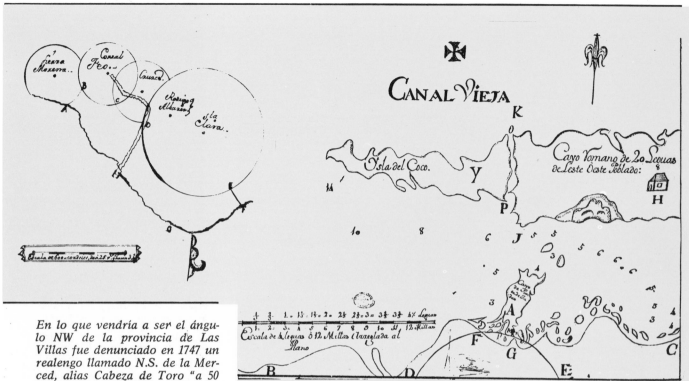

En lo que vendría a ser el ángulo NW de la provincia de Las
Villas fue denunciado en 1747 un
realengo llamado N.S. de la Merced, alias Cabeza de Toro "a 50
leguas de La Habana, en la costa norte". En el mapa de Joseph
Fernández Sotolongo aparece delimitado el realengo por las letras A-B-C-D-E-F, en tanto que la
línea de lá costa está representada por A-G-F y el río Cañas por
el curso D-H. Los 3 corrales colindantes son Sierra Morena, Corral
Feo y Cruces y el hato de Santa
Clara. El realengo Cabeza de Toro
fue rematado en Pedro de Casa-
res por 577 pesos y 6 reales. (AGI.
Santo Domingo, 507 y 1156) (Escala = 600 cordeles).

La composición de las tierras de
Cayo Coco y Cayo Judas originó
este mapa dibujado por Gregorio
Joseph Franco en 1747, cuyas referencias son: A. Cayo y punta
de Judas; B hasta C, costa de la
isla de Cuba; H. Hato de Cayo
Romano y casa [Cayo Romano
mide 1.063 Km²]. Y Isla del Coco
y paraje de las lagunas de su
aguada; K. La Canal Vieja, paso
de los navíos que vienen de Europa a La Habana y al Seno Me-
xicano; D,F,E. término del hato

Santa Gertrudis de don Santiago
de Agüero; G-M es el paraje por
donde pasa el ganado de la Isla
de Judas; J. La canal nueva de
barcos medianos. Los números
que se ven son palmos de agua
del fondo del mar. Según descri-
bían los interesados a Cayo Judas, cuya área sumaba 15.000 cordeles, no tenía agua dulce y sí
algunos almiquies y muchos mosquitos. (AGI. Santo Domingo,
511).

El valor relativo de las tierras
puede calcularse, aun sobre los bajos precios establecidos de acuerdo
con las indicaciones de la Corona.

Vemos que el precio medio de un
solar habanero, aun fuera de La Muralla, representaba el doble del precio asignado a una hacienda de ga-

nado menor alejada de La Habana,
si bien en este caso se trata de composiciones. La revalorización de las
tierras próximas a los ingenios se

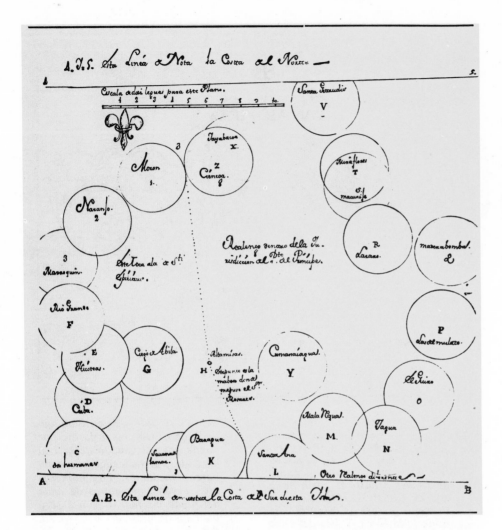

A.J.S. *Sta Línea o Nota la Costa al Norte* —

Escala de diez leguas para este Plano.

Santa Gertrudis V

Jayabacoa X

Moron 3

Z Ciénega g

Miraflores T

macunisa

Naranjo 2

R Lazaro

masca a bomba L

3 Marroquín

Esta Toca a la de Sti Spíritus

Río Grande F

*Realengo anexo de la vu-
risdiccion al . del Príncipe.*

Ciego de Avila G

E Hicoteas

Altamisas

Cimanaiaguca Y

Las del mulato P

D Caba

Aqui es la maboa de na: mqui es el Pro Realeng.

Mala Nyma

M Jagua N

El Cruzo O

c da hermanos

Sauanna Lamar

Barágua K

Santa Ana L

Otros Realengos diversos

A

A.B. *Sta Línea en vestra la Costa al Sur diesta Yotas.*

B

Los mayores realengos descubiertos al mediar el siglo XVIII lo fueron en la zona intermedia entre las jurisdicciones de Sancti Spíritus y Puerto Príncipe, o sea, La Trocha actual. En este plano del agrimensor Gregorio José Franco (1748) aparecen delimitados los vastos realengos de San Francisco Javier y N. S. de Loreto (casi 21 leguas²), Santa Rita (más de 13 leguas) y otros dos, relativamente menores. Por los dos primeros pagó a censo el capitán Luis Fernández Pacheco 1.791 pesos y por el de Santa Rita 1.384 pesos, o sea, un total de 24 leguas² aproximadamente (431 Km²) por menos de 2.000 pesos, incluyendo la media annata. (AGI. Santo Domingo, 507).

Referencias: A. Dos Hermanos (hato); B. La Seyba (h); C Hicoteas (h); D. Lázaro López (corral); E. Río Grande (h); F. Marroquín (c); G. Cacarratas (c); H. Naullú (h); Y. Los Naranjos (c); K. Morón (h); L. Las Ciénegas; M. Ciego de Avila (h); N. Sabana de la Mar (sitio intruso); O. Baraguá (sitio intruso de Joseph Chamendia); V. Las Piedras (desierta); T. Charco Hondo (sitio); 1-2-3. Costa del sur; 1-2-4-6-7. Realengo Santa Rita, alias Sabana del Mar; 2-7-5-3. Realengo de Baraguá; 7-6-8-5. Otro realengo; 9-10-11-13-14-18-17-16-15. Realengo San Francisco Javier alias Las Piedras; 13-24-23-21-20-13-14. Realengo N. S. de Loreto; P-8-3-Q-R. Línea que delimita las jurisdicciones de S. Spíritus y Ciego de Avila por los puntos P, de las maboas de Altamisas y 2 corojos entre Morón y la Ciénega, según hoy, se poseen aunque incluída S. Spíritus toda La Ciénega; 6-8-9-1. Realengo de Altamisas, para calcularlo con más tierra buena que corre al Este y no desmembrarle su intrínseco valor.

---

observa en el caso de Juan Thomás de la Barrera, a quien se cobraron en remate 111 pesos por *un pedazo de monte junto su ingenio*, que le era indispensable para obtener leña como combustible.

En este proceso de apropiación acelerada de la tierra, en el año 1748, cuando se alcanzaría la punta del período de denuncias de realengos, algunos interesados rebasaron los límites de la *tierra firme* cubana, y reclamaron unidades menores integrantes del archipiélago. Así el habanero, capitán Juan López Barroso, uno de los más activos *descubridores* de realengos, denunciaría en 8-VI-1748 al juez de tierras Gelabert, 3 cayos realengos en el interior de la bahía de Jagua,

como legua y legua y media del

Castillo, el uno nombrado Cayo Ocampo, otro de Carreras y el tercero Cayo Alcatraces.[56]

Don Santiago de Agüero, principeño, compuso por 168 pesos y 6 reales, de contado, su propiedad de Cayo Coco y cayo Punta de Judas, en el Norte de Camagüey.[57] En 10-

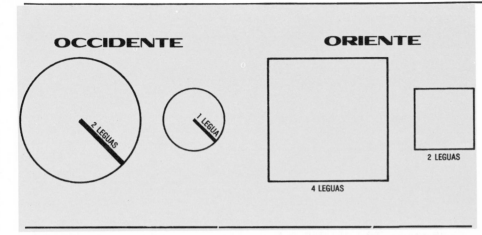

OCCIDENTE   ORIENTE

2 LEGUAS

1 LEGUA

4 LEGUAS

2 LEGUAS

LOS LINDEROS AGRARIOS EN ORIENTE

Si hasta Puerto Príncipe era difícil a los agrimensores determinar los linderos de las mercedes circulares, no eran más fáciles los deslindes en Oriente, donde las haciendas habían adoptado desde el siglo XVI configuraciones poligonales, determinadas por los accidentes geográficos del terreno. Como ejemplos de este tipo de linderos orientales, incluiremos los de 4 haciendas de las 7 del Legado Parada, inventariadas en 1731:

HATO DE GUA: *Los linderos que. tiene señalados... corren desde el río Limones hasta el río de Guá, esto es, desde la boca donde se juntan los dos ríos, de la parte de abajo; y de la parte de arriba, hasta la Sierra.* [Maestra].

HATO DE ARROYO HONDO: *Corren desde el río de Arroyo Hondo hasta el Guaveje; por lo ancho; y por lo largo, desde el mar hasta la Sierra.* [Maestra].

HATO DE JIVACOA: *Corren desde el río de Jivacoa hasta donde se junta con el de Arroyo Hondo y por todo el río hasta sus nacimientos, que son en la Sierra* [Maestra], *y de allí, volviendo a buscar el río de Jivacoa.*

HATO DE CAVAGAN: *Corren desde la Sierra* [Maestra] *por el río de Yara hasta una caoba que está con 2 clavos en el rincón de Hicotea, y de allí, cortando por derecha, a la punta de. la Chorrera hasta los corrales de Paula de Lagos, cruzando a los dagames altos que están a orilla del monte de Yara y de allí al río de Yara, y por todo él hasta la Sierra* [Maestra].

FUENTE: AGI. Santo Domingo, 532 (A.A.).

VII-1754, don Joseph Chamendía compuso por 200 pesos a censo su propiedad de la isla de Turiguanó.[58]

En sentido general, los precios de tasación fueron notablemente acrecentados en los remates. El realengo San Patricio, alias Bien Vengas, próximo a Puerto Escondido, al Este de La Habana, con 16.007 cordeles (662.8 Ha.), la mitad de *buena tierra de montes y abrevaderos* y la otra de *cuabales* —sabanas serpentinosas—, fue tasado en 337 1/a pesos y vendido en 1740 a Miguel Lorenzo González, quien pujó hasta 900 pesos, de los que dejó 400 pesos a *censo al quitar.*[59]

Composiciones y ventas de tierras en Oriente

Aunque en el extremo Oriente cubano había tierras por mercedar en el siglo XVIII, las más accesibles y valiosas estaban apropiadas, en grado tal, que la aplicación de las ins-

Aunque los fundos orientales eran generalmente polígonos muy irregulares, en el siglo XVIII se consideraba por los agrimensores locales que el hato ideal era un cuadrado de cuatro leguas al lado y el corral un cuadrado de dos leguas de lado.

trucciones sobre ventas de realengos y composiciones rendiría escaso provecho. Según el juez Gelabert, la Real Hacienda recibió de Oriente, por mercedes de tierra, en el período de 1748-1756 un total de 1.322 pesos y 3 reales. Los legajos de Contaduría del AGI[60] contienen entradas concisas que revelan las operaciones sobre tierras de Oriente en este período, en que la Corona mostró particular interés en regular la posesión agraria. Entre ellas encontramos:

1737   *Reales*

● El Tte. Pedro Joseph Barreras por las tierras nombradas Río Abajo   800

1744

		Reales
● José Navarro de Holguín por un pedazo del realengo El Socarreño		360
● Cristóbal de la Cruz, de Holguín, por un pedazo de tierra, Fray Benito, para ganado de cerda		320
● José Aguilera, de Holguín, por Las Lagunas de Cabezuela, para ganado mayor		400

DELIMITACION DE LAS POSESIONES CAUTO DEL PASO Y LAS CURIAS, EN ORIENTE (1757)

En el paisaje agrario de la que sería provincia de Oriente las haciendas circulares fueron una excepción. Tres de ellas aparecen en este mapa levantado con motivo del deslinde de las haciendas Cauto del Paso y Las Curias, en la jurisdicción de Bayamo (1757). Los documentos que acompañan el mapa rezan así:

Plano de las posesiones nombradas Cauto del Paso, comprendida bajo la escritura de venta que de ella otorgó Don Francisco Portuondo a favor de Francisco Díaz de Priego y así mismo de la otra posesión Las Curias y en la que consta de su R. D. estar compuesta con S. M.
Deslinde de la posesión que comprende la escritura de venta:
Asiento y casas: A.
Paso Real de Cauto que está en el Camino Real del Bayamo: M.
Río de Cauto: M-N-O-V-P-Q.
Arroyo de Alejandro: 8-8; su boca: X.
Arroyo de Solís: 9-9; su boca: V.
Paraje donde llaman Alejandro y Cauto Arriba: P-Q-8-9.
Arroyo de Ycotea: R-C-D-S.
Río de Cañas: M-R-B-K-E-T-Y-Z.
Cargabasura: 6-6.
Lomas de Gaspar Hortis (sic). IL
Desde el paso de dicho Cauto que está en el camino del Bayamo y la boca del arroyo Cargabasura por el arriba, hasta ponerse en frente del paso que llaman de Pedro Vasques, y por aquel monte hasta llegar a las Lomas de Ortiz en L, y de ahí al Río de Cañas, en la boca de un arroyo que llaman Suena el Agua que es en B.
Y de dicho punto en 70 grados hasta salir al río de Ycotea (sic) que es el punto C; y de dicho punto en 4 ángulo de 43 grados hasta llegar a la boca de un arroyo nombrado Cajoba, que sale al río de Cauto en N.
Y de allí, guardando el lindero de Alejandro en 3 73º hasta llegar a la sierra de los nacimientos del río de Caney y portado aquel río, 8-8 hasta la boca del arroyo nombrado El Ramón y de ahí por la 11 M (que es lindero de Caney) que termina en el Paso Real de Cauto.

Deslinde de la posesión nombrada Las Curias:
Desde el Paso Real de Cauto, por todo el Camino Real de Bayamo, hasta pasar de un arroyo nombrado Arroyo Hondo y de éste se midie-

ron por dicho camino en adelante 26 cordeles de 25 varas, donde se puso una X.
Y de esta, en 2 ángulo de 87º con 5º de variación la abuja (sic) al NE, se midieron 220 cordeles, la que pasó del arroyo del Mariel 43 cordeles y donde terminó ésta es lindero del sitio de Yarayabo. Y guardando la línea circular de Yarayabo hasta distancia de 246 cordeles, donde termina en el lindero de Yarayabo Arriba.
Y de ahí, tomando el río Domingo hasta donde llaman las Dos Bocas, de los dos brazos que están más arriba del arroyo que llaman de Naranjo Dulce. Y de este punto por línea circular que divide el realengo adjudicado, Acanas, hasta dar con las Lomas de Gaspar de Ortis que están próximas a Suena el Agua y de ahí en adelante al Paso Real de Cauto por todo el Río de Cañas, con lo cual se cerró.
Fdo. Baltasar Díaz de Priego,
Lucas Pérez y Gabriel Ramos

Deslinde de la merced del Hato de Alejandro hecha al alférez mayor Blas Tamayo Mexia:
Desde el Paso Real del Cauto en M, por dicho río arriba, hasta la boca del arroyo nombrado Cajoba, en N y de esta en 3 ángulo de 73 grados pasando por las sierras de las cabezadas de Canei hasta la distancia de 800 cordeles que tiene toda la línea y donde terminó se tiró la otra, la marcada 12-13 en 2, 16 grados que tiene 540 cordeles, y donde terminó se tiró la 13-14-2 al E, que tiene 840 cordeles.
Y de el 2, guardando la posesión circular, 2-F-T hasta llegar a las dos bocas de los ríos de Cañas y Angolosongo (sic) que es en 7.
Y desde dichas dos bocas por el Río de Cañas abajo: E-K-B-R-M, hasta llegar al Paso Real, con que queda cerrada.

Deslinde de la merced de corral de Angolosongo:
Desde las dos bocas de los ríos de Cañas y Angolosongo, por el Río de Cañas arriba se midieron dos leguas y desde el dentro en Y se le dio a una banda y otra de dicho río una legua, como se previene en el título y quedó deslindado y completa su posesión.

La área que comprende el título de Alejandro, bajo de sus linderos es: 585.035 cordeles
Lo que debe tener un hato es: 509.912 cordeles
De que resultan a favor de S. M.: 82.123 cordeles

Nótase que según la escritura y los linderos que comprende, en atención a estar sujeta esta venta a la merced que se hizo al alférez mayor Blas Tamayo Mejía, y según el deslinde que de ella se ha hecho, sólo se comprenden debajo de sus linderos la que corre en la manera siguiente:
Desde el Paso Real de Cauto, por él arriba hasta la boca de Cajoba y de ahí, a dar al río de Jicotea (sic) y de allí al Río de Cañas, en la boca de un arroyo que llaman Suena el Agua. Cuyo plano está marcada desde M-N-C-B-R-M, de que resulta quedar el asiento en A, fuera, y por consiguiente todo el terreno comprendido el arroyo Cargabasura, Río de Cañas y Lomas de Gaspar Ortiz, que aunque ésta está comprado a S. M. por los poseedores que de presente son, también resulta anexársele lo comprado a don Francisco Portuondo, como parece de la escritura.
El terreno que desde el Paso Real de Cauto, corre por el río arriba M-N, que es en la boca de Cajoba y por la N-7-6 es ángulo de 73 grados y de ahí por el río Caney (sic) abajo por la boca del Ramón que es lindero de Caney en H y de aquí por dicho lindero hasta el Paso Real, el cual resulta ser realengo y por consiguiente mal vendido. El valor de este realengo es de 465 pesos 6 reales que valen 109.600 cordeles planos que tiene de área, según se vendió.
La área del terreno que ha resultado bien vendido es de 16.019 cordeles planos, que su valor, según la venta es de 68 pesos 3 reales.
La área del terreno que resultó realengo y ha comprado a S. M., por la parte que también está inclusa en la venta es de 15.514 cordeles planos, que según la venta importan 65 pesos 7 reales. Juntas las tres cantidades hacen los 600 pesos en que se vendió el todo, salvo yerro.

Nota. Este plano está arreglado a las escalas y está sin enmienda. Agrégase a esta posesión el terreno 7-1-11-7, el que es intratable de cuchillas, que sólo sirve para darle extensión y alguna montería, el que avaluó en 100 pesos.
Rúbricas de *Díaz de Priego* y *Lucas Pérez.*

FUENTE: AGI. Santo Domingo, 1457. (Con testimonio de autos obrados sobre venta y composición de tierras realengas, nombradas El Ramón que se agregaron a las del hato de Cauto del Paso. Reconocimiento en 16-III-1757 y siguientes).

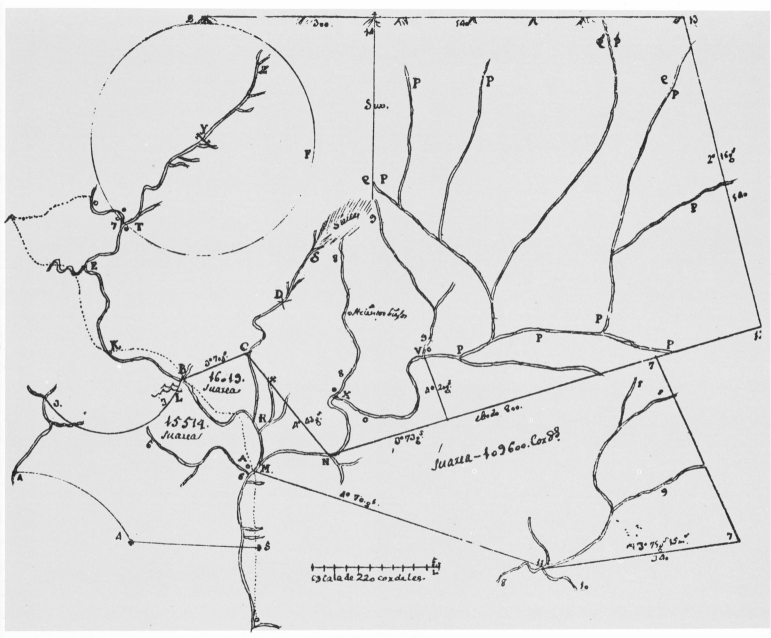

*Cauto del Paso y Las Curias y áreas
inmediatas, Oriente, en 1757.*

FUENTE: AGI. Santo Domingo, 1457.

	Reales
● Juan Maracaybo, de Holguín, por Potrerillo	320
● Andrés de la Cruz, de Holguín, por Samá, para ganado menor	200
● Gerónimo Pupo, de Holguín, por el pedazo de Yabacoa Abajo, para ganado menor	200
● Juan Diéguez y Manuel Pupo, de Holguín, por pedazo de Arroyo Blanco, para ganado mayor y menor	400

1747

● Francisco de Rojas Torreblanca, de Baracoa, por Cananova, en la costa norte, para ganado mayor y menor	800
● Sebastián de la Cruz, de Holguín, por el realengo Lagunas de Gibara, para ganado mayor y menor	320

1750

● Alvaro Alejandro Milanés, de Bayamo, por Manantiales, en Holguín	1.000
● Francisco de la Fuente, realengo Arroyo Blanco, contiguo a El Caney	800

1753

● Pedro Ximénez, por Asomante y sobras de Las Yaguas	715
● Pedro Núñez de Villavicencio, por la Sabanilla, junto a Jiguaní	3.504

1754

● Cristóbal Camacho por composición de su estancia La Posesión de Parada	2.605
● Eustaquio González por 8 caballerías	5.656
● Pbtro. Isidro de León Bravo, de Santiago de Cuba, El Guagenal, realengo en el partido de Sagua	1.600

1755

● Antonio Ramos por el realengo Puerto Padre	1.120
● Ignacio Fernández, por Río Frío	1.600
● Thomás Barrientos, por 4 caballerías	680

Gelabert intentó llevar su meticulosa actividad a Oriente, pero los resultados fueron limitados. El gobernador Alonso de Arcos Moreno, en 30-III-1752 escribía al Rey que solamente se habían logrado

muchas quimeras y pleitos, de que están llenos los comisionados, y las familias, odiadas por este motivo, y porque no teniendo sueldo señalado los subdelegados, es preciso vivan de la estafa en las denuncias que les presentan, porque son pobres.

Y hablando con la pureza que debo a V. M. no buscan otro fin que el de redimir su indigencia, razón porque no he querido dar pase a igual comisión que se le confirmó a un vecino de esta ciudad, Phelipe de Castro, para la de Baracoa, que en pobreza y miseria es igual a Jiguaní, y porque además, es inquieto de genio y de dudosa conducta para semejante encargo.[61]

En cuanto a Jiguaní, *villa de indios*, el Cabildo había repartido para cultivar las tierras sobrantes desde 1725, con autorización del gobernador Martínez de la Vega, pero sin dominio ni propietario hasta decisión de la Corona. Gelabert prefería se esperara

...sin arriesgar la ruina o desolación... de [la] población, quitándole las tierras al vecindario.

del cual sólo 5 ó 6 personas poseían

un corto caudal... [el resto] harto hacen en conseguir la manutención anual de sus familias, porque los mas de ellos viven atenidos al tiempo en que cuajan las salinas para ir a recoger sal y mantenerse de esta aventurera cosecha.

Proponía establecer un censo de 100 pesos por caballería. Como eran 113, al 5 % percibiría el Cabildo 282 pesos anuales para construcción de casas de cabildo, cárcel e iglesia, pues sólo había capilla. El Fiscal se mostró compasivo en el Consejo y dictaminó que a Baracoa y Jiguaní

puede excusársele el exceso... atendiendo a la miseria de estos pueblos.[62]

Entre las tierras de Oriente que la corona podía considerar realmente suyas, figuraba el hato de Barajagua, perteneciente al complejo de las minas de cobre de Santiago del Prado y adonde fuera llevada inicialmente la Virgen de la Caridad.[63] En el siglo XVII el hato fue arrendado al Pbtro. Francisco Ramos,[64] quien pagaba 1.600 reales anuales a la Corona. En 1750 el arrendatario era el capitán de milicias de Bayamo, Juan de Guzmán quien pagaba 880 reales anuales.[65]

La experiencia cubana y la Instrucción de 1754 sobre venta y composición de tierras

La claridad con que el juez de tierras de Cuba don Joseph A. Gelabert expuso los problemas agrarios de la Isla y sugirió soluciones de tipo general, debió influir en los círculos de Madrid para introducir algunos cambios en los métodos iniciales para las ventas y composiciones de tierras. Ha sido señalada la vinculación de la política agraria de la Corona en Indias y la nueva política de tierras seguida en España,[66] donde el problema de la esca-

(sigue en la página 172)

EL PRIMER PLAN DE REFORMA AGRARIA TOTAL EN CUBA 1741

José Antonio Gelabert anticipó en Cuba el tipo de funcionario real innovador y eficaz que caracterizaría lo mejor de la administración colonial bajo el período de la ilustración borbónica. Familiar de don Manuel García de Palacios, lo sustituiría como contador de cuentas y en las funciones de subdelegado de composición de tierras.ª Al comenzar esta última tarea escribiría a Madrid a don Antonio Joseph de Pineda y Capdevila, sucesor de Zúñiga, quien le había nombrado delegado suyo en Cuba, encargándole de los graves problemas agrarios que acompañaban la suspensión a los cabildos de la secular facultad de mercedar tierras.

Con una visión que rebasaba lo inmediato, Gelabert propondría un plan que hubiese regulado definitivamente la propiedad de la tierra, otorgándola a los poseedores de buena fe; hubiese permitido el acceso a ella a quienes la necesitasen; y mientras salvaguardaba los intereses de la Real Hacienda bajo su cuidado, ofrecía la liquidación de problemas de apropiación agraria que todavía subsistieron en Cuba en el primer tercio del siglo xx. La estructura agraria de Cuba hubiera sido otra más ordenada y razonable si el abarcador plan de reforma de Gelabert hubiese sido acogido y ejecutado.

Poseedores, no propietarios

Comenzó Gelabert aclarando que las facultades concedidas a los cabildos para mercedar tierras por las Ordenanzas 63 y 64 de Alonso de Cáceres (1574), ratificadas por la Corona (1640), sin que se procediese al régimen gravoso de la *composición*, representaban sólo el derecho a la *posesión y uso*, y la propiedad en caso de confirmación real, siempre que sirvan al abasto de carne a la población y a las armadas, cuando se trate de hatos y corrales.

Los Cabildos, reseñaba Gelabert, concedieron 5 tipos de mercedes de tierra:

- Hatos
- Corrales
- Tierras para Ingenios
- Estancias de labor
- Solares
- Molinos de tabaco

Y pasaba a definirlos en los términos textuales siguientes:

El *hato* es un sitio de término redondo, establecido por ley municipal, que situando sus viviendas en el centro, para recoger y amansar los ganados que cría,

debe tener solamente dos leguas por cada rumbo, que reducidas a planas son 12 4/7 de legua, sin que pueda exceder ni perjudicar a otro vecino.

El *Corral*, que sólo sirve para la cría de ganado de cerda, es sujeto por la misma ley municipal a una legua que son 3 2/7 planas, y a lo demás que explica para con los hatos.

En los *ingenios de fabricar azúcar* no hay regla fija en cuanto a sus términos, pues unos los tienen de 18, 20 ó más caballerías de tierra, compuesta cada una de 324 cordeles de 24 varas planas cada uno, según las que hicieron presente cada uno necesitar para su extensión.

Lo mismo sucede en las *estancias para labor*, en las que se benefician granos, tabacos y otros frutos, pues unas se componen de 1 1/2, 2, 3 y 4 de dichas caballerías de tierra.

Un *solar* entero se extiende de 25 varas de frente y 40 de fondo, planas, para levantar casas.

Los *molinos* son sujetos a sólo las moliendas de tabaco.

Demoliciones y especulación agraria

La situación creada por el auge agrícola y la paralela especulación agraria la explicaría Gelabert en estos términos:

…Por lo que mira a los hatos han sido y son siempre subsistentes en esta isla, sin demolición para otros fines que los de su establecimiento, en virtud de la merced que le concedió a su dueño.

Pero en los corrales se ha experimentado y experimentan excesos favorables en sumo grado a sus dueños y mas que perjudiciales a la Real Hacienda y república, pues abusando de las mercedes que les hizo el Cabildo, limitada a la crianza de ganados de cerda para los enunciados abastos, con motivo de haber crecido los vecindarios y necesitarse de más tierra de labor en la que cultivar comestibles y el fruto provechoso del tabaco, los han demolido muchos, reduciéndolos a sitios para estancias, de que resulta que reducidas las 3 2/7 leguas de circunferencia de su término, compuesta cada una de 40.000 cordeles de a 24 varas tiene que beneficiar pasadas de 330 caballerías, las que vendidas, como en efecto se venden a 200, 500 y hasta 1.000, es manifiesto el crecido valor que les da el arbitrio voluntario del que se dice dueño, puesto que el mejor corral no puede pasar del de 5.000 a 6.000 pesos, y los de aquella clase [demolidos] se pueden considerar en el de más de 100.000 pesos, a cuyo ingreso perciben algunas cantidades de contado, dejando lo demás a *censo redimible*, con la carga de un 5 % anual.

Con expresa energía denunciaba Gelabert esta especulación, que llegaba a representar una utilidad de hasta del 9.500 % en la demolición de un corral:

Desmedido goce del mero título de merced del Cabildo, descendiendo por consecuencia la justa repulsa de que siendo S. M. principal dueño de todas las tierras en sus dominios, no se encuentra fundamento para que, excediendo el que posee de los límites de su concesión, lo haya de tolerar y no disfrutar la Real Hacienda lo que le pertenece.

Precaristas y composiciones de tierras

Además de quienes poseían constancia de las mercedes que les daban posesión de sus tierras, había muchos que poseían sus fundos en precario. El vasto plan de Gelabert se preocupaba por legalizar su situación:

Es también asentado gozar en esta Isla muchas personas de tierras, hatos y corrales sin título alguno; y aun entre las haciendas, de los que los tienen, de muchos paños provechosos que no les pertenecen.

Tenía Gelabert a mano los datos sobre quienes *habían compuesto* sus tierras ante las autoridades de Madrid, es decir, habían legalizado su situación pagando una suma al Rey por la propiedad de sus fundos. Y ante el panorama de conjunto, expondría el modo de ejecutar su plan de regulación de la estructura agraria insular.

Llamado a los poseedores con títulos

Para extender el pensamiento al remedio se deberá señalar punto fijo a la moderada composición y extinguir los abusos que se han cometido y cometen. Es muy conveniente que dando principio a la comisión, se publique bando en esta ciudad y en las demás villas y lugares de esta Isla, a fin de que todos los poseedores de tierras: hatos, corrales, ingenios, estancias, molinos y solares, presenten dentro del término de 60 días sus títulos, bajo la pena de que a su costa se pasará a tasar la finca o fincas que poseyeren y sacará al pregón, para que rematándose en el mayor postor, deduciéndose el interés que corresponda a S. M., se le entregue la demasía, quedando totalmente desposeído; y el rematador, con justo título de propiedad. Y de estos títulos se deberá tomar razón en un libro que se formará a este efecto, con distinción y separación de partidas.

La reforma en la tierra adentro

Mediante el conocimiento que se tomará de la disposición antecedente se habrán de tomar los agrimensores y avaluadores necesarios, y al mismo tiempo, subdelegados que representando mi misma persona y sujetos a la instrucción que fuese conveniente librarles, pasen a poner en efecto lo que corresponde a la principal de la nuestra.

La medición de los fundos

Luego se habrá de pasar a medir las tierras que comprendieren los referidos títulos, para enterar a sus interesados las que ellos prescriben, quedando al mismo tiempo las que no les pertenecieren a favor de la Real Hacienda. Y por cada legua plana que se les enterasen como propios, conforme a la merced del Cabildo, se les debiera obligar a la satisfacción de 25 pesos en línea de composición.

Si bien la suma sugerida puede estimarse ridícula, pues equivaldría al pago de 11 reales por km² o menos de 38 maravedíes por hectárea, debió influir en Gelabert el hecho de la casi totalidad de los terratenientes lo eran por compra o herencia ya que el Cabildo había concedido pocas mercedes mayores desde la segunda década del Setecientos. Otro sería el caso de los precaristas. El importe de lo cobrado a los poseedores, legitimados como propietarios

entrará en Cajas Reales, y trayendo certificado de su entero, se les despachará el título que corresponda firmado de mi mano y refrendado del escribano que nombrare para esta comisión, con el cual deberán ocurrir a la confirmación de S. M.

Los vecinos preferidos en las tierras sobrantes

Preocupaba a Gelabert el uso social de la tierra y que no se especulase con las tierras del Rey. Hombre de letras, números y orden, su mentalidad le llevaba a buscar que su gestión ordenara el caos existente en la apropiación de la tierra, pero en modo alguno esa mentalidad le llevaría a desecrar la vieja concepción latifundaria andaluza, traída al trópico español por los primeros colonos de las Antillas: *tierras, cuantas veas*. Así propondría:

Todas las tierras que sobraren después de enterados sus dueños, sean de la naturaleza que fueran, se han de tasar por su justo valor, y si por el tanto, las quisieren los que las poseían sin título alguno, se les preferirá... En su defecto tendrá la misma preferencia el vecino que por irrogarle algún perjuicio las quisiese, debiéndose entender la paga de su valor dentro de un año, mitad a los 6 meses primeros y la otra prefinidos que sean los otros 6. Y cuando así nos proporcione, o proporcionada la venta, se deje de cumplir con la paga el plazo estipulado, se sacarán al pregón y rematadas en el mayor postor. Su importancia (sic) se enterará igualmente en Cajas Reales.

En las tierras de sobras que se encontrasen suficientes a poblar hato o corral, deberán asimismo ser preferidas en su compra los que las poseían sin título, pagando su valor por tasación, mitad en contado y la otra a los 6 meses de haberse dado posesión, y si por algún accidente no verificare la satisfacción del plazo... o no entre en la compra, se sacarán al pregón, rematarán y enterarán sus equivalentes, como queda dicho en el anterior capítulo.

Pago sobre corrales demolidos sin licencia

Los corrales que se hubiesen demolido sin licencia, repartiendo sus tierras para estancias e ingenios, por mayor utilidad del poseedor, que usando de conmiseración y absolviéndoles de la pena de su perdimento, en que corren incursos, se tasen todas sus caballerías, y dándoles el valor que merecieren, según la naturaleza de ellas, hayan de contribuir y contribuyan los causantes, por una vez, un 10 % a favor de la Real Hacienda, de contado.

Composición de los otros tipos de mercedes

Los ingenios de fabricar azúcar, de cada 10 caballerías de tierras, de las que contuviesen sus términos, deberán contribuir de composición, 50 pesos de contado.

Las estancias de labor contribuirán 5 pesos por cada una de las caballerías que contuviesen.

...En lo que hace a los solares para fabricar casas, todo el que se compusiese de 420 varas planas, contribuirá 10 pesos de composición...

Los molinos de tabaco, 25 pesos por cada artificio.

La paga a los técnicos y funcionarios

A los alarifes para medir solares, agrimensores para tierras, tasadores para darles valor, el escribano de comisión y a los subdelegados, se les han de satisfacer sus asistencias y trabajo a costa del ingreso de la composición de tierras, ganando cada uno lo siguiente:

	Por día (ducados de plata)
Alarifes por reconocer solares	2
Agrimensores por medir tierras	3
Escribano de comisión	2 1/2
Subdelegados	4

Los tasadores cobrarían el

medio por ciento de la cosa que tasaren,

y especificaba Gelabert que ni sus subdelegados ni el escribano

jalen costa de lo que actuaren.

Para ilustrar a los burócratas de Madrid sobre las peculiaridades de la estructura agraria insular, nacida de las mercedes circulares, acompañó su proyecto con un esclarecedor, didáctico y bello mapa que hoy se conserva en el AGI, el cual reproducimos en la página 173.

a. El primero lo fue don Matheo Luis de Florencia, tesorero real, a cuya muerte se encargaron por don Diego de Zúñiga, iguales funciones al contador de cuentas don Manuel G. de Palacios, antecesor y familiar de Gelabert.

b. El equivalente de la caballería de tierra cubana es de 13.42 hectáreas.

c. El cordel del agrimensor en Cuba tiene 24 varas cubanas, o sea, 20'352 metros (J. M. de la Torre, El libro indispensable en la Isla de Cuba, 1884, La Habana).

d. Según La Torre (1884) el corral tenía las siguientes equivalencias en área:

Caballerías	421.25
Cordeles	136.485.00
Varas cubanas	7.858.849.30
Hectáreas	22.605.66

Podemos estimar que la diferencia de 421 1/4 caballerías del corral se reducirían en un 21.7 % en el cálculo de Gelabert tanto por lo que pudiera retener el propietario como por los espacios inutilizables y perdidos al dividir el fundo.

e. Esta geofagia detectable de antiguo en Cuba era ejercida, como vemos, por poseedores legítimos que desbordaban sus círculos apropiándose de los realengos.

f. Americanismo por reintegrar (Martín Alonso).

g. La legua cuadrada cubana equivale a casi 18 km².

FUENTE: AGI. Santo Domingo, 499 (Juan Antonio Gelabert a Joseph Antonio de Pineda y Capdevila, La Habana, 24-XI-1741) (A. A.).

Testimonios

LA R.C. DE 1754 EN SANCTI SPIRITUS

En Sancti Spíritus, centro de una vasta jurisdicción ganadera, fue publicada por bando la R.C. de 1754, como lo fuera en La Habana y en las demás ciudades y villas. Pérez Luna, con documentos locales a la vista, recrea así lo ocurrido en tan especial ocasión:

...Se hizo la publicación al son de tambores por las calles y lugares acostumbrados, sirviendo de pregonero un esclavo nombrado Miguel, y concurriendo al acto, con el escribano Don Pablo Sorís, la guardia del destacamento y una banda de sargentos. Fueron en consecuencia muchos los testimonios que en esta villa se pidieron relativos a la posesión de tierras para presentarlos al subdelegado de la localidad.

FUENTE: Pérez Luna Rafael (1888). *Historia de Sancti Spiritus.*

sa disponibilidad de suelos cultivables y una curva demográfica en ascenso había merecido la atención del Marqués de la Ensenada.

La R.C. de 24-XI-1735 que hacía obligatoria la confirmación por la Corona de la posesión de la tierra realenga por particulares, resultó ineficaz. En 1-VII-1746 el Marqués de la Regalía, delegado real para ventas y composiciones de tierras, dictó unas instrucciones para aplicar la medida de 1735. Se anulaban todos los títulos posteriores a 1618 y se hacía indispensable revalidarlos de inmediato. Se autorizaba la denuncia de tierras usurpadas, y se

incluía entre los obligados a composición, sin fuero ni privilegio alguno, a los eclesiásticos terratenientes. Quienes hubiesen perdido sus títulos legítimos debían probar su derecho mediante testigos, en forma indubitable.[67]

En Cuba, donde ya los Cabildos no mercedaban tierras —exceptuando algunos solares urbanos—, se aplicaron las Instrucciones de 1746, cuya entrada en vigor coincidiría con el período de mayor número de denuncias de realengos (1747-48). Nos permitimos creer que la forma racional y ordenada con que actuó Gelabert, como subdelegado del Marqués de la Regalía, hizo que fueran atendidas muchas de sus sugerencias e incorporadas a unas regulaciones generales que estructuraron, mediante la R.C. de 15-X-1754, nuevas instrucciones que facilitaban y simplificaban las ventas y composiciones de las tierras realengas en todos los dominios americanos.[68] Para Ots Capdequí (1958) esta R.C.

puede ser considerada como una verdadera reforma agraria intentada por el Estado Español en América.

Si analizamos las principales sugerencias a los subdelegados de tierras, encontramos un espíritu afín a lo propuesto para Cuba por Joseph A. Gelabert en 1741, si bien en un escenario más vasto que incluía una mayor variedad de problemas, como el de la densa población indígena continental, a la cual se beneficiaba con el empleo de procesos verbales y no judiciales. Las Instrucciones de 1754 aceptaban como fecha clave la de 1700. Se recomendaba proceder sin extremo rigor

con las que ya poseyeran los españoles y gentes de otras castas:

● Que cualesquiera personas que poseyeran realengos estando o no poblados, cultivados o labrados, desde el año 1700... acudan a manifestar al... subdelegado... los títulos o despachos en cuya virtud los poseen, con apercibimiento de ser despojados y lanzados de las tales tierras, que podrán mercedarse a otros, si en el término señalado dejaren de acudir...

● Que constando... estar en posesión de los realengos por venta o composición hechas por los subdelegados antes de 1700, aun cuando no estén firmados por el Soberano, virreyes o presidentes, se

→

Por el mapa que figuran las haciendas que poseen nueve individuos...: podrá reconocerse que aún siendo limitados los realengos y sobras de tierras que resultan, corre expresamente claro el derecho de S. M. Aunque sin investigar ahora el si las dichas haciendas se poseen en justo título, que sola es dirigida demostración al fin de cerciorar a V. S. ... del modo práctico con que son fundados los hatos y corrales de esta Isla, y a que por ella puede venirse en conocimiento de la crecida suma que podrá resultar a favor de la Real Hacienda, planificada y puesta en corriente mi comisión (Gelabert a Capdevila, 24-XI-1741. AGI. Santo Domingo, 499).

Referencias: 1. Hatos; 2. Corrales; 3. Cuatro hatos de un dueño; 4. Tres hatos de un dueño; 5. Dos hatos y dos corrales de un dueño; 6. Un hato y dos corrales de un dueño; 7. Un hato y un corral de un dueño; 9. Un realengo para hato; 10. Realengo para corral; 11. Sobras.

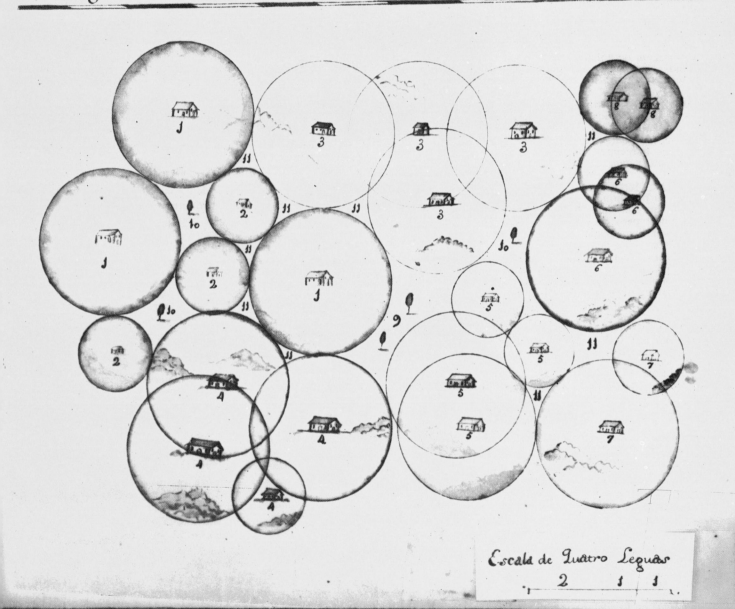

les deje en quieta y libre posesión de ellos, haciéndose constar en sus títulos que han cumplido con aquella obligación, para que en lo adelante no puedan ser turbados, emplazados ni denunciados ellos ni sus sucesores en tales realengos. Y no teniendo título, bastará la justificación de aquella antigua posesión como título de justa prescripción.

● Que si no tuvieren cultivados ni labrados los realengos que posean, se les señale el término de los 3 meses que prescribe la ley, o el que pareciere competente para que lo hagan.

● Que justificada de aquella suerte su posesión, en ningún tiempo puedan ser molestados ni denunciados; pero los que poseyeren sin haber llenado aquellos requisitos tendrán que acudir a impetrar la confirmación de ellas ante la Audiencia de su distrito y demás ministros correspondientes, que examinarán si la venta o composición está hecha sin fraude ni colusión, en precios proporcionados... Despachándoles entonces la confirmación de sus títulos.

● Que los que hubieren excedido el límite de lo comprado o compuesto, agregándose o introduciéndose en más terreno del concedido, estén o no confirmadas sus posesiones principales, acudan en un plazo que se designe, para que del exceso, precediendo medida y avalúo, se les despache título y confirmación, apercibidos de que se les adjudicarán al Real patrimonio para venderlos, aunque estén labrados, plantados o con fábricas, los realengos ocupados sin título.

● Que se recompensen y admitan a moderada composición a los que denunciaren tierras, suelos sitios, aguas, baldíos y yermos ocupados sin justo título.

● Que en lo adelante quede privativamente a cargo de los virre-

Para mayor seguridad, algunos terratenientes pagaron sus composiciones en las Cajas Reales de Madrid y no en las de La Habana; además tenían la ventaja de pagar en moneda de vellón. El recibo de la ilustración concluye una vieja historia. En 1559 el Cabildo de La Habana mercedó el Corral La Vija, situada a 10 ó 12 leguas de la ciudad, a Cristóbal Sánchez En 1749, Santiago de Castro, vecino de La Habana, poseía una mitad y compró la otra a Juan Quijano y Juana de Rojas por 4.087 pesos. Ofreció 400 pesos fuertes por la confirmación y pagó 8.000 reales en Madrid en 16-V-1753. (AGI. Santo Domingo, 431).

yes y presidentes de las Reales Audiencias de esos Reinos la facultad de nombrar ministros subdelegados que deben ejercer y practicar la venta y composición de tierras y baldíos realengos, dando aviso al Secretario de Estado del Despacho Universal de Indias.

En el caso de provincias distantes de las Audiencias, como era el caso de Cuba, la confirmación de la propiedad de la tierra quedaría a cargo del Gobernador, para ganar tiempo y evitar gastos.

Cuando las Instrucciones de 1754 llegaron a manos de Gelabert, ya casi todos los realengos conocidos estaban denunciados y el proceso de adjudicación muy avanzado; si bien el problema de la posesión y propiedad de la tierra estaba muy lejos de estar resuelto, particularmente entre propietarios colindantes y entre los comuneros de la mitad oriental. Durante mucho tiempo los pleitos agrarios se contarían por centenares cada año hasta alcanzar su climax en los primeros años de nuestro siglo XX, con la legislación sobre las haciendas comuneras.

8. EL USO DE LA TIERRA: INTENSIFICACION Y CAMBIOS ESTRUCTURALES

En contradicción absoluta al criterio tradicionalmente reiterado del estancamiento económico de Cuba durante el período 1701-1762, como oscuro telón de fondo al deslumbrante resplandor, posterior a la caída de La Habana ante el ataque británico, las cifras de los documentos, hasta hoy ignorados, reve-

PADRON GENERAL DE HACIENDAS Y TIPOS DE USO DE LA TIERRA EN CUBA (1754-57)

Términos eclesiásticos	Haciendas de ganado			Estancias	Vegas	Estancias y vegas **	Ingenios	Cacahuales
	Mayor	Menor	Mayor y menor *					
(Cercanías de La Habana)								
Jesús del Monte	—	—	—	208	—	208	3	—
Calvario	1	—	1	265	—	265	12	—
Guanabacoa	—	—	—	—	—	355	24	—
San Miguel del Padrón	—	—	—	185	—	185	2	—
Santiago de las Vegas	—	—	—	—	—	298	4	—
Santa María del Rosario	—	—	10	—	—	240	1	—
Managuana	—	—	—	180	—	180	12	—
San Felipe y Santiago	—	—	—	—	—	150	10	—
Potosí	—	—	—	50	—	—	—	—
Güines (San Julián)	—	—	42	Núm. ***	190	190		
Batabanó	—	—	28	—	15	—	—	—
Isla de Pinos	5	—	5	—	—	—	—	—
(A Sotavento de La Habana)								
Quemados	—	—	—	111	—	111	5	—
Cano	—	—	—	279	—	279	20	1
Guanajay	—	—	32	—	—	—	1	—
Sta. Cruz de los Pinos	—	—	155	—	7	7	—	—
Consolación del Sur	—	—	61	—	91	91	—	—
Pinar del Río	—	—	40	—	80	80	—	—
Cacarajícara	—	—	33	—	—	—	—	—
Guane	—	—	57	—	41	41	—	—
(A Barlovento de La Habana)								
Río Blanco	—	—	32	—	8	8	2	1
Matanzas	—	—	23	—	—	207	—	—
Macuriges	—	—	44	—	—	—	—	—
Guamacaro	—	—	22	—	Núm. ***		—	—
Alvarez	—	—	68	—	—	—	—	—
Hanábana	—	—	36	—	Núm. ***		—	—
Cumanayagua	—	—	44	—	Núm. ***		—	—
Guamutas	—	—	57	—	—	—	—	—
Santa Clara	—	—	32	—	—	221	26	—
Remedios								
Sancti Spíritus	—	—	179	—	—	112	25	—
Trinidad	—	—	56	105	104	209	25	—
Palmarejo	—	—	39	—	59	59	—	—
Ciego de Avila (Palma)	—	—	51	—	16	16	—	—
Puerto del Príncipe	77	30	340	284	—	284	56	—
(Gobierno de Santiago de Cuba)								
San Isidoro de Holguín	—	—	104	36	42	78	—	—
Bayamo	193	104	297	367	541	908	63 (T)	—
Santiago del Prado (El Cobre)	—	—	—	104	—	104	6 (T)	—
San Luis de los Caneyes								
Baracoa	—	—	—	158	—	158	—	—
Santiago de Cuba	37	4	41	219	179	35	—	—
Tiguabos	15	24	39	—	6	6	—	—
Morón (S. de Cuba)	—	2	2	—	—	—	—	—

* Suma de ambas cuando se especifican, o cifra dada en total en los documentos.

** Igual que en el caso anterior; debe advertirse que el número de estancias era necesariamente mayor, ya que el cultivo de mantenimientos era indispensable en las haciendas o pequeños núcleos, si bien no se incluían en los padrones.

*** Referencias de *numerosas vegas*, sin especificar número. El total debió ser especialmente elevado en Güines, famoso ya por su tabaco.

(T) Indicación de trapiches o ingenios de azúcar y miel, en los padrones.

FUENTE: AGI. Santo Domingo, 534 (Visita del Obispo Pedro A. Morell de Sta. Cruz).

lan una realidad totalmente distinta. En las primeras seis décadas del Setecientos la utilización de la tierra aumentó en extensión y en intensidad, a la vez que se producían cambios estructurales básicos revelados por hechos significativos:

● División —*demolición*—, de numesos latifundios ganaderos —corrales— para destinar sus tierras a ingenios, estancias y vegas.

● Utilización de antiguas tierras de ingenio, abandonadas por *cansancio* o por falta de leña, para estancias.

● La creciente presencia de la *vega*, minifundio tabacalero de cultivo intensivo.

● Revaloración de las tierras e interés por adquirir de la Corona los realengos, a precios de puja, como ya vimos, prueba evidente del mayor rendimiento y utilización de los fundos.

Entre los distintos índices que autorizan a insistir en el auge agrícola y ganadero del período, el más concreto es el de los diezmos. La reorganización de su cobranza bajo vigilancia directa del clero, da a las cifras que siguen un valor de credibilidad:

Año	Diezmos (pesos)	% de aumento anual
1705	31.000	
1726	38.341	1.13
1733	47.003	3.22
1746	75.093	4.60
1756	94.115	2.53

Vemos que en un período de 51 años, la producción agropecuaria aumentó en un 204 % o sea, a una media anual de un 4 % para el perío-

do. Si tomamos en consideración que este auge tuvo lugar en una etapa dominada por el tabaco, mercancía sujeta al control de la Corona, y desde 1741 dominada por la Real Compañía de Comercio de La Habana, debemos aceptar que la influencia de estas *bêtes noires* tradicionales no resultaría, a largo plazo, tan negativa como se ha venido sosteniendo hasta hoy.

Los tipos de hacienda de acuerdo con su utilización

Sobre los cambios cualitativos ocurridos en la utilización de la tierra contamos con un índice claro, de indudable validez: las cifras sobre los tipos de haciendas tomadas en 1741 por el juez de tierras Joseph Antonio Gelabert de los padrones de diezmos. Según ellos, en el territorio comprendido desde la jurisdicción de Sancti Spíritus al W, o sea, en las que serían luego las cuatro provincias de Pinar del Río, La Habana, Matanzas y Las Villas, se contaban las siguientes haciendas:

	Número	%
Hatos	122	3.0
Corrales	405	10.0
Ingenios	32	0.8
Estancias y vegas	3.500	86.2
	4.059	100.0

y estimaba que el número de las haciendas existentes en las que serían provincias de Camagüey y Oriente duplicaban esas cifras.[69]

En 1749 el Dr. Bernardo Urrutia, representante de la Real Hacienda en los juicios sobre venta y composición de tierras, ofrecía las siguientes cifras sobre las haciendas comprendidas dentro de la jurisdicción de La Habana:[70]

	Número
Haciendas, ganaderas	c. 988
Estancias, vegas, tejares y caleras	3.800
Ingenios corrientes	62
Ingenios fabricándose	21

Las cifras más completas las hemos obtenido de la información del Obispo Morell de Santa Cruz, y corresponden a sus observaciones registradas a lo largo de la Isla en su meticulosa visita de 1754-57:[71]

	Haciendas ganaderas	Estancias y vegas	Ingenios y trapiche	Cacahuales
Cercanías de La Habana	86	2.071	68	0
A Sotavento de La Habana	378	609	26	1
A Barlovento de La Habana	1.081	1.116	134	1
Gobierno de Santiago de Cuba	483	1.309	69	0
Totales	2.028	5.105	297	2

Así, de un total de 7.432 unidades de producción agropecuaria identificadas en toda la isla,[72] la proporción era la siguiente:

	%
Haciendas ganaderas	27.3
Vegas y estancias	68.7
Ingenios	4.0
	100.0 *

* Excluyendo los 2 cacahuales.

Las tierras ganaderas

Las haciendas de ganado, que hacia 1755 sumaban más de 2.000 en toda la Isla, según los padrones eclesiásticos, dominaban en su vastedad semidesértica el paisaje agrario cubano. Pero en torno a La Habana y a los demás asentamientos mayores, irían retrocediendo ante la necesidad de producir mantenimientos, dando paso a las estancias y a la necesidad de destinar tierras vírgenes y selectas al cultivo privilegiado del período: el tabaco. De este modo, a la vieja fórmula *latifundio-ganado suelto*, se agregarían, aunque todavía en débil competencia, las de *minifundio-vega-estancia* y *fundo mediano-ingenio*. Cuando mediaba el siglo XVIII si la gran propiedad ganadera retenía en cuanto a área su tradicional predominio, la superarían en rendimiento económico los fundos medios y pequeños destinados a la producción de azúcar y tabaco.

El ganadero latifundista se aprovecharía de la necesidad de usar intensivamente la tierra mejor situada y más productiva, *demoliendo*, o sea, dividiendo numerosos corrales. El proceso de las demoliciones se iniciaría, como era lógico espe-

Documentos

SUELOS ROJOS Y ESCASEZ DE AGUA

Una de las características de los suelos rojos del tipo Matanzas, los más fértiles de Cuba, es la ausencia casi total de aguas superficiales, ya que las calizas cársicas subyacentes permiten la rápida infiltración del agua, que circula subterráneamente. A pesar de la escasez de agua, desde temprano los cultivadores de tabaco descubrieron las ventajas de estas tierras, que en su prosa expresiva recoge, tras una inteligente percepción, el Obispo Morell de Santa Cruz:

Santiago de las Vegas

La falta de agua que se experimenta es general. La menos distante se halla a una legua, en el río... La Chorrera o La Presa, pero la desidia es causa de que no la conduzca. Unas canoas grandes, conocidas por bollas sirven para recoger la llovediza, de que las gentes se proveen. Los animales solo gozan de este refrigerio en el tiempo de la seca, que dura 6 meses. Entonces son llevados adonde puedan saciar su sed. En el de las aguas excusan este trabajo porque se mantiene el rocío que con abundancia cae (sic) en las yerbas. Viven, sin embargo, dilatados años con lozanía y robustez.
Otra tacha también se padece en el país: su terreno es colorado a modo de almagre; cuando llueve cría una greda tan pegajosa que pisada permanece en el calzado o planta del pie y ensucia extremadamente el piso de las casas. Si hay seca despide un polvo que todo cuanto encuentra vicia. En los vestidos blancos se imprime más; por ellas son reconocidos sus habitadores. Sufren, no obstante esta pensión, por las cosechas abundantes de tabaco y de casabe que disfrutan.

San Juan de los Remedios del Cayo o Pueblo Viejo

La población tiene su asiento en un monte llano y áspero que se dilata hasta 8 leguas... El que quiere construir habitación se ve precisado a abrir campaña a fuerza de brazos con la hacha y con el fuego. A esta pensión se añaden otras dos:... la primera es el suelo; redúcese a un bermejal. Arroja un polvo tan adhesivo que nada se liberta de su persecución. Los vestidos blancos sólo sirven para el día y el primer cuidado de las madres para con sus hijos consiste en fregarlos todas las noches y ponerles ropa limpia; la segunda es la falta de agua perenne; no se encuentra sino a legua y media; la que se gasta es de pozos.

FUENTE: AGI. Santo Domingo, 534 (Visita del Obispo P. A. Morell de Santa Cruz, 1755) (A.A.).

rar, a partir del núcleo demográfico habanero e irradiando hacia E, W y S.[73]

La demolición de los corrales

La ampliación del mercado interno por el crecimiento de la población demandaba más tierras para los cultivos de mantenimiento tradicionales, desechado definitivamente el intento por cultivar trigo en escala comercial que tantas esperanzas promoviera.[74] Paralelamente crecía, aunque sin espectacularidad, la industria azucarera, y era necesario buscar tierras nuevas para el fomento de ingenios, demandantes adicionalmente, de bosques para leña. Y por último, la presencia dominante del tabaco, como principal cultivo comercial en rendimiento económico, número de labradores dedicados a su producción y —en lugar primerísimo—, vinculado al interés de la Corona, dispuesta a convertirlo en sostén de la Real Hacienda.

Ya en 1700 las mejores tierras próximas a La Habana habían sido mercedadas mucho tiempo atrás. Los hatos y corrales —como las estancias—, habían pasado en gran número a nuevas generaciones de poseedores por herencia o compraventa. Si la Corona creyó en algún momento, a través de burócratas fieles, que los terratenientes habaneros eran meros usufructuarios, ellos estaban convencidos de que poseían la nuda propiedad de sus fundos, o al menos, actuaban como si así fuera, disponiendo de ellos en compraventas, arrendamientos, censos y capellanías, operaciones todas consagradas por el omnipresente escribano.

Había, sin embargo, limitaciones nacidas de las Ordenanzas de Cáceres (1574) que los poseedores de hatos y corrales cumplían para no poner en peligro sus derechos nacidos de mercedes, confirmaciones, revalidaciones o compra: solicitar del Cabildo la autorización requerida para cambiar el centro de sus haciendas, para *poblar* otros puntos de

Cifras

CORRALES DEMOLIDOS PARA INGENIOS Y ESTANCIAS (1701-1751)

	Caballerías	Cordeles
Corralillo	326	302
El Cano	218	51
Guatao	398	78
Sacalohondo	405	276
Govea	96	216
Bejucal	401	259
Biajacas	60	—
Aguas Verdes	293	200
Managuana	421	267
Xiaraco	396	216
La Chorrera	421	267
Sabanilla	412	50
Guanabo	321	242
Río de Piedras	357	290
Bajurayabo	421	267
Bacuranao	159	11
La Pita	219	166
Totales	(5.793)	(3.310)
	5.807	70

FUENTE: AGI. Santo Domingo, 1319 (Informe del alférez Bartolomé Lorenzo de Flores, agrimensor público; La Habana, 20-VIII-1751) (A.A.).

ellas además del centro, y para introducir algún ganado vacuno en los corrales o criar cerdos en los hatos.

De todas las opciones de un ganadero sobre su hacienda, ninguna más decisiva y final que su *demolición*, que significaba abandonar su utilización como tierra ganadera y su división en fundos menores destinados a usos agrícolas.

Como podía esperarse, la demolición, decisión que transformaba radicalmente el uso para el cual había sido otorgada la merced de tierra, requería un permiso especial del Cabildo, fórmula ya establecida en el siglo anterior, al dividirse los primeros corrales cercanos a La Habana. En la mitad inicial del siglo XVIII el proceso demolitorio se in-

tensificó. En las actas del Cabildo habanero aparecen, entre otros, los permisos para demoler los corrales siguientes:

Año	Corral	Propietarios
1707	Bacuranao	Andrés García de la Fuente (para 2 ingenios)
1709	Ojo del Agua (Corralillo)	Manuela Sánchez y otros
1711	El Cano	Lucas Franco (Ingenio de Francisco del Barco)
1727	Guatao	Francisco Castellón y Lucas Franco
1727	Guanabo de Abajo o Guacuranao	Diego Delgado y otros
1730	Baracoa	Convento de Padres Belemitas
1732	Guanabo de Arriba	José Arauz y Antonio de la Luz
1732	Managuana	Mathías de León Castellanos
1732	San Agustín de la Pita	Compañía de Jesús y Antonio de Zayas

Un indicio de la aceleración del proceso de división de la propiedad lo tenemos en el caso de Marcelo Carmona, quien obtuvo en 23-I-X-1723 la merced del sitio Pilar de Zaragoza, entre los corrales San Marcos, la Vija, Santa Catalina y Candelas, a 11 leguas a Barlovento de La Habana y en 20-I-1730 solicitaría ya autorización para dividir en dos la hacienda.[75]

La especulación cambió las reglas al punto de que el juez de tierras José A. Gelabert denunciaba a Madrid, en 1741, el gran número de corrales demolidos sin cubrir siquiera el trámite de la licencia del Cabildo. En esta especulación agraria impulsada por el *boom* tabacalero, podrían rastrearse los orígenes de algunas fortunas que, con los aprovechamientos del comercio y de los manejos de la Real Compañía de La Habana, se harían visibles después de 1763, cuando contribuyeran en una atmósfera económicamente más abierta, a la prosperidad posterior.

El Coronel Francisco Caxigal de la Vega, defensor afortunado del Oriente cubano contra Vernon en 1741, era gobernador de la Isla diez años después, cuando dictó un auto que registró el Cabildo habanero en 5-VI-1751, en el que declaraba que

...haciendo los poseedores novedad sustancial en lo que se les concedió para sólo el uso de criar, han demolido haciendas, convirtiendo a los corrales en ingenios, sitios y vegas; los ingenios en estancias y las estancias en solares, lo que ha sido no menos reparable por la presión de la suprema autoridad y porque de la riqueza así adquirida por particulares, mediante el acrecentamiento del pueblo, fomentado con gastos públicos, no se comunicó parte ni conveniencia alguna a la comunidad, y hoy se ha hecho más difícil por el encarecimiento de los territorios cercanos, rehacerse la ciudad de rentas y tierras con que subvenir a las necesidades, mantener el lustre y reportar las ocurrencias que se propongan.

Por lo anterior, Caxigal anunciaba:

Para que ninguno alegue ignorancia, la prohibición que se declara y reitera, de demoler haciendas y conceder tierras con otros destinos que los de su primitiva concesión, sin que preceda licencia de S. M., pedida con preparación de diligencias y conocimiento de este Gobierno, so pena de nulidad y juicio [76].

Una investigación ordenada ese mismo año por Caxigal confirmaría la tendencia hacia nuevos modelos de la utilización de la tierra en las cercanías de La Habana. En el *hinterland* de la Capital se revelaban al mediar el siglo XVIII, los siguientes hechos:

● Habían sido demolidos 19 corrales de ganado menor para destinar sus tierras a la agricultura: inge-

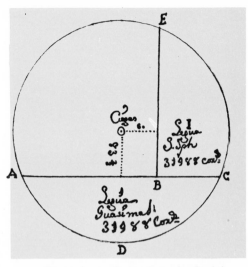

El teniente Juan Antonio Rodríguez de Morejón hizo preparar en 1749 este plano del Corral Las Ciegas para deslindar algo más de una legua de que era dueño en el proceso de división del fundo y la cual aspiraba a componer con el Rey (AGI. Santo Domingo, 507).

Mientras las tierras ganaderas eran redistribuidas para ingenios y estancias, las tierras "cansadas" y deforestadas de los ingenios removidos eran subdivididas para estancias. El plano corresponde a las tierras de un ingenio desaparecido ya en 1748, en San Miguel del Padrón, muy cerca de La Habana, las cuales habían sido divididas en 5 minifundios de 2141.5, 495.5, 418, 165 y 337 cordeles², por un total de 3551 cordeles² —unas 11 caballerías— incluyendo un área de cuabales —suelos serpentinosos no cultivables— señalados en tono más oscuro, hacia el Norte. (AGI. Santo Domingo, 511).

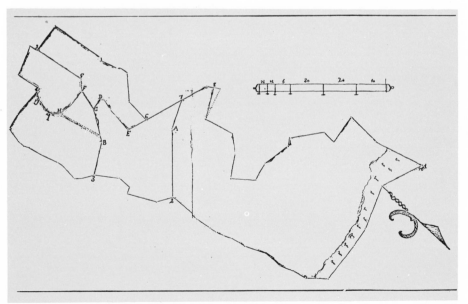

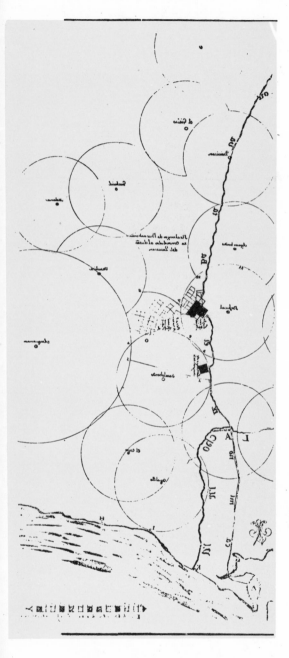

nios, estancias y vegas. Estos corrales eran: *Corralillo de Santa Ana, El Cano, Guatao, Baracoa, Sacalohondo, Govea, Bejucal, Aguas Verdes, Río Hondo, Managuana, Xiaraco, La Chorrera, Calabazar, Sabanilla, Guanabo, Río de Piedras, Bajurayabo, Bacuranao y La Pita.*

● En solo dos de ellos —La Sabanilla y La Pita—, se destinaba algún espacio a la cría, desterrada totalmente de los otros 17.

● El ingenio, que había sido un factor básico en la división de los

Los nuevos asentamientos de San Felipe y Santiago, de corte señorial y el de Santiago de las Vegas promovido por la acción colectiva de los vegueros, constituyeron adicionalmente la solución de un problema estratégico y de comunicaciones, ya que ambos estaban situados en el camino vital que era ya el de La Habana-Batabanó para las comunicaciones entre la capital y Trinidad, Jagua, Tunas de Zaza, Bayamo y Santiago de Cuba. Además muchas embarcaciones pequeñas del comercio intercolonial, procedentes de Cartagena y Portobelo descargaban en Batabanó, evadiendo el peligroso rodeo del Cabo San Antonio. En el mapa de 1756 aparecen indicados el hato de Ariguanabo y varios corrales, así como el trazado del camino a Batabanó. Las áreas en negro corresponden a Santiago de las Vegas en el corral Sacalohondo y San Felipe en el de Bejucal, cuyas tierras de estancias aparecen en gris. (AGI. Santo Domingo, 1576).

primeros corrales en el siglo XVII, era hacia 1750 desplazado, a su vez, por las vegas y estancias. En gran medida la voracidad del ingenio que arrasaba rápidamente los bosques, así como el *cansancio* de la tierra, hacia que, al mediar el Setecientos, estuviesen ya demolidos 7 ingenios, por lo menos, y sus tierras, muy próximas a La Habana, destinadas a estancias.[77]

Las tierras para ingenios

Desde 1729 quedaron desautorizados los Cabildos para repartir *cortes de ingenios*, fundos de 20 a 30 caballerías de extensión media,[78] localizados generalmente en áreas de bosques, tanto por la calidad del suelo —desde temprano se advirtió que el suelo de sabanas no era favorable a la caña—, como por la implacable demanda de leña que acompañaba a las modestas fábricas de azúcar. La necesidad de tierras para fomentar ingenios fue uno de los factores determinantes de la demolición de los corrales habaneros.

Pero el ingenio resultaba muy exigente. La tierra —en los términos elementales de la agricultura de entonces—, *se cansaba* tras un número de cosechas de caña, y era preciso trasladar el equipo del ingenio, pasados entre 15 y 30 años, a tierras nuevas. En los mapas de mediados del siglo XVIII, que cubren las cercanías de La Habana, ya se advierte la presencia de ingenios abandonados, cuyas tierras serían divididas en estancias. Era el inicio del proceso de sustitución: corral-ingenio-estancia, que se aceleraría en el siglo XIX.

Estancias y vegas

El minifundio suburbano y rural, destinado a la agricultura de subsistencia, era la estancia y su variante la *huerta*, generalmente màs pequeña y provista de regadío. Lo costoso y difícil del transporte explican la proximidad de las estancias de valor comercial a los primeros asentamientos urbanos. Con el crecimiento de la población y el aumento de la demanda, fue necesario cultivar tierras más distantes, que al mediar el siglo XVIII se extendían, en el caso de La Habana, desde Jaimanitas al W, hasta más allá de Guanabacoa al E.

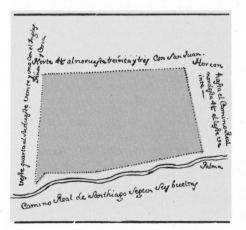

Plano de una estancia habanera típica de 2 1/2 caballerías, situada en el Barrio de San Juan, partido de Jesús del Monte e inmediata al Camino real de Santiago de las Vegas. El propietario de la estancia era don Martín de Aróstegui, fundador de la Real Compañía de La Habana, alguacil mayor del Santo Oficio y caballero de Santiago. (AGI. Santo Domingo, 431. Plano de 24-V-1748).

Mientras las estancias aumentaban en número y se alejaban de los núcleos urbanos originales, ocurría otro hecho: las estancias más próximas al perímetro urbano inicial eran divididas en solares. Paralelamente, las tierras de los ingenios más antiguos pasaban a ser divididas y convertidas en estancias.

La saturación agrícola del área inmediata a La Habana era ya evidente en 1712. Al solicitar del Rey confirmara la merced que hiciera al Dr. Francisco Theneza de un pedazo del Monte Vedado, para cultivos, en la inteligencia de que los réditos serían para el Hospital de San Lázaro, el Cabildo argumentaba así, al subrayar como la permanencia del Monte Vedado, considerado originalmente un apoyo a la defensa, confligía ahora con el sistema más eficaz que representaba La Muralla y con la economía local:

Resulta con la cercanía de estancias de labor mayor abundancia de mantenimientos en la ciudad, ya por la conducción más pronta ya por las más crecidas y colmadas siembras, como también que estando desmontada la espesura del Ejido y Vedado, se criarán pastos para las boyadas y el caballaje...

El éjido, que debió comprar a censo el Cabildo, por R.C. de 16-IX-1616, hasta un total de 4.000 ducados, no resultó,

cerrándose otra vez en entretejidas malezas y cerrados bosques infecundos.

Era el Cabildo partidario de eliminar el bosque, lo que había hecho, mercedando y dando a censo lo mejor del Ejido, y para que se viera la preocupación militar y no económica, alegaría:

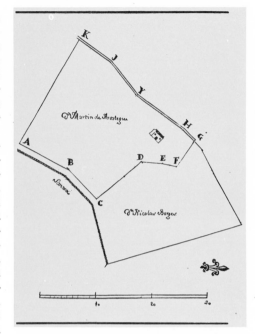

Don Martín de Aróstegui, quien más tarde sería el mercader más prominente de La Habana, como primer presidente de la Real Real Compañía de Comercio, poseía en 1733 una estancia que podemos considerar típica, en el barrio de San Lázaro, a 1/2 legua de la Muralla, área que antes cubría el Monte Vedado. La estancia de Aróstegui, deslindada de la de don Nicolás Borges, medía 3 caballerías y 141 cordeles. Obsérvese la situación de ambas estancias junto a la Zanja Real. (AGI. Santo Domingo, 431. Plano de Domingo de Arrazate. Escala en cordeles).

Según militares reglas debe estar rasa la campaña y abierta lo que alcanza un tiro de cañón de artillería, desde el Muro, dentro de cuyo término se hallan las... tierras o mercedes, para que no sólo juegue

Plano de las huertas, en extramuros de La Habana, del hermano Miguel de Castro Palomino (A), ya difunto y la de María Alvarez (B), levantado por el agrimensor Gabriel de Torres, por instrucciones del Juez de Tierras Gelabert, en 1750. Ambas huertas median en total 1 3/5 caballerías, siendo sus áreas iguales. Los límites eran el Camino de San Lázaro (F-E) y el de Cantera (D-Y), mientras lindaban por el Sur con D-KC, que era la Zanja antigua que las proveía de agua de riego. El agrimensor no sólo trazó el plano sino aportó la explicación que reproduce el grabado. (AGI. Santo Domingo, 507).

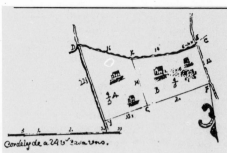

Cordel y de a 24 V.ª cada uno.

Don Gabriel de Torres Agrimensor Publico vezino de esta Ciudad como mas puedo y debo Certifico que aviendoseme hecho saber un decreto proveydo por el Señor D. Joseph Antonio Gelabert del Consejo de Su Mag.ᵈ Su Secretario Contador del Real Tribunal de Quentas de Real Hazienda de esta Isla de Cuba y las demas de Barlovento Juez privativo para la Composicion y Compra de tierras Realengas para que diese Mapa de las Huertas A. B. la A. que pertenese a la Testamentaria del Hermano D. Miguel de Castro Palomino y la A. que es de Maria Alvarez vezina de esta Ciudad de la Havana respecto de averlas medido y deslindado para satisfacion de sus Poseedores y halle en el todo una Cavalleria de tierra y tres quintas de otra

y por estar dividida y de por mitad se contienen en la de Rosso docientos y setenta Cordeles planos que son quatro quintos de Cavalleria todos de labor, y siendo la mas inmediata a la Ciudad de D. a Y por el Camino de la Cantera de Y a C con la Huerta de Santa Cruz de C a K con la de dhos bienes, de K a D por la Zanja antigua con las tierras del Sr. Pedro Rodriguez Robado = Asimismo la otra cara contiene en si los mismos docientos y setenta Cordeles planos, los docientos quarenta y quatro labrables, y los diez y seis cenegadizos y poblados de Mapho que esto que parece ponteados se deslinda de G a F con Huerta del S.or D. Miguel Garcia de F a E con el Camino de San Lazaro y Huerta de los bienes que quedaron por muerte del D. D. Francisco Thoreya, de E que un Pie de Guanabacoa por la Zanja antigua hasta K con tierras de los bienes que quedaron por muerte del Sr. D. Marcelo Carmona y Contes del ante dho D. Pedro Rodriguez y Corre a dcha Zanja C D y para que conste a Su S.ª firme esta en dicha Ciudad de la Havana en tres dias del mes de Diciembre de este año de mil setecientos y sinquenta = Gabriel de Torres

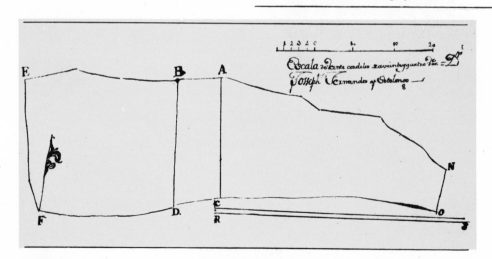

Escala de veinte cordeles de a viente y quatro V.ª
Joseph Fernandez y Sotolongo

Mientras en la Trocha se descubrían realengos de decenas de leguas cuadradas, el alto precio de la tierra de La Habana llevaba a denunciar realengos tan pequeños como el demarcado por las letras A-B-D-C, que señalara en 1747 don Pedro García Menocal. Esta parcela situada entre las estancias de Carmona (A-B-E-F-D-C) y la de El Robado (A-N-O-C). Ambas estancias limitaban al Sur con la Calzada de Guadalupe (R-S) y por el Norte con la Zanja Vieja (E-B-A-N). La escala es de 20 cordeles y lo firma Joseph Fernández Sotolongo. (AGI. Santo Domingo, 511).

desembarazada la artillería del Muro y baluartes, en cualquier asedio; y se registre estando despejado el campo cualquier designio u operación del enemigo, desde La Muralla y sus reductos, sino para que el enemigo no tenga tan a mano la madera y estacas para... fortificarse, y no menos porque si se ofreciese salir caballería para correrías o alguna escapada en tal aprieto, tenga libre la campaña para ello y la retirada con seguridad. A que se llega que estando las tierras de dichas mercedes a las espaldas de un reducto que guarnece y corona un paraje que llaman La Caleta [de San Lázaro], tienen afianzado su seguro y embarazado el paso al enemigo para entrarse por ellas. Antes, si los soldados que sirven de corona y guarnición de este reducto, teniendo tan inmediatos los mantenimientos de casabe, verduras y demás cosas de alimento, les serán más tolerables los trabajos de estar fuera de sus casas y menores los de conducirles desde la ciudad los bastimentos.

Terminaba el Cabildo pidiendo al Rey concediera el dominio de tierras del Monte Vedado al Dr. Theneza y del Ejido al regidor Juan de Prado Carvajal, para el fomento de sus estancias.[79]

El área de las estancias oscilaba por lo general entre 1 y 4 caballerías. En el siglo XVII en muchas estancias se cultivó tabaco en tierras originalmente mercedadas para estancias, pero como el tabaco demanda suelos vírgenes cuando no se les abona —lo que no ocurría entonces—, las *vegas*, nombre que sustituyó al de *tabacal*, se fueron alejando de los núcleos urbanos, mientras los suelos abiertos inicialmente por los vegueros eran destinados a estancias.

Por el carácter de minifundio que compartían la estancia y la vega, en los padrones de diezmos de que disponemos, aparecen frecuentemente unidas bajo un solo rubro. En el período de 1754-57 había en Cuba más de 5.100 estancias y vegas.[80]

La mayor concentración de estancias, hacia 1755, correspondía a las inmediaciones de La Habana, donde Morell reportaría 2.071, o sea, más del 40 % del total insular, y el primer historiador de La Habana, Arrate, más de 2.000. Una de las áreas agrícolas que constituían el conjunto que alimentaba a La Habana, entonces con los 50.000 habitantes, era Guanabacoa.

Los datos que poseemos sobre las estancias de Guanabacoa nos ofrecen una visión del alcance económico de esta agricultura menor. En 1746 había dentro del partido eclesiástico de Guanabacoa, más extenso que la jurisdicción del Cabildo recién constituido, un total de 387 haciendas de todo tipo, lo que prueba lo dividida que estaba ya la propiedad rural en las inmediaciones de La Habana. De este total podemos identificar 4 corrales, 14 ingenios y 4 vegas, siendo las restantes, estancias.

Las 103 estancias de las que tenemos información concreta, dependientes del Cabildo de Guanabacoa, poseían las dimensiones siguientes:

Caballerías	Estancias
1	7
1 1/2	4
2	56
2 1/3	1
3	3
4	23
6	3
8	2
10	1
Más de 10	3
Total	103

O sea, que mientras la mediana era de 2 caballerías, la media era de 3 1/3 caballerías, o sea, menos de la medida generalmente aceptada como máxima: 4 caballerías.

La densa ocupación del espacio rural correspondiente a Guanabacoa, rodeada de estancias e ingenios, se revela en el padrón de su población en 1744, que asignaba 1.942 personas a la villa y daba como 3.858 el número de las que vivían en el campo. De esta población había más de 1.000

capaces de cargar armas.[81]

En 1751 contaba el territorio que pagaba censos al Cabildo de Guanabacoa con 146 estancias.[82]

El mayor rendimiento económico de las pequeñas estancias en comparación con el de las grandes haciendas de cría se revela en el caso de las *tierras de propios* de Guanabacoa. Hacia 1750 la media de los censos impuestos sobre las 32 haciendas de cría, en las antiguas *tierras de indios* del interior de la provincia actual de La Habana, era de 164 pesos, en tanto que la media de las mucho más pequeñas estancias cercanas a La Habana —unas 60—, era de 262 pesos.[83]

A lo largo de la Zanja Real, que se ampliaría con una sección nueva, y una presa mayor en El Husillo, proliferaron en La Habana extramuros las pequeñas huertas, menores en área que las estancias, pero de mayor productividad por la aplicación del riego. En 1750, en el sector de las Canteras de San Lázaro había por lo menos 5 huertas. El

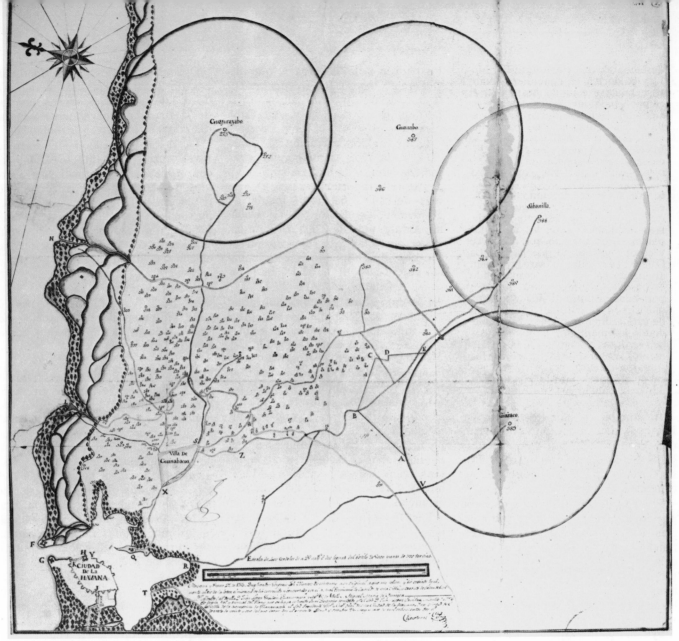

Las tierras que originalmente ocuparon los indocubanos del pueblo de Guanabacoa, al mediar el siglo XVI, se convertirían dos centurias más tarde en el área de mayor densidad agrícola y uso más intensivo de toda la isla, como revela este mapa catastral de 1746, que comprende la jurisdicción eclesiástica de Guanabacoa. Más de 375 estancias, vegas, ingenios, tejares y otras instalaciones aparecen en explotación y debidamente registradas, con vista al cobro de los diezmos. Mas lejos del núcleo urbano habanera aparecen la extensa área de los corrales de Guajurayabo, Guanabo, Sabanilla y Giaraco o Xiaraco (AGI. Santo Domingo, 384).

área media era inferior a una caballería de tierra.[84]

Otra de las zonas de mayor desarrollo agro-industrial correspondía a la faja costera inmediata al río Jaimanitas, al W de La Habana. Había en ella numerosas estancias y tejares, en tal densidad, que en 1749 recibió la Real Hacienda 633 reales por

un pedacito de manglar anegadizo

que adquirió por compra Manuel Duarte, dueño del tejar vecino.[85] Allí la tierra había sido distribuida intensamente desde 1641, cuando 7 vecinos recibieron un total de 60 caballerías —desde 4 a 14 caballerías per capita— para establecer estancias, las cuales continuaron siendo cultivadas y subdivididas.[86]

Como un índice de la valoración de las estancias en la región oriental poseemos la tasación de la estancia incluida en el hato de Yaguabo, del Legado Parada, en Bayamo, apreciada así en 1731:

Una estancia con su platanal, casa de vivienda, cocina y demás aperos... 250 pesos [87].

El incremento del uso de la tierra en la Vueltabajo

Una confirmación del fomento agrícola a mayor distancia de La Habana lo encontramos en la región de Santa Cruz de los Pinos, en *la Vuelta de Abajo*. Cuando finalizaba el siglo XVII, fundó el Obispo Compostela un curato allí, calculando que los diezmos no alcanzarían para la cóngrua del *cura del campo*, 150 pesos anuales. En 1758

La intensificación del uso del suelo a Sotavento de La Habana aparece confirmado en este cartograma destinado a mostrar que era necesario y posible dividir en tres nuevos curatos, el de Santa Cruz de los Pinos, fundado al finalizar el siglo XVII (AGI. Santo Domingo, 516).

se había multiplicado el número de ganados y desarrollado el cultivo del tabaco al punto de que los 4/9 de los diezmos que correspondían al cura y sacristán ascendían a 1.158 pesos anuales. Al proponer la división del partido eclesiástico en 3 curatos, para hacer más eficaz la obra pastoral, que se dificultaba en área tan extensa por las lluvias y malos caminos, elevó el Obispo Morell en 1758 un detallado padrón agrario, junto con un cartograma ilustrativo. Sus datos eran los siguientes:

Area del partido	13 x 6 leguas
Haciendas de ganado	54
Vegas	11

Calculaba que el rendimiento de los diezmos permitirían sostener 3 curatos, que quedarían establecidos en Santa Cruz de los Pinos, Guanacaxe y Jesús Nazareno. A cada uno de estos curatos corresponderían las siguientes haciendas:

A SANTA CRUZ DE LOS PINOS:

Haciendas San Cristóbal (1 legua); La Angostura (1); Puercos Gordos (3); Asiento Viejo (3); Matamoros (1); Santa Cruz (2); Rangel (4); El Sitio (2); Rosario (3); Río Hondo (2); Yaguazas (2); El Pinal (3); El Salao (sic) (4); Las dos Sabana la Mar (3); Santa Isabel (2); Mayarí (1); Santa Ana (1 1/2); 8 vegas (1 1/2).

MATANZAS EN 1750: EL RETORNO AL LATIFUNDIO

El juez de tierras José A. Gelabert fue en diligencias de su cargo a Matanzas en 1750. El más lamentable hallazgo fue que el ilustrado propósito de fomentar una ciudad de familias de pequeños labradores, traídas de Canarias[a] había fracasado en lo fundamental. Veamos lo que encontró el juez:

● Toda la ciudad estaba situada en tierras alodiales y realengas, con un segmento en Yumurí, que dio como gracia don Diego del Castillo, dueño del corral.

● La población la componían algunas cuadras, mientras había 268 delineadas.

● Ni el Castillo de San Severino ni la población estaban en tierras del corral Matanzas, expropiado por la Corona a un precio inicial de 8.000 ducados, que se multiplicaría con los intereses.

● Medida el área del corral se encontró que de las 33 caballerías reservadas inicialmente se habían distribuido 30, así como estancias concedidas por el cabildo a naturales y avecindados, hasta un total de 113 caballerías

situadas en diferentes repartimientos de la tierra, por no ser pareja, ni toda apropiada para labrar.

● Ante la consternación del vecindario, temeroso de perder sus tierras, Gelabert convocó a cabildo abierto y explicó su misión: apartar las tierras que aun restaban del Corral Matanzas, después de las dadas por el Rey.

●

Gelabert debió interrumpir su gestión directa: enfermó y como no había

en Matanzas ni médico ni botica, retornó a La Habana, desde donde agregaría nueva información:

● El Convento de Santa Clara obtenía ingresos adicionales del antiguo corral. Sobre el Ingenio había situados 9.000 pesos en dotes de las hijas del dueño y al vender los bienes muebles y ganados del Ingenio, obtuvo 1.000 ducados, más 360 pesos por tres caballerías de tierras del Rey.

● Lo más lamentable descubierto por Gelabert fue el fracaso del ensayo colonizador. De los 30 vecinos que recibieron 1 caballería para estancia, per cápita, los militares y empresarios tabacaleros de La Habana, don Manuel y don Juan de Jústiz, habían ya reunido 18 por

venta que hicieron por su pobreza o herencia del poseedor, para repartir entre ellos el producto,

tras lo cual los Jústiz

han plantado suntuosas fábricas de molinos de tabaco y sierras de agua para aserrar maderas.

● También había aprovechado las dificultades de ajuste de los vecinos de Matanzas don Lorenzo de Contreras, quien adquirió varias caballerías más.

● Terminaría Gelabert informando al Rey que el Corral Matanzas, adquirido en 1693 en 8.000 ducados sólo valía como tierra ganadera muy desigual, 3.200 pesos y que al ser demolido para labranzas, su valor se había duplicado solamente. El precio excesivo acordado se debió únicamente a las dotes del Convento que lo gravaban.

a. Ver el Vol. 3, pág. 73.

FUENTE: AGI. Santo Domingo, 499.

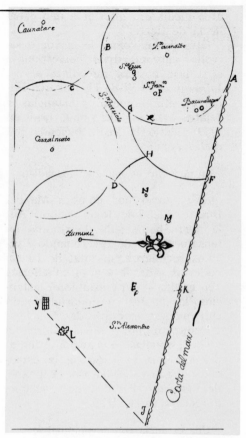

Matanzas y su hinterland inmediato aparecen en este plano destinado a deslindar el realengo Bien Vengas. Las haciendas más próximas a la ciudad, hacia el W, eran el corral Yumurí, contentivo del bellísimo valle, Corral Nuevo, Bacunallaguas (sic), Puerto Escondido y Caunabaco. (AGI. Santo Domingo, 505. Firmado por el agrimensor Bartolomé L. Flores en 1742)

Referencias: Y. Ciudad de Matanzas; L. Castillo de San Severino; J. La punta de la Boca; M. Sitio viejo despoblado; N. Poblado por el dueño del corral Yumurí; O. Bacunallaguas; P. San Francisco y Q. Santa Cruz, del dueño de Yumurí, don Pedro Lomeñas; A-F-K-J. La costa.

A JESUS NAZARENO DEL CIEGO:

Haciendas El Ciego (1 legua); Bacunagua (2); La Sierra (2); El Sitio (3); Limones (2); La Sabanilla (4); San Bartolomé (3); San Diego (2); El Hatillo (2 1/2); Macuriges (2); San Juan (2); Sacaleites (1); Guaiquibá (2); Sabanas Nuevas (3); Guasimal (4); El Pinal (6); 3 vegas (1).

A SAN PEDRO DE GUANACAGE:

Haciendas Río Grande (2 leguas); Corralillo (3); Santo Cristo (2); Tenería (2 1/2); Santa Ana (1/2); Candelaria (2); Vallates (2); San Juan (2); Manantiales (3); San Juan (3); Ojo de Agua (1); Berrendos (1); Gegenes (3); Majana (4).

En la distribución que proponía Morell, correspondían a los tres partidos a crear, los siguientes fundos:

	Haciendas	Vegas
Santa Cruz	21	8
Jesús Nazareno	17	3
Guanacaje	16	—
Totales	54	11

Los 1.157 pesos y 6 1/2 reales que venían correspondiendo al cura de Santa Cruz por los 4/9 de los diezmos, los estimaba excesivos Morell, que proponía a la Corona fuesen divididos, en mejor servicio de la fe y de los vecinos, entre los siguientes cargos:[88]

	Renta anual (Pesos)
Tres curas a	200
Tres sacristanes mayores a	150
Tres mozos de iglesia a	25
Tres mayordomos de fábrica a	33

Tierra urbana: solares

De todas las mercedes de tierra otorgadas por los Cabildos, la más fácil de obtener era el solar urbano, destinado a vivienda del solicitante. En el siglo XVI habanero ya

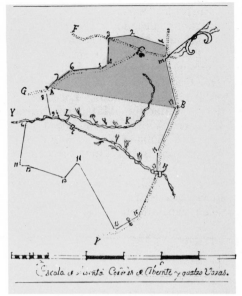

El auge demográfico de Cuba cuando mediaba el siglo XVIII se manifestaría en los nuevos núcleos de población que se formaban espontáneamente o pretendían ser fundados formalmente en las tierras agrícolas, particularmente en las vegas. En 1749 y 1758 promovió don Silvestre Muñoz gestiones para fundar en su estancia de 3 1/2 caballerías, denominada Horcón de Manuel González, un pueblo inmediato a La Habana, que se llamaría N. S. del Rosario. Su escrito fue acompañado de este mapa de localización del agrimensor Manuel de Torres, fechado en 1758. (AGI. Santo Domingo, 403 y 430).

Referencias: *E.* Esquina del Horcón; *E-C-F.* Camino del Cerro; *E-B-H-Y.* Camino de Jesús del Monte; *E-C-A-C.* Camino del Ubajai (Wajay); *I-J-H.* Arroyo que llaman de Agua dulce; *J.* El Husillo; *L-K.* Paja de Agua que baña al citado pueblo; *A-B* con línea de puntos una caballería de tierra en que se ha de fundar la población —en gris— y demarca con las letras y números *B-E-1-2-3-4-9-6-7-A.* Las otras 2 3/4 caballerías quedarían seaparadas. (Escala de 6 cordeles).

lograban los primeros *horros* ser dueños de solares, pero el desarrollo urbano, aunque lento, fue incrementando el valor de algunas áreas y en La Habana el Cabildo comenzó a vender a censo los mejores solares aún realengos. En lo que hoy es Plaza de la Fraternidad habanera, un solar era vendido en 1735 en 204 pesos,[89] o sea, lo que valdrían diez años después 2 leguas cuadradas de tierra mediana, hacia el centro de la Isla. En las cuentas de propios del Cabildo habanero, siempre generoso al disponer de la tierra, aparece cobrando réditos de censos sobre sólo unos cuantos de los millares de solares que mercedara graciosamente en más de dos siglos. Hacia 1749 contaba La Habana con más de 4.000 casas en intramuros y más de 1.000 en los arrabales,[90] lo cual permite calcular en una cifra aun mayor la de los solares mercedados mientras dispuso el Cabildo de poder para ello.

La tierra escaseaba ya entonces en el perímetro de La Habana, y fueron numerosas las denuncias de *paños de tierras realengas* en el área urbana, que fueron delimitados y rematados. Algunos de ellos correspondían al barrio del Horcón y al de la Puente Nueva. Un solar extramuros fue rematado en 1748, a favor de José de Bargas, por 251 pesos.[91]

En Santiago de Cuba continuó el Cabildo otorgando mercedes de solares muchos años después de la prohibición de mercedar predios rurales. El hecho de que la Real Hacienda cobrase 11 reales (1 ducado) por derechos de media annata por solar, ha permitido conservar una interesante data que revela dos hechos; uno urbano: la expansión de la ciudad desde 1721 a 1755, pues se mencionan distintos barrios que iban poblándose; y otro social: la proporción considerable de morenos y pardos libres que obtenían solares para fabricar sus casas.[92]

Los solares mercedados en Santiago de Cuba en estos 34 años fueron:

Período	Solares
1721-30	32
1731-40	68
1741-50	31
1751-54	22
Total	153

Entre los barrios en que se encontraban situados estos solares se mencionan Alto de Ntra. Sra. de los Dolores, Caleta, Camino de las Lagunas, Camino del Morro, Cantera, Cuesta de Santa Ifigenia, Hospital, Juan Salvador, Lorenzo de Luna, Matachín, Matadero Nuevo, Matadero Viejo, Montes de Espanta Sueño, Sabana Nueva, Santa Ana, San Antón, Santa Lucía, Santo Tomás y Quaba.

De los 153 solares mercedados en el período, 32, o sea el 21 %, aparecen específicamente concedidos a *personas de color libres*, en la distribución siguiente:

	Solares
Morenas libres	16
Morenos libres	11
Pardas libres	10
Pardos libres	5
Total	42

En San Juan de los Remedios se estableció en 1752 el pago de 22 reales por solar con destino a los propios del Cabildo.[93]

NOTAS AL CAPITULO 3

1. Ver el Volumen 4, capítulo 5.

2. Debe tenerse en cuenta que, cuando escribía Bernardo y Estrada entonces la creencia de que Cuba era por lo menos un 30 % mayor que su área verdadera.

3. Ver el Volumen 2, págs. 154-164.

4. Ver el Vol. 3, pág. 73. Según el Juez de tierras don Joseph Antonio Gelabert, el precio pedido a la Corona era superior al del mercado, y fue elevado para cubrir las dotes asignadas sobre él en favor del Convento.

5. Ver el capítulo 1.

6. AGI. Santo Domingo, 499 (Gelabert a De Pineda; La Habana, 24-XI-1741) (A.A.).

7. Este largo pleito, que se prolongó por 3 generaciones, tuvo una influencia notable en el proceso agrario cubano, al poner de manifiesto la voracidad geofágica de algunos regidores y la irresponsabilidad con que actuaron en distintas fechas. Es interesante señalar que doña Magdalena Corbera, quien con su esposo compró originalmente la hacienda, era natural de Jamaica, desde donde pasaría a Cuba, casando en primeras nupcias con el sargento mayor Juan Jiménez. Tuvo una hija única con don Gaspar de Arteaga, Petronila Medrano Corbera, quien defendió con energía y tesón sus derechos heredados; casó con don Diego Sigler Espinosa —de los suizos Siglert radicados en La Habana— y fueron sus hijos, nietos de doña Magdalena Corbera quienes cobraron finalmente a la Corona, en 1736, capital e intereses. Como cobraron en tierras, no en dinero, la suma se les multiplicó (Ver Torre, José María de la, 1857, págs. 24-26).

7.bis En la jurisdicción de La Habana un modo de distribuir el uso de la tierra consistió en la obtención de permisos del Cabildo para establecer nuevos sitios dentro de una hacienda sin aumentar sus límites. Estos sitios serían considerados posesiones *hijas* de las haciendas originales. Más tarde, con el establecimiento de nuevos sitios en las posesiones hijas, sin que se demoliese la hacienda, surgirían las *nietas*. Al procederse a las demoliciones décadas más tarde, la presencia del *asiento central* y de los sitios correspondientes a las posesiones hijas y nietas, crearían problemas tan complejos como los que surgirían en la mitad oriental al ser divididas las *haciendas comuneras*.

8. Pérez Luna, Rafael (1888). *Historia de Sancti Spíritus*.

9. Un error tipográfico asigna al corral 5.606 Ha. en el pie de grabado de la página 74 del Volumen 2 de esta obra. La cifra correcta, de acuerdo con las fuentes del siglo XIX, cuando se efectuaron las mediciones más exactas es la de 6.651 hectáreas.

10. Ver Bernardo y Estrada, R. de (1857).

11. AHM-AC. Para facilitar su labor, los agrimensores consideraron que el hato estaba constituido por un polígono de 64 lados primero, y más adelante por 72 lados, con un radio de 2 leguas; el polígono del corral sería igual, pero con un radio de 1 legua. El polígono de 72 lados era lógicamente mucho más exacto y fue el que se generalizó con el paso de los años. Debido al tipo circular de las haciendas, el polígono se consideraba circunscrito. Los linderos, en la realidad, fueron generalmente circulares, como revelan con admirable claridad las fotografías aéreas (Ver el Volumen 2, pág. 70).

12. La representación del regidor Zayas Bazán, presentada y aprobada en el cabildo de 16-VI-1719, fue consecuencia de licencias solicitadas por el dueño del hato Bahía Honda, don Bernabé Orta, en 27-V-1719, para nuevos sitios dentro de su hacienda. En apoyo de su criterio recordaría Zayas Bazán que por R. C. de 11-II-1579 se previno a los vecinos de la Habana que "con motivo de que en esta América los pastos eran comunes, hacían sus población y criaderos de ganados los unos junto a los otros de que se originaban pleitos y discordias entre ellos y que para evitarlos provea sobre este particular lo que hallare por mas conveniente... siendo así que luego... Diego de la Peña medidor que fue de esta ciudad, el mismo 1579 salió a hacer diferentes medidas de hatos y corrales, dándoles a los hatos 4 leguas diametrales por cada rumbo desde su centro y a los corrales dos en la misma conformidad, como se ve en la que se refiere en el pleito entre el capitán Sebastián Carrillo, dueño del hato Guanacaje y... don Blas de Pedroso, dueño del hato Mayarí... confirmó la Audiencia de Santo Domingo a favor de Pedroso... las medidas hechas por... Diego de la Peña del hato Mayarí de 2 leguas de semidiámetro... además de otras medidas de hatos por el dicho... de la Pena y después por otros medidores... Y... que el Gobernador que entonces era, en vista de lo mandado por S.M.... tomó por... resolución que los hatos tuvieran 2 leguas y los corrales una.

...Teniendo presente que la merced que hizo

este Ilustre Cabildo del hato de Mayarí, se halla su pedimento con la misma precisión de que sólo pide las sabanas para poblar en ellas vacas, como lo está la del... hato Bahía Honda, y no obstante fue medido incluyendo en sus 4 leguas diametrales sabanas y bosques, y que esta práctica se ha observado... de inmemorial tiempo a esta parte, sin que se haya ejecutado cosa en contrario, y que este Ilustre Cabildo tiene aprobada esta práctica y distribución de tierras por uno que se libró en 1679, y en atención a ser esta la costumbre practicada, con que adquiere fuerzas de ley, soy de sentir salvo el prudentísimo de V.S., que para obviar los pleitos entre los vecinos sobre este particular se han originado... debe este Ilustre Ayuntamiento declarar que así el hato Bahía Honda, como todos los demás de esta jurisdicción, que se hallaren sus pedimentos en sabanas para el efecto de criar vacas, sean tenidos y reputados por tales *hatos* y consiguientemente deben gozar de 4 leguas diametrales de tierra, incluyendo en ellas los bosques que le correspondieren y los *corrales*, criaderos de puercos, dos, en la misma conformidad, sin perjuicio de vecino que sea más antiguo en posesión, porque este debe preferir al menos antiguo, por ser conforme a derecho y no en otra manera, sin que se entienda por las razones arriba dichas que si alguno o algunos de los hatos y corrales poblados, o los que en adelante se poblaren, carecieren de los términos arriba dichos, por confinar con alguna o algunas haciendas más antiguas, deje por esto de ser tenido por tal hato o corral, sino que ha de ser tenido por tal, sin contradicción, gozando de sus términos según arriba expresados, por la parte o partes que pueda haberlos, sin perjuicio de tercero que se prefiera en antigüedad".
La representación de Zayas Bazán fue aprobada inmediatamente. (AHM-AC. y *Memorias de la Sociedad Económica de La Habana*, Tomo XVI (1843) páginas 66-68.

13. Bernardo y Estrada, R. de (1854).
14. AGI. Santo Domingo, 1319. (Informe del agrimensor Bartolomé L. de Flores).
15. Prontuario de Bernardo y Estrada (1857).
16. Ver el Volumen 2, página 52.
17. Ibídem. Ver el Apéndice documental.
18. Ver el Volumen 3, página 219.
19. Las tierras del ejido habían sido mercedadas en su casi totalidad, desde los años finales del siglo XVII. Los ganados podían pastar solamente a considerable distancia del núcleo urbano de intramuros, tales como las márgenes del río de La Chorrera (Almendares), no lejos del Husillo ·y de la antigua Ciénaga, próxima a la loma del Príncipe (Torre, José M. de la, 1857, pág. 24).
20. La decisión final, contenida en R. C. de 17-VII-1733 sería ejecutada en favor de una tercera generación de reclamantes, representada por Juan y Alejo Sigler y Espinosa, nietos de doña Magdalena Corbera, a cuyo favor se había ordenado indemnizar en 1682. En 1736, cuando finalmente se cumplió la R. C. recibieron *Los Sigler*, como serían llamados generalmente, tie-

rras valoradas en 22.405 pesos que cubrían el valor de las tierras expropiadas originalmente, más los intereses acumulados. Entre las tierras recibidas a cambio de las tomadas de la modesta estancia original, figuraron:

- 12 solares extramuros.
- 12 estancias en el Ejido.
- 5 1/2 caballerías de tierra en el Vedado.
- 1 solar cerca de la Muralla.
- 10 3/4 solares en Guadalupe.
- Realengo La Pita y sitio Tapastillo, tasados en 187 pesos.
- Realengos Los Príncipes y Caunabaco, por 559 pesos.
- Realengo Palmar Blanco, por 1.350 pesos.
- Realengos Granadillar y Guanal por 900 pesos.

Las cifras anteriores corresponden a datos de la Intendencia (1818). recogidos por Torre, J. M. de la (1857), páginas 25-26.
21. AGI. Contaduría, 1153.
22. AGI. Contaduría, 1194.
23. AGI. Santo Domingo, 425 (A.A.).
24. Es interesante advertir como Güemes, español, da al término *hato* su sentido original de rebaño o manada y no el de hacienda ganadera, común en la Isla desde el siglo XVI.
25. AGI. Santo Domingo, 425 (Güemes al Rey; La Habana, 12-IV-1738) (A.A.).
26. AGI. Santo Domingo, 425 (Consulta del Consejo, 16-I-1740) (A.A.).
27. Ibídem.
28. Realmente lo que se creaba no era un ejido clásico, sino una dehesa de la ciudad.
29. Ver la edición del FCE, México D.F., 1949.
30. AHN. Papeles de Indias. Legajo 20.884.
31. Mencionada frecuentemente como *se acata, pero no se cumple*.
32. AGI. Santo Domingo, 499 (A.A.).
33. Ibídem. Certificación del escribano de gobierno y cabildo Miguel de Ayala; La Habana, 31-X-1747).
34. AHM-AC.
35. AGI. Santo Domingo, 379 (A.A.).
36. AHM-AC (Bernardo y Estrada, R. de, 1857, págs. 27 y 30).
37. AHN. Papeles de Indias. Legajo 20.884.
38. Ver el Volumen 3, página 224.
39. AGI. Santo Domingo, 413 y 1462. El pleito andaba todavía en apelaciones en 1768.
40. AGI. Santo Domingo, 413.
41. AGI. Santo Domingo, 413. Doc. 5 (A.A.)
42. AGI. Santo Domingo, 413. Doc. 4 (Certificación del escribano Manuel Muñoz de las mercedes hechas por el Cabildo de Guanabacoa, sobre las que están situados sus propios; Guanabacoa, 31-X-1755) (A.A.).
43. AGI. Santo Domingo, 384 (A.A.).
44. Estrada, Dr. Manuel José de, Memoria sobre Bayamo contenida en *Los Tres primeros historiadores de Cuba* (1876), 2, pág. 507.
45. Ibídem. (Pág. 508).
46. Ver el Volumen 2, página 80.
47. AGI. Santo Domingo, 363.
48. Según Rafael Pérez Luna (1888) se tra-

taba de un descubrimiento del agrimensor Gregorio José Franco, quien en total descubrió entre 1746 y 1748 8 realengos en la zona en que colindaban las jurisdicciones de Sancti Spíritus y Puerto Príncipe, con un total de 45 3/4 leguas cuadradas (822.6 km²).
49. AGI. Santo Domingo, 499.
50. AGI. Santo Domingo, 383.
51. AGI. Santo Domingo, 499.
52. Gelabert, cuyo oficio era el de *Contador del Tribunal de la Contaduría mayor de cuentas de Cuba y demás islas de Barlovento*, fue designado *subdelegado de ventas de realengos y composición de tierras* por el delegado del Rey, Antonio Joseph de Pineda, cuyo sustituto, el Marqués de la Regalía, del Consejo de Indias, lo ratificó en 1744. En 1757 el bailío Fray Julián de Arriaga, *Secretario de Estado y del despacho general de las Indias*, lo designó para ejercer en propiedad la comisión creada según la R. O. de 2-XI-1754, hasta que en 2-VIII-1765 se hizo cargo del *juzgado de tierras* el primer Intendente de Guerra y Hacienda de Cuba, Miguel de Altarriba.
53. AGI. Santo Domingo, 499 (El gobernador Caxigal de la Vega al Rey; La Habana, 2-XI-1747).
54. Ibídem.
55. AGI. Santo Domingo, 499. Gelabert al Bailío Arriaga; La Habana, 13-V-1766).
56. AGI. Santo Domingo, 499 (A.A.).
57. Cayo Coco mide 383 km² y Cayo Judas, 10 km².
58. AGI. Santo Domingo, 1156.
59. AGI. Santo Domingo, 505.
60. AGI. Contaduría, 1182, 1183 y 1184a.
61. AGI. Santo Domingo, 499.
62. Ibídem.
63. Ver el volumen 5, página,
64. Ver el Volumen 3, página 46.
65. AGI. Contaduría, 1183.
66. Gil-Bermejo García, Juana (1970), pág. 233.
67. AGI. Indiferente General, 1660.
68. AGI. Santo Domingo, 2353.
69. AGI. Santo Domingo, 499. (J. A. Gelabert a De Pineda, 24-XII-1741). (A.A.).
70. AGI. Santo Domingo, 1157. (A.A.).
71. AGI. Santo Domingo, 534.
72. La cifra relativa a vegas y estancias es un estimado inferior al real, pues en 4 de los partidos incluidos en la visita no se especifica su número, limitándose a señalar que eran *numerosas*.
73. *Demolición*. La acción o efecto de ·demoler, y aunque esta voz según nuestro idioma significa deshacer, arruinar, en el sentido en que nos proponemos significa *fomento; adelanto, riqueza*... Llámase demolición al acto de suspender la crianza en las haciendas destinadas desde *ab initio* para este uso, sustituyéndolo a su vez por la labranza y el desarrollo de la agricultura en general. (R. de Bernardo y Estrada, 1854, pág. 95).
74. Ver el Volumen 3, págs. 238-241.
75. Bernardo y Estrada, R. de (1857) pág. 59. El conocimiento y análisis cuantitativo total del proceso de la fragmentación de la propiedad

rural en Cuba, acelerada desde el segundo tercio del siglo XVIII, no podrá lograrse, en cuanto a la mitad occidental de la Isla, hasta tanto se realice la labor de investigación colectiva que reclama el Archivo de Protocolos de La Habana.

76. AHM-AC.
77. AGI. Santo Domingo, 1319.
78. Ver el Volumen 4.
79. AGI. Santo Domingo, 418 (A.A.).
80. AGI. Santo Domingo, 534.
81. AGI. Santo Domingo, 387 (Padrón del Párroco Lorenzo Tinoco Morales).
82. AHN. Papeles de Indias. Legajo 20.884.
83. AGI. Santo Domingo, 413.
84. AGI. Santo Domingo, 507 (A.A.).
85. AGI. Contaduría, 1164.
86. AGI. Santo Domingo, 511.
87. AGI. Santo Domingo, 532 (A.A.).
88. AGI. Santo Domingo, 516 (27-II-1758). (A.A.).
89. Torre, J. M. de la (1857) pág. 42; el área oficial de los solares variaba según los cabildos. En La Habana se consideraba que un solar completo medía 1.080 varas cuadradas en tanto era de sólo 600 varas cuadradas en Guanabacoa.
90. AGI. Santo Domingo, 1157 (Urrutia y Matos, *Fomento de Cuba*, 1749).
91. AGI. Santo Domingo, 1156.
92. AGI. Contaduría, 1181, 1182 y 1183.
93. AHN. Papeles de Indias. Legajo 20.883.

LA GANADERIA

4

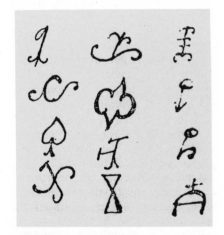

El abasto principal de esta República consiste en carne de vaca.

Gobernador Francisco Caxigal de la Vega

La ganadería, que proveyó en la mitad final del siglo XVI las exportaciones de mayor mercado de Cuba: cueros y carnes saladas, perdió importancia relativa ante el auge del azúcar y el tabaco, durante las décadas finales del siglo XVII. Interiormente, en cambio, retuvo y aun amplió su importancia al ser la carne el alimento por excelencia de la población en crecimiento, y continuar La Habana como centro abastecedor de las naves en viaje de retorno. En Puerto Príncipe, Bayamo, Sancti Spíritus y Trinidad la ganadería continuaría como actividad de primer orden y sus ganados y productos derivados figuraron entre los bienes exportables a través del contrabando.

En el paisaje agrario de mediados del siglo XVIII, a muy corta distancia de las áreas urbanas, se abrían los vastos espacios de las haciendas ganaderas. Holguín, desarrollado inicialmente por bayameses, se sumaría a las áreas ganaderas más activas.

Algunos datos fehacientes confirman la continuidad del fomento ganadero: al mediar el Setecientos, La Habana —con más de 50.000 habitantes—, consumía anualmente más de 29.000 vacunos y más de 36.000 cerdos.[1] En total se calculaba que en la Isla se obtenían al año más de 60.000 cueros, correspondientes al total de reses sacrificadas [2] para el consumo y la exportación.

Los hacendados habaneros figuraban, como grandes terratenientes ausentistas, en el estrato social superior, junto con la alta burocracia, y sólo por debajo del estamento eclesiástico. Cuando mediaba el siglo, el número de hacendados habaneros era de unos 350,[3] y aunque vivían en La Habana y encargaban el manejo de sus tierras y crías a mayorales ayudados por esclavos, y la comercialización de la carne a encomenderos, cada año acostumbraban visitar sus hatos y corrales durante el período del rodeo del ganado, que comenzaba en los días finales de abril.

> Se hacen entonces las señales de los ganados, su entrega y otras operaciones indispensables en las haciendas, en que es necesario concurran los dueños porque de otra suerte serían muy perjudicados.[4]

A pesar de que fueron demolidos numerosos corrales —no hatos—, para dar paso al cultivo, el interés ganadero, ligado al mercado de La Habana, se mantenía vivo. En el primer cuarto del siglo XVIII fueron muchas las solicitudes de autorización al Cabildo para criar ganado mayor en los corrales de cerdos y para establecer criaderos de vacas mansas o rejegas.

Los ganaderos que criaban ganado mayor, sujetos a una creciente demanda, debían enfrentar dificultades, algunas de vieja data y otras surgidas de nuevas condiciones económicas. Entre sus problemas figuraban:

● Obligación del hacendado de contribuir ganado a la carnicería —pesa—, en la cantidad y en el período fijado por la *rueda* que administraba el Cabildo.

● Sujeción del precio de la carne a la *postura* establecida por el Cabildo.

● Demandas temporales excesivas que debían atender los hacendados en los períodos de emergencia, especialmente al permanecer en La Habana temporalmente numerosas fuerzas navales y de tierra.

● Aumento del valor de la tierra, que alentaba al hacendado a una utilización distinta, mientras se veía obligado a destinarlas a ganado, bajo las condiciones establecidas por la merced recibida.

● La competencia de los traficantes de ganado y cebadores, quienes sin la obligación de pesar, vendían mejor carne y tasajo, *por fuera* de la carnicería y a precios más elevados.

1. LA PESA: OBLIGACION DE LOS HACENDADOS

Las mercedes de hatos y corrales otorgadas por los Cabildos cubanos habían sido reconocidas por las Ordenanzas de Cáceres [5] como una necesidad determinada por el requerimiento de carne destinada a alimentar a la población y abastecer a Flotas y Armadas. Los beneficiados, según el Oidor, estaban

> obligados a pesar en la carnicería... lo que fuera necesario para proveimiento y que el Cabildo y regimiento les pueda repartir a cada uno la cantidad de ganado que cada uno ha de pesar y en qué mes y en qué día, y que en hacer este repartimiento se tenga consideración a las cabezas de ganado que cada uno tiene, y que lo pesen a tiempos convenibles, como al Cabildo pareciere.

En los primeros tiempos, la demanda era escasa y el ganado abundante, y a veces se perdía la carne cuando los criadores mataban las reses para comercializar los cueros. *Pesar* era entonces más que una obligación, un privilegio. No eran pocos los hacendados que buscaban la ocasión de *concurrir a la carnicería* y algunos pretendían

traer más de lo que se les pedía. [6]

Al cerrarse el siglo XVII ya los criadores especulaban. En 1700 el procurador denunciaba ante el Cabildo habanero el abuso mediante el cual

> ...los criadores venden a los regatones sus ganados, pidiendo más días de los que necesitan para pesar sus ganados...,

lo cual iba contra los intereses de los restantes hacendados. El Cabildo prohibió la cesión o venta de los permisos para pesar a tales intermediarios.

El precio fijado para la carne, hasta 1713, había sido de 5 reales la arroba, o sea, menos de 7 maravedíes la libra, pero ese año el regidor diputado Baltasar de Sotolongo exponía que por

> la mucha abundancia de ganado que hay en esta isla y haciendas,

resultaría conveniente rebajar el precio a 6 libras por un real, o sea, a 5.7 mvs. libra,

> con lo que cesarán los lamentos continuos de los pobres. [7]

Como consecuencia de la oferta excesiva de ganados, fue dictado un bando en IV-1713 por el cual se prohibía a los hacendados traer ganado a la puerta de La Muralla, donde esperaban las reses hasta 6 días antes de ser llevadas a la carnicería, con excepción de las que estaban obligadas a pesar. Se insistía en que no se vendiera el ganado a regatones y que no se fabricase tasajo en dos leguas a la redonda del perímetro urbano.

Años más tarde la situación iba a cambiar, al aumentar la demanda y pretender el Cabildo mantener los precios bajos. Como secuela de la presencia en La Habana de grandes contingentes de tropas y fuerzas navales en 1726-27 y 1740-53, sobrevendrían conflictos entre los hacendados y el Cabildo. Era lógico que la mayor actividad económica durante estos períodos provocara entre los criadores la aspiración a disfrutar de la coyuntura. El Cabildo, por su parte, sostenía la necesidad de preservar los precios bajos, en beneficio del *común*.

La controversia giraba en 1729, básicamente, en torno al precio de la carne, no en cuanto a la *pesa*, que reconocían los hacendados como obligación inherente al disfrute de la posesión de la tierra. Desde el punto de vista doctrinal, ambas partes —hacendados y Cabildo—, respondían a la mentalidad de la época y evocaban el *justo precio* como razón clave para fundamentar sus puntos de vista contradictorios. La controversia surgió cuando los

vecinos dueños de haciendas de ganado mayor,

presentaron en 30-IX-1729 un escrito al Cabildo, en el cual alegaban que

las reses están valiendo, 10, 12 y más pesos, según sus cualidades [por lo cual] resultan perjudicados al tener que vender a 4 reales la arroba de carne en carnicería... ya que ha de ser muy sobresaliente la res que salga por 6 pesos vendida según los crecidos costos que allí tienen...

Insistían en que en muchos casos no disponían del número de reses requeridas para la pesa, debido a

los accidentes de perderse en los caminos,

por lo cual se veían obligados a comprar a alto precio

para perder la mitad en la carnicería.

Recordaban los hacendados que hasta 1713 se vendió la carne de res a 5 reales arroba y que a partir de ese año se redujo a 4 reales,

y como que según el común sentir de los Doctores el *precio justo* de las cosas se toma de la abundancia o escasez de ellas, y de los pocos o muchos mercaderes de las cosas. Y siendo notoria la escasez de ganado vacuno y el crecido número de esclavos que se han introducido y se sustentan de estas carnes, es evidente que debe y puede adelantar el precio de ellas, sin agravio del común y ponerles el precio justo, que es el que corresponde al valor de las reses según el tiempo.

Señalaban en apoyo de su criterio que los precios de otros alimentos oscilaban, pues

siendo cierto que las carnes de cochino, gallinas, pollos, huevos, casabe, maíz, arroz y azúcar aumentan en tiempos de escasez, es notorio agravio que a nosotros no se nos permita lo mismo, y esto no puede llamarse bien común, siendo en perjuicio grave nuestro y contra conciencia.

Y anticipando el argumento de que los dueños de hatos habían obtenido sus mercedes con este compromiso, advertían:

No obsta decir que con esta pensión se nos repartieron las tierras a nuestros causantes, para que diesen abasto a la ciudad y Armadas de S. M., porque con la misma se repartieron las tierras para corrales, estancias, ingenios y huertas, y con todo venden los frutos según el tiempo, y la razón es porque aunque pongan se repartieron todas las tierras con dicha pensión, y con motivo del abasto de la ciudad y Armadas, no fue con precio fijo señalado en que habían de vender sus frutos. Y si a las carnes de vaca pudiera hacerlo, debía ser el de 5 reales arroba, que era el que corría al tiempo que se repartieron las tierras y corrió hasta el año 1713. Y si el precio de baja fue hecho por alguno, a éste se le puede obligar a que de la carne a razón de 4 reales y no a los demás.

Los regidores dejaron la solución del asunto,

por ser materia grave,

para un cabildo posterior. En el de 3-VIII-1730 se acordó rechazar la solicitud de los ganaderos, con ponencia de Juan Joseph de Jústiz, entre cuyos argumentos figuraron los siguientes:

A los hacendados el mismo trabajo les cuesta criar las reses sueltas cuando han valido mucho que cuando han valido poco...
Ocurriendo que el vecindario es el mayor número de pobres, porque la isla no ofrece comercio y no hay otras minas que lo que inducen las hojas de tabaco, debe este Ayuntamiento conservar al común en el goce de la postura que hoy tiene, porque la obligación general es solicitar la mejor comodidad para que los pobres redimam en la parte posible sus necesidades y la vejación de los poderosos, y según el sentir de los Doctores, Teólogos y Juristas, ha de subsistir la pública utilidad.

Las condiciones que habían hecho posible el aumento de los precios habían sido, según Jústiz,

la presencia de la Flota del teniente general don Antonio Gastañeta, que residió en este puerto 11 meses [1726-27] con muchos navíos del Rey, con tropas, equipajes y comerciantes, que su número pasaba de los 5.000, y lo mucho que éstos gastaron en el expresado tiempo... A su partición han dado lugar a que los hacendados vendan a los precios que enuncian en su escrito.[8]

La alta demanda de carne de res en la Capital, estimuló la ganadería de la tierra adentro, de donde era traído *ganado aventurero*, o sea, reses que no correspondían a la pesa. Mucho de este ganado era utilizado para fabricar tasajo, que alcanzaba precio más alto que la carne y se vendía tanto para abastecer naves como para alimentar los esclavos. El mercado habanero era servido por Villaclara, Sancti Spíritus y aun Puerto Príncipe. En Santa Clara, en 1726, estaban

aniquiladas las haciendas con la inexcusable obligación de la pesa; hubo vez en que no pudieron suministrar el número de animales que necesitaba para el consumo,

pero diez años más tarde la ganadería estaba floreciente:

Villaclara contrataba ganados para la Capital, de donde venían algunos negociantes que los adquirían en cambio de coletas, crudos, paños, bayetas y otros géneros.[9]

Al hablar de este movimiento por tierra, a largas distancias, del ganado vacuno, podemos imaginar su alto costo en muertes y pérdidas de animales, por extravíos, en medio de una naturaleza en parte todavía casi virgen y por caminos difíciles. Como un ejemplo tenemos el caso de 1741, cuando los británicos amenazaron a Santiago de Cuba, al desembarcar en Guantánamo. El principeño Ignacio Alvarez salió para Santiago con 78 reses, consideradas suficientes para el consumo de 11 días. Al llegar llevaban él y su acompañantes, solamente 52,

porque las demás se destroncaron y cansaron por lo intratable de los caminos, de lodos, pantanos y aguas.[10]

o sea, la pérdida representó un 33 por ciento del total.

Los ganaderos no ahorraban quejas en cuanto a la carga de la pesa. Una res requería, hacia 1740, gastos y arbitrios por 17 1/2 reales antes de ser puesta a la venta su

Cifras

GASTOS Y ARBITRIOS SOBRE CADA CABEZA DE GANADO DE LA PESA EN LA HABANA (1740)

Vacunos	Reales
Por conducción a La Habana	6
Contribución al alguacil mayor por ponerla en carnicería	3
Carniceros que la pican	3
Sisa de la Piragua o Galeota	1
Enjugo a los carniceros	1 1/2 *
Sisa de la Zanja	3
	17 1/2

Cerdos	
Por conducción a La Habana	5
Sisa de la Piragua o Galeota	1
Sisa de la Zanja	1
Beneficio hasta picarla	3
	10 **

* Comprende la carne que se da diariamente al Gobernador pues era en La Habana "inveterada costumbre darle todos los días una lengua un lomo y una tela de sebo". (AHN. Papeles de Indias. Legajo 20.884).

** "Si un cerdo picado rinde 5 pesos (40 reales) a buen escapar se recogen 3 ó 3 1/2, por la continua quiebra que se experimenta en la venta de este género, por correr sujeta al menudeo por manos de negras."

FUENTE: AGI. Santo Domingo, 386.

carne, y cada cerdo, 10 reales, que equivalían al 25 % del valor al detall o más, pues alegaban podían llegar al 40 %.[11] Además, las haciendas debían pagar diezmos y en muchos casos réditos de censos y capellanías que las gravaban. A pesar de ello se consideró que los hacendados debían pagar un 5 % de lo que rindiera en efectivo la venta de la carne de las reses que pesaran, para financiar la obra indispensable de evitar que las basuras arrastradas por las aguas pluviales continuasen acumulándose en el fondo de la bahía. A cambio de este 5 % se comprometía la ciudad a encargarse de administrar la matanza de los vacunos y venta de la carne, ahorrando a los hacendados lo que pagaban a sus encomenderos.

En su alegato, lleno de cifras y razones, dirían los hacendados al Rey que era evidente la razón de sus reparos a la intervención del Cabildo, por

la falta de audiencia... siendo asentado el que a nadie se le puede pensionar sin oírle.

Y que si era necesario contribuir a la obra urbana,

por esta misma regla lo hayan de hacer todos los dueños de haciendas, así de ganados como de ingenios de fabricar azúcar, estancias de labor, molinos, caleras, tenerías, texares y gremio de mercaderes.[12]

El cálculo del Cabildo era que el 5 % de la carne rendiría en La Habana 27.000 pesos anuales, que serían cobrados por el mayordomo de propios, quien recibiría por atender el manejo de la pesa, 400 pesos anuales. Tales datos permiten calcular que el consumo anual de carne ascendería a 86.400 arrobas, cuyo precio de venta sería de 54.000 pesos,[13] al precio tasado de 5 reales por arroba.

Los regidores Luis Joseph de Aguiar y Christobal de Zayas Bazán, ausentes en el Cabildo que acordó el arbitrio, dejarían constancia posterior de que apoyaban

un repartimiento general que se haga a todos los vecinos.[14]

El Consejo de Indias, en 7-V-1740, acordó que por una sola vez se hiciese el repartimiento para la obra del drenaje de la ciudad, entre todos los vecinos, como sugirieran los hacendados, hasta un total de los 13.669 pesos presupuestados.

Ante la escasez estacional de reses y la demanda ocasional excesiva, la *pesa* había sido organizada sobre la base de obligar a los hacendados a enviar al matadero, cada año, un 14 % del ganado que tuviesen en existencia, en las fechas en que se les ordenaba. Los hacendados estimaban debían tomarse varias medidas:

● Reducir el número de cabezas sacrificadas, de 60 a 45, los *días de carne* y de 40 a 35 los *días de precepto*, pues

aunque los hacendados han contribuido con la obediencia más ciega cuando se les ha asignado, padeciendo el quebranto,

no podían dar ni el 14 %, con el cual ya no cubrían la demanda.

● Pedían

que se permita sin embarazo ni pensión alguna introducir reses aventureras por las puertas de esta ciudad, vivas o muertas, para que con libertad las piquen y vendan al público,

agregando que había más de 3.000 estancias, sitios, ingenios, tejares y vaquerías que

producen un copioso número de reses de buena calidad... cuyos

amos las venderán a los mataderos que trataren en este comercio.

Y recordaban que en la guerra anterior venía mucho ganado aventurero de la tierra adentro y que

muchos vecinos de esta ciudad se ocupaban de hacer cebas de ganados mayores con la mira de que se les proporcionara venta favorable.[15]

● En cuanto a los precios, insistían en que

si todos los comestibles admiten alta y baja de precio en su postura, según la más o menos abundancia de ellos, se ejecute lo propio con la carne.

La escasez de ganado, debida generalmente a las sequías, gravaba a los hacendados aun más allá de los límites de la jurisdicción de sus cabildos. Bayamo debía enviar ganado a la pesa de Santiago de Cuba, cuya producción era deficitaria. Cuando el gobernador Pedro I. Ximénez aumentó el número de reses que debían pesar en Santiago los bayameses, a pesar de una devastadora sequía —de 7-IX-1729 a 23-VII-1730, cuando no cayó una gota de agua—, los hacendados del Bayamo recurrieron en un largo pleito que se ventiló en la Audiencia de Santo Domingo.[16]

La Habana extendió su pesa hasta Santa Clara, donde se obligó a los hacendados a pesar en la Capital en los dos últimos meses del año, en la década de 1740. Esto provocó un aumento de la arroba de carne de res de 2 1/2 a 7 reales y de 5 a 12 1/2 la de cerdo.[17]

El tráfico de ganados desde Barlovento hacia La Habana benefició temporalmente a Matanzas, cuando, mediante la construcción en 1737 de un puente de madera sobre el río Cañas, que costeó el Cabildo, la ciudad vio crecer su comercio. A los dos meses, una crecida lo destruyó y cuando en 1744 el vecino Phelipe del Castillo lo reconstruyó de cal y canto, atrajo hacia su paso a los hacendados que traían desde Remedios, a lo largo del camino de la costa norte, ganado a La Habana. En 1745 y 1752 fue afectado de nuevo el puente. En 1755 el Obispo Morell proponía su reconstrucción, que costaría unos 4.000 pesos, los cuales se recuperarían mediante un modesto peaje.[18]

La situación de la ganadería en 1750

Los regidores Luis Joseph de Aguiar y Laureano Chacón, designados por el Cabildo, rindieron en 25-VIII-1750 un iluminador informe sobre la situación de la ganadería habanera, incluyendo un análisis de los tres problemas fundamentales: costos, oscilaciones estacionales del rendimiento y aumento del valor de la tierra. Sus conclusiones eran, en sentido general, favorables a los hacendados.

En cuanto a costos hicieron un estudio promedial,

reguladas unas haciendas con otras en sus distancias y tiempos estériles [seca] y fértiles [lluvias] para la más prudente asignación de estos rendimientos de su producto,

y estimaron que el rendimiento de

la pesa de un día, a base de 57 reses de 8 arrobas, era de 2.280 reales, calculando la arroba a 5 reales, más la venta aparte de los lomos, a 4 reales por res, y los menudos.

Sobre este total bruto era necesario descontar los de 754 1/2 reales por las 57 reses, que incluían:

● 5 % de administración (encomenderos).
● Conducción, manutención de peones, costo de los corrales, cabalgaduras, pérdidas y otros: 6 reales por res.
● Pago al diputado del Cabildo: 3 reales.
● Sisa de la piragua: 1 real.
● Pago de la matanza, picaduras y otros.

El cálculo era:	Reales
Valor de la carne vendida	2.280
Gastos	754 1/2
Para el hacendado	2.095 1/2

O sea, por cada res quedaban al hacendado poco más de 4 1/2 pesos. Como la tasación normal de una res era entonces de 8 pesos, el hacendado perdía un 43.75 %.

Los ponentes se mostraban partidarios de que se aceptara un aumento en la postura, o sea

el alce y crecimiento del precio, pues así lo sostiene el político Bobadilla [19] con estas palabras: *Cuando por caso accidental de esterilidad notable el obligado compró caro y pierde, por lo cual, o por otras causas razonables pide alza y crecimiento en el precio, hacerle socorro es conciencia y es justicia, porque según doctrina de Santo Tomás, en los contratos no se debe considerar la necesidad*

Cifras

PADRON GENERAL DE HACIENDAS GANADERAS DE CUBA (1754-57), DISTRIBUIDAS POR PARTIDOS

Gobierno de La Habana	Haciendas
Guanabacoa	1
Managuana	10
Güines, Los	42
Batabanó	28
Isla de Pinos	5
	86
A Sotavento:	
Guanajay	32
Sta. Cruz de los Pinos	155
Consolación del Sur	61
Pinar del Río	40
Cacarajícara	33
Guane	57
	378
A Barlovento:	
Río Blanco	32
Matanzas	23
Macuriges	44
Guamacaro	22
Alvarez	68
Hanábana	36
Cumanayagua	44
Guamutas	57
Santa Clara	32
Remedios	58
Sancti Spíritus	179
Trinidad	56
Palmarejo	39
Ciego de Avila (Palma)	51
Puerto del Príncipe	340
	1.081
Gobierno de Santiago de Cuba	
Holguín	104
Bayamo	297
Santiago de Cuba	41
Tiguabos	39
Morón (S. de Cuba)	2
	483
Total	2.028

FUENTE: AGI. Santo Domingo, 524 (Datos incluidos en los informes sobre la visita de Cuba por el Obispo Morell de Santa Cruz). (A.A.).

del que vende o del que compra, sino la justicia del precio.
Y así, valiendo las carnes muy caras y dándolas muy baratas el obligado, razón es que se ajuste y proporcione el precio.

Por todo ello sugerían que el precio de la carne debía aumentarse a 6 reales la arroba.

El problema de la oscilación del rendimiento de las reses, según la estación del año, que todavía gravita sobre la cría extensiva del ganado cubano, era a mediados del siglo XVIII uno de los temas básicos de la economía ganadera, pues el hacendado, forzado a pesar todos los años durante la seca, se perjudicaba siempre, mientras el que pesaba en la estación de lluvias resultaba beneficiado.

Aguiar y Chacón, conocedores directos del problema, señalaban que

para reconocimiento de los meses estériles y fértiles del año,

debían señalarse tres períodos:

1. De febrero a mayo,

tiempo en que comen las reses las cenizas y retoños [20] con que se enflaquecen, coadyuvando a ello la seca que por entonces se padece.

2. De junio a septiembre, en que

por los dos primeros meses van cogiendo carnes y en los otros dos ya cuasi están sazonados.

3. De octubre a enero, cuando las reses

consiguen en los dos primeros meses su mayor sazón por el sebo que las semillas ya hechas les aumenta por ese tiempo, las reses que se maten aventajarán en una cuarta parte del peso y sebo a las de abril o mayo...

PADRON PARCIAL DE HACIENDAS GANADERAS DE LA JURISDICCION DE LA HABANA A MEDIADOS DEL SIGLO XVIII

ABRA, EL (Diego Peñalver) *
AGUACATE, Sitio del (Manuel Antonio Gómez)
AGUAS VERDES
ALACRANES (Juan Joseph Alfonso)
ALTAMISAL (Pedro Pérez Morales)
ALQUIZAR, Rancho de (Domingo de Quiñones)
ALVAREZ
ANA LIMA, Ceja de
ANCON, EL (Diego Peñalver Angulo)
ARCOS DE CANASI
ARCOS DE DIEGO FRANCISCO
ARIGUANABO, Hato de (Nicolás Chacón)
ARRAGOCES (Lorenzo de Vargas)
ARROYOS, Los (Ana Poveda)
ARROYOS DE CAMARONES (Juan Madan)
ARROYOS DE PACHECO, Los (José Oliver)
BABINEY PRIETO (Bernabé Alfonso)
BACURANAO DE ARRIBA
BAGAEZ (Joseph Calvo de la Puerta)
BAHIA HONDA, Hato de (Melchor de Armenteros)
BAINOA, Hato de (Manuel García Barreras)
BANAGÜISES
BARACOA (Convento de Bethlem)
BARAJAGUA
BARBUDO, El (Diego de la Torre)
BATABANO
BAXURAYABO
BERMEJA, La (Joseph Otero)
BERRENDOS, Los (Joseph de Pedroso)
BIAMONES
BOLONDRON
CABEZAS
CABEZADAS (Francisco de Sotolongo)
CABEZADAS DE RIO DE DIEGO (Rosalía del Rey)
CAHOBAS (Francisco Sequeira)
CAMARIOCA
CANDELARIA (Juan de Morejón)
CANDELAS (Ana Fernández Alfonso)
CANGRE, El (Luis Díaz Pimienta)
CANIMAR (Phelipe del Castillo)
CANO, El (Convento de Santa Teresa)
CANAS, Hato
CATHALINA, La
CAOBILLAS
CARTAGENA
CASIGUAS (Theodoro Montilla)
CAUNABACO (Francisco Arango)
CAUNAO, Hato de
CAYAJABOS (Viuda de Cepero)
GAYGUANABO (Athanasio Martín de Velasco)
CAYO DE SAN FELIPE (Tesorero Diego de Peñalver)
CERRO DE CABRAS (Bernardo Amador)
CIEGAS, Las

CIEGO, El (Pbtro. José Antonio de Palma Veloso y Morales)
CIMARRONES
CONCEPCION, La (Pbtro. Antonio José Veloso)
CORRAL NUEVO (Phelipe del Castillo)
CORRALILLOS, Los
CRUCES, Las (Agustín de Sotolongo)
CRUZ, Hato de la (María Benítez)
CUCHILLAS, Las (Agustín de Sotolongo)
CUCHILLAS DE CALONA, Las
CUEVA, Rancho de la (María Josepha Toledo)
CUPEYES (Cristóbal Zayas Bazán)
CHORRERA, La (Luis de Aguiar)
DOMINICA, La (Juan de Palma y Miguel Arango)
DOS HERMANAS
GALERA, La (Hilario González Alberja)
GAVILAN
GICARA, La
GONZALO
GORDAS, Las (Hato)
GRAMALES, Los (Diego de la Vega)
GRANADILLAR (Matheo de Pedrosa)
GUAJANAYABO
GUAMUTAS
GUANABO
GUANABO DE ABAJO
GUANACANAXE (Carlos del Rey)
GUANAL, El
GUANAMON, Hato de (Diego de Soto y Melchor Casas)
GUANE (Hato) (Juan de Palma)
GUANILLAS
GUARA, SACRAMENTO DE (Ambrosio Surí)
GUARAGUASI
GUAREYRAS (Hato) (Pbtro. Alonso García de Palacios)
GUATAO (Miguel Palomino)
GÜINES, Los
GÜIRA, La (Juan de la Barrera)
HANABANILLA
GÜIRO, El
HATILLO (Ignacio García Brito)
HATO NUEVO
HOYADA, La (Miguel de Pineda)
HOYOS, Los
INFIERNO, El
JAGUA, La (Francisco de Oseguera)
JAGÜEY (Pbtro. Alonso García de Palacios)
JAIBABO (Micaela Bacallao)
JOBO, El (Pedro Pita)
JUAN MARTIN (Lcdo. Antonio Palacián)
LADRONES, Las
LAGUNA DE PIEDRAS
LAGUNILLAS, Las (Juan de Sequeira)
LAJAS, Las (Diego Peñalver)
LECHUGAS, Las

LEYBA, La (Antonio de Agama)
LIMONES (Sitio) (Lcdo. Agustín Fernández)
LIMONES, Corral de (Cristóbal Zayas Fromesta)
LIMONES CHICOS (Joseph Solís)
LIMONES GRANDES
LLANADA, La (Matheo Pedroso)
MAGDALENA, La
MALAS AGUAS
MALCASADO, Rancho de (Agustín de Sotolongo)
MANAGUANA (Inés Luxardo, Francisco Chirino y Cap. Santiago Pita)
MANIMANI (Bernardo Salazar)
MANJUARIES
MARIEL (Sebastián Peñalver)
MARTIN LOPEZ
MATAHAMBRE, Ceja de (Julián González)
MATA TOROS (Hato) (Convento de Santo Domingo)
MAYARI (Hato)
MAYABEQUE (Hato)
MAYAGUANO
MELENA (Juan López Lares y Dr. Bárbaro Rojas)
MINAS, Las
MONTEZUELO
MOSCAS, Las (Juan Fernández)
MOTEMBO (Hato)
MULATO, El
NAVIO (Padre José Y. Díaz)
NOMBRE DE DIOS
OCUJES (Juana Marín)
OJO DEL AGUA (Comisario Lorenzo Montalvo)
OJO DEL AGUA (Bartolomé García Menocal)
PALOS, Los (Ana María de Leyba)
PALOS, Laguna de los (Ambrosio Sotolongo)
PAN DE AZUCAR
PERU, El (Fernando Borroto)
PIEDRAS, Las
PINAL ALTO (Agustín de Sotolongo)
PINALILLO, El (Padres Bethlemitas)
PINAR DEL RIO (Francisco de Cranas)
PITA, La (Colegio de la Compañía de Jesús)
POTRERO, El (Hermanas de Joseph Salazar)
POZAS, Las
PRINCIPES, LOS SIETE (José Armenteros)
PUERTO ESCONDIDO (Juan de Sequeira)
PUNTA DE PALMAS
PUNTA DE PHELIPE
QUEMADO GRANDE
QUIVICAN (J. B. de Zayas)
RANCHO, El (Juan Leandro de Palma)
RANCHO DE CLAUDIO (Comisario Lorenzo Montalvo)
REYES, Los
RIO DE AURAS (Fernando Otero)
RIO BAYAMITO (Pedro de Sierra)

→

Como una solución a este problema de rendimiento diferencial sugerían:

Para que se logre que con igual número de reses se produzcan a razón de... 8 arrobas... es muy proporcionado el pensamiento que abastezcan por los meses de febrero a julio las haciendas de terrenos bajos, ciénagas, quemados [21] y montes fértiles, pues los ganados que pastan por tales parajes en tiempos de seca, que no es cuando más los trillan, aprovechan los pastos en su sazón, y lo mismo acontece a los corrales y tierras de quemados por la contribución de la hoja que arroja la montaña.[22]

Esta solución, basada en razones de tipos de vegetación, fue rebatida en favor de un criterio estacional, o sea, de alternar el turno de la pesa. Defendió tal criterio el regidor Joseph Calvo de la Puerta, quien expuso que en cuanto al repartimiento de las reses de las haciendas

el año generalmente hablando se debe considerar en tres estaciones: la primera y mejor que comienza en los meses de octubre, noviembre, diciembre y enero, en que regularmente todas las haciendas tienen el ganado grueso y florido; en los de junio, julio, agosto y septiembre, no tan pingües, pero están buenos; y en los de febrero, marzo, abril y mayo enflaquecen mucho, a cuyo inconveniente sólo se puede ocurrir conque en el repartimiento de los abastos se tenga presente que todos igualmente gocen del beneficio de asignarles su pesa alternativamente, de suerte que el que la ha tenido en los meses de mayor y mejor rendimiento, sufra después en los estériles a proporción, y de este modo ninguno podrá excusarse de reportar quebranto haciendo antes percibido utilidad, ni el que ha sido quebrantado dejará de gozar beneficio supuesto que la pesa es indispensable en esta isla, donde no hay otra cosa, ni se cogen otros frutos con que mantenerse...

Creía Calvo que su solución debía ser preferida

porque es muy poca la diferencia que se ha de constituir para tal o cual hacienda situada en territorios bajos, ciénagas, quemados y montes fértiles, que aunque no se enflaquezcan sus ganados absolutamente en los meses de esterilidad, tendrá mayor conveniencia cuando se les reporte en los floridos, que estarán más gruesos...

La nueva rueda

El gobernador Caxigal de la Vega resolvió el problema planteado estableciendo un nuevo sistema de *rueda*, por el cual no sólo se hacía conocer a cada hacendado, con suficiente anticipación, el número de reses que debía aportar y la fecha en que debía hacerlo, sino que también se le facilitaba que

en cada 13 meses en que se compone la rueda, vaya descendiendo uno en cada año de los sucesivos para la contribución de la pesa, verificándose por este medio que en 13 años la administrarán los ha-

---

RIO BAYAMO
RIO BLANCO
RIO DE COPEY (Agustín de Sotolongo)
RIO DE DIEGO (Jacinto Díez)
RIO GRANDE (Herederos de Pedro Lorenzo)
RIO HONDO (Sebastián Peñalver)
RIO DE PIEDRAS (Diego Delgado)
ROBLAR, El
RODRIGO ALVAREZ (Sitio) (Cristóbal Galindo)
ROQUE, El (Pedro Pérez Morales)
ROSARIO, El (Miguel de Cárdenas Guebara)
SABANA DE LIMON
SABANILLA, La (Miguel de Otero)
SABANILLA DE LA PALMA
SALADO, El (Hato) (Miguel de Quexo)
SAN AGUSTIN (Lorenzo Contreras)
SAN ANDRES (Francisco de Oseguera)
SAN ANTON DE LA ANEGADA
SAN BARTOLOME (Bartolomé García Menocal)
SAN BLAS
SAN CAYETANO (Joseph Cristóbal de Zayas)
SAN CRISTOBAL (Juan de Sequeira)
SAN DIEGO DE TAPIA
SAN FELIPE
SAN FRANCISCO
SAN FRANCISCO DE LIMONES
SAN FRANCISCO DE LA SIERRA
SAN JOSEPH (Manuel Salgado)
SAN JUAN (Andrés Pablos)
SAN JULIAN (Luis Díaz Pimienta)
SAN LORENZO (Pedro Armenteros)
SAN MARCOS
SAN MARTIN (Sitio) (Luis Díaz Pimienta)
SANSUEÑA, Rancho (Jacinto Barreto)

SANTA ANA (Juan Baptista de Zayas)
SANTA BARBARA
SANTA CRUZ (Ignacio Barruta)
SANTA GERTRUDIS
SANTA LUCIA (Cap. Fernández Otero)
SANTA RITA (Félix Morejón)
SAYBABO
SEIBA DEL AGUA (Antonio Ruiz)
SIERRA, LA
TAPASTE (Juan O'Farrill)
TENERIA (Luis de Fleites)
URUBY
VALLE, EL (Joseph Salazar)
VEGAS, Las (Antonio Palacián)
VIAJACAS (Marqués de San Felipe y Santiago)
VIJA, La (Lorenzo Calvo)
VIÑALES (Diego Peñalver)
XABACOA
XAGUEYES (José de Sotolongo)
XIRIACO
XARUCO
XIGÜE, El
YUMURI (Pedro Lomeñas)
ZARAGOZA, Sitio de

* Entre paréntesis incluimos los nombres de los poseedores que hemos podido identificar en el período que corresponde al padrón, reconstruido por nosotros sobre distintas fuentes documentales.

FUENTES: AGI. Santo Domingo, 499, 507 y numerosos documentos relacionados con operaciones sobre deslindes conservados en otros legajos del Archivo General de Indias de Sevilla.

cendados en los meses buenos y malos de todo aquel tiempo...

Con la medida anterior creía el Gobernador que se lograría

el importante fin de evitar quejas y recursos, que cada uno goce del cómodo y padezca del incómodo que traen con el tiempo y las situaciones de las haciendas, y finalmente, que tanto el rico como el pobre estén gobernados por la misma regla.[23]

Como la escasez era evidente, Caxigal dictó un bando prohibiendo se sacrificara ganado joven, sino de tres años o más, responsabilizando de su cumplimiento a dueños, arrendatarios, mayorales y mayordomos de hatos, quienes debían retener el *ganado nuevo*.[24]

La nueva rueda entró en vigor en 1-I-1754, y por R.C. de 5-X-1755 el Rey pedía el Cabildo habanero informara sobre sus resultados, a fin de que el Consejo de Indias pudiera

formar juicio del perjuicio o beneficio que pueda resultar de su práctica a este común.

El dictamen del alcalde ordinario Dionisio de Berroa fue favorable a la nueva rueda, pues

desde que se hizo notoria y pasó a su ejecución, es de sentir que en manera alguna resulta perjuicio... y si, por el contrario, produce y producirá mucho beneficio a los criadores y al común...,

a la vez que elogiaba el sistema de padrones ganaderos,

Cifras

LAS RACIONES DE CARNE VACUNA

Durante los períodos de escasez de carne de res a través de su largo período de gobierno, Francisco Caxigal de la Vega estableció un régimen de racionamiento que incluía las siguientes cantidades por día, con lo que buscaba evitar

se sacaran porciones desconsideradas de la carnicería:

	Diario	
Vecinos casados y familias conocidas	1 1/2	arrobas
Solteros y viandantes no más, per capita que lo que toque por	1/2	real
Si fueran muchos juntos	12	onzas per capita
Hospital San Juan de Dios	12	arrobas
Hospital de San Lázaro	8	"
Convento de San Francisco	5	"
Convento de Santo Domingo	5	"
Hospicio de San Isidro	8	"
Convento de San Agustín	3 1/2	"
Nta. Sra. de la Merced	1 1/2	"
Colegio de la Cía. de Jesús	3 1/2	"
Convento de Santa Clara	3 1/2	"
Convento de Santa Catalina	1 1/2	"
Convento de Santa Teresa	1 1/2	"
Casa de S. Francisco de Paula	1	"
Colegio - Seminario	1 1/2	"

FUENTE: AHN. Papeles de Indias. Legajo 20.884.

providencia la mas aceptable y util a esta república porque cesó con ella aquel muy arriesgado método con que antes se hacían los repartimientos por meras noticias privadas, sin formal conocimiento ni regla fija.

Los regidores encargados de la rueda se mostraron contrarios. Su argumento más significativo era que el Gobernador había quitado al Cabildo la facultad de regular la pe-

sa, que le venía asignada desde que regían las Ordenanzas de 1574.

En definitiva prevalecería el criterio de la distribución estacional, pero sobre la base de correr los turnos en dos períodos al año y no en tres. En 1758 el Rey, previo informe del Consejo de Indias, aprobaba lo hecho por el Gobernador Caxigal, aunque introduciendo algunas modificaciones al resolver:

Subsista la rueda que ha establecido el Gobernador, a excepción de que la pesa de cada hacendado se divida en dos al año, y hecho el repartimiento por los regidores y reconocido por el Gobernador si está arreglado a la rueda, pasarán, puesta su aprobación en él, los regidores diputados del año a expedir las boletas a los hacendados para que asistan con las pesas como y cuando se les haya señalado.[25]

Los regidores diputados para esta labor preparaban con anticipación las boletas que indicaban a cada ganadero el período que debía servir el ganado y el número de cabezas que le correspondía.

Cuando informaban Aguiar y Chacón en 1750, el aumento de la demanda había dado mayor valor a las reses, lo que era un factor adicional en el proceso de revalorización de la tierra. El mayor precio y renta de la tierra gravitaba, a su vez, sobre el precio del ganado. Ya la pesa, como advertiría años más tarde don Alejandro O'Reilly, era un freno al desarrollo de la ganadería. Aguiar y Chacón estimaban necesaria una nueva escala de precios para que se aquiete el gremio de los hacendados en sus repetidas instancias,

y sugerían como solución que la carne se aumentase en la carnicería a 6 reales la arroba y que se permitiera matar y vender fuera de ella, a 12 reales arroba. Advertían que de no hacerse así

vendrá a valer una res que hoy se considera por 16 pesos, hasta 32 pesos, lo que fácilmente puede reconocerse en vista de que ahora 25 años valían aún menos de 8 pesos, y las carnes saladas 8 reales [arroba]. Lo que ha ocasionado este aumento ha sido el no haberse sujetado los varios medios en que se convierte una res, pues se vende fresca, salada, por arrobas y después por menudeo, en todo va incrementando. Y esto va ocasionando que las tierras de las haciendas se hayan asimismo valorizado, y de ello haber sido cargadas de varios y cuantiosos censos a beneficio los más de obras pías, monasterios y rentas eclesiásticas. Así mismo los diezmos han logrado el excesivo valor que por sus remates se reconoce, y como quiera que no es posible por respeto tan recomendado se repare lo acaecido, al menos para lo sucesivo es muy necesaria la contención, para que no se experimente valer este alimento tan subido precio que ocasiona perniciosos resultados.

El tasajo, que alcanzaba precio más alto que la carne fresca, debía también ser regulado, según Aguiar y Chacón, quienes proponían

al de fuera de la Muralla se le asigne el precio de 14 reales la arroba con 3 días de sol; el que se trae de las haciendas, 2 pesos; el que se conduce por mar, 18 reales, y al menudeo, 20 reales.

Con tales precios, estimaban,

se contendrá todo exceso, el público aliviado y el hacendado incrementado, pues para la buena armonía de la República y la disposición de su abasto, es mas conveniente que el precio sujete al fruto, que no éste a aquel.[26]

Los hacendados, según revelan los documentos, aspiraban tanto a que se les obligara a pesar menos reses, como a cobrar un precio más alto. Deseaban también que al margen de la matanza oficial se les permitiera la matanza *por fuera*. Los regidores se mostraban preocupados por los efectos que sobre la población podrían tener los precios más altos. Había una marcada diferencia de criterios en cuanto a permitir la entrada de los *regatones* en el mercado abierto, sujeto a los altibajos de la oferta y la demanda. El regidor e historiador Arrate prefería la reducción de las reses pesadas a un total de 3.000 anuales, repartidas entre todos los hacendados, en lugar de un aumento de precio. Argumentaba:

Las quejas y clamores con que se hacen creíbles los hacendados el deterioro de sus posesiones, pide mas bien la moderación en los repartimientos no la alza del precio en la carnicería, porque con ésto no puede convalecer de la decadencia en las haciendas.

Sobre los regatones, Arrate mostraba una opinión más favorable, pues con ellos

el común no experimentará en su abasto la mas considerable falta... [pues]... el permiso de los regatones, en que se logrará sino a precio tan acomodado, el hallarse carne más florida, y muchas veces al fiado, con que subvenir a la necesidad, bajo de las precauciones que

se consideraren necesarias y las del precio de cada arroba no pase de 10 a 12 reales...

Calvo de la Puerta se oponía radicalmente a los regatones y alegaba con un criterio económico típicamente medieval, en su opinión al intermediario:

Este asunto de su permisión es muy perjudicial a la República, asentado que semejante clase de gente conspira a utilizarse de la necesidad común, haciendo granjería del abasto, que ha de ser arreglado a peso y medida, que casi es imposible imponérselos por la variedad de sus situaciones...

Y con un criterio ético, propio de la orientación escolástica, salía en defensa de los pobres frente a los poderosos:

pues no será justo que sólo el público que se compone en su mayor parte de gentes pobres y miserables, queden expuestos a pagar por su subido precio lo que compraren, y es la razón que los cuerpos privilegiados, eclesiásticos, políticos y militar, se abastecerán en las carnicerías públicas a precio cómodo, y los miserables se verán obligados a ocurrir a la más cara.

Todos estos antecedentes y opiniones fueron elevados por el Cabildo al Gobernador Caxigal, quien en 3-II-1751 dictó un auto recogiendo las cuatro peticiones de los hacendados a las cuales dio cumplida respuesta:

● Primera petición: Bajar el número de reses diarias por estar quebrantados los criadores.

Atendida en el repartimiento que está hecho al 12 % —en lugar del 14 % anterior—, que rinde 48 pesadas de 8 arrobas por cada día de carne; 30 pesadas los días de precepto. Para Caxigal era esta

carga llevadera si se fomentan las haciendas como disponen las Ordenanzas y bandos y obliga la merced de tierras.

● Segunda petición: Que se permitiese vender fuera de la carnicería carne fresca, para atraer de tierra adentro, reses cebadas y de estancias.
Se providenció por bando de 30-IX-1750

...abriendo pregón para un tajo de vaca florida, que sin inconveniente dice regalo a ricos y recursos a pobres, lo que está suspenso por motivos ajenos, aunque jamás lo habrá para permitir vender carne sin peso, precio y censura pública.

● Tercera petición: Que remediase los abusos que hacían onerosa la provisión.
Resuelta con un bando de 13-XI-1750 regulando las labores de la carnicería.
● Cuarta petición: Que se creciese el precio de la postura.
Estimaba Caxigal aumentado el precio

sin las exhorbitancias que se imaginaran, con la estimación que se ha dado a despojos y bocados,[27]

y con los 40 reales que dejaren libres en carnicería cada 8 arrobas, y lo que alcancen en

las piaras aventureras,

aunque provisionalmente autorizó

se cargue medio real a la arroba usual y se venda por 3 1/2 reales la cañada de media arroba.[28]

En la búsqueda de remedios permanentes, Caxigal ordenó al Cabildo habanero la formación de un catastro y padrón ganaderos, en los siguientes términos:

Como quiera que si no se pone regla a los avalúos de haciendas de criar, como lo hay para los solares de la ciudad, se reproducirán de tiempo en tiempo los motivos que en estos autos se han introducido para alzar el precio de la carne... el Ilustre Ayuntamiento desde luego empiece a trabajar un arancel de territorios por el plan de los partidos y con atención a la calidad de cada terreno, o dado que esto no sea posible por la gran desigualdad que hay dentro de un mismo partido, en que unos son estériles, otros secos, pedregosos o pingües y de aguadas perennes, regulen las reses conforme a sus edades, a la fertilidad que les puede dar cuerpo y sebo, y a las distancias, lo que ha de servir en lugar de las tasaciones arbitrarias que con la contemplación de terceros ha dado motivo al encarecimiento, y aun a los pleitos de recisión de contratos que han sido de difícil determinación por lo variado de las estimaciones.[29]

La reorganización del sistema de la rueda remedió el paulatino despoblamiento de las haciendas y en 1755 el Cabildo, interesado en el *bien del común*, se mostraba partidario de rebajar el precio de la carne de vaca a 5 reales arroba. Caxigal elevó a la Corona todos los informes del caso, después de examinar a

diezmeros, encomenderos de ganado, hacendados y visitadores de Barlovento y Sotavento.

Lo que no habían podido lograr en dos siglos los regidores más preocupados en cuanto a la preservación del Ejido, para utilizarlo como dehesa de las reses del matadero, sobrevino por iniciativa privada, pues no pocos vecinos destinaron tierras próximas a La Habana a *potreros* para el engorde del ganado que traían de sus haciendas. Así comenzaron los potreros a ocupar antiguas tierras de labranza.[30]

Cuando llegó el momento de la verdad, al cesar Caxigal como gobernador y procederse a su residencia, sería informada favorablemente su gestión en cuanto al nuevo tipo de rueda de la pesa que ideara:

Fue tan grande el celo y cuidado en la ordenación del abastecimiento público, que hizo una tan proporcionada y dictada por la prudencia, que hasta hoy existe... estando sobradamente abastecida la ciudad, se ha experimentado que por su distribución ha comido carne con seguridad y justicia, incrementando las haciendas porque prohibiose... se sacasen vacas, sólo viejas y de mala naturaleza.
Fue posible así abastecer las Reales Armadas y autorizó traer ganado de la tierra adentro después de cubrir las necesidades.[31]

El buen resultado de la medida se debió a que —revelaría la Residencia—, utilizó a gente de confianza para saber el número de cabezas que tenía cada hacienda y sobre tales datos hizo

la rueda de repartimiento.[32]

2. UN INTENTO FRUSTRADO PARA ESTABLECER LA HERMANDAD DE LA MESTA EN LA HABANA

Con el propósito de dar a los hacendados habaneros la oportunidad de organizarse para garantizar el abasto, el gobernador Francisco Caxigal de la Vega planteó al Cabildo habanero, a mediados del siglo XVIII, la posibilidad de crear en La Habana una Hermandad de la Mesta, la institución medieval cuya supervivencia había dado lugar en España a tantos conflictos y cuya valoración como instrumento de política económica es todavía motivo de profundos desacuerdos.

En su exposición al Cabildo diría Caxigal:

Sin providencia pública es imposible que dichos hacendados eviten la multitud de persecuciones que padecen y no pueden remediar, sino uniéndose conforme a la Ley Primera, Título V, Libro V de la Recopilación de estos Reinos, en la Hermandad de la Mesta...

Esta disposición, dictada por Carlos V en 1572 para la Nueva España, organizando allí la Mesta, decía:

...y en las demás provincias donde no se hubiere introducido y militare la misma razón que en la Nueva España, hagan el virrey, presidente, Audiencias y gobernadores que se funde la Mesta, para que con mejor concierto y mayor aumento atiendan todos a la cría de los ganados...

Agregaba Caxigal que aunque la Mesta,

por ahora no se formalice, como podrá con el tiempo, será sin embargo de gran provecho, para que reducidos los criadores a la representación de personas honradas e inteligentes, consigan sus justas pretensiones y remedio para los desórdenes del campo... [por lo cual] mandaba y mando que se elijan desde luego tres hacendados idóneos, los que pareciere al cuerpo de ellos, para que hagan sus veces en todo lo que cada uno proveyere a sus respectivos intereses, y con esta provisión miren por los crímenes en el campo y la ciudad, matadero y carnicería, nombrando administradores y asignándoles estipendios del 5 % que hasta aquí han reportado, para que sirvan con la aprobación de este gobierno.

Como advirtiera Caxigal que

no era dable ni conveniente convocar a todos los hacendados,

seleccionó a 21 de ellos, incluyendo a los Oficiales de la Real Hacienda,

para que designen los diputados que han de servir dos años esta vez a fin de que se pueda establecer la Hermandad de la Mesta y para ello meditar los mismos, conviniendo con otros cuatro consultores que nombrará también la junta lo conveniente a la fundación y... por último, pedir confirmación a S. M.

Mediante providencia de 3-II-1751 seleccionó Caxigal a 21 criadores

en unión de Hermandad de Mesta para la dirección, arreglo y solicitud de lo beneficioso y útil al común de los criadores, matanza de reses y la importante expedición en el campo, ciudad y carnicerías.

Los seleccionados escogieron a tres diputados —dos serían el tesorero Agustín de Sotolongo y don Pedro García Menocal— para que en su

poder entrasen los 5 reales que pagaban de comisión a los administradores y encomenderos, que ponían de su cuenta, y otros 2 reales y medio que se reformaron y descontaron de los 7 1/2 rs. que satisfacían por razón de picadura y enjugo a los picadores y operarios para los salarios, gastos y demás respectivos al cuerpo en común de [la] ciudad.[33]

La Mesta habanera, que no llegaría a consolidarse, no comenzó con buen pie. Don José Antonio de Roa, hijo del asesor letrado que tuviese tan lamentable fin[34] y don Rafael de Cárdenas, como delegados de una fuerte minoría de hacendados disidentes, presentaron serias quejas contra el Dr. Bernardo de Urrutia Matos, asesor de Caxigal, quien presidía el Cabildo en su ausencia, y a quien consideraban máximo manipulador del proyecto. Alegaban que en La Habana se sacrificaba en 1751 una media diaria de 48 reses, y se había aumentado el precio de cada una en 10 reales, lo que logró Agustín de Sotolongo con poder del

cuerpo de hacendados,

además de autorización para traer ganado de fuera de la jurisdicción y reses cebadas en las estancias e ingenios y que se pudiese, como se practicaba, picarlas y vender la carne fresca, pues había mayor consumo por las Armadas.

Caxigal redujo el salario de los operarios de la carnicería de 3 reales por pesada de 9 arrobas, a real y medio, y estableció nuevos precios para la carne:

	Reales
Lomos	de 2 a 3
Carne (arroba)	de 5 a 5 1/2
Cañada	de 5 a 7
Lengua	de 1/2 a 1
Cabeza y asaduras	de 1/2 a 1

El conflicto mayor provenía de la organización de la Mesta, que incluía la administración por los diputados del caudal recaudado, el cual se depositaría en una Caja especial y tendría como fondo principal el 5 % que los hacendados pagaban a las personas a quienes encomendaban antes las reses de sus pesas.

Roa y Cárdenas protestaban de que el Gobernador había convocado a unos hacendados y excluido a otros y de que la mayoría nombrada lo era

a contemplación del Dr. Urrutia.

En nombre de los opositores a la Mesta, don Antonio Garro, José A. de Roa y Rafael de Cárdenas negaban autoridad al asesor Dr. Urrutia e insistían en que

no se les perturbase en la posesión de encomendar sus ganados como lo habían hecho hasta ahora,

pues una R.C. de 1741 autorizaba a que no se privase de su libre arbitrio a los hacendados.

Urrutia accedió a que los disidentes eligieran administradores para sus pesas, pero insistió en que debían depositar en la Caja de la Mesta el acrecentamiento del precio. Los quejosos estimaban nulos los acuerdos

Testimonios

REQUISITORIA CONTRA LA MESTA EN LA HABANA

La minoría de hacendados que combatió el proyecto de establecer La Mesta en La Habana acusaba al Dr. Bernardo Urrutia como el

principal movedor de estas ideas,

y rebatía los argumentos favorables al proyecto, defendidos por don Agustín de Soto y don Pedro García, compadres ambos de Urrutia:

● Entre los beneficios de La Mesta estaría

asentar la aniquilación de los perros jíbaros... presuponiendo con falsedad que su abundancia proviene del poco celo que atribuyen a los hacendados, siendo así que no sólo con la mayor vigilancia todo administrador solicita aniquilarlos con escopetas, perros mansos que para ese fin *doctrinan*, los corrales y trampas que arman, hasta en postas de carne ...de res... cerdo... y bestias, les echan tósigos, como un brebaje que llaman *curamgüeig* que no sólo todo el que lo come se muere... el perro que lo encuentre y mastique perece.
Sin embargo de todas las diligencias ... no ha sido ni será dable destruirlos a causa de las montañas tan espesas, breñales, cavernas y cuevas subterráneas que hay en el territorio de la Isla, como eminentes Sierras y todo abrigo y morada de estos animales.
...Se halla patente el ejemplar tan corroborante... de no haberse podi-

do en España acabar con los lobos, en tan llanos y reducidos territorios.
● No es menos ridícula la idea de que La Mesta atenderá a apresurar las epidemias que padecen los ganados.
● Se alegaba que el caudal en caja serviría

para oponerse a las injusticias del repartimiento del abasto, dando a entender será igual la suerte entre el pobre y el rico y en el buen y mal tiempo

y que dos comisarias firmaban el repartimiento en conformidad de las Ordenanzas, y radicado, lo llevaban al Gobernador y éste lo veía y consultaba el tiempo requerido, corregía o aprobaba y después lo pasaba al Ayuntamiento. Pero abrigaban dudas los renuentes, pues de los 23 elegidos para la Junta

son los mas personas de mucho caudal, como autorizados por sus empleos, por sus títulos y siempre han pretendido los mejores tiempos en el repartimiento y lo han conseguido muchas veces,

además, muchos no administran por si sus hatos y los tienen arrendados.
● Finalmente,

el ganado aumenta; no hay hambre.

FUENTE: AHN. Papeles de Indias, Legajo, 2.320.

de la junta celebrada, por los vínculos de parentesco y amistad que había entre los mas de los convocados para ella y no ser adaptables a este país las reglas de la mesta introducida en otras partes, aun en el caso de que se pretendiese esta-

blecer el orden prevenido por las leyes de su Título,

ya que lo que se trataba era de

gravar caudales sin el consentimiento de sus legítimos dueños.

El gobernador Caxigal respondió a la oposición, según ésta, utilizando influencias y *terror*, para que los hacendados más *populares* aceptasen, y envió a los apoderados rebeldes a prisión, acusándolos de *seductores* y les anuló el poder que recibieran. Roa fue enviado a La Punta y Cárdenas a El Morro.[35]

Roa y Cárdenas tenían el respaldo de 81 hacendados y sus alegatos tuvieron eco favorable en el Consejo de Indias. Una R.C. de 1758 desaprobó el establecimiento de la Mesta y ordenó

> reponer las cosas al ser y estado que tenían antes, y se restituyese a sus dueños y respectivos interesados los caudales... retenidos en caja, tomándose... muy serias y rigurosas cuentas... a los administradores o diputados de la Mesta.

Para tomar cuentas fueron designados Sebastián Peñalver Angulo y Antonio Parladorio, pero Roa y Cárdenas los recusaron,

> por decirles adheridos a la parcialidad del anterior gobernador,

y una nueva R.C. de 14-III-1761 decidió se uniesen a los designados, don Lorenzo Montalvo, comisario de Marina y el capitán Agustín de Arrate. Los comisionados comenzaron

> mandando a don Pedro García Menocal presentar la cuenta, con sus recaudos justificados... que advertidamente había recogido... de las porciones que cada uno, y especialmente los opuestos y confederados con Cárdenas y don Joseph Antonio de Roa —que al tiempo se encon-

Hierros utilizados para marcar sus ganados por algunos de los hacendados cubanos en la primera mitad del siglo XVIII. (Fuente: AGI. Santo Domingo, 503).

traba *enfermo de demencia*—, con manifestación del caudal que se mandaba restituir y había puesto el suplicante [36] en Cajas reales.

Según García Menocal, habían apoyado las actividades de la Mesta, 283 ganaderos, entre ellos muchos de los 81 que originalmente dieron su respaldo a Roa y Cárdenas. Y al devolverse los fondos, se confirmó que, con la Hermandad que se desintegró por orden de la Corona, habían logrado operar los hacendados

> contribuyendo... la mitad menos de lo que antecedentemente satisfacían a sus encomenderos y administradores...

En cuanto a los cueros, que los

> vulgares encomenderos... abonaban al dueño de las reses a 2 reales... facilitó su eficaz solicitud del adelanto del ramo hasta el abono de 3 reales... y por último en su mayor crecimiento los tomó de su cuenta, allanando a los dueños 4 reales a la costa de disponer tren para beneficiarlos.

A pesar de la claridad de sus cuentas, García Menocal advertía al Rey contra las nuevas posibles denuncias de Roa y Cárdenas.[37]

La desaparición de la Mesta favoreció especialmente a Joseph Calvo de la Puerta, que había recibido el cargo de regidor y alguacil mayor de La Habana como herencia de su padre, Sebastián Calvo de la Puerta, quien compró al Rey tales oficios por 45.000 reales. Al establecerse la Mesta, Calvo no pudo cobrar los derechos que le correspondían sobre la matanza, por razón de su cargo. La R.C. de 25-VI-1758 ordenó que se continuasen cobrando los 3 reales por res, a favor de Calvo, a cada hacendado, y que los 4 1/2 reales que se pagaban a los picadores por cada pesada de 9 arrobas y 1 1/2 real por enjugue o merma, se redujesen a sólo 2 reales. Calvo, beneficiado de nuevo con su privilegio, se quejaría de que

el año 1761 no sólo le interrumpió este goce un abastecedor particular que expendiendo cuanta carne quería le defraudó en sus derechos [sino que]... se publicó bando para erigir una carnicería de carne cebada y florida, con diversas condiciones, y entre ellas, la de que cualquiera asentista pudiese beneficiar las reses por sus propios operarios y conducirlas con sus carros y mulas, sin las pensiones de las del común público, sobre la cual obtuvo del Gobernador providencia favorable, extensiva aún para los que con motivo de la guerra expendieron carne fuera de la carnicería pública.[38]

3. LA GANADERIA EN LA TIERRA ADENTRO Y EN ORIENTE

El mercado habanero ejerció una fuerte atración sobre los ganaderos de la tierra adentro, al punto de que, en tiempos deescasez la pesa habanera fue impuesta a los ganaderos de Villaclara. Sancti Spíritus contribuyó al abastecimiento de la creciente población habanera con ganado en pie y tasajo. Además, hay numerosa evidencia de que el ganado continuó siendo uno de los elementos más solicitados por los contrabandistas de Jamaica que frecuentaban los puntos de contacto en la costa meridional de la Isla.

Documentos

ISLA DE PINOS, FUNDO GANADERO EN 1755

A... 30 leguas al Sur del Batabanó queda la Isla de Pinos... Su longitud es 30 leguas y su latitud 18. Asegúrase que es abundante de buenos pastos y aguadas, que sus puertos sólo sirven para embarcaciones pequeñas y que las grandes dan en una rada capaz, nombrada Siguanea.
Es infestada de cocodrilos, animales extremadamente atrevidos y voraces. Por este motivo, sin duda, nunca se ha poblado. Don Nicolás Duarte, vecino de esta ciudad y capitán del Batabanó, dueño que se intitula de ella, pensó algún tiempo en ejecutarlo, pero sin efecto; lo que únicamente ha hecho son 5 haciendas de ganado mayor. Habítanla hasta 40 personas.

Obispo Pedro A. Morell de Santa Cruz

FUENTE: AGI., Santo Domingo, 534 (A.A.).

El precio del ganado en la Tierra Adentro era tan bajo en el primer tercio del siglo, que los especuladores de La Habana se aventuraban a comprarlo y llevarlo a la Capital, a pesar de los costos de la conducción y de las pérdidas sufridas en el camino. En 1721, al ser vendido el hato de Santiago de las Nuevas, en la jurisdicción de Santa Clara, los precios asignados a las reses fueron los siguientes:[39]

	Pesos
Vacas madres	3
Terneros de un año	1
Novillos de dos años	2
Novillos de tres años	3

La preocupación del gobernador Güemes Horcasitas por conocer la realidad económica de la Isla, nos

permite disponer de valiosa información sobre el estado de la ganadería hacia 1737 en la Tierra adentro.[40]

Según estos datos el número de hatos y corrales era:[41]

Juridicción	Hatos	Corrales	Total
Santa Clara	—	—	83
Remedios	10	37	47
Trinidad	27	16	43
Sancti Spíritus	40	28	68
Puerto Príncipe	62	21	83
	139	102	324

El precio del ganado iría en aumento en la tierra adentro, particularmente a partir de 1740, según confirman distintos documentos. En las primeras cuatro décadas del siglo era tan abundante el ganado en Sancti Spíritus, que nunca ha perdido su condición de área ganadera de primer orden, que según un historiador local, había pugnas

por cual debía ser preferido a dar el abasto público... hasta los años de 1740; y sucedió haber individuo que se llevaba pesando los 6 meses del año. Infiérese de esto lo sobranceras que estarían las haciendas, y el poco o ningún valor que tendrían vendidas en pie o en aventureras.
Hay documentos públicos que justifican ventas de haciendas al precio de 3 pesos la res, las bestias [caballos] a 8 pesos y los puercos a dos.[42]

La ganadería fue, desde temprano, actividad básica en Sancti Spíritus. En 6-IV-1743 los hacendados capitán Pedro de Castañeda, Marcos Fernández e Isidoro Rensoli, recordaban al Cabildo que

No tiene esta villa mas cimientos en que mantenerse que en el corto ramo de las haciendas,

(sigue en la página 210)

PADRON DE HACIENDAS GANADERAS EN LA TIERRA ADENTRO (1737)

El interés del gobernador Juan Francisco Güemes Horcasitas por conocer la realidad económica de Cuba, con vistas a sus planes de fomento comercial, le llevaría a ordenar un padrón general de las haciendas ganaderas de la *tierra adentro*, el cual incluimos a continuación.

Debido al carácter local de los padrones, hay entre ellos notables diferencias formales. Así, mientras en el de Santa Clara no se incluyen los nombres de los propietarios de las haciendas, hay una cuidadosa información sobre los comuneros que explotan las haciendas de Trinidad, Sancti Spíritus y Puerto del Príncipe. En Remedios casi todas las haciendas tenían un solo propietario, como ocurría en Santa Clara, según revelan otras fuentes.

REMEDIOS (EL CAYO)

AGUACATE, El (Corral), Beatriz de Roxas.
ALICANTE (Sitio), Salvador del Portal.
BAMBURANAO (Corral), Gregorio de Roxas.
BARACOA (Corral), Joseph Antonio Gómez.
BIÑA (Sitio), Beatriz de Roxas.
BUENAVISTA (Corral), Salvador del Portal
CAGUANES (Hato y sitio), Josep Manso de Contreras.
CAIBARIEN (Corral), Beatriz de Roxas.
CAICAGE (Corral), Andrés de Consuegra.
CAMAJUANY (Corral), José Triminño.
CANGREJO, El (Corral), José Crespo y Salvador del Portal.
CENTENO (Corral), José Manso de Contreras.
CIEGO, El (Hato), Gaspar Ransolí.
CITIO, El (Corral), Juan Félix de Monteagudo.
CUPEY (Hato), Juan de Loyola.
CHARCO HONDO (Corral), Joseph Antonio Gómez.
EMBARCADERO (Corral), Juan de Monteagudo.
GINAGUAYABO (Corral), Cap. Diego Sarduy, alcalde.
GUADALUPE (Corral), Juan de Loyola.
GUAJABANA (Corral), Beatriz de Roxas.
GUAJEN (Sitio), Pedro de Beitía.
GUANABANABO (Hato), José Antonio Gómez.
GUANIGIBES (Corral), Juan de Loyola.
GUAYNABO (Corral), Bartolomé Manso de Contreras.
GÜEYBA (Corral), Salvador del Portal.
HERNANDO (Hato), Phelipe de Quiñones, Andrés de Loyola y José Meléndez.

IBARRA (Sitio), José de Moya.
LAGUNA, La (Sitio), Joseph Antonio Gómez.
MAGDALENA, La (Corral), Joseph Manso de Contreras.
MAMEY, El (Corral), Salvador del Portal.
MANACAS (Corral), Juan Ximénez.
MAYAJIGUA (Corral), Bartolomé Manso de Contreras.
MELGAREJO (Sitio), María Ventura.
PEDRO BARBA (Hato), Cap. Bartolomé Hernández de Medina.
POTRERO, El (Sitio), Juan de Loyola.
RIO DE PIEDRAS (Corral), Pedro de Beitía.
SAGUA (Corral), Pedro Pérez de Prados.
SAIBABO (Corral), Bartolomé Manso de Contreras.
SALAMANCAS, Las (Sitio), Sag. Mayor Juan Pérez de Prado.
SAN AGUSTIN (Corral), Joseph Manso de Contreras.
SAN ANDRES (Corral), Cap. Luis Pérez de la Cruz, alcalde.
SAN BARTOLOME (Corral), Juan y Francisco de Espinosa.
SAN BARTOLOME DEL COROJAL (Hato), Juan Ximénez.
SAN FRANCISCO (Corral), Gerónimo González.
SAN JOSEPH DE PALMARITO (Sitio), Joseph Antonio Gómez.
SAN JOSEPH DE YERA (Corral), Miguel Bidal.
SAN PHELIPE (Hato), Juan Ximénez
SANTA CLARA (Hato), Fernando de Consuegra y Gerónimo González.
SANTA CRUZ (Corral), Andrés Manso de Contreras.
SANTA FE (Hato) Cristóbal de Moya.
SANTA ROSA (Corral), Juan Ximénez.
SIERRA, La (Corral), Joseph Antonio Gómez.
TABAYABON (Corral), Sgto. mayor Juan Pérez de Prado.
VEGA ALTA (Corral), Salvador de Carrazana.
VUELTAS, Las (Corral), José de Moya.
YAGUAJAY (Corral), Andrés Manso de Contreras.
YAGÜEY (Corral), Beatriz de Roxas.
YAGÜEY (Sitio), Andrés Manso de Contreras.

SANTA CLARA

AGABAMA (Sitio).
AJOSINADO (Sitio).
AMARO (Hato).
ANTON DIAZ (Hato).
BAEZ (Sitio).
BAGA (Corral).
BERMUDA, La (Sitio).
BIAFARA (Sitio).
BIAMONES (Hato).
BIANA (Corral).

BIANA (Hático).
BUENAVISTA (Hato).
BUENAVISTA (Córral).
CAGUAGUAS (Corral).
CALABAZAS (Corral).
CAMARONES (Hato).
CARAHATAS (Corral).
CAUNAO (Hato).
CAUNAO (Sitio).
CIEGO MONTERO (Hato).
CIEGO ROMERO (Hato).
CIFUENTES (Sitio).
CORRAL DE LA CRUZ (Sitio).
CORRAL ORTIZ (Sitio).
CRUCES, Las (Hato).
CURRESUELA (Corral).
DESCANSO, El (Sitio).
DOS HERMANAS (Corral).
EMBARCADERO (Corral).
ESCAMBRAY (Hato).
ESPAÑOL, El (Sitio).
GODOY (Sitio).
GRANDE (Sitio).
GUARACABULLA (Hato).
GUATA
GÜINES, Los
HOYO, El (Hato).
JAYAGAN (Hato).
JUMAGUAS, Las (Hato).
LAGUNAS DE MORDAZO (Hato).
LAJAS, Las (Hato).
LOMA ALTA (Sitio).
LUGONES, Los (Sitio).
MAGDALENA, La (Corral).
MAGUEY (Corral).
MAL PAIS (Sitio).
MALEZAS (Hato).
MANAJANABO (Sitio).
MANICARAGUA LA MOZA (Hato).
MANICARAGUA LA VIEJA (Hato).
MATA (Hato).
MINAS, Las (Hato).
MINAS BAJAS (Sitio).
NOMBRE DE DIOS (Corral).
PALMAREJO (Corral).
PELO MALO (Sitio).
PEREYRAS, Los (Sitio).
PLATANAL, El (Corral).
POTRERILLO (Hato).
POTRERO, El (Sitio).
QUEMADO DE GÜINES (Hato).
RANCHUELO (Sitio).
REGLA (Sitio).
ROBLES, Los (Corral).
SABANAS NUEVAS (Sitio).
SABANILLA, La (Corral).
SAN BARTOLOME (Sitio).
SAN DIEGO (Corral).
SAN FRANCISCO (Corral).
SAN GIL (Corral).
SAN JOSEPH (Corral).
SAN JUAN (Corral).
SAN JUAN (Corral).
SAN LORENZO DEL DATIL (Hato).
SAN MARCOS (Hato).

SANTIAGO (Hato).
SANTO ANGEL (Corral).
SANTO DOMINGO (Sitio).
SEIBABO (Sitio).
SIERRA, La (Hato).
TORRE, La (Sitio).
TUYNUCU (Corral).
YABU (Hatico)
YABU (Corral)
YCOTEAS (Corral).
YERAS, Los (Corral).
ZUAZO (Hato).

TRINIDAD

ALGABA (Hato), distintos sitios en sus 4 leguas diametrales *El Corojal* y *Río de Ay* (Regidor Francisco Ortiz y Salvador Fernández de Lara el joven); *El Cobre* y *Santa Ana* (doña Rita Fernández de Lara, doncella); *Mayaguana* (herederos de Juan Vázquez Lucas y otros); *Birama* (Cristóbal Gutiérrez); *San Francisco* (Joseph Pérez de Corcha) y *Caimiabo* (Cap. Joseph Rodríguez).
ALONSO SANCHEZ (Hato), Bonicio de Mendoza, Juan Bautista Gutiérrez, Francisco de la Peña y otros, con distintos sitios, en cuyo territorio tiene el que nombran *Guanigiabo*, de ganado menor.
ARACA (Corral), Regidor Marcelo Fernández Morera.
BAULLUAS (Corral), Antonio Fermín de Salaverría y Miguel Segarte.
BUENAVISTA (Corral), Salvador de León (Medio poblado de ganado menor, por labranzas de distintos dueños en su territorio).
CABAGAN (Hato), Sargento Martín de Olivera (Un solo sitio de ganado mayor en *Guaniana*, por sierras y asperezas).
CARACUSEY (Corral), Doña María Candelaria Gutiérrez, regidor Francisco Ortiz y capitán Antonio Gutiérrez, moreno libre, como dueños principales, y otros.
CANAS, Las (Hato), Salvador Fernández de Lara (Despoblado por inútil).
CARTAGENA (Corral), Juan Cardoso.
CAUNAO (Hato), Hijos del regidor Juan de Toledo y doña Gertrudis Castellanos.
CIEGO ALONSO (Hato), Esteban de Villalobos, Esteban Henríquez, Miguel de Espejo, Sebastián del Puerto y Miguel de Quejo, con diferentes sitios.
CIEGOS DE PONCIANO (Hato), Doña María Candelaria Gutiérrez (despoblado por inútil para crianza).
CUMANAYAGUA (Hato), Antonio de Arbelaes y cap. Mario de Aguila, vecinos de Villaclara (Sitios incluidos Barajagua, Janabanilla (sic), Viafara, Los Jíbaros y el asiento principal).
CORRALILLO, El (Corral), Esteban de Morejón (con el agregado del sitio Los Guaos).
GAVILAN (Hato), Marín y Magdalena de Sicilia; Antonio Pérez Costilla, Lucas Pérez Dianis, Ana Sánchez Gamero, doncella, y los herederos de Juan Beltrán el anciano, con los sitios de cerdos siguientes *Gavilancito* (Antonio Fermín de

Salaberría); *La Sierra* (Juan Francisco Hernández de Rivera, Fernando Moreno, Valentín Moreno y Pascual Sánchez); *Mataguá* (Antonio Pérez Corcho y Felipe de Oquendo).
GUINIA DE ABAJO (Corral), Joseph Pérez de Corcho (incluye el sitio del *Saltadero*).
HELECHAL, LOMA DEL (Hato), Blas Hernández de la Candelaria. (No poblado por moderno).
JURAGUA (Hato), Juan Antonio Trujillo (Lindante con la fortaleza de Jagua).
LIMONES (Corral), Joseph González.
LLANADAS, Las (Hato), Vicente Gómez (despoblado por las continuas lluvias y frío en sus serranías. Se ha perdido y alzado el ganado metido en distintas ocasiones).
MOSCAS, Las (Corral), María y Magdalena de Sicilia y Dionisio Toscano.
MUÑOZ (Hato), Sargento mayor Martín de Olivera (Poco poblado tierras agrias y pocos quemados).
PALMAREJO (Corral), Herederos de Juan González de Iglesias.
PERALTA (Hato), Alcalde José de los Reyes Carvajal, Gerónimo de Díaz y Miranda, Valentín de Ayala, Juan Lorenzo de Prado, Alonso de Quesada, Florentín Rodríguez Pinto, María Bernal de Escaños, alf. mayor José García del Cerro, Martín Cabello y otros. (Donde el vecindario hace pastar sus bestias y vacas de leche).
PITAJONES (Sitio), Doña María Candelaria Gutiérrez.
POTRERILLO (Hato), Nicolás de Pablo Veles y Andrés de Miranda.
PUEBLO VIEJO, Hijos del capitán Luis Pérez Corcho.
QUEMADO ANGULO (Hato), Salvador Fernández de Lara el joven (sin sabanas, con algunos quemados en sus tierras fragosas por las muchas serranías, poca crianza).
SABANILLA, La (Corral), Cristóbal Sarduy, vecino de Villaclara y otros.
SALADO, El (Hato), Juan Esteban de Sosa, Juan Parejas, Salvador Fernández de Lara e hijos de Juan Lorenzo Ortiz (Tres sitios *Lajas*, Seybabo y el asiento principal).
SAN ANTON (Corral), Pedro Hernández Delgado.
SAN ESTEBAN (Corral), Salvador Fernández de Lara y otros.
SAN FELIPE (Hato), Joseph de Leyba, vecino de La Habana.
SAN FRANCISCO DE PERALEJOS (Hato); EL AGUACATE Y SITIO DE NARANJOS, Miguel Segarte. (Despoblados e inútiles para ganados por lo fragoso y frío de las sierras que las hace inhabitables).
SAN GERONIMO EL BAGASAL (Hato), Salvador Fernández de Lara.
SAN JOSEPH (Sitio), Domingo González Bello y Michaela González (incluido en el territorio de Ciego Montero de la jurisdicción de Santa Clara).
SAN JOSEPH DE QUEMADO GRANDE (Hato), Manuel de Consuegra, vecino de Villaclara (Corto territorio por estar situado en el mismo paño de tierra del hato *Las Minas de los Santos*, jurisdicción de Villaclara).

SAN JUAN (Corral), Agregado a Baulluas y de los mismos propietarios.
SAN JUAN DE LETRAN (Hato), Pedro Saserio.
SAN MATHEO (Corral), Luis Rodríguez.
SAN PEDRO (Hato), María Domínguez, Phelipe Oquendo, Thomás de Herrera, Luis Montalbán, Domingo de Zúñiga y el capitán Joseph Rodríguez en la cría de cerdos de *Las Cabezadas*.
TIERRAS NUEVAS (Hato), Herederos de Diego de Bravo (casi despoblado).
TURQUINO (Hato), Alférez mayor de La Habana Gonzalo Recio de Oquendo. (Unido al hato Jabacoa de la jurisdicción de La Habana y parte de su mayorazgo).
URIBI (Corral), Antonio Castilla.
YAGUANANO (Hato), Matheo y Juana Calderón y Antonio Urristi.

Corrales distribuidos para estancias e ingenios:
CACAYBAN
CALASNA
CARACUSEY
MAGUA
MANACAS
SABANILLA

SANCTI SPIRITUS

ALONSO SANCHEZ (Hato), Sebastián Melero.
ARADO, El (Corral), Cap. Sebastián Ponce.
ARRIERO, El (Corral), Tiburcio Marín, Juan Brisio Díaz y María Marín.
ARROYO BLANCO, Joseph de Quesada.
BACUINO (Corral), Diego de Cañizares, el menor, y Bartolomé Quijano, vecino de El Cayo.
BANAO, CUABAL DE (Hato), Cristóbal de Valdivia.
BANAO, LIMPIOS DE (Corral), Regidor Blas González de Alverja, Agustín Ximénez, Pedro Fernández Morera, Beatriz de Meneses y los herederos de Gaspar de Salas (6 sitios).
CABAIGUAN (Hato), Joseph González y Cap. Pantaleón Fernández (2 sitios).
CACARRASAS (Hato), Luis y Manuel de Cepeda.
CALABAZAS (Hato), Sebastián Vaca y Cap. Pantaleón Fernández (2 sitios).
CAOBAS (Corral), Josep López de Oivedo.
CAYAJANA (Hato), Hospicio de Jesús Nazareno.
CAYMIABO (Hato), Juan González Colona, Manuel Gómez, Cap. Sebastián Morgado, Pedro de Valdés, Cristóbal González, Antonio y Juan Gómez, Gregorio Gómez, Gerónimo de Aquino, Andrés Solís, Eusebio de Molina, Santiago de la Madriz, Manuel de Leyba, Juan Francisco Félix, Pedro de Prados, Thomás Goví, Francisco de Peralta, Gerónimo Benítez, Ignacio de Ortiz, Salvador Ortiz, Gregorio de Ortiz (tiene 21 sitios con el principal).
CAYMIABO (Corral), Santiago de la Madriz.
CERROS, Los (Hato), Beneficiado Silvestre Alonso.
CIEGO DE AVILA (Hato), Joseph Chamendía, doña Damiana Pacheco, Cristóbal Chamendía,

Juan Chamendía y herederos de Phelipe Bernal Pacheco (contiene 5 sitios con el principal).

CIEGO DEL GALLEGO (Hato), Reg. Blas González de Alverja y herederos del Cap. Silvestre Ximenes (2 sitios) (agregado a Trinidad en cuanto a pesa).

CIEGO DEL POTRERO (Hato), Gabriel Pérez, Francisco Venegas y Miguel Palmero (3 sitios).

CIEGO DE LA VIRGEN (Hato), Lucas de la Cruz.

CONCEPCION, La (Corral), Dionisio de Leyba.

CUCHILLOS (Corral), Alf. mayor Juan Bautista Gallo.

DEDOS, Los (Hato), Thomás Gómez (1 sitio).

DEMAJAGUA (Hato), Miguel Palmero y Gabriel Pérez.

DOS HERMANAS (Hato), Lcdo. Marcos de Valdivia.

GAVILANES (Hato), Juan Brisio Díaz.

GUANANO (orral), Cap. Antonio de Fábrega.

GUAYOS, Los (Corral), Cap. Antonio de Fábregas.

GUINIA (Hato), Salvador de Lara, Blas y Francisco de Miranda, Diego y Faustino Bravo, vecinos todos de Trinidad (5 sitios).

GUIROS, Los (Hato), Andrés de Solís y Juan Fernández Calona.

HATIBONICO (Hato), Francisco Carvajal Montejo.

HABITONICO (Corral), Juan Joseph Legasi.

HAVARCA (Hato), Lcdo. Juan Joseph de Castañeda y doña Ana de Carmona.

HICOTEAS (Hato), Mario Marín, doña Mariana Pacheco y Alf. mayor Juan B. Gallo.

IGUARA (Hato), José, Agustín y Ambrosio de Quesada (3 sitios).

IGUARA (Corralillo), Joseph de Quesada.

JOBOSI (Hato), Cap. Antonio de Fábrega, Juan Joseph de Sosa, Francisco de Valdivia, Miguel Palmero, Juan José Legón, Gabriel de la Reguera (6 sitios).

JUAN RODRIGUEZ (Corral), Juan Andrés Pérez y regidor Blas González de Alverja.

JUMENTO, El (Hato), Manuel de Consuegra (vecino de Pueblo Nuevo o Villaclara).

LAZARO LOPEZ (Corral), Alf. mayor Juan Bautista Gallo.

LLALLABO [Yayabo] (Hato), Ambrosio de Guzmán, regidor Agustín de Castañeda, Diego de Guzmán y Tiburcio Marín (4 sitios).

LLANADAS, Las (Corral), Gerónimo Rodríguez Venegas.

MABUYA (Corral), Bartolomé Quijano (vecino de El Cayo).

MACAGUAVO (Hato), Pedro Venegas, provincial de la Sta. Hermandad, con 2 sitios y Juan Brioso Días, otros 2.

MANACAS (Corral), Miguel Palmero.

MANACAS DE LAS MINAS (Corral), Gerónimo Rodríguez Venegas.

MARROQUIN (Corral), Faustino Marín.

MINAS, Las (Hato), Gerónimo Rodríguez Venegas, tte. de la Real Hacienda, y Juan Farfán de los Godos.

MORON (Hato), Nazaria González, viuda, Lcdo. Cristóbal Carmona, Juan de Ortiz, Pablo de Valdivia, Cristóbal Toledo (vecino de Pto. Príncipe), y Juan Guerra (vecino de Pto. Príncipe) Contiene 6 sitios.

NARANJOS (Corral), Juan Joseph Marín.

NAUYU (Hato), Tomás Gómez, Juan Rodríguez de Arbor, Bernabé Pérez, Joseph de la Raya (4 sitios).

NEIVA (Hato), Dionisio Días y Domingo Días de la Vega (2 sitios).

NUEVAS, Las (Hato), Joseph Días de la Vega.

PEDRO BARBA (Hato), Pedro García, Juan de Rojas (vecino de El Cayo), Antonio Méndez, Bartolomé Hernández de Medina, Joseph y Juan Crespo y Magdalena de Roxas (vecina de El Cayo) (7 sitios).

PELADA, La (Corral), Regidor Luis de Cañizares, Joseph de Estrada y Pedro Cañizares.

PERROS, Los (Hato), Cristóbal Pérez (vecino de El Cayo).

PIEDRAS, Las (Hato), Nazaria González, viuda y Cristóbal Toledo, vecino de Puerto Príncipe.

PUEBLO VIEJO (Hato), Urbano de la Regoítía, Lcdo. Marcos de Valdivia, Eusebio de Molina, regidor Blas González Alverja, Francisco Chamendía, Santiago de la Madriz, Petronila de la Nueza (contiene 8 sitios incluyendo el principal).

POZAS, Las (Corral), Silvestre Alonso, María Díaz y Andrés Muñoz.

QUEMADITO DE VALDES, Capitán Juan Gutiérrez.

QUEMADO, El (Corral), Miguel Palmero.

QUEMADO DE ALVITES (Corral), Manuel de Consuegra (vecino de Pueblo Nuevo).

QUEMADO GRANDE (Hato), Cap. Antonio de Fábrega y Juan Joseph de Castro.

RANCHUELO (Hato), Juan Rodríguez de Arbor (contiene un sitio).

RIO ABAJO (Corral), Juan Joseph Marín.

RIO GRANDE (Hato), Alf. mayor Juan Bautista Gallo.

RIO HONDO (Hato), Manuela de Montalván, vecina de Trinidad, ciudad a la cual corresponde la pesa.

RIVERA (Hato), Alf. Juan Yardín y herederos de Phelipe Bernal Pacheco.

SABANA DE LA MAR (Hato), Doña María González, Juan Francisco Bernal, Sebastián González, doña María Bernal, Crisanto Pérez (vecino de Trinidad), Matheo de la Cruz, Pedro García, Marcos Camacho, Lucas de la Cruz, herederos de Cosme de la Cruz y Marcos de Sosa (12 sitios). Agregado a Trinidad en cuanto a la pesa.

SABANILLA (Corral), Cap. Juan Gutiérrez.

SABANILLA DE BERNAL (Corral), María Ana Méndez.

SAN FELIPE (Hato), Dionisio de Leyba.

SAN FRANCISCO (Corral), Herederos de Felipe Bernal Pacheco.

SAN JUAN (Corral), María González (vecina de Trinidad).

SAN MARCOS (Hato), Herederos de Phelipe Bernal Pacheco y doña Ursula Baptista de Alemán (2 sitios).

SANTA LUCIA (Hato), Cap. Juan Isidoro Pérez y herederos de Juana Pérez (2 sitios).

SASSA [ZAZA] (Hato), Francisco Chamendía.

SEPEDA (Corral), Regidor Blas González de Alverja.

SIERRA, La (Corral), Gerónimo Rodríguez Venegas.

SIGUANEY (Corral), Lcdo. Gerónimo Ramírez.

TAGUASCO, LIMPIOS DE (Hato), Miguel Palmero, Gabriel Pérez, Pedro Baracaldo (3 sitios).

TRILLADERA, La (Corral), Cap. Antonio de Fábrega.

TURIGUANO, Isla de (Hato), Lcdo. Cristóbal Carmona.

TUINUCUM [TUINUCU] (Hato), Beneficiado Silvestre Alonso, Esteban de Soria y Manuel Gómez.

VARAGUA (Hato), Joseph Chamendía.

VEGAS DE MABUYA, Las (Hato), Bartolomé Quijano, vecino de El Cayo.

VIJABO (Hato), Miguel Palmero y Gabriel Pérez (2 sitios).

VUELTAS, Las (Hato), Domingo Díaz de la Vega y Gabriel Pérez (2 sitios).

PUERTO PRINCIPE

ALTAMIRA (Hato), Jacinto, Manuel y María Sánchez.

ARRIBA (Hato), Thomé del Risco, Pedro del Risco, Josepha de Ledesma, Juan de la Rosa, Marcelo Hernández, Francisco Carvajal, Ana de Varona, Luis Guerra de Socarrás, Juan Hernández, Cruz de Acosta, Agustín de Basulto, Agustín Pardo de Aguiar, Juan Bueno, Fulano García, Damián García, Claudio de Acosta, Nicolás Porro, Joseph de Estrada.

BARAGUA (Hato), Pedro de Zayas.

BAYNOA (Hato), Nicolás de Miranda, Pedro Pedroso, Francisco de Moronta, herederos de Juan Castro, Salvador Guillén, Roque de Nápoles, Francisco Valdés, Juan Antonio de Alcántara.

BIALLA (Hato), Alonso Manuel Cristóbal de Nápoles.

BIARO (Hato), Eugenia de Acacio.

BUENAVENTURA (Hato), Carlos de Bringues.

CABRERAS, Las (Hato), Gregorio Sánchez.

CAJOBABO (Hato), Ana de la Torre.

CARACAMISA (Hato), Antonio de Puebla, Bartolomé Lastra, Francisco de la Torre y Francisco Fernández, crían vacas y se compone de más de 100 estancias.

CARRASCO (Corral), Juana de Molina.

CASCORRO (Hato), Gaspar de Betancourt y María de Miranda y sus tres hijos menores.

CAUNAO (Hato), María Sánchez, Ana de la Torre, Gregorio de Molina, León y Cayetano Griego, Francisco García, Juan de Pedroso, Diego García y 3 cuñados suyos y Luis Martínez.

CAYRIGE (Hato), Juana de Varona y Cristóbal de la Torre.

CERCADO PEQUEÑO, El (Hato), Francisco de la Torre.

CIEGAS, Las (Hato), Bartolomé, Dionisio y María Guerra.
CIENAGA, La (Hato), Juan Guerra.
CIENAGA, La (Corral), Carlos de Bringues el joven.
CONTRAMAESTRE (Hato), Fernando de Varona. Petronila de la Torre, Andrés González Ortega, Faustino de Miranda y Ana de la Torre.
CUMANAYAGUA (Hato), Juan Basurto Fernández.
CURAJAYA (Hato), Agustín de Varona, Jacinto Recio y Fernando de Varona.
CHORRILLO (Corral), Carlos de Bringues el jeven.
DESEADA, La (Corral), Pedro de Agüero.
ESPINOSA (Hato), Carlos de Bringues el mayor.
GARCIA (Hato), Lcdo. Alonso de Agüero, Pbtro., Alonso Tozo, Andrés Baquero, Fernando de Varona, Melchor Baptista y Juan Baptista.
GORDAS, Las (Corral), Juan de Nápoles el mayor.
GRACIAS A DIOS (Hato), Gregorio Sánchez.
GUANABACOA (Corral), Asensio Guerra.
GUANAJA, La (Hato), Juan de Varona.
GUANAMACA (Hato), Ana de Varona.
GUANAVISI (Hato), Elena de Varona y Alonso de Estrada.
GUAYCANAMAR (Hato), Manuel Borrero, Salvador de Cisneros y Eusebio de la Torre.
GUAYMARILLO (Hato), Juan de Nápoles el mozo.
GUAYMARO (Corral), Juan y Esteban García.
HATO DE ARRIBA, Juan de Proenza.
HATO VIEJO, José de Socarrás.
IMIA (Hato), Bernabé Sánchez el mayor, Benf. Joseph Sánchez y Fernando Sánchez.
JIBACOA (Hato), Diego de la Torre.
JIMAGUAYU (Hato), Francisco Gutiérrez, Aldonza de Ortega y María de Ortega.
JOBABO (Corral), Claudio de Villavicencio.
LANA (Corral), Juan García.
MAGANTILLA, La (Hato), Juan López y Francisco de Almeyda.
MAGARABOMBA (Hato), Francisco Simón Peláez y Domingo Guerra.
MALA FAMA, La (Hato), Antonio de Figueroa, Pedro González y Severino de Rebueltas.
MALA RECUA, La (Hato), Domingo Ramos.
MANAJA (Corral), Augusto de Varona.
MANGALARGA (Hato), Juan Rodríguez, Francisco de Arteaga, Carlos de Bringues el mayor.
MAYANABO (Hato), Lcdo. Antonio Borrero.
MINA, La (Hato), Sebastián Martínez.
MIRAFLORES (Hato), Carlos de Bringues el mayor.
MUÑOZ (Hato), Gerardo Boza, Pedro Baptista, Blas de Socarrás y Ana de Socarrás.
NAHASSA (Najasa) (Hato), Luis Guerra, Salvador de Viamonte, Carlos de Bringues y Félix de Viamonte.
PACHECO (Hato), Gil de los Reyes.
PALO QUEMADO (Corral), Esteban García.
PALOMINO (Hato), Ana de la Torre.
PORCALLO (Hato), Joseph de Loynaz.
PORTILLO, El (Corral), Carlos de Bringues el joven.

QUEMADA, La (Hato), Pedro Recio.
QUEMADO, El (Hato), Juan Recio.
REMEDIOS, Los (Hato), Fernando de Varona y herederos de Diego de Varona.
RIO BLANCO (Corral), Carlos de Bringues el joven.
RIOJA, La (Hato), Benf. Joseph Sánchez, Bernabé Sánchez el menor y Felipe Sánchez.
RIPIOS, Los (Corral), Diego de la Torre.
SABANA DE LA MAR (Hato), Fernando de Arteaga.
SABANA GRANDE (Hato), Bernardo Muñoz, Silvestre Caballero, Juan de Contreras, Juan de Zayas, Gaspar Muñoz, Pedro Pasqual, Juan de Velasco, Francisco de Rojas, Nicolás de Miranda, Juan Ramírez, Juan Francisco de la Torre, Andrea de la Torre, Blas de la Torre, Joseph Alvarez, Joseph Miranda, Pedro Viamonte, Juan de Zayas, María de Castro, Fernando de Varona, Eusebia de la Torre, Luis de Quesada y Cayetano de Quesada.
SAN ANTONIO (Corral), María Bergara.
SAN CLEMENTE (Corral), Agustín de Sánchez.
SAN GERONIMO (Hato), Juan de Nápoles, Lázaro Sánchez, Juan de Socarrás, Francisco de Socarrás, Juan Ginés, Bernardo Consuegra, Juana Ramírez, Joseph Hernández y Pedro González.
SAN JUAN (Hato), Salvador de Cisneros.
SAN PEDRO (Hato), María Jacinta Camarera, Gabriel del Risco, Salvador Basurto, Thomás de Sosa, Juan de Varona, Juan de Nápoles Hernández, Dionisio Carvajal, Juan de Nápoles Guzmán, Juan Pardo de Aguiar, Ana de Zayas, María de Ortega, Francisco de Velasco, Eugenia de Ortega, Thomás de Sosa el mayor, Pablo Aguirre y Manuel de Rocha.
SANTA MARIA (Hato), María de Ortega, María de Zayas, Aldonza de Ortega, herederos de doña Graciana de Ortega.
SEVILLA (Corral), Gaspar de Betancourt.
SEVILLA LA VIEJA (Corral), Antonio Rodríguez.
SIVANUCUM (Corral), Joseph Carmenate y consortes.
TRES LEGUAS, Las (Corral), Pedro Romero.
TRINIDAD (Hato), Santiago de Aguero, Thomás Geraldo, Joseph de Piña, Jacinto Manuel, Pedro Clavel, Martín de Agüero, Antonio Naharro, Francisco Guerra, Eusebio de Villanueva, Blas, Juan y Cristóbal de Agramonte, Bernardo Montejo, Rafael Perdomo y Francisco de Quesada.
VERTIENTES (Hato), Joseph Mirando y su hijo, Cristóbal de Socarrás, Marcos Guerra, Salvador Moreno, Bernabé Díaz, Francisco de Velasco, Nicolás de Arrieta, Juan Xinés, Juan Manuel López, Thomé del Risco y Francisco de Velasco Pacheco.
VISIO, El (Hato), María Teresa y Manuela de Lagos y Ortega y María de Zayas.
XIGÜEY (Hato), Diego Félix de Arteaga.
YAGUAJAY (Corral), Thomas Pereyra.
YAGUAS, Las (Hato), Francisco de Varona.

FUENTE: AGI. Santo Domingo, 384 (A.A.).

Testimonios

REGULACIONES Y ESTRATIFICACION

La carne, elemento básico de la alimentación, adquiría tal importancia dentro de la vida cotidiana, que los cabildos y los gobernadores regulaban estrictamente el expendio.

Un ejemplo de cómo esta tendencia se manifestaba, acompañada de una clara reafirmación del orden estamental, lo encontramos en las disposiciones dictadas por Francisco Joseph Gutiérrez Rivera, teniente gobernador de Sancti Spíritus, en 1743, sobre prelaciones en el despacho de la carnicería.

- 6 a 7 am. A clérigos, religiones, Cabildo, justicia y regimiento y los demás de sus cuadras.
- 7 am. Oficiales militares hasta los sargentos, a los dragones y a la casa que tiene a su cargo la providencia de forraje para los caballos.
- 8 a 12. Al común.

Y agregaría:

Cuya prevención hago para que cada uno ocurra por sus criados a las horas señaladas a tomar carne para sus casas, entendidos de que pasada esta hora no se les dará providencia de abasto, por no invertir el orden discurrido...
...Este orden y disposición de clases no se ha de practicar en los viernes, témporas ni vigilias, porque la res que en este tiempo se pesare ha de ser para dragones y pobres enfermos, encargando al caballero diputado el mejor arbitrio...
Y porque estoy enterado del común abuso que corre en esta villa de devolver los frutos y efectos por no estar a gusto del que los compre, ordeno y mando que de aquí en adelante cese esta corruptela y no se vuelvan los efectos y frutos que se compren, pues para que sean a su satisfacción podrán remitir persona que examine la calidad y bondad de ellos, con que se excusan algunas consecuencias que la experiencia ha mostrado.

FUENTE: AHN. Papeles de Indias. Legajo 20.883.

y habían arribado a un período de escasez, después de haber estado pesando en La Habana un promedio de 60 reses por día. El precio local de 12 libras de carne por real, era gravoso, y pedían reducir el número de libras a base de sacrificar

reses gordas y buenas y concurrir a beneficio de la villa con un real por cabeza de vaca o cerdo, dentro o fuera...

El Cabildo redujo la postura a 8 libras de vacuno por un real.[43]

El problema estacional —lluvias y seca— era general para la ganadería en toda la Isla. En Sancti Spíritus, donde hacia 1750 se había creado un corral del consejo junto al arroyo Las Tinajitas, para proteger del sol y la sed a las reses que se reunían para ser llevadas a La Habana, la pesa local funcionaba así:

	Reses diarias
De enero a junio	8
(viernes)	1
Precio: 7 libras 1 real	
De agosto a diciembre	4
(viernes, vigilia o témporas)	1
Precio: 9 libras 1 real	

El que vendiese a otro la pesa que le correspondía, pagaría 50 ducados de multa.

En Villaclara el deficiente abasto llegó a provocar motines en 1750, a causa de

la gran escasez de carne, de suerte que hubo días que el vecindario por la necesidad rompió las puertas de la carnicería para llevarse la poca carne, a pedazos, como de facto así lo ejecutaron.

El vecino Pascual de Moya insistió en que la escasez se debía a no asistir los regidores a la matanza, que estaba a cargo de los alcaldes. Francisco Ruiz explicaría que muchas veces la falta de carne la ocasionaban los ríos crecidos, que impedían el paso de las reses. La situación fue resuelta finalmente por una visita del asesor letrado del Gobernador Caxigal, Don Martín de Ulloa, quien informaría

se formaban clamores por aquel vecindario de la falta de abasto de la carnicería y la desigualdad con que hacían repartimiento de las pesas a las haciendas de la jurisdicción, gravando a unos e indultando a otros.

El Lcdo. Ulloa estableció *rueda* de acuerdo con el ganado disponible en las haciendas y determinó que la rotación fuese por 14 meses,

para que fuesen alternando... en los tiempos de abundancia y esterilidad.

Como consecuencia de ello en 1762 se reportaba:

ahora hay abundancia.[44]

La clave de la solución fue la eliminación de la carga impuesta a los hacendados de Santa Clara de pesar obligatoriamente en La Habana, mantenida desde 1741 a 1750.[45]
Puerto Príncipe aparecía en el padrón de Güemes (1737) con 83 haciendas ganaderas, constituidas así:

	Número	Total cabezas	Cabezas por hacienda
Hatos	62	40.580	655
Corrales	21	5.650	269

Los caballos y mulos que se criaban en gran número en las haciendas principeñas y que servían para un productivo intercambio con los ingleses de Jamaica no aparecen en la relación.[46]

Dos décadas más tarde, según el padrón del Obispo Morell, el total de haciendas ganaderas de Puerto Príncipe había aumentado hasta 340 de las cuales 77 eran identificadas como hatos.[47] La ganadería era el principal sostén de la economía principeña, seguida por el azúcar.

Santiago de Cuba, cuyas tierras más próximas estaban urbanizadas, ocupadas por estancias o resultaban de relieve y vegetación inapropiados para el desarrollo ganadero, dependió desde temprano del abasto de las haciendas del valle del Cauto, poseídas por vecinos de Bayamo. Según escribía en 1700 el Dean de la Catedral, en la jurisdicción de Santiago había únicamente dos hatos, uno de ellos, Guantánamo

de ordinario está despoblado por estar contiguo a la costa y el enemigo entra en él muy a menudo,

razón por la cual los bastimentos estaban caros y los pobres clamaban.

Al responder a las quejas del Dean, el Cabildo explicaba que en los últimos tres meses habían llegado:

- 3 hatajos de vacunos de Bayamo, con 95,75 y 62 cabezas.
- Se habían repartido 40 cabezas en Cuaresma.
- Canoas y arrias trajeron de Bayamo tasajos y tocinos.
- de Puerto Príncipe: 130 machos.

La incapacidad de los hatos santiagueros para cubrir la demanda, afirmaba el Cabildo, se debía a

LA INTERVENCION DEL HATO DEL PRESBITERO REGÜEIFEROS

A quien sino a V. M. Católico Monarca y mi Señor natural, en cuyo cristiano pecho resplandece con tantos esmeros la veneración y respeto a la Católica Iglesia y sus ministros, puedo siendo yo —aunque indigno, uno de ellos, dar mi justa querella en aquel modo que es lícito a mi estado; y representar mis quebrantos para que aquella sea oída y éstos reparados en piedad, que una y otra espero del recto y benigno de V. M.

Soy, Señor, uno de los sacerdotes, el más indigno de... esta ciudad de Santiago de Cuba. Hijo de una de las primeras familias que la componen. Conseguí las sagradas órdenes a título de un curato sin renta ni obvención alguna, porque su feligresía se compone de esclavos de haciendas de campo, que algunos vecinos de esta ciudad tienen, más de seis leguas distantes de ella. El cual serví más... de cinco años con aquel desvelo y trabajo que pedía su penoso ministerio, sin negarme a los rigores del sol, oscuridades de la noche, fatigas de copiosas pluvias, lodosos tránsitos, riesgos y peligros en tan fangosos caminos y espesas montañas. Y lo que es mas, faltando a la compañía de mi madre —que entonces vivía— de mayor edad y con achaques habituales y de una hermana doncella que se acogían a mi pequeña sombra.

Motivo principal que tuve, Señor, para hacer dejación de dicho curato, quedando con la cóngrua de unas cortas capellanías, a que agregué un pequeño cortijo,ª que con lícita industria conseguí, dos leguas distante de esta ciudad, donde pastaba un corto rebaño de ganado mayor, muy doméstico y de buena condición, que en ocasiones de falta de bastimentos en la ciudad, lograba introducir algunas veces, con que en parte se lograba reparar aquella falta y yo tenía la conve-

niencia de su despendio para remedio de mis cortedades.

Pero todo lo perturbó y deshizo tiranamente y sin respeto al estado sacerdotal... el coronel don Pedro Ignacio Ximénez, vuestro gobernador actual de esta ciudad, dando su orden a una escuadra de infantes, en ocasión de falta de bastimentos, que fuesen a mi cortijo y matasen a su voluntad los animales que hallasen. ¡Oh monstruosa y depravada orden contra un ministro de Dios! Y así lo ejecutaron, entrando en él con estrépito de fusiles ¡Extraña osadía e indigno descomedimiento al estado de su dueño! Y mataron 30 reses, entre ellas una yunta de bueyes, que la curiosa industria impuso no sólo al trabajo del yugo, sino al de la albarda para cargar en las espaldas; y asimismo algunas aves caseras que había en el cortijo.

De que se ha seguido demás de estos daños el haberse ahuyentado y desaforado el demás ganado con el estruendo de los fusiles y alboroto de los infantes, como que dicho ganado se había criado en quietud y mansedumbre, sin ruidos; de modo que apenas parece animal en los contornos del cortijo, siendo esto causa también de que me hayan hurtado algunos, como que andan dispersos y fuera de sus albergues.

Todo... sucedió, Señor, no estando yo en dicho cortijo, pero estoy verdaderamente informado de ello y lo tengo así justificado en demanda que puse ante el Cabildo eclesiástico sede vacante de esta Catedral, quejándome del desacato y desprecio hecho al estado sacerdotal.

...Vuestro gobernador... pretende sujetar y atraer a su jurisdicción y subordinación a los Eclesiásticos exentos de ella... y esto es, Señor, lo que principalmente mueve mi ánimo a dar esta querella a V. M. C...

Soy un sacerdote pobre, sin rentas ni otros bienes temporales y que me ejercito continuamente en los ministerios de la Iglesia auxiliar de Santo Thomás... ya en el confesionario y... supliendo al cura... y saliendo por los campos en tiempos del precepto anual a confesar muchas personas, que por distantes de la ciudad y otros impedimentos no pueden acudir a sus parroquias.

Si antes no he dado esta mi querella ha sido por ver si dicho gobernador, movido de justicia o de caridad, daba satisfacción a mi agravio, ya mirándome sacerdote, ya dueño de aquel cortijo, mi único caudal, sin que hasta ahora me lo han hecho, pues aunque inmediatamente a lo sucedido mandó publicar bando disculpándose del hecho y ofreciendo pagar el importe de los animales que mataron los infantes —que también fueron lastimados... otros vecinos seculares en el modo que yo, aunque no en tanto, ésta fue una satisfacción muy en común y paliada, pues no miró a lo principal que era el ajamiento de mi estado que no ignora el gobernador.

...He juzgado por no decente a mi estado y persona sujetarme a pedir y cobrar el importe de las reses... pues fuera exponerme a nuevos desaires... como se hizo con algunos de los otros damnificados...

a. Aunque el término cortijo no era usual en Cuba, debió usarlo para hacerse mejor entender en España.

b. El Consejo de Indias consideró incompleta la querella por falta de autos y que debía continuar su demanda en Santiago de Cuba (28-XI-1732).

FUENTE: AGI. Santo Domingo, 520 (A.A.).

Santiago de Cuba, 13-XII-1731

ANDRES DE REGÜEIFEROS

no haber puesto cuidado los dueños en criar, por venir en abundancia de Bayamo... y sobrarse los ganados de ordinario.

La crisis temporal que habían denunciado los religiosos se debía a

Cifras

INVENTARIO DE UN HATO BAYAMES (1731)

El hato de Yara, llamado a figurar destacadamente en la historia de la lucha cubana por la Independencia, formaba parte de las haciendas legadas por el capitán Francisco de Parada, como semilla de educación, en el siglo XVI.[a] En 1731, al proceder a inventariar los religiosos a cargo de la administración del legado, los bienes que incluía, el hato de Yara estaba constituido por las siguientes posesiones:

	Pesos
Tierra del hato debajo de los linderos que le pertenecen... que corren saliendo del río Yara a dar a la punta de Jobosí; y de ahí, tirando a dar al cayo del Francés y la punta de Cayo Largo hasta dar en el monte de Jivacoa de Palmar Martuo, que está en la entrada vieja de Arroyo Hondo, hasta dar en la Sabanilla de los Caos. Y de ahí por todo el río Jivacoa hasta la Sierra y por la otra divide el río Yara	10.000
1.500 reses de hierro y señal, de un año para arriba, a 20 reales	3.750
25 ovejas a 2 pesos	50
100 bestias caballares a 6 pesos	600
100 madres de ganado de cerda a 2 pesos	200
180 marranos a 8 reales	180
Una ermita nueva con todos sus ornamentos, 2 casas de vivienda con su cocina y corrales de encierro de ganado	800
Dos esclavos (250 y 300 pesos)	550
Total	16.130

a. Ver el Volumen 2, página 457.

FUENTE: AGI. Santo Domingo, 532 (A.A.).

Cifras

LAS HACIENDAS GANADERAS DEL LEGADO PARADA (1731)

	Valor de la tierra (Pesos)	Reses	Cerdos	Ovejas	Caballos	Esclavos
GUA (Hato de)	9.000	700	—	—	—	—
ARROYO HONDO	12.000	800	35	—	—	2
JIVACOA	8.400	375	180	—	20	—
CORRALILLO DE JIVACOA	1.900	—	280	25	100	2
YARA (Hato de)	10.000	1.500	280	25	100	2
YAGUABO (Hato de)	2.500	—	40	—	—	15 *
CAVAGAN	7.000	330	140	—	—	—

* Empleados en la estancia comprendida en el hato.
FUENTE: AGI. Santo Domingo, 532.

las grandes secas que se han experimentado en el discurso de 3 años y retirarse el ganado a los montes, buscando el agua y yerba y no salir a la sabana donde se puede coger.

Y como alternativa a la escasez que decían padecían los religiosos, les recordaban los regidores:

No faltan en la tierra perdices, gallinas montesinas y domésticas y otros muchos géneros de caza.[48]

El gobernador de Santiago de Cuba, bajo cuya jurisdicción caía Bayamo, gravaba a los hacendados de la villa con la pesa destinada a Santiago de Cuba, lo que originaba frecuentes protestas y conflictos. En 1732 los hacendados Mathías García y Benito Sánchez fueron condenados a multas de 91 1/2 reales y Joseph Perdomo a 137 1/2 reales, por incumplimiento de la pesa de la carnicería.[49]

La escasez del ganado obligaba al Cabildo de Santiago a facilitar la matanza y a alterar los precios de acuerdo con la coyuntura:

● En 1743, en un período de emergencia, el Cabildo de Santiago con la justificación de *la pasada seca*, autorizó que

tanto de Bayamo como aventureros puedan vender carne de vaca en los meses de mayo, junio y julio a 6 libras por real y el ganado de la jurisdicción a 5 libras un real.

● En 1747 el Cabildo pedía al Gobernador

se obligue a la villa de Bayamo que acuda al abastecimiento de esta ciudad que padece hambre, trayendo ganado... y se dé un bando para que todo el que tenga ganado criollo, lo traiga, mate y expenda la carne a 4 libras por un real,

a lo que respondieron don José A. Silva y Joaquín Vázquez de Coronado, alcalde y comisario de Bayamo, comprometiéndose a abastecer a Santiago con 390 reses mensuales por un período de 8 meses, lo cual prueba la abundancia de ganado de la villa.

Dependiente de Bayamo y de Holguín en la segunda mitad del siglo, el Cabildo santiaguero distinguía entre las reses *de obligación, ventureras* y *criollas* a la hora de fijar los precios. El abasto, no obstante, continuaba inseguro. En 1754 se informaba que pasaban hasta 12 días sin matar ganado. En 5 meses de 1754, de acuerdo con la sisa cobrada, se matarían unas 3.038 reses, lo que promediaba unas 20 cabezas por día, de ganado mayor y menor.[50]

Holguín, cuya jurisdicción fue separada de la de Bayamo, contaba en 1757 con 104 haciendas ganaderas.[51]

Las quejas de la población urbana por la escasez de carne, en la mitad oriental de la Isla, no reflejaba en modo alguno, decadencia de las haciendas, sino la competencia que al mercado local creaba la demanda externa. Jamaica era un buen mercado para carne salada y cueros, que cambiaban sus contrabandistas por esclavos, telas y todo tipo de artículos. Los animales más valiosos eran los caballos y mulas. Los documentos relativos a comisos de mercancías de contrabando en los mares del Sur de Cuba, revelan en parte, lo cuantioso de este tráfico ilegal, pero altamente productivo.[52]

Cifras

HOLGUIN UN CASO DE COLONIZACION GANADERA

El vasto territorio del Norte de Oriente, que correspondía a la jurisdicción de Bayamo se mantuvo durante mucho tiempo escasamente poblado, a pesar de que algunos vecinos de la próspera villa poseían haciendas en las sabanas septentrionales. La más antigua hacienda de la región, poblada por uno de los *viejos conquistadores* de Cuba, el capitán García Holguín, quien después de participar en la audaz empresa mexicana junto a Cortés, regresó a Cuba, pasaría a convertirse en el siglo XVIII en un núcleo urbano que reclamó la atención de las autoridades hasta obtener el título de ciudad.

Cuando en 1736 reconoció la región holguinera el ingeniero militar don José del Monte y Mesa, registró la magnitud del área que podía ser colonizada a partir del núcleo ya constituido espontáneamente en Holguín, como centro de una zona ganadera cuya extensión podría aumentar si eran distribuidas las tierras disponibles. Lo que proponía el ingeniero como nueva jurisdicción de Holguín era:

	Leguas cuadradas *
Area total	770
Menos arrecifes costeros	35
Area utilizable	735

De acuerdo con sus medidas, estas 735 leguas podían ser estimadas así:

Area ocupada	cuadradas Leguas
26 hatos **	312
16 corrales ***	64
	376
Area baldía disponible para distribuir	359
Solicitadas para 5 hatos y 12 corrales	112
Tierras excedentes	247

Los 16 solicitantes de tierras prometían establecer censos de 600 pesos por hato y 300 pesos por corral, al 5 % anual. Uno de ellos pedía hato y corral y su censo sería de 900 pesos. Los solicitantes fueron:

	Hato	Corral
Alonso de Aguillar		1
Félix Aldana		1
Félix Alvarez		1
Francisco Alvarez		1
Francisco de Céspedes		1
Juan Diéguez	1	
Ambrosio Escalona		1
Mathias Esteves		1
Diego Galindo	1	1
Cristóbal Hernández		1
Juan el Isleño		1
Manuel Pupo		1
Bernardo Reinaldo		1
Cristóbal Rodríguez	1	
Juan Antonio Sambrano	1	
Diego de tal	1	
	5	12

a. Volumen 2, pág. 75.

* Se hace constar en el documento que una legua cuadrada tenía 5.000 varas cuadradas de lado, o sea, 25.000.00 de varas cuadradas y la caballería 120.000 varas cuadradas, según R.P. de la Audiencia de Santo Domingo, por la cual una legua cuadrada equivalía a 205 caballerías. Teóricamente el hato en Oriente era considerado entonces como un cuadrado de 4 leguas de lado, o sea, 16 leguas cuadradas, pero "como quiera que dichas posesiones son siempre figuras irregulares a... unos con otros se les pueden aplicar 12 leguas cuadradas a cada hato... y los corrales se regulan por 4 leguas cuadradas".

** Dentro de estos 26 hatos se encontraban incluidos 14 corrales.

*** Sumados a los 14 anteriores dan un total de 30 corrales productivos.

FUENTE: AGI. Santo Domingo, 497. (Informe de don Joseph del Monte y Mesa, ingeniero militar, Santiago de Cuba, 30-X-1736) (A.A.).

PADRON DE PROPIETARIOS COMUNEROS DEL HATO DE HOLGUIN (1735)

La participación creciente de numerosos vecinos en la cría de ganado era posible, en la mitad oriental de la Isla, a través del régimen de los *pesos de posesión* que permitían el acceso comunitario a la utilización de la tierra. En Holguín, en esta forma, se había creado una clase de ganaderos medios y pequeños que participaban, a la par de los más ricos, en las actividades ganaderas, al poseer algunos pesos de posesión. Un padrón revelador de estas condiciones fue preparado como consecuencia de la visita efectuada entre VI y IX-1735 por el juez de comisión don Diego de la Torre Chavarría. Los hacendados de todo tipo eran 66 y había entre ellos desde un poseedor de 1.500 *pesos de posesión* hasta uno que sólo contaba con 13 1/3 pesos.

Vecino	Reses	Cerdos	Bestias	Pesos de posesión
Aguilar, Lorenzo de	18	—	10	50
Aguilera, Ignacio de	—	100	5	100
Aguilera, Joseph de	40	—	15	40
Aldana, Santiago de	30	40	10	80
Almaguel, Agustín	—	18	2	21
Almaguel, Cristóbal de	—	40	9	355 *
Almaguel, Ignacio	—	25	5	53
Alvarez, Félix	30	—	6	20
Avila, Agustín de	20	—	12	150
Avila, Diego de	140	—	20	300
Avila, Diego de	18 **	—	2	400
Avila, Diego de	—	30	4	150
Avila, Diego de	16	—	16	200
Baptista, Manuel	20	30	4	150
Baptista, Cap. Pedro	30	—	10	100
Basques, Diego	60	—	30	70
Basques, Salvador	—	10	8	125
Bermúdez de Castro, Juan	30	—	17	150
Céspedes, Francisco de	38	—	2	100
Corral, Martín	100	—	50	300
Cruz, Andrés de la	50	50	20	40
Cruz, Francisco de la	—	150	12	100
Cruz Joseph de la	30	—	14	55
Cruz Joseph de la	—	30	2	30
Cruz, Lorenzo de la	—	250	6	50
Chavarría, Agustín	50	—	20	150
Chavarría, Joseph	—	120	2	60
Chavarría, Joseph	—	120	2	150
Chavarría, Luisa	25	30	12	40
Chavarría, Manuel	118	—	14	60
Chavarría, Manuel	30	100	6	60
Chavarría, Pedro	—	40	5	40
Escobal, Juan	50	30	14	40
Escobal, Luis de	—	40	12	40
Gallardo, Salvador	100	—	20	450
Gallardo, Salvador	—	50	1	150
Gómez, Manuel	15	12	20	80
González, Rodrigo	—	100	20	250
González, Miguel	—	100	6	100
González de Rivera, Fco.	—	40	1	100
González de Rivera, Juan	7	100	3	100
Guillén, Salvador	—	60	8	150
Hernández, Salvador	—	100	10	40
Hidalgo, Faustino	30	—	6	150
Martín, Diego	22	—	22	150
Matamoros, Manuel	300	—	60	300
Moreno, Jerónimo	—	50	3	100
Nieves, María de las	30	30	—	90
Paneque, Ignacio	30	—	16	20
Parra, Manuel de la	—	90	12	100
Peña, Basilio de la	30	100	15	60
Pérez de la Torre, Tiburcio	—	50	1	60
Pupo, Manuel	36	—	5	27
Ramírez, Felipe	—	6	1	13 1/2
Ramírez Joseph	14	60	15	70
Reyes, Juan de los	23	60	9	100
Ricardo, Félix	12	40	12	100
Ricardo, Joseph	100	100	25	100
Ricardo, Luis	14	—	5	100
Ricardo, Patricio	200	—	2	300
Rodríguez, Catharino	50	—	20	150
Rodríguez, Esteban	20	30	16	50
Rondon, Esteban	20	30	16	50
Saldívar, Juan de	30	—	12	50
Santiesteban, Manuel de	—	59	6	40
Santiesteban, Mathias de	—	35	12	50
Santos, Joseph de los	30	50	12	1.500 **
Serrano, Alférez Miguel	—	30	6	50
Torre, Domingo de la	16	—	18	200
Velázquez, Luis	6	400	5	80
Velázquez, Salvador	—	20	1	40
Xavier, Francisco	—	16	3	40
Totales				

a. *Peso de tierra, de propiedad o de posesión*. Moneda imaginaria, valor o precio de una *hacienda comunera*. Cuando estas se mercedaron sus primeros poseedores les prefijaron un valor que vino a ser casi generalmente de 4.000 pesos el corral y, por el equivocado concepto de doble área del hato, en 8.000 pesos. Estas cantidades se fraccionaban en porciones de 30, 50, 125, etc. pesos de tierra, equivalentes proporcionalmente a la extensión superficial del fundo, pero cuya fracción no se sabía ni puede saberse mientras no se practica la operación del deslinde y división del corral o hato, a la vez que teniendo alguna cantidad de pesos de tierra se disfrutan los derechos de la comunidad sin determinado espacio de terreno... Lo mismo es decir peso de tierra que peso de posesión, como antiguamente se denominaban; aunque ya después, declarada propiedad, esa posesión se usen indistintamente las palabras posesión o propiedad, o tantos pesos de tierra. (Pichardo, E.) (1875).

b. Un padre, por ejemplo, dejaba en su testamento tantos pesos de tierra al hijo tal, cuantos a cual etc. o vendía a extraños 10, 25, 100 pesos de propiedad o posesión, y éstos a otros, resultando la hacienda de varios condueños que la disfrutan en comunidad, tanto el de pocos pesos como el de muchos. (Pichardo E, 1875).

* De los 355 pesos de posesión de Cristóbal Almaguey, 300 correspondían a una capellanía.

** Mathias de Santiesteban, aunque era el mayor poseedor teórico, con 1.500 pesos, tenía poco ganado y se especifica que "pagaba réditos todos los años". En los restantes casos se especifica la ausencia de gravámenes.

FUENTE: AGI. Santo Domingo, 497 (A.A.).

4. LA SISA DE LA CARNE Y LOS PROPIOS DE LOS CABILDOS

El impuesto local —sisa— sobre la carne fue el arbitrio más seguro para las obras públicas en los asentamientos urbanos. De la sisa sobre la carne que se consumía en La Habana salió gran parte del financiamiento de la Zanja Real en el siglo XVI y en el inseguro siglo XVII fue utilizada la recaudación para sostener una embarcación defensiva —piragua o galeota—. Según recordaría en 28-V-1752 el sacerdote Dr. Joaquín Rodríguez Gallo:

En esta ciudad —La Habana—, está corriente un derecho antiguo, de arbitrio, que pagan los vecinos, de sus ganados vacunos y de cerda, que como distinto del de la sisa del agua, estaba aplicado a la galeota guardacostas.

Y no teniendo... de algún tiempo a esta parte destino alguno, porque ya no existe la galeota y los navíos y demás embarcaciones de V. M. guardan las cosas y libran a las haciendas costaneras de toda invasión de enemigos...,

pedía el eclesiástico que los 5.200 pesos anuales que rendía la sisa de la carne se destinaran durante 4 años a la reconstrucción de la Iglesia Mayor habanera. El dato confirma el número de cabezas de ganado mayor y menor sacrificado: 41.600 anuales.[53]

Esta sisa cobrada en la carnicería, considerada ilegal en muchas ocasiones, era la única fuente disponible para los Cabildos de tierra adentro, ante la necesidad de cubrir los gastos esenciales de sus comunidades. Con 1 ó 2 reales por cabeza de ganado sacrificado eran

Testimonios

DECADENCIA DE LAS MONTERIAS

Las monterías, que jugaron un papel importante en los primeros tiempos coloniales, perdieron significación al estabilizarse la posesión de la tierra y lograrse una más efectiva identificación del ganado.

Quedaban, sin embargo, algunas áreas *de caza*, una de las cuales, los alrededores de la bahía de Nipe, era descrita así:

Por relación de los pasados abundaban las riberas de este puerto de ganados vacunos y de cerda, pero en este tiempo, bien por la inconsiderada licencia a los monteros, gente vagabunda, que hace pasar por la punta de la lanza a cuanto viviente alcanzan los perros de sus monterías, o bien por la epidemia de la lombriz que de 15 a 20 años a esta parte ha sobrevenido a los cochinos; como por los perros cimarrones —o jíbaros que llaman en el país—, conspira todo a la extinción de la caza, pero ocurriendo a estos perjuicios la prudencia y celo de los superiores jueces no se duda vuelvan a poblarse estos montes de animales de una y otra especie.

Isidro Joseph de Limonta (1754)
FUENTE: AGI. Santo Domingo, 1323 (A.A.).

construidas las propias carnicerías, las casas de cabildo, cárceles y se mejoraban algunas calles.

En Santiago de Cuba, en 1754, se financiaba la traída del agua a la ciudad siempre sedienta, y la construcción de la cárcel con la sisa de la carne. El costo de ambas obras era estimado en 17.512 reales.[54] El

Cabildo santiaguero había obtenido autorización para cobrar dos reales por res o cerdo sacrificado, por R.C. de 18-VI-1693.

5. LA COMERCIALIZACION DE LOS CUEROS

En la segunda mitad del siglo XVI fueron los cueros la mercancía de más seguro mercado externo, al punto de que muchos *monteros* tomaban el cuero y dejaban en el campo la casi totalidad de la carne de las reses.[55] El desarrollo del mercado de la carne y el descenso del precio de los cueros, privó a éstos de los tiempos en que para los contrabandistas extranjeros cuero y moneda eran términos intercambiables.

El Cabildo de La Habana, al discutir el problema de los escasos propios disponibles, incluyó el tema de los cueros que se obtenían en la carnicería entre las posibles fuentes de ingresos. El alguacil mayor Sebastián Calvo de la Puerta informaba que ningún hacendado *estacaba*[56] sus cueros y que la Intendencia municipal tenía varios individuos que lo hacían, pagándoles 1 real por cada cuero. Calculaba el regidor que cada año se beneficiaban en La Habana de 18.000 a 20.000 cueros y que si se les acondicionaba por cuenta del Cabildo y se los almacenaba, podían ser rematados en favor de los propios. La idea fue aprobada.

Don Bernardo de Urrutia Matos, asesor del Gobernador Caxigal, fue más lejos, al proponer la industrialización de los cueros. Estimaba en 60.000 las corambres obtenidas anualmente en toda la Isla. El precio que percibían los hacendados era de 3 deales por unidad, mientras otros los vendían a 1 1/2 real. En tanto esto ocurría

la suela que se trae de Campeche vale hasta 4 pesos y las *vaquetas* [57] de Nueva España hasta 7 pesos, de donde parece que si la ciudad dispusiera conducir de México o

de otra parte maestros que enseñasen a curtir, se haría beneficio al público, aunque se cargase algún derecho para propios sobre la suela y vaquetas. Que lo mismo sería con la tinta de gamuzas, aprovechando las pieles de venado que se traen de Apalache y de Campeche y no se utilizan por falta de beneficio,

lo cual fue aprobado con el voto expreso del gobernador Caxigal de la Vega.[58]

Pocos años después, según Arrate, había

en lo más montuoso de la jurisdicción [de La Habana] distintas tenerlas de curtir corambres, de que se beneficiaba porción.[59]

En la *tierra adentro* reportaría el Obispo Morell de Santa Cruz la existencia de *algunas* tenerías en Sancti Spíritus, 3 en Santa Cruz de los Pinos, en la Vueltabajo y 8 en Puerto Príncipe.[60]

NOTAS AL CAPITULO 4

1. Arrate, J. M. Félix de (1949), pág. 82.
2. AGI. Santo Domingo, 1157.
3. AGI. Santo Domingo, 1456 (A.A.).
4. Los hacendados, cuando eran regidores, alegaban la necesidad de estar en sus haciendas como justificación para la no asistencia a los cabildos (AHN. Papeles de Indias. Legajo 21.467).
5. Ver el Volumen 2; Apéndice documental.
6. Arango y Parreño, F. (1952).
7. AHM-AC.
8. AHM-AC (Jústiz era un representante típico de la nueva oligarquía creada por el desarrollo tabacalero. Su área de operaciones era Matanzas).
9. González, Manuel D. (1858).
10. AGI. Santo Domingo, 502.
11. AGI. Santo Domingo, 386 (A.A.).
12. Ibidem. (6-I-1740).
13. Ibidem. (2-I-1740).
14. Ibidem (6-I-1740).
15. Este dato confirma la existencia de potreros o pastos de ceba en las cercanías de La Habana antes de 1750, fecha que aproximativamente sugiere Arango y Parreño (1952).
16. Estrada, Dr. Manuel Joseph, en *Los tres primeros historiadores de la Isla de Cuba* (1876), 2, pág. 523.
17. González, Manuel D. (1858).
18. AGI. Santo Domingo, 534.
19. Referencia a Jerónimo Castillo de Bobadilla, *Política para corregidores y señores de vasallos en tiempos de paz y guerra*. 2 vols. Madrid.
20. Referencia a la quema de sabanas durante los meses finales de la estación seca.
21. *Quemados*. Ciertos terrenos o lugares cuyos bosques fueron destruidos por el fuego y repoblados de matorrales (Pichardo).

22. Por monte o bosque.
23. AHM-AC.
24. AHN. Papeles de Indias. Legajo 21.467.
25. AGI. Santo Domingo, 1133 (Consejo de Indias, 23-XI-1757).
26. AHM-AC.
27. En el matadero y la carnicería que eran establecimientos importantes dentro del mundo cotidiano habanero, los *matadores* y *cortadores* incurrían en viejas costumbres injustificables, como las de sacar del matadero los lomos, lenguas, sesos, riñones, cañadas y masas. El gobernador Caxigal dispuso que "debían ir todas a la carnicería sin que en el matadero se tome cosa alguna pues se debían llevar en cuartos las reses", so pena de 100 azotes en la picota pública la primera vez y caso de reincidencia 200 azotes por las calles (AHN. Papeles de Indias. Legajo 21.467).
28. AHM-AC.
29. Ibidem.
30. AHN. Papeles de Indias. Legajo 21.467 (15-VII-1760).
31. Ibidem.
32. Ibidem.
33. AGI. Santo Domingo, 1456 (A.A.).
34. Ver el Volumen 5, páginas 47-54. Como Roa padre, casó el hijo con una *habanera principal*, doña María Josefa Zayas Bazán.
35. AHN. Papeles de Indias. Legajo 2.320.
36. AGI. Santo Domingo, 1456 (Escrito de súplica al Rey, en nombre de la viuda y heredera de Augustín de Sotolongo y de don Pedro García Menocal, presentado por Domingo Sánchez Barrero, visto en el Consejo de 12-VI-1762) (A.A.).
37. Ibidem.
38. AGI. Ultramar, 58. (A.A.).
39. González, M. D. (1858), pág. 404.

40. Güemes, promotor de la Real Compañía de Comercio de La Habana fue hombre interesado en el fomento de Cuba. Los historiadores tradicionales, preocupados esencialmente por lo político y lo militar, vieron en esto una mácula de *avaricia*, al punto de que este Gobernador, sin duda notable, aparece incluido en algunos manuales entre los *peores* del período.
41. AGI. Santo Domingo, 384.
42. Martínez Moles, Tadeo, *Historia de Sancti Spíritus* en *Los Tres primeros historiadores de Cuba* (1876), 3, pág. 577. El dramático aumento de los precios en los años finales del siglo lo subraya el autor al informar que la res que en 1736 valía 3 pesos, llegó a venderse en 1781 por 33 pesos.
43. AHN. Papeles de Indias. Legajo 20.883.
44. Ibidem.
45. González, M. D. (1858), págs. 125 y 130.
46. AGI. Santo Domingo, 384.
47. AGI. Santo Domingo, 534.
48. AGI. Santo Domingo, 517 (A.A.).
49. AGI. Contaduría, 1181 (Penas de Cámara).
50. AGI. Santo Domingo, 515.
51. AGI. Santo Domingo, 534.
52. Ver el Volumen 7.
53. AGI. Santo Domingo, 1455. (A.A.).
54. AGI. Santo Domingo, 515.
55. Ver el Volumen 2, página 97.
56. *Estacar*. Fijar al suelo, con estaquillas, los cueros para secarlos.
57. *Vaqueta*. La suela, más zurrada y preparada, empleada en fabricar zapatos ordinarios en lugar de becerro, cordobán, etc. que usan los hombres del campo (Pichardo).
58. AHN. Papeles de Indias. Legajo 21.467.
59. *Llave del Nuevo Mundo* (1949).
60. AGI. Santo Domingo, 534 (A.A.).

BIBLIOGRAFIA

A) Documentos Inéditos

ARCHIVO GENERAL DE INDIAS (AGI).
Contaduría. Legajos 1.152, 1.153, 1.154, 1.161, 1.162, 1.163, 1.164, 1.165, 1.167, 1.179, 1.181, 1.182, 1.183, 1.184, 1.191, 1.194.
Indiferente General. Legajos 1.160, 1.905, 2.716, 2.751.
Santo Domingo, Audiencia de. Legajos 196, 324, 337, 363, 364, 366, 369, 372, 379, 380, 381, 383, 384, 385, 386, 387, 388, 403, 408, 413, 415, 417, 418, 421, 424, 425, 430, 431, 451, 456, 493, 497, 498, 499, 500, 502, 504, 505, 506, 507, 508, 511, 512, 516, 517, 519, 520, 522, 524, 532, 534, 879, 1.129, 1.131, 1.133, 1.135, 1.152, 1.156, 1.157, 1.164, 1.201, 1.315, 1.319, 1.323, 1.356, 1.452, 1.455, 1.456, 1.457, 1.462, 1.575, 1.576, 1.588, 2.171, 2.210, 2.353, 2.515.
Ultramar. Legajo 58.
ARCHIVO HISTORICO NACIONAL (AHN).
Consejo de Indias. Legajos 2.320, 20.883, 20.884, 21.467.
ARCHIVO HISTORICO MUNICIPAL DE LA HABANA (AHM)
Actas capitulares del siglo XVIII (AC).
ARCHIVO NACIONAL DE CUBA (ANC).
Miscelánea. Legajo 1.435.
ARCHIVO GENERAL DE SIMANCAS
Estado. Legajo 2.525.
*

BRITISH MUSEUM

Add. Mass., 25.559, 25.563.
Shelburne Papers. Williams L. Clemens Library, The University of Michigan, Ann Arbor. Vols. 43 y 44.

---

* En esta bibliografía se incluyen solamente las fuentes documentales y las publicaciones específicamente relacionadas con los asuntos tratados en el presente volumen, y a las cuales se hace referencia, en sentido general, en las notas que aparecen al final de cada uno de los capítulos. En las secciones correspondientes a *fuentes impresas, obras generales y obras especiales, monografías y artículos* hemos seguido un orden estrictamente alfabético, para evitar con ello la repetición de títulos a que nos obligaría la distribución de las referencias bibliográficas por capítulos, y facilitar al mismo tiempo la localización, en su fuente original, de los textos citados. Ante lo difícil del acceso a las ediciones originales de algunas fuentes impresas, hemos preferido mencionar las ediciones más recientes, cuya consulta será más fácil para el lector, lo cual no excluye el objetivo óptimo que se logra con el manejo de las primeras ediciones y de las ediciones críticas cuando ello es posible.

B) DOCUMENTOS IMPRESOS

AYALA, Don Manuel Josef de
(1929) *Diccionario de gobierno y legislación de Indias*. (Colección de documentos inéditos para la Historia de Ibero-América), CIAP, Madrid.
BOLETIN DEL ARCHIVO NACIONAL DE CUBA (BANC).
(1916) *Correspondencia del gobernador Gaxigal* (Vols. XV y XVI).
DIAZ PLAJA, Fernando
(1955) *El Siglo XVIII. Historia de España en sus documentos*. Instituto de Estudios Políticos. Madrid.
DONNAN, Elizabeth E.,
(1930-35) *Documents illuistrative of the History of the Slave Trade to America*, 4 vols. Washington.
KONETZKE, Richard
(1953-58) *Colección de documentos para la historia de la formación social de Hispanoamérica*. C.S.I.C. Madrid.
MURO OREJON, Antonio
(1956-69) *Cedulario americano del siglo XVIII (1679-1724)*, 2 vols. EHHA, Sevilla.
RECOPILACION *de Leyes de los Reinos de Indias*, 4 vols. [1681]. Ediciones de Cultura Hispánica, Madrid, 1973.
RODRIGUEZ, Amalia A.
(1963) *Cinco diarios del sitio de La Habana*, Biblioteca José Martí, La Habana.
ROIG DE LEUCHSENRING, E.
(1929) *La dominación inglesa en La Habana*. Libro de *Cabildos* (1762-1763), Municipio de La Habana.

II. OBRAS GENERALES

ALTAMIRA CREVEA, Rafael
(1928) *Historia de España y de la civilización española*. 4 vols., G. Gili, Barcelona.
BACARDI, Emilio
(1908) *Crónicas de Santiago de Cuba*, Barcelona. (Nueva edición, 10 vols. Madrid, 1973).
Cambridge History of the British Empire (1929) I. The Old Empire, Londres.
CASTELLANOS, Gerardo
(1934) *Panorama histórico. Ensayo de cronología cubana desde 1492 a 1933*. La Habana.
COMELLAS, José Luis
(1967) *Historia de España moderna y contemporánea (1474-1965)*, Rialp, Madrid.
CARRERA PUJAL, Jaime
(1934-1947) *Historia de la economía española*. 5 vols. Bosch, Barcelona.
FRIEDLAENDER, H. E.
(1944) *Historia económica de Cuba*, Montero, La Habana.
GUERRA Y SANCHEZ, Ramiro
(1938) *Manual de historia de Cuba. Económica, social, política*. Cultural S. A., La Habana.
GUERRA Y SANCHEZ, Ramiro, et al
(1952) *Historia de la Nación cubana*. 10 vols., La Habana.

GUITERAS, Pedro José
(1927-1928) *Historia de la isla de Cuba*, 3 vols. Colección de libros cubanos. Cultural S. A.
KONETZKE, Richard
(1971) *America Latina, II. La época colonial*. Historia Universal Siglo XXI, Madrid.
MEDINA, José Toribio
(1898-1907) *Biblioteca hispanoamericana*, 7 vols. (Edición facsimilar, 1958-62 del Instituto Geográfico Militar de Chile).
MORALES PADRON, Francisco
(1962) *Historia de América*, 2 vols., Historia Universal Espasa Calpe, Madrid.
PARRY, J. H. and SHERLOCK, P. M.
(1963) *A Short History of the West Indies*, MacMillan, Londres.
PEZUELA Y LOBO, Jacobo de la
(1863-66) *Diccionario geográfico, estadístico e histórico de la isla de Cuba*, 4 vols. Madrid.
(1868-78) *Historia de la isla de Cuba*, 4 vols., Madrid.
(1871) *Crónica de las Antillas*, Madrid.
PORTELL VILA, Herminio
(1938) *Historia de Cuba en sus relaciones con Estados Unidos y España*, 4 vols. Montero, La Habana.
REGLA, J., JOVER, J. M. y SECO, C.
(1963) *España moderna y contemporánea*. Teide, Barcelona.
SAGRA, Ramón de la
(1831) *Historia económica-política y estadística de la Isla de Cuba*, La Habana.
TRELLES, Carlos M.
(1905) *Ensayo de bibliografía cubana de los siglos XVI, XVII y XVIII*, Matanzas.
VALDES, Antonio José
(1877) *Historia de la isla de Cuba y en especial de La Habana*. (Tomo III de *Los tres primeros historiadores de Cuba*). Imprenta de Andrés de Pego, La Habana.
VICENS VIVES, Jaime
(1961) *Historia de España y América*, 5 vols. Edit. V. Vives, Barcelona.
(1965) *Historia económica de España*, Teide, Barcelona.
(1968) *Aproximación a la historia de España*, Barcelona.
WILLIAMS, Eric
(1970) *From Columbus to Castro: The History of the Caribbean, 1492-1969*, Deutsch, Londres.
ZAVALA, Silvio
(1967) *El mundo americano en la época colonial*. Porrúa S. A., México.

III. ESTUDIOS ESPECIALES, MONOGRAFIAS Y ARTICULOS

AIMES, Hubert H. S.
(1907) *A History of Slavery in Cuba, 1511-1868*, Putnam, N. Y.
AITON, Arthur S.
(1928) *Asiento Treaty as reflected in the Papers of Lord Shelburne*, HAHR, Vol. VIII, págs. 167-77.
ALCEDO Y HERRERA, Dionisio
(1833) *Piraterías y agresiones de los ingleses*

y de otros pueblos de Europa en la América Española desde el siglo XVI al XVIII. Edición de Justo Zaragoza, Madrid.

ANES, Gonzalo
(1975) El antiguo régimen: los Borbones. (Historia de España Alfaguara, IV), Alianza Editorial, Madrid.

ARANGO Y PARREÑO, Francisco de
(1952) Obras completas. 2 vols. Ministerio de Educación, La Habana.

ARCINIEGAS, Germán
(1945) Biografía del Caribe, Edit. Sudamericana, Buenos Aires.

AVILA Y DELMONTE, Diego
(1863) Memoria sobre el origen y fundación del hato de Holguín, Imprenta El Oriental, Holguín.

BANCROFT, G.
(1859) History of the United States, Boston.

BERNARDO Y ESTRADA, Rodrigo de
(1854) Manual de agrimensura cubana según el sistema especial que rige en la Isla. Imprenta de La Hoja Económica, Sagua la Grande.
(1857) Prontuario de Mercedes... concedidas por el Ayuntamiento de La Habana. Establecimiento tipográfico La Cubana, La Habana.

BERSTEIN, Harry
(1945) Origins of the Inter-American Interest (1700-1812). Univ. of Pennsylvania Press, Filadelfia.
(1961) Making an Inter-American Mind. Univ of Florida Press, Gainesville.
(1965) Formación de una conciencia americana. Libreros mexicanos unidos. México.

BETANCOURT, Tomás P.
(1877) Historia de Puerto Príncipe (Los tres primeros historiadores de Cuba, tomo III).

BLACK, C. V.
(1958) History of Jamaica, Collins, Londres.

BROWN, Vera S.
(1926) The South Sea Company and the Contraband Trade, HAHR, Vol. VIII, págs. 178-89.

CADALSO, José
(1960) Cartas marruecas, Espasa Calpe, Madrid.

CANET, Gerardo
(1948) Atlas de Cuba, Cambridge.

CAÑIZARES GOMEZ, J. R.
(1910) Historia, deslinde y reparto de haciendas comuneras, Santa Clara.

CARR-SAUNDERS, A. M.
(1935) World population: Past and Present Trends, Oxford.

CELORIO, Benito
(1914) Las haciendas comuneras, La Habana.

CESPEDES Y QUESADA, C. M.
(1903) Haciendas comuneras, Santiago de Cuba.

CORBETT, J. S.
(1907) England in the Seven Years' War, 2 vols. Londres.

CORVITT, Duvon C.
(1939) Mercedes y realengos. A Survey of the public land system in Cuba. HAHR, Vol. XIX, págs. 262-285.

CROUSE, Nellis M.
(1943) The French Struggle for the West Indies, 1665-1713. Columbia Univ. Press, N. Y.

CUNNINGHAM, W.
(1890-92) The Growth of English Industry and Commerce, 2 vols. Cambridge.

CURTIN, Philip D.
(1969) The Atlantic Slave Trade. A Census. The Univ. of Wisconsin Press, Madison.

CHAPIN, Howard M.
(1928) Privateering in the King George's War Providence.
(1930) Rhode Island Privateering in King George's War, Providence.

CHARLEVOIX, P. F. X.
(1733) Histoire de l'Ile Espagnole ou de S. Domingue, 4 vols. Amsterdam.

DAVIDSON, Basil
(1961) The African Slave Trade. 1450-1850. Atlantic, Boston.
(1965) Madre negra. Luis de Caralt, Barcelona.

DAVIES, K. G.
(1957) The Royal African Company, N. Y.

DAVIES, Ralph
(1976) La Europa atlántica desde los Descubrimientos hasta la industrialización, Siglo XXI, Madrid.

DAY, Clive
(1941) Historia del comercio, 2 vols. FCE, México.

DENIS, M. et BLAYAU, N.
(1970) Le XVIIIe Siècle. Armand Colin, París.

DONNAN, Elizabeth
(1930) The Early Days of the South Sea Company. Journal of Economic and Bussines History, vol. II, págs. 419-50.

EDWARDS, Bryan
(1794) History of the West Indies, 3 vols. London.

ELLIOT, J. H.
(1965) La España imperial, 1469-1716, Vicens Vives, Barcelona.

ELY, Roland T.
(1960) La economía cubana entre las dos Isabeles, Editorial Librería Martí, La Habana.

FERNANDEZ DURO, Cesáreo
(1895-1903) Armada española desde la unión de los Reinos de Castilla y de Aragón, Madrid. (Reimpresión, 1973).

FISKE, Amos K.
(1899) The West Indies, Putnam, Londres.

FLOYD, Troy S.
(1967) The Anglo-Spanish Struggle for Mosquitia, The Univ. of New Mexico Press, Albuquerque.

GIL BERMEJO, Juana
(1970) Panorama histórico de la agricultura en Puerto Rico, EEHA, Sevilla.

GIRAUD, Charles
(1847) Le Traité D'Utrecht, Plon, París.

GOLTSCHALK, L. and LACH, D.
(1973) Toward the French Revolution, Ch. Scribner's Sons, N. Y.

GONZALEZ, Manuel Dionisio
(1858) Memoria histórica de la Villa de Santa Clara, Villaclara.

GUILLOT, Carlos Federico
(1961) Negros rebeldes y negros cimarrones, Fariña Editores, B. Aires.

GUITERAS, Pedro J.
(1932) Historia de la conquista de La Habana por los ingleses. Colección de libros cubanos. Cultural, La Habana.

HARING, Clarence H.
(1966) El imperio español en América. Hachette, Buenos Aires.

HART, Francis R.
(1931) The Siege of Havana, 1762. Boston.

JAY TE, Paske
(1964) The Governorship of Spanish Florida, 1700-1763, Durham, North Caroline.

JUDERIAS, Julián
(1967) La Leyenda negra (15ª edición), Editora Nacional, Madrid.

KAMEN, Henry
(1969) The War of Succession in Spain, 1700-15, Weidenfeld and Nicolson, Londres.

KENDALL, Watkins W.
(1899) Massachussets in the Expedition under Admiral Vernon in 1740-41 to the West Indies (Year-Book of the Society of Colonial Wars), Boston.

KLEIN, Hubert S.
(1967) Slavery in the Americas: A comparative study of Virginia and Cuba, The Univ. of Chicago Press, Chicago.

LABAT, J. B.
(1724) Nouveau voyage aux Iles de l'Amerique, 6 vols. La Haya.

LANG, James
(1975) Conquest and Commerce, Spain and England in the Americas, Academic Press, N. Y.

LUFRIU, René
(1930) El impulso inicial, La Habana.

MAHAN, Alfred T.
(1957) The Influence of Sea Power upon History, 1660-1783, Sagamore Press, N. Y.

MANNIX, D. P. y COWLEY, M.
(1968) Historia de la trata de negros, Alianza Editorial, Madrid.

MARTIN, Eveline C.
(1929) The English/Slave Trade and the african Setlements. (The Cambridge History of the British Empire, I, cap. XV).

MARTINEZ ESCOBAR, Manuel
(1940) Historia de Remedios, La Habana.

MARTINEZ FORTUN, José A.
(1930) Anales y efemérides de San Juan de los Remedios y su jurisdicción, La Habana.
(1952) Epidemiología. Síntesis cronológica. Cuadernos de historia sanitaria. Ministerio de Salubridad, La Habana.

MAURO, Frederic
(1968) La expansión europea (1600-1870). Labor, Barcelona.

MC LACHLAN, J. O.
(1940) Trade and Peace with Old Spain, 1667-1750, Londres.

MELLAFE, Rolando
(1964) La esclavitud en Hispanoamérica, EUDEBA, Buenos Aires.

MORALES CARRION, Arturo
(1971) *Puerto Rico and the non Hispanic Caribbean.* Univ. of Puerto Rico, Río Piedras.

MURET P. y SAGNAC, Phelipe,
(1944) *La preponderancia inglesa,* México.

NADAL, Jorge
(1967) *La población española (Siglos XVI al XX)* Ariel, Barcelona.

NETTLES, Curtis
(1931) *England an the Spanish American Trade.* (The Journal of Modern History, Vol. III, págs. 1-30.)

OGELSBY, J. C. M.
(1969) *Spain's Havana Squadron and the Preservation of the Balance of Power in the Caribbean,* HAHR, XLIX.

OLIVER, R. y Fage, J. F.
(1962) *A Short History of Africa,* Penguin, Londres.

ORTIZ, Fernando
(1916) *Los negros esclavos,* La Habana.

OTS CAPDEQUI, José María
(1950) *España en América. El régimen de tierras en la época colonial.* FCE, México.

PALACIO ATTARD, Vicente
(1945) *El tercer pacto de familia,* Madrid.

PARES, Richard
(1936) *War and Trade in the West Indies,* Oxford Univ. Press, Londres.

PARRY, J. H.
(1970) *El Imperio español de Ultramar,* Aguilar, Madrid.
(1971) *Trade and Dominion,* Praeger, N. Y.

PENSON, Illiam M.
(1929) *The West Indies and the Spanish-American Trade, 1713-1748.* (En Cambridge History of the British Empire, I, Chap. XI).

PEREYRA, Carlos
(1959) *El Imperio español* (en Historia de América Española), Editora Nacional, México, D.F.

PEREZ LUNA, Rafael
(1888) *Historia de Sancti Spíritus,* 2 vols., Sancti Spíritus.

PEREZ DE LA RIVA, Juan
(1935) *Inglaterra y Cuba en la primera mitad del siglo XVIII,* RBC, XXXVI, págs. 50-66.

PEREZ DE LA RIVA, Francisco
(1946) *Origen y régimen de la propiedad territorial en Cuba,* AHC, La Habana.

PEZUELA y LOBO, Jacobo de la
(1842) *Ensayo histórico de la Isla de Cuba,* N. Y.
(1859) *Sitio y rendición de La Habana,* Madrid.

PICON SALAS, Mariano
(1944) *De la Conquista a la Independencia,* FCE, México.

PICHARDO, Esteban T.
(1875) *Diccionario provincial casi razonado de voces y frases cubanas.* Imprenta El Trabajo, La Habana.
(1902) *Agrimensura legal de la Isla de Cuba,* (2da. edición), La Habana.

PITMAN, Frank W.
(1917) *The Development of the British West Indies, 1700-1763.* Yale University Press, New Haven.

PLAZA PRIETO, Juan
(1975) *Estructura económica de España en el siglo XVIII.* C. E. de Cajas de Ahorros, Madrid.

POLWORTH, Lord
(1739) *A State of the Rise and Progress of ours Disputes with Spain,* Londres.

RAMSAY, G. D.
(1957) *English Overseas Trade during the Centuries of Emergency,* MacMillan, Londres.

RAYNAL, Abate
(1781) *Histoire Philosophique et Politique des Etablissements et du Commerce du Européens dans les Deux Mondes,* (Vol V) Ginebra.

REDDAWAY, W. F.
(1929) *Rivalry for Colonial Power, 1660-1713. Rivalry for Colonial Power, 1714-1748. The Seven Years' War.* (Capítulos X, XII y XVI de The Cambridge History of the British Empire, I.)

RODRIGUEZ ELIAS, A.
(1935) *La escuadra de la plata,* Faro de Vigo, Vigo.

ROIG DE LEUCHSENRING, Emilio
(1929) *La dominación inglesa en Cuba* (Libro de Cabildos 1762-63), Municipio de La Habana, La Habana.

ROMERO DE SOLIS, P.
(1973) *La población española en los siglos XVIII y XIX.* Siglo XXI, Madrid.

ROSE, J. Holland
(1929) *Sea Power and Expansion, 1660-1763.* (The Cambridge History of the British Empire, I, cap. XVIII).

RUDE, George
(1972) *Europe in the Eighteenth Century,* Praeger, N. Y.

RUSSELL, Nelson V.
(1929) *The Reaction in England and America to the Capture of Havana, 1762.* HAHR, XII, págs. 303-316.

RUSSELL HART, Francis
(1935) *Admirals of the Caribbean,* Houghton Mifflin, Boston.

SACO, José Antonio
(1938) *Historia de la esclavitud de la raza africana en el Nuevo Mundo,* 4 vols. Colección de Libros Cubanos, Cultural, La Habana.

SCELLE, Georges
(1906) *La Traite négrière aux Indes de Castille, contraites et traités de assiento. Etude de droit public et d'histoire diplomatique puisée aux sources originales et accompagnée de plusieurs documents inédits.* 2 vols. De la Société du Récueil J. B. Sirey et du Journal du Palais, París.

SOLORZANO Y PEREIRA, Juan de
(1930) *Política indiana,* 5 vols. Buenos Aires, Madrid.

STENUIT, Robert
(1969) *Tesoros y galeones hundidos,* Juventud, Barcelona.

SUAREZ SOLAR, G.
(1948) *Relación documentada de la toma de La Habana por los ingleses,* AHC, La Habana.

TAYBO, Antonio C.
(1915) *Indice general de fundos y haciendas de la Isla de Cuba,* La Habana.

TEMPERLEY, H. W. V.
(1909) *The Causes of the War of Jenkin's Ear.* Royal Historical Society, Transactions, 3rd. Series, págs. 197-236, Londres.

THOMAS, Hugh
(1971) *Cuba. The Pursuit of Freedom.* Harper and Row, N. Y.
(1973) *Cuba: la lucha por la libertad,* 3 vols. Grijalbo, Barcelona.

TORRE, José María de la
(1857) *Lo que fuimos y lo que somos o La Habana antigua y moderna.* La Habana.
(1888) *El libro indispensable.* La Habana.

TREVELYAN, G. M.
(1945) *History of England,* Longman Green, Londres.

UBIETO, A. et al
(1970) *Introducción a la Historia de España,* Teide, Barcelona.

VIGNOLS, Leon
(1929) *L'Asiento français (1701-1713) et anglais (1713-1750) et le commerce franco-espagnol vers 1700-1730.* Revue d'Histoire economique et social, XVII, págs. 403-36.

WIEDNER, D. L.
(1962) *A History of Africa south of the Sahara,* Random House, N. Y.

WILLIAMS, Eric
(1944) *Capitalism and Slavery,* Univ. of North Carolina Press, Chapel Hill.

ZAPATERO, Juan M.
(1964) *La guerra del Caribe en el siglo XVII.* Instituto de Cultura Puertorriqueña, San Juan de Puerto Rico.

INDICE ANALITICO *

A

* El presente índice incluye las referencias correspondientes al texto y a los autores en él citados, con exclusión de las referencias contenidas en las notas y la Bibliografía. Los nombres de personas y de lugares aparecen en VERSALITA; los autores mencionados en el texto en *cursiva*, y los nombres de materias en tipo corriente.

** Para evitar confusiones en la toponimia, cuando se repite el mismo nombre en distintas jurisdicciones, se indica la localización en la forma siguiente: PP = Puerto Príncipe; R = Remedios; SC = Santa Clara; SS = Sancti Spíritus y Sg. C. = Santiago de Cuba.

GIARACO (Xiaraco).
GIBARA (Lagunas de), 168.
GIBRALTAR, 86, 90, 91, 112.
GIBSON DALZELL (Factor Joseph), 33, 90.
GICARA, La, 197.
GIGUANI (v. Jiguani).
GINAGUAYABO (R), 206.
GINÉS (Juan), 209.
GODOY (SC), 206.
GÓMEZ (Antonio), 207; (Gregorio), 207; (José Antonio), 124, 206; (Juan), 207; (Manuel), 207, 208, 214; (Manuel Antonio), 197; (Thomás), 208; (Vicente), 207.
GÓMEZ ALGARIN (Miguel), 8.
GONZÁLEZ (Andrés), 79; (Cristóbal), 209; (Eustaquio), 168; (Francisco), 145; (Gerónimo), 206; (Joseph), 11, 207; (Julián), 197; (Manuel), 187; (María), 160, 208; (Michaela), 207; (Miguel), 214; (Nazaria), 208; (Pedro), 209; (Rodrigo), 214; (Sebastián), 208.
GONZÁLEZ DE ALVERJA (Regidor Blas), 152, 207, 208; (Hilario), 197.
GONZÁLEZ BELLO (Domingo), 160, 207.
GONZÁLEZ CALONA (Juan), 207.
GONZÁLEZ DE LA CRUZ (P. Joseph), 137.
GONZÁLEZ DE IGLESIAS (Juan), 207.
GONZÁLEZ DE LA RIVERA (Francisco), 214; (Juan), 58, 214.
GONZÁLEZ DE LA TORRE (Juan), 13.
GONZALO, 197.
GOOD (Jorge), 24.
GOODMAN (Jorge), 24.
GORDAS, Las, 145, 197; (PP), 209.
GOVEA, 54, 55, 56, 178, 180.
GOVI (Thomás), 207.
GRACIAS A DIOS (PP), 209.
GRAMALES, Los, 197.
GRAN BRETAÑA, 16, 19, 20, 21, 71, 80, 82, 90, 100, 101, 111, 112, 118, 120, 121, 126.
GRANADA (Isla), 127.
GRANADILLAR, 197.
GRAFF (Lorenzo de, «Lorencillo»), 74.
GRANDE, Sitio (SC), 206.
GRAYDON (Almirante), 73.
GRECIA, 7.

GRIEGO (Cayetano), 208; (León), 208.
Griegos, 9.
GUA (Hato de), 165, 212; (río), 165.
GUABINAS, 160.
GUABATUABA, 12.
GUABARANAO, 150.
GUACURANAO (v. Guanabo).
GUADALUPE (Barrio habanero), 44, 47, 69, 143; (calzada de), 182; (R), 206.
GUADALUPE (Isla), 127, 128.
GUAJENAL, 168.
GUAINABO, 137.
GUAIQUIBA, 187.
GUAIRA, La, 91.
GUAJEN (R), 206.
GUAJURAYABO, 184, 197.
GUAMACARO, 44; (haciendas), 175, 196.
GUAMUTAS, 44, 138, 139, 197; (haciendas), 175, 196.
GUANABACOA, 11, 13, 44, 48, 53-54, 69, 135, 147, 148, 158, 181; (cabildo de), 149, 183; (escudo de), 53; (estancias de), 184; (Feria de), 54; (haciendas), 175, 196; (indios de), 135, 147.
GUANABACOA (PP), 209.
GUANABANABO (R), 206.
GUANABO, 146, 147, 178, 180, 184, 197.
GUANABO DE ABAJO, 197.
GUANABO DE ARRIBA, 178.
GUANACAXE, 185, 197.
GUANAJA, La (PP), 209.
GUANAJAY, 44, 70; (haciendas), 175, 196.
GUANAL, 197.
GUANAMACA (PP), 209.
GUANAMON, 145, 197.
GUANANO (SS), 208.
GUANAVISI (PP), 209.
GUANE, 2, 44, 47, 70, 145, 197; (haciendas), 175, 196.
GUANIANA (T), 207.
GUANIGIABO (T), 207.
GUANIGIBES (R), 206.
GUANILLAS, 197.
GUANTÁNAMO, 10, 66. 71, 92, 93, 95, 96, 97, 100, 103, 105, 106, 110, 111, 127, 194, 210; (hato de), 108, 210.
GUAOS, Los (T), 207.
GUARA, Sacramento de, 197.
GUARACABULLA (SC), 206.
GUARAGUASI, 146, 147, 197.

Guardacostas, 20, 79, 81, 86, 87, 89, 142, 215.
Guardacostas de Jamaica, 35.
GUARDIA (Joseph de la), 24.
GUAREIRAS, 138, 139, 153, 197.
GUAREYRAS (v. Guareiras).
Guarnición de La Habana, 112.
GUASIMAL, 187.
GUASIMAS, 138.
GUATA (SC), 206.
GUATAO, 178, 180, 197.
GUATEMALA, 17, 34.
GUAVEJE, 165.
GUAYABO LARGO, 139, 158, 161.
GUAYABOS (Arroyo), 159.
GUAYCABON, 94, 110.
GUAYCANAMAR (PP), 209.
GUAYJABON (Oriente), 41.
GUAYMARO (PP), 209.
GUAYMARILLO (PP), 209.
GUAYNABO (R), 206.
GUAYOS, Los (SS), 209.
GUAZO CALDERÓN Y FERNÁNDEZ DE LA VEGA (Gobernador de La Habana Brigadier), 4, 8, 32, 77, 79, 141.
GUBERT (Pedro), 15.
GÜEMES HORCASITAS (Gobernador de Cuba y Virrey de México Juan Francisco), 6, 13, 21, 22, 24, 27, 47, 52, 54, 58, 80, 81, 82, 83, 85, 86, 88, 103, 131, 142, 143, 205, 210.
Guerra de la oreja de Jenkins, 20, 23, 33, 71, 79-111.
Guerra de los siete años, 71, 87, 111-128.
Guerra de la sucesión española, 14, 16, 71-76, 141, 152.
GUERRA (Asensio), 209; (Bartolomé), 209; (Dionisio), 209; (Domingo), 209; (Juan), 208, 209; (Luis), 209; (Marcos), 209; (María), 209.
GUERRA ORTIZ (Juan), 32.
GUERRA DE SOCARRAS (Luis), 208.
GUEVARA (María), 10.
GUEVARA ANGULO (Pbtro. Cristóbal de), 31.
GÜEYBA (R), 206.
GUILISASTI (Juan Nicolás de), 27.
GUILLÉN (Salvador), 208, 214.
GUINEA, 14, 24, 26, 31.
GÜINES (San Julián de), 44, 48, 70; (haciendas), 175, 196.
GÜINES, Los, 146, 147, 148, 197; (SC), 206.
GÜINIA (SS), 208.

GÜINIA DE ABAJO (T), 207.
GUIPÚZCOA (Golfo de), 112.
GÜIRA, La, 152, 197; (Arroyo), 152.
GÜIRO, El, 146, 147, 197.
GÜIROS, Los (SS), 208.
GUTIÉRREZ (Antonio), 207; (Cristóbal), 207; (Francisco), 209; (Cap. Juan, 208); (Juan B.), 207; (Juan Joseph), 161; (María Candelaria), 207.
GUISA, 12.
GUTIÉRREZ RIVERA (Tte. Gobernador Francisco Joseph), 209.
GUZMÁN (Ambrosio de), 208; (Cap. Juan de), 168.

H

HABANA (Ciudad de San Cristóbal de La), 3, 4, 5, 6, 8, 9, 10, 14, 15, 18, 19, 20, 21, 22, 23, 27, 29, 30, 34, 41, 42, 44, 47, 48, 54, 66, 71, 72, 74, 76, 77, 79, 82, 83, 84, 85, 88, 91, 93, 94, 97, 99, 109, 110, 111, 112, 113, 114, 115, 116, 117, 118, 119, 120, 121, 122, 124, 125, 127, 128, 139, 143, 148, 158, 159, 163, 172, 177, 179, 180, 181, 185, 186, 191, 192, 201, 215; (Cabildo de), 4, 5, 13, 25, 53, 73, 123, 124, 131, 132, 135, 136, 138, 139, 140, 141, 142, 144, 145, 158, 170, 178, 181, 187, 191, 193, 194, 195, 201, 210, 215 (Gobierno de), 196; (haciendas), 197; (Jurisdicción de), 51, 132; (Ocupación inglesa de), 14, 29, 174; (provincia de), 176.
Hacendados, 191, 192, 193, 194, 202, 203, 204; (cuerpo de), 202.
Hacienda real (v. Real hacienda)
Haciendas, 59, 161, 175, 176, 177, 215; (comuneras), 133, 134; padrón general de), 175.
Haciendas (Demolición) (v. Demolición).
Haciendas ganaderas (Padrón general), 196.
HAMBURGO, 17.
HAMILTON (P.), 92.
HANABANA, 44, 135, 137, 138, 139, 140; (Asiento viejo), 139; (haciendas), 175, 196; (Sábanas de), 139.

Este sexto volumen de la obra
CUBA: ECONOMIA Y SOCIEDAD
se terminó de imprimir el día
20 de mayo de 1978,
en el complejo de
Artes Gráficas MEDINACELI, S.A.,
General Sanjurjo, 53
Barcelona-25 (España).

LA HABANA DE 1762 DURANTE
EL ATAQUE BRITÁNICO

Reconstrucción por un artista español